OBAMA
오바마
약속에서 권력으로

OBAMA
오바마
약속에서 권력으로

데이비드 멘델 지음 ┃ 윤태일 옮김

한국과 미국
도·서·출·판

오바마

초판 1쇄 인쇄 2008년 6월 13일
초판 3쇄 발행 2008년 11월 13일

지은이 | 데이비드 멘델
옮긴이 | 윤태일

펴낸이 | 윤태일
펴낸곳 | 도서출판 한국과 미국 〈올리브M&B(주)〉
출판등록 | 제22-2372호(2003년 7월 14일)
주   소 | 서울특별시 금천구 가산동 60-15 삼성리더스타워 1404호
전   화 | 02-3477-5129
팩   스 | 02-599-5112
홈페이지 | www.olivemnb.com

진   행 | 권미나
디자인 | 디노디자인
교   정 | 배규호

ISBN 978-89-90673-13-8 03040

늘 도덕적 용기의 본보기가 되어 주신
내 아버지께 바칩니다.

글쓴이의 말

이제는 많은 사람들이 잘 알고 있는 버락 오바마(Barack Obama)는 지난 45년의 인생을 자신의 시각에서 자세히 서술한 두 권의 책을 집필한 적이 있다. 언젠가 내가 이 책《오바마, 약속에서 권력으로》를 만들기 위해 인터뷰하던 중에 오바마의 한 친구가 내게 이렇게 물었다. "당신이 오바마에 대해 덧붙여 쓸 만한 이야깃거리가 그리 많지 않았죠?" 실제로 오바마의 신상에 관한 이야기는 800페이지가 넘은 분량을 통하여 남김없이 잘 소개되어 있다.

이 책을 통해 나는 오바마 자신의 눈을 통해 걸러진 것들에 또 하나의 시각, 즉 외부에서 바라본 다양하고 사실적인 시각들을 추가하고자 애썼다. 또 오바마가 열어 둔 이야기의 공백들을 나 자신의 관찰들과 그의 삶 속에 등장하는 중요한 사람들의 이야기를 정리하여 채우고자 노력했다.

나는 대선 출마를 발표하기까지 오바마의 정치 경력 전반에 대해 설명하려고 노력했으며, 그가 미국 정계의 거친 파도 속에서 어떻게 자리를 잡았고, 어떻게 이 거대한 물결의 정점까지 올라왔는가를 보여주려 했다. 그러나 무엇보다도, 재능 있고 대단한 노력가인 한 인간이 비교적 무명이었던 과거로부터 현재의 정치 슈퍼스타로 급상승한 과정을 사실적이고 솔직하게 그리고 싶었다. 또 나의 개인적인 생각들을 너무 많이 개입시켜 이야기의 주제를 흐리게 하지 않으려 노력했다. 나는 몇 년 전 우연히 뛰어들어 함께 보냈던, 오바마의 지난 여정, 믿기 어렵고 험난했던 지난 여정으로 독자들을 단지 안내하고 싶었다.

그 과정 내내 내가 균형을 잃지 않도록 도와 준 많은 이들에게 감사한다. 나의 저작권 대리인 짐 혼피셔는 이 프로젝트를 처음부터 가능성 있다고 판단한 사람들 중 하나였는데, 초고부터 탈고까지 계속된 그의 도움은 그 가치를 따질 수 없을 만큼 소중했다. 이 책을 출판해 준 아미스타드의 편집장인 스테이시 바니의 열정과 선견지명에도 감사한다. 이 이야기를 써 나가는 동안 겪었던 여러 번의 어려운 순간들마다 나를 격려해 준 다운 데이비스에게도 감사한다. 로라 클라인스트라는 책의 표지를 정말 멋지게 디자인해 주었다. 또 적당히 엄격하면서도 나를 많이 이해해 준 이 책의 최종 편집자인 라케쉬 사트얄은 일을 빈틈없이 처리하는 중에도 따뜻한 배려를 아끼지 않았는데, 처음으로 함께 일하는 저자에게 인내심을 발휘해 준 데 대해 특히 감사하고 싶다.

이야기를 들려주고 만남을 허락해 준 오바마와 관련된 모든 분들에게 감사한다. 로버트 깁스, 데이비드 액슬로드, 댄 쇼몬, 줄리안 그린, 짐 컬리, 피트 지안그레코, 마야 소에토로 응, 미셸 오바마, 그리고 특별히 버락 오바마에게 가장 큰 감사를 표하고 싶다. 제프 젤레니, 벤 웰레스 웰, 로리 에이브러햄, 그리고 린 스위트를 포함하여 여러 저널리스트들은 오바마와 관련된 자료를 모으는 데 큰 도움이 되었다.

감사를 표하고 싶은《시카고 트리뷴》의 내 동료들은 셀 수 없이 많다. 잠깐 그 이름들을 나열해 본다. 행크 그래토, 앤 매리 리핀스키, 조지 드 라마, 밥 섹터, 짐 웹, 마이크 타켓, 존 체이스, 리암 포드, 존 맥코믹, 레이 롱, 릭 피어슨, 피트 소우자, 릭 커게인, 그리고 플린 맥로버트와 키프로스 형제회분들. 지금은《로스앤젤레스 타임즈》에 있는 짐 오시아에게 이번 출판을 축하해 준 데 대해 감사한다. 단편적인 생각들을 모아 줄거리를 엮어가는 동안, 내가 떠들어 대는 소리를 매일 들어 준 다넬 리틀에게 매우 감사한다.

산 정상까지 잘 올라올 수 있도록 도와준 여러 언론인들께도 고마움을 표시하고 싶다. 다시 한 번 짧게 이름들을 나열해 본다. 스티브 로스, 존 콜, 스티브 베니시, 수잔 비넬라, 앱든 팔라시, 레지나 월드롭, 아멜리아 제퍼슨 그리고 짐 베빙턴. 나에게 늘 자극을 준 좋은 친구들, 마크 애덤즈, 그렉 드살보, 그리고 데이브 도랜, 또 글랜 감보아 없이는 이 책이 만들어질 수 없었을 것이다. 초기에 영감을 주고 격려해 준 숀 테일러에 대한 감사는 말로 다 표현할 수가 없다. 마지막으로 순수하기 그지없는 내 아들 네이선은 앞이 안 보이는 막막한 순간들마다 나를 혼돈에서 꺼내 주었다.

CONTENTS

제1장

비상

"여러분 나는 르브론(LeBron)입니다."

– 버락 오바마

버락 오바마를 잘 아는 사람들에게는 이상하게 들리겠지만, 2004년 7월 27일 오후 오바마의 어기적대는 걸음걸이는 평소에 비해 건방지기까지 했다.

여름날의 따뜻한 햇살이 보스턴(Boston) 다운타운을 강렬하게 내리쬐던 어느 날, 오바마는 기자들과 보좌관, 그리고 여러 친구들로 이루어진 스무 명이 넘는 사람들을 이끌고, 체인보호대로 둘러싸인 거대한 실내종합경기장인 플리트 센터(Fleet Center)로 들어섰다. 마흔두 살의 나이에 아직까지도 길거리농구를 즐기는, 막대처럼 비쩍 마른 고등학교 농구선수 출신인 오바마. 그는 마치 승부가 걸린 자유투를 던지기 위해 라인을 향해 다가가는 선수처럼 상체를 움직이며 앞으로 걸어갔다. 그는 이 자유투가 성공하게끔 운명 지워졌다고 믿었다. 몸통을 뒤로 젖히고, 머리를 꼿꼿이 세운 채 앞으로 걸음을 내디딜 때마다 푸른 정장을 입은 그의 몸은 좌우로 움직였다. 그는 평소에도 자신감이 대단한 사람이었지만 오늘따라 유달리 더 자신감이 충만한 이유가 있었다.

법대의 강사이자 일리노이 주 의원이기도 한 오바마는 앞으로 몇 시간 후면, 유명한 2004년의 민주당 전당대회 기조연설을 통해 전국 정치무대에 첫 발걸음을 시작하게 되어 있었다.

바야흐로 오바마의 전성시대가 찾아온 것이다. 이 연설은 바로 일주일 전 통보되었는데, 예상보다 빨리 그리고 우여곡절 끝에 갑자기 찾아온 기회였다. 비로소 그는 최고 엘리트 리그에서 경쟁할 수 있다는 것을 세상에 입증해 보일 절호의 기회를 한 손에 쥐게 된 것이다.

이미 9개월 이전부터, 《시카고 트리뷴Chicago Tribune》 기자로 일하며 오바마를 취재해 오고 있었으므로 그와 안면이 있었던 나는, 이 날 멀찌감치 떨어져 버락 오바마 시대의 개막을 지켜보았다. 하지만 매사에 의심 많은 신문기자로서 나는 행사가 잘 마무리되리라고 확고히 믿은 것은 아니었다. 나는 그의 당당한 걸음걸이가 어느 쪽으로 귀결될지, 즉 승부를 가르는 그의 자유투가 농구 골대의 림(rim)에 부딪쳐 튕겨나가 버리고 말 것인지 아니면 가뿐히 림을 통과해 전국에 그의 이름이 울려 퍼지게 될 것인지 이리저리 그려보고 있었다.

보안검색 장치를 빠져 나온 후 사람들의 환호가 잠깐 멈췄을 때, 나는 그의 옆으로 다가가서 "당신은 영향력 있는 여러 사람들에게 강한 인상을 심어 주고 있는 것 같다."고 말해 주었다.

오바마는 시선을 정면에 고정한 채 말했다.

"저를 보십시오. 저는 르브론(LeBron)입니다." 오바마는 거침없이 말했다. 당시 NBA(미국프로농구)에서 번개 같은 놀라운 슛을 날리던 농구 천재 소년 르브론 제임스를 가리키는 말이었다. "저는 그 선수처럼 뛰어난 경기를 펼칠 수 있습니다. 저는 자신 있습니다."

하지만 나는 확신이 없었다. 오바마를 뒤따르는 무리 속에 다시 섞이게 된 나는 그와 절친한 마티 네스빗(Marty Nesbitt)에게 말을 걸었다. 그

는 전당대회가 열리는 일주일 동안 오바마와 함께 시카고(Chicago)에서
부터 날아와 동행하는 중이었다. 나는 네스빗에게 언론의 관심과 정치
적 부담을 극복하고 그의 친구 오바마가 얼마나 잘해 낼 수 있을 것이
라고 생각하는지 물어보았다. "이번 주 초 테드 코펠(Ted Koppel)과의
인터뷰도 멋지게 해 내지 않았습니까?" 네스빗이 되물었다. "버락을 보
고 있으면 오하이오(Ohio) 주에 있는 모교 고등학교 농구팀의 한 선수
가 떠오릅니다. 그 선수는 어떤 식으로든 그의 의도대로 경기를 끌어갔
습니다. 게다가 우리가 필요로 할 때면 언제든지 득점했습니다. 항상
요."

그날 저녁 오바마는 미국 무대에 화려하게 등장했다. 그는 몇몇 보수
적인 논평가들조차도 인상적이었다고 인정할 정도로 감동적이고 역사
적인 기조연설을 했다. 그는 명료하고, 힘 있게 울리는 풍부한 성량의
바리톤 목소리로, 그가 사랑하는 할머니의 인생철학이자 어린 시절이
후 깊이 심취해 온 철학적 소신을 펼쳐보였다. 그는 미국이 좋은 사람
들이 사는 곳이고, 분열하기보다는 화합하는 국민성을 가진 시민들의
나라이며, 평등, 자유와 기회라는 공동의 지향 아래 모두가 하나로 뭉
친 나라라고 설파했다.

"자유주의자의 미국, 또는 보수주의자의 미국이란 존재하지 않습니
다. 다만 미국이 존재할 뿐입니다. 흑인의 미국 또는 백인의 미국, 남미
인의 미국, 동양인의 미국 따위는 존재하지 않습니다. 오직 미국이 존
재할 뿐입니다. 우리는 하나의 국민입니다." 다양한 삶을 살았고 다양
한 주들로부터 모인 여러 인종의 민주당원들, 대회장에 운집한 그들의
눈에 뜨거운 눈물이 고였다. 그리고 플리트 센터 위층, 내 옆자리에 앉
아 있던 한 여자가 기쁨으로 격앙되어 "오, 맙소사, 이건 역사적인 순간
이다! 역사적이야!"라고 외쳤을 때, 나는 주변을 돌아보았다. 그리고

에너지와 감동에 찬 관중들 속에서 모두에게 큰 소리로 외치는 나 자신의 목소리도 들었다. "맞아. 오늘밤 버럭 당신은 진정 르브론이다."

2004년, 오바마의 본거지 일리노이 주는 정치·문화적으로 뚜렷이 양극화되어 있었다. 국가 전체적인 분위기 또한 마찬가지였다. 대통령 후보가 되고자 하는 민주당 지도자들은 2001년 9월 11일 테러리스트들이 뉴욕(New York)과 워싱턴(Washington)을 공격한 이후 아프가니스탄과 이라크에서 전쟁을 일으킨 조지 W. 부시(George W. Bush) 대통령을 앞 다투어 비판하고 있었다. 상원과 하원 양쪽에서 소수당으로서 설움을 겪은 민주당은 11월 선거 때 부시를 침몰시킬 강력한 후보를 절실히 원했다. 후보들 가운데 매사추세츠(Massachusetts) 주의 존 케리(John Kerry) 상원의원이 민주당의 공천을 따냈지만 절망에 빠진 민주당을 구하기엔 역부족이었다. 민주당에게는 케리가 보여 주는 것들 이상의 무언가가 절실히 필요했다. 당의 역사상 최대의 암흑기로부터 그들을 건져 낼 수 있는 정치적 구원자이자 사람들에게 영감을 불러일으킬 만한 인물이 필요했던 것이다. 분명 케리도 부족함 없는 후보이긴 했지만, 그의 천성적인 수줍음과 터벅터벅 걷는 스타일의 이미지는 대중의 마음을 자극해 이끌고 갈 만한 구원자 같은 모습과는 거리가 있었다.

미국은 이라크 전을 둘러싸고 뚜렷이 분열되었다. 그러나 민주당 내부는 그렇지 않았다. 처음에 전쟁을 지지했던 민주당 온건파들이 보기에도 9·11 이후 미국을 휩쓸었던 국가주의적 열병은 차츰 수그러들고 있었다. 대부분의 좌파 성향 당원들에게 이 전쟁은 애초부터 끔찍한 실수 이하의 그 무엇도 아니었다. 시카고와 샌프란시스코(San Francisco) 등의 여러 도시의 중심가에서는 수천 명의 사람들이 반전(反戰) 집회에 모여들었다. 어떤 일부 도시들에서 열린 전쟁 지지자들의 시위에 당내

스펙트럼의 다른 끝에 위치한 당원들을 끌어들이기도 했다. 시카고에서 열린 여러 반전 행사들은 대체로 반응이 좋았다. 급진적 젊은이들뿐만 아니라, 시카고 호수 쪽에 거주하고 있는 자유주의 성향의 기득권층 시민들도 더불어 반전 행사를 기획하고 참여했다.

17개월 전인 2002년 10월, 시카고 페더럴 플라자(Federal Plaza)에서 열린 한 반전 집회는 전 미 연방 상원의원인 폴 사이먼(Paul Simon)과 어떤 홍보 전문가에 의해 기획되었다. 이라크 전쟁을 '멍청한 전쟁'이라 생각하던, 당시 거의 무명이었던 일리노이 주 상원의원 오바마도 이 집회에서 호소력 있는 연설을 했다. 도시민들, 대학생들, 그리고 언론인들이 뒤섞였던 1960년대의 선배 시위대들처럼 이 행사는 청년과 장년 양쪽이 비슷하게 참가했다. 어떤 반전 시위는 좀 더 전투적인 양상으로 전개되었다. 어느 날 저녁 시카고 시내로 쏟아져 나온 시위대가 이 도시의 대동맥격인 레이크 쇼어(Lake Shore) 거리 일대를 마비시켜 버렸다. 목적지 없이 막연히 행진하던 시위대는 레이크 쇼어 거리에 이르자 폭동진압 장비로 무장한 시카고 경찰에 의해 포위되었고 결국에는 대부분이 체포되고 말았다. 2003년 봄, 수도 워싱턴에 거주하는 엘리트들의 언론인《워싱턴 포스트The Washington Post》는 점점 심해지고 있는 국내의 정치·문화적 분열을 조명하는 기사를 실었다. 그 기사는 한참 논쟁이 되기 시작했던 주제, 즉 이른바 레드 스테이트-블루 스테이트(red state-blue state ; 미 대통령 선거의 승자독식 현상) 논란을 다루고 있었는데, 정치권과 학계 양쪽에서 관심을 모으던 주제였다. 레드 스테이트란 공화당의 핵심 거점으로 주로 문화적으로 보수적인 기독교 백인들이 거주하는 주들을 일컫는다. 남부 지역 전체와 중서부 지역 대부분이 이 범주에 속했다. 블루 스테이트란 나라 전체에 비해 비교적 많은 수의 동성애자들과 소수인종 사람들, 그리고 고등교육을 받은 지식인들이 거주하는 민주당의 거점을 가리킨다. 서부 해안과 북동부 지역의 주들이 주로 블루(민주당을 뜻함 – 역자주)에 표를 던졌다. 이 레드–블루 관념은 너무도 많은 미국인들의 공감을 산 나머지 마치 하나의 당연한 진리인 것처럼 자리 잡아 버렸다. 양쪽 진영의 싸움은 워싱턴에서 벌어지고 있던 공화당과 민주당의 대결에서도 그대로 나타났다.

2003년 가을 선거 이후 퓨 리서치 센터(Pew Research Center)는 3년 동안 8만 명을 면접 조사한 후 연구 결과를 발표했다. 이 리서치에 의하면 미국 사람들은 정치·문화·종교적 입장이 크게 다르며 뚜렷한 양분화와 양극화 현상을 드러내고 있었다. 남부의 주들은 국내에서 가장 종교적인 지역이고, 주민들은 사회적으로 가장 보수적이며, 국가안보 문제에 있어서는 매파적 성향을 띠고 있었다. 한편 뉴잉글랜드(New England)와 태평양 연안에 살고 있는 사람들은 덜 종교적이고, 상대적으로 비둘기파적이고, 사회적 문제들에 관하여 덜 보수적이었다.

보스턴에서 민주당 전당대회가 열린 그날 밤, 이 모든 이질적 사연들을 한 몸에 갖고 있는 듯한 갈색 피부의 잘생긴 남자가 전국으로 방영되는 텔레비전 스크린에 나타나서 나라의 화합을 주창했다.

버락 오바마의 어머니는 캔자스(Kansas) 주 출신의 중산층 백인으로, 순진하고 방랑자적인 기질을 아들에게 물려주었다. 그의 아버지는 케냐(Kenya) 출신의 가난한 흑인이었는데, 서구의 교육을 받기 위해 미국으로 이주한 이민자의 삶을 경험했다. 오바마는 주로 백인들과, 몇몇 폴리네시아인들, 그리고 동양인들 틈에서 자랐다. 그는 독실한 기독교인으로 시카고 남부 출신의 흑인 여성과 결혼했다. 그는 시카고의 가장 가난한 동네에서 지역 사회운동가로 일했다. 그는 미국에서 최고의 법대에 진학했고, 교내에서 특출한 학생으로 두각을 나타냈다. 그리고 이후에 그는 미국 중서부의 주 의회에서 일하게 되었다. 그는 자기 자신이 "미국이란, 인종, 계층, 그리고 문화적 차이점들이, 서로 분열하는 곳이 아닌, 함께 섞여 하나의 완전한 공화국을 이루는 곳"이라는 비전 그 자체라고 생각했다.

같은 해의 좀 더 후에 그의 외할머니 메이들린 던햄(Madelyn Dunham)은 내게 말한 적이 있다. "오바마가 젊은 청년이었을 때, 인생에서 무슨 일을 하고 싶은지 물은 적이 있어요. 오바마는 '내가 이 세상에 왔을 때보다는 좀 더 나은 세상을 남기고 싶다.'고 말했습니다. 그 말이 이제껏 그 아이를 이끌어 온 빛이 아니었나 생각합니다."

오바마는 반론의 여지없이 항상 밝은 사회와 경제에 관한 정의감을 갖고 있는 사람이다. 그는 열렬한 진보주의자이었던 어머니의 영향을 받아 진지하고 사려 깊으며, 도덕적인 가치들을 중시하는 순수한 면모를 갖고 있다. 하지만 그는 스스로 자주 쓰는 말이지만 "약자들에게 목소리와 힘을 실어 주고자" 노력하는 단순히 개혁적이기만 한 몽상가는 아니다. 훨씬 더 복합적인 내면을 갖고 있는 정치인이다. 그는 지금까지의 인생을 통해 상당히 다른 관점을 가진 가지각색의 사람들이 그에게 기대하는 것들을 정확히 충족시켜 주었던 뛰어난 재능을 가진 정치가이다. "확실히 그에게는 음양의 특성이 있습니다." 오바마의 최고 보좌관 로버트 깁스(Robert Gibbs)는 말한다.

오바마의 가족 계보는 미국 흑인들 대부분의 그것과는 사뭇 다르다. 또 그는 미국 흑인들의 전형적인 삶을 살지도 않았다. 그럼에도 불구하고 그의 피부 색깔과, 아내와 자녀들이 흑인이라는 이유 등으로 대부분의 흑인들에게 동지로 받아들여지고 있다. 또 백인 가정에서 자라고, 백인 엘리트 기관에서 교육받은 품위 있는 이미지와 외모에서 풍기는 신뢰감은 백인 전문 지식층에게도 어필한다. 그의 할아버지와 아버지는 서민층이었고, 오바마 또한 인생 대부분의 시기 동안 많은 물질적

부를 누려본 적이 없었다. 그래서 그는 중산층의 일상적 관심사들을 잘 파악할 수 있었는데 그들 관심사들의 대부분이 바로 자신의 관심사들이었기 때문이다.

또한 그의 대중친화적인 기질과 천성적으로 특이하지 않은 성품이 어쩌면 정치인 오바마를 이끌고 온 중요한 원동력일지도 모른다. 그곳이 흑인 교회이건, 주의회이건, 시골 농가이건, 오바마는 자신이 발 딛는 곳이라면 어떤 환경이라도 마치 그곳에서 평생을 살아온 것처럼 편안히 그곳의 분위기에 젖어든다. 그는 논리 정연한 논조와 사려 깊은 언행으로 삐딱한 언론인들까지도 그의 팬으로 만드는 능력을 갖고 있다. 그는 거의 언제나 당당한 자신감을 발산한다. 하지만 스스로를 비난하는 식의 유머 감각도 구사할 줄 알며, 적어도 공적인 자리에서는 필요 이상으로까지 자기 자신을 낮출 줄도 안다. 논쟁의 주제에 관해 말하거나 글을 쓸 때에도 그는 모든 관점들을 고려한 뒤, 위험한 발언을 피해 신중한 의견을 제시한다. 그의 의견은 종종 서로 전혀 다른 관점의 사람들이 동시에 자신의 의견과 일치한다고 여길 만큼 매우 보편적인 것일 때가 많다. 일상적인 유권자들과의 만남에 있어서, 그는 이해하기 어려운 정책을 알기 쉽게 풀어 논쟁보다는 의견의 일치를 구하는 대학교수의 스타일을 보여준다.

그에게는 대중들이 아직 잘 보지 못하는 이면들이 있다. 직업에서 오는 심리적 부담감 때문에 오만하고, 변덕스러우며, 독선적이고 가끔 가시 돋힌 행동을 할 때도 많다. 그는 자신에 대해 부당한 기사를 실었다고 여기는 기자들에게 차갑고 퉁명스럽게 대하기도 했다. 그는 설득력을 지닌 매력적이고 돋보이는 야심가이자 경쟁심이 많은 한 남자였으며, 마치 그에게 있어 성공의 한계란 존재하지 않는 듯 보였다. 실제로 그의 꿈틀거리는 야망은 너무도 강한 나머지 자신도 아직까지 내면의 모습과 계속해서 타협하는 중이다. 그의 이러한 욕구는 곁에 없는 그의 아버지가 케냐의 정치인으로서 그리고 가장으로서 양쪽에서 겪은 처절한 실패를 보상하려는 노력에서 기인한다. "그는 언제나 대통령이 되기를 원했습니다." 보스턴 연설 후 오바마의 가까운 친구 발레리 자렛(Valerie Jarrett)이 털어 놓았다. "그가 지금쯤 인정하고 있을지는 모르겠지만 나는 알고 있습니다. 그가 대통령이 되고 싶어 한다는 것을요."

2006년 12월 오바마가 고향 하와이(Hawaii)에서 휴가를 보내고 있던 중에 결국은 인정했던, 원대한 목표를 향한 그의 긴 여행이 시작되었다. 그리고 그 여정은 미국의 다른 정치인들과는 틀림없이 다를 것이다. 오바마의 박식함, 진정한 사명감, 그리고 성공을 향한 아프도록 강한 욕망, 이 모든 것들에도 불구하고 그 누구도 이 비상한 보스턴 스타(star)의 앞날에 가로놓인 미래를 완전히 예측하지는 못했다. 그리고 그 누구도 그것에 놀라지 않을 수 없었다. 그는 불과 몇 년 만에 이름 없는 주의원으로부터 가족휴가 때마저 파파라치들에게 쫓겨 다니는 전국적인 유명 인사가 되었다. 가족의 경제적 안정과 이제 정치적 경력을 쌓기 위해 그는 하루 서너 시간만 잠을 자가며 베스트셀러를 집필했다. 그의 표현을 빌자면 그는 '고통스러운 한 해'를 보냈다. 그는 사랑하는 아내와 어린 두 딸 곁을 떠나, 민주당이 의회를 다시 손안에 넣기 위해 필요한 수백만 달러를 전국에서 거둬들이는 일에 주말도 반납하고 모든 열정을 쏟았다. 주요 언론과 대안 언론은 백악관을 차지할 미국의 첫 번째 흑인 대통령으로서 오바마를 끊임없이 거론하기 시작했다.

시카고의 남쪽 지역으로부터 온 완벽히 신선하고 독특한 정치인은 미국 정치의 무대에 떠올랐다. 포용과 형제적 연민을 외치는, 어머니로부터 이어받은 오바마의 희망의 메시지는 정치라는 광활한 광장 한복판에 정확히 착륙했다. 끊임없이 '새로움'을 추구하는 이 나라에서, 오바마는 앞으로 몇 달 동안 언론의 집중적인 스포트라이트를 받을 것이다.

2년 동안 이 새내기 정치인은 상상을 초월하는 성공을 거두었다. 그는 자기 인종을 초월했으며, 진보주의자들을 매혹시키는 한편 보수주의자들에게 손을 내밀었다. 그는 신선함과 지성, 친화력으로 완고한 정치부 기자들을 매혹시켰다(적어도 그들 중 일부에게는, 그리고 적어도 한동안은). 그는 수백만의 미국 흑인들이 자랑스럽게 여기는 우상이 되었다. 또 그는 민주당을 대표하는 중요 인물이 되어 당내 입지를 굳혔다. 오바마는 어머니에게서 물려받은 "본질적으로 모든 인간은 동정심과 자비의 감정에 의해 서로 연결되어 있다."라는 긍정적 메시지를 제시하며 이를 정치적 비전으로 구체화해 나갔다. 그는 정치·문화적으로 토막난 나라에 화합의 메시지를 던졌다.

엄청난 속도로 전국 무대를 향해 질주하며 오마마는 캘리포니아(California)로부터 뉴햄프셔(New Hampshire)에 이르기까지 좌절감에 빠진 민주당원들에게 희망과 낙관주의의 에너지를 공급했다. 오바마의 갑작스런 비상(飛上)은 미국의 인종·정치·문화·정신적 분열을 복구시켜 줄 지도자를 미국인들이 얼마나 갈망하고 있었는지를 여실히 보여주는 것이다. "그가 연설을 하기 몇 시간 전부터 민주당원들은 들떠 있었다."《시카고 트리뷴》의 기고가 클라렌스 페이지(Clarence Page)가 말했다. "왜 그런지 아는가? 그건 바로 제시 잭슨(Jesse Jackson)이나 알 샤프튼(Al Sharpton)이 아닌 민주당의 흑인 지도자를 갖게 되었기 때문이다. 우리는 좀 더 솔직해져야 한다. 이제 뭔가가 시작된 것이다. 지금 나라 전체에 '우리 모두 뭉쳐야 한다.'는 공감대가 있기 때문에 이미 이 메시지는 민주당을 뛰어넘었다."

2008년 대통령 선거에 그를 출마시키기 위한 운동은 인터넷과 할리우드(Hollywood) 유명인들, 그리고 전국의 대학 캠퍼스들로 확산되어

나갔다. 멀리서 벌어지는 전쟁이 많은 미국인들의 목숨을 앗아가며 피투성이 혼란 속으로 침몰하고, 국회가 무절제한 권력과 예산에 얽힌 추문으로 뒤덮이며, 공화당 대통령 조지 W. 부시의 정책에 국민들이 환멸을 더 느껴감에 따라 미국은 나라를 완전히 새로운 방향으로 이끌 목자를 맞이할 준비를 하고 있다. 존과 로버트 케네디(Robert Kennedy)의 빛나던 행복한 시절 이후로 그 어떤 정치가도 이만큼 국민들의 요구를 재빨리 파악해 낸 적이 없었다. 케네디와 비교해도 오바마의 인기를 온전히 설명하기는 힘들 것 같다. 로널드 레이건(Ronald Reagan) 이후로 그 어떤 정치가도 낙심한 유권자들에게 그토록 능란하게 자신의 긍정적 비전을 제시한 일이 없었다.

오바마와 그의 노련한 참모들은 광범위한 뉴미디어의 힘을 빈틈없이 잘 이용해 가며 오바마를 무명의 주의회의 의원으로부터 베스트셀러의 저자로, 또 연방 상원의원으로, 그리고 전국적 유명인으로 쏘아 올렸다. 이상주의자와 실용주의자의 양면을 겸비한 오바마는 워싱턴 정치 시스템을 비판하던 외부인에서, 워싱턴 순환도로 안의 정치시스템 내에서 경쟁하는 내부인 으로 하루아침에 자리를 옮겨갔다. 그는 외부인인 동시에 내부인이 되었다.

어디를 가든 오바마는 수천 명 군중을 감동시켰다. 그는 2006년도 내내 전국 온갖 잡지 표지들, 신문의 제1면들을 장식했다. 그를 늘 격려해 주었던 오바마의 어머니처럼, 거의 모든 언론인들도 그에게서 뭔가 특별한 것을 봤다. "이건 뭔가 전에 한 번도 본 적이 없는 것입니다." 전보좌관 줄리언 그린(Julian Green)이 말했다. "언론들 중에도 열렬한 팬이 있습니다. 이전 다른 정치인들은 단 한 번도 겪은 적이 없는 일입니다." "오바마를 꿈꾸며", "큰 기대", "버락 오바마가 차기 대통령이 될 수도 있는 이유", 이런 종류의 헤드라인들이 그에 대한 미국인들의 관심을 더욱 증폭시켰다. 끝없이 방영되는 텔레비전 토크쇼들에게도 오바마는 정치인들 중 최고의 섭외 대상이었다. 그는 찰리 로즈(Charlie Rose)와 진지한 토론을 나눴고, 제이 레노(Jay Leno)와는 유머를 주고받았으며, 오프라 윈프리(Oprah Winfrey)에게는 (비교적) 속마음을 열었다. 그는 전미 유색인 지위 향상 협회(National Association for the Advancement of Colored People; NAACP)의 이미지 어워드(Image Award)와, 그의 인생을 담은 회고 영상물의 목소리 출연으로 그래미(Grammy)상을 수상했다.

스타를 좋아하는 이 나라에서조차 그 어떤 정치계 인물도 그렇게 강한 빛을 발하는 대스타 대열에 근접한 일이 없었다. "원래는 롤링 스톤즈가 이 파티에 오기로 되어 있었습니다." 2006년 12월 오바마를 보기 위해 각각 25달러씩을 낸 1,500명의 민주당원들을 향해 뉴햄프셔의 주지사 존 린치(John Lynch)는 말했다. "하지만 우리는 오바마 의원이 더 많은 티켓을 팔 것이라는 것을 깨닫고 롤링 스톤즈를 취소했습니다."

오바마는 미디어의 이러한 찬사들을 정치적으로 확실하게 그리고 내면으로도 수용했다. 하지만 한편으론 미디어의 집중적인 관심으로 인해 고통을 겪기도 했다. 그의 명성이 전 세계로 퍼져 나가고 그의 공적인 인생이 맹렬한 속도로 달리게 되면서 그에게 익숙했던 세계는 뒷전으로 밀리고, 그는 점점 산소가 부족한 인기의 거품 안에 갇히게 되었다. "예를 들어서 나는 이제 더 이상 혼자 거리를 걸으며 지나치는 행인들을 구경할 수 없다. 그리고 그것은 참 받아들이기 힘든 일이다."라고 그는 안타까워했다. 그는 공적인 발언과 이미지 관리에 더욱 신중을 기하고 기자들의 접근을 조심성 있게 제한하게 되었다. 잡다한 법안들을 후원하고 통과시키던 오바마는 이제 논쟁에 휘말릴 만한 어떤 이슈도 피해가게 되었다.

그는 점차 그의 핵심 보좌관과 가족, 그리고 지인들에게 더 많이 의지하게 되었고, 또 그들은 점점 더 오바마를 변호하는 입장을 취하게 되었다. "가족인 우리들에게 그는 변한 게 없어요." 케냐에서 태어난 그의 이복 여동생 아우마 오바마(Auma Obama)는 말했다. "그러나 주변 사람들은 변했습니다. 그에게도 약점이 있기 때문에 주위 사람들은 전보다 더 그를 보호하려 해요." 오바마라는, 하늘을 향해 쏘아 올려진 성공의 로켓에 함께 탄 보좌관 팀 역시 무거운 이 부담감을 함께 느꼈다. 오바마의 최고 미디어전략가 데이비드 액슬로드(David Axelrod)의 말이다. "뭐랄까, 마치 귀중한 도자기를 품에 안고 군중 한가운데로 걸어가는 오바마가 도자기를 떨어뜨리지 않기를 바라는 것과 비슷한 것 같습니다."

액슬로드와 같이 오바마와 긴밀하게 일하는 보좌관들은, 비정상적 속도로 떠오른 오바마의 비상(飛上)이 지나치게 빠르지는 않았는지, 또 순수하고 가끔은 예민하기도 한 오바마가, 조급한 언론과 운동가들이 이미 본 궤도에 올린 대선(大選) 전쟁의 혹독함을 치러 낼 준비가 되었는지, 스스로 자문해 보았을 것이다. 데이비드는 한 순간의 붕괴를 언제나 노심초사하고 있다. 하지만 그때마다 오바마는 자신만만하게 코트 위로 걸어가 모든 걱정거리를 단번에 날리는 슛을 쏘아 주었다. 그리고 2007년 2월, 화제가 된 대선출마 결정 최종 발표를 통해 그는 지지자들을 감전시키고 분석가들의 찬사를 이끌어낸 또 하나의 연설로 한 번 더 슛을 쏘아 주었다.

뼛속까지 얼어붙는 일리노이 스프링필드(Springfield)의 어느 겨울날 아침, 수개월 동안의 깊은 고민 끝에 마침내 오바마는 새로운 리더십을 요구하는 미국의 갈망에 부응하여 응답했다. 추위에 덜덜 떨며 올드 스테이트 캐피톨(Old State Capitol) 건물밖에 모여든 약 1만 7,000명의 시민들 앞에서 오바마는 대통령 출마를 선언한 것이다. 에이브러햄 링컨 (Abraham Lincoln)이 일리노이 의원으로 있었던 의사당 건물 앞, 노예 반대에 관한 그의 유명한 연설인 '분열된 집'이 1858년에 낭독되었던 그 장소, 그는 그가 서 있는 장소에 서려 있는 역사적 의미를 부활시켰다. 그는 이제 미국이 새 세대의 리더십을 맞이할 때가 왔고, 이라크에서 철수할 때가 되었으며, 화합하기 위한 준비가 되었음을 다시 한 번 주장했다. 그는 나라의 화합을 외쳤던 오래 전 링컨의 메시지와, 사람들의 나쁜 점보다는 좋은 점만 보는 어머니의 사랑스러운 인성을 융합시켰다.

"나라를 변화시킵시다." 그는 자신감과 결의에 찬 목소리로 말했다. "바로 이곳에서 우리는 기분 나쁘지 않게 반대하는 방법을 배웠습니다. 우리가 결코 타협될 수 없는 원칙들을 인지하고 있는 한, 서로에게 귀 기울일 의지를 간직하는 한, 그리고 우리가 악의보다는 선의를 기준으로 서로를 판단하는 한, 우리는 하나가 될 수 있습니다. 깡마르고 키 크고 자수성가한 법률가의 인생을 보면 우리에게 다른 미래가 가능하다는 것을 알 수 있습니다. 온갖 인종과 지역, 믿음과 신분들 간의 차이점 아래 우리는 모두 한 국민이라는 것을, 또 그렇게 믿는 우리의 신념 속에는 강한 힘이 존재한다는 것을 그는 우리에게 말해 줍니다. 희망 속에 힘이 있다는 것을 말해 줍니다."

점차 늘어 가는 오바마 추종자들에겐 지금껏 기다려온 바로 그 순간이었다. 이들에게는 그가 워싱턴 진출을 기점으로 공격적이고 진보적인 성향의 정치인으로부터 좀 더 계산적이고 신중한 정치인으로 슬그머니 극적인 선회를 했다는 점, 철학적으로 새로운 것을 제시했어야 한다는 점, 자신을 "다양한 국민들의 색깔을 투영해 낼 빈 스크린"이라고 주장하고 있는 점, 또 유명해질수록 점점 더 낡아빠진 정치가들처럼 상투적으로 말하며, 따뜻하고 푸근한 감정으로 접근할 뿐 구체적인 정책이 결여되어 있다는 점 따위들은 중요하지 않은 듯했다. 또 연방 상원의원으로 있던 2년 동안 그의 영향력으로 통과시킨 중요한 법안이 단 하나밖에 없다는 점, 또는 풍족히 축적한 그의 정치 자금이 그가 신념을 품어온 단 한 가지의 논쟁적 이슈들을 위해서도 쓰이지 않았고, 그가 어떻게 해서든 충돌을 피해 왔다는 점들도 역시 그들에게는 중요하지 않아 보였다. 실제로 오바마는 연방 상원의원 첫 해 동안 자신이 가장 관심을 갖는 문제들에 대해서마저, 조심스럽게나마 의견을 표명하기 전에 신중한 그의 보좌관들과 논쟁을 거쳤다. 카트리나(Katrina) 허리케인이 남긴 충격으로 불거져 나왔던 인종적, 경제적 이슈들이 그런 문제들 중 하나였다.

하지만 꺾이지 않는 자신감과 부정할 수 없는 지성, 그를 말할 때 빼놓을 수 없는 혼혈 인생 스토리가 오바마를 미국의 가장 매력적인 정치인 상(像)으로 변화시켜 놓았다. 다양한 정치적 신념의 유권자들에겐 어쩌면 분열 상황에 처해 있는 나라의 리더십을 치유할 해결책이 오바마에게 있어 보였다. 미국인들이 내일에 대한 걱정에 사로잡혀 있을 때 더 나은 내일을 설득력 있게 이야기하는, 실질적이면서도 꿈을 꿀 줄 아는 정치인이 등장한 듯 보였다. 게다가 자신감, 개성과 그가 늘 말하는 희망의 완벽한 조합을 가져다주고 사람들을 끌어당기는 지도자로 받아들여졌다. "사람들은 그가 이루어 놓은 것들을 보고 오바마에게 오지 않습니다." 중도정책을 추구하는 민주 리더십 자문회(Democratic Leadership Council)의 브루스 리드(Bruce Reed)가 말했다. "사람들은 오바마가 제시하는 희망을 보고 그에게 오는 것입니다."

그게 운명적이건 계획적이건, 야망에 의해서건 대의를 위해서건, 버락 오바마는 일생 최대의 여행을 시작했다. 그 길을 미국과 함께 가기로 한 그의 결심은 확고해 보인다. 오바마가 2008년에 있을 민주당 대통령 후보 경선을 향한 당찬 출발을 한 뒤에도 중대한 의문점들은 사람들 사이에 남아 맴돌고 있다. 오바마는 정확히 어떻게 그런 먼 거리를 그렇게 짧은 시간에 달려올 수 있었으며, 그게 혹시 지나치게 이른 것은 아니었을까? 그것은 정말 오바마의 실체일까, 아니면 미디어의 과장일 뿐일까? 그가 백악관에 거주할 만한 경륜과 강인함을 갖고 있을까? 부모 세대의 인종적 결합은 그에게 있어 정치적 장애일까, 자산일까, 아니면 인종 문제에 관한 한 아직 가치관이 혼란스러운 이 나라에서, 양쪽 모두일까? 언론은 눈 깜짝할 사이에 사람들에게 힘을 부여해 주는 능력을 갖고 있다. 오바마에게 그렇게 한 것이 과연 잘한 일이었을까? 이상에 가까운 포용의 메시지를 전하는 이 젊은 상원의원이 과연 끓는 가마솥 속과 같은 대통령 자리에서 살아남을 수 있을까? 또는 오바마는 자신의 불타는 야망에 의해 스스로 희생되고 말지 않을까? 변덕스러운 언론은 변덕스러운 오바마를 만들게 될까? 그리고 무엇보다도, 현재 유권자 표심의 견고한 한 부분이 오바마의 매력에 사로잡혀 있는 것은 사실이지만, 그렇지 않은 나머지 사람들도 그의 메시지에 동의하고 세계적으로 가장 중요한 리더십을 이 신출내기에게 위임하게 될까?

제2장

어머니로부터의 꿈

나의 어머니는 내가 알고 있는 사람들 중에서 가장 친절하고 가장 관대한 마음을 가진 사람이다. 그리고 내가 가진 최고의 것들은 모두 어머니에게서 온 것이다.

– 버락 오바마가 어머니, 앤 던햄(Ann Dunham)에 대한 기억을 술회하며

버락 오바마는 20대 중반 지역단체 조직자로서 일을 하기 위해 시카고로 온 후 선거사무실을 준비했다. 그는 20대 후반 하버드 법대 대학원(Harvard Law School)을 졸업하고 30대 초반에는 방대한 회고록을 집필했다. 그 책은 《내 아버지로부터의 꿈Dreams from My Father: A Story of Race and Inheritance》이라는 제목의 책이었는데 랜덤하우스(RandomHouse) 출판사에 의해 1995년 맨 처음 발행되었다. 제목이 말해 주듯이, 이 책은 동아프리카 출신인 아버지와의 연관 속에서 오바마의 인생을 연대순으로 보여 주고 있으며, 미국의 다양한 인종 사이에서 자기 자신의 인종적, 내면적 정체성을 찾기 위해 방황했던 오바마의 노력을 잘 보여 주고 있다. 미국 중서부에서부터 하와이로 이주하기까지 그의 어머니와 외가쪽 조상들의 가계를 조사해 보고, 그리고 오바마가 두 살 때 그와 어머니를 버리고 떠난 아버지의 인생과 친가쪽 조상들을 더욱 깊이 탐구한 후에야 마침내 오바마의 정신세계는 안정을 찾을 수 있었다.

오바마는 처음부터 이 책을 저작권 대리인과 출판사에 팔려고 한 것은 아니었다.

오바마는 그 사람들에게, 저명한 하버드 법대 학술지《하버드 로 리뷰Harvard Law Review》최초의 흑인 편집장으로 일할 때의 경험을 이야기한 적이 있었다. 그 당시 오바마는 겨우 서른세 살의 겸손한 청년이었는데 법대 학술지 편집장이 그가 유일하게 자랑스럽게 내세울 수 있는 작은 경력이었다. 더구나 서른세 살의 나이에 자신에 대한 회고록을 출판하려는 시도는 주제넘은 것처럼 보일 수도 있었다. 하지만 오바마는 이를 무릅쓰고 집필을 시작했고 자전적인 회고록이 세상에 나오게 된 것이다.

회고록은 1995년 출판된 후 수천 권이 팔렸고, 반응이 엇갈렸지만, (한 비평가는 그 책이 너무 딱딱하고 제멋대로라고 말했다.) 대체로 긍정적인 평가를 받았다. 그러다 그 책은 조용히 사라졌다. 그러고는 몇 년 동안, 작은 개인 서점이나 흑인 관련 서적만 취급하는 서점의 한 귀퉁이에 숨겨져, 아주 구하기 어려운 책이 되었다. 그러다가 2000년 초반, 세계 전역의 벼룩시장에 있는 중고 물품을 파는 인터넷 웹사이트에 등장했는데 여기선 중고 문고판 서적이 4달러나 5달러 정도로 거래되고 되었다. 아무리 봐도 회고록은 그다지 관심을 끄는 베스트셀러가 아니었다. 하지만 오바마가 2004년 민주당 전당대회에서 기조연설을 한 후 나라의 지도자를 목표로 하겠다고 천명하자 폭발적 반응이 일어났다. 랜덤하우스 출판사는 재빨리 재판을 내고 적극적인 판촉 활동을 시작했는데, 그러자 이 책은 단숨에 베스트셀러 목록에 올랐다. 이후 이 책은 12주 동안 베스트셀러 목록에 머물면서 오바마에게 인생 처음으로 재정적인 여유를 안겨 주었다.

대학에서 닥치는 대로 책을 읽기 시작했던 오바마는, 전업으로 글을 쓰는 것에 대해 진지하게 생각했는지는 분명하지 않지만, 취미로 글을 쓰기 위하여 몇 가지를 구상한 적이 있었다. 오바마 자신은 소설에는 결코 손을 대본 적이 없다고 말했지만 다른 사람들은 그렇지 않다고 했다. 나는 오바마의 연방 상원의원 예비선거운동 중 그에게 가장 좋아하는 작가가 누구냐고 물은 적이 있었다. 그는 비평가들로부터 큰 호평을 받고 있으며 거침없이 말하는 정치적 진보주의자인 E. L. 독터로우(E. L. Doctorow)를 꼽았다. 그 다음날, 다른 문제로 전화 통화를 하던 중, 그는 자신의 대답을 바꾸고 싶다고 말했고 가장 좋아하는 작가는 윌리엄 셰익스피어라고 말했다. ("독터로우가 무시당했다는 느낌을 받지 않기를 바란다."고 말하는 것이 안전할 텐데) 일부 정치인들은 깊이 사색하는 사람이라는 인상을 주기 위해 현재 침대 옆 작은 테이블 위에 장식용으로 놓여 있는 고상한 작품을 언급하는 것으로 기자들 사이에서 악명 높았다. 하지만 대부분의 정치인들이 침실의 등을 끄기 전 셰익스피어의 어려운 작품을 읽는다는 것은 상상하기 어려운 일이다. 그러나 오바마의 박학한 지식과 깊이 있는 글들은 그러한 대답이 정말일지도 모른다는 생각을 갖게 하기에 충분했다.

시카고 최남단 지역에 사는 가난한 흑인들의 직업 재훈련을 돕기 위하여 오바마를 시카고로 불러들인 지역단체 활동가인 제리 켈먼(Jerry Kellman)은 오바마가 이 세계에서 저 세계로 또는 이 장소에서 저 장소로 넘나드는 자유로운 상상력과 풍부한 감성을 가졌다고 말한다. 이런 자아는 흔하게 볼 수 있는 게 아닌데 그 자체로 좋은 소설거리가 되기도 한다. 요컨대 오바마는 몽상가라 볼 수 있다. 오바마의 창작 작업에 대하여 켈먼은 "그는 직업으로서 글 쓰는 것을 이야기해 본 적이 없다. 왜냐하면 그건 완전히 다른 이야기이기 때문이다. 그는 글 쓰는 일은 사색하는 수단 – 예술, 감정을 탐사하는 일 등 – 으로 생각한다고 이야기했다."라고 말했다.

대학생활 초기를 뉴욕에서 지냈는데, 이때 오바마는 하얀 종이에 줄이 있던 메모장을 가지고 다니며 매일 일어나는 일들을 일기처럼 메모하기 시작했다. 그 메모장은 매일 발생하는 일들, 감정적 갈등 그리고 그의 주변을 오가는 다양한 사람들에 대해 개인적으로 관찰한 내용들을 간략하게 적어 넣었다. 나중에 그는 이 메모장을 가죽 표지로 싼 서류철로 만들었는데 이 메모들이 《내 아버지로부터의 꿈》이라는 회고록의 초안이 된 것이다. 개략적으로 보면 이 책은 미국 중산층의 한 젊은이가 멀리 떨어진 대륙에 사는 알지 못하는 자신의 뿌리에 대해 새롭게 발견하게 되는 이야기다. 혈육들을 만나고 혈통에 대해 자세히 조사함으로써, 오바마는 자신의 가계 속에서 그리고 여전히 인종과 문화 그리고 경제적 측면에서 분열되어 있는 미국 사회 속에서 소속감을 찾으려 노력했다. 그 이야기는 재미있는 일일지는 모르지만 인구통계학을 연구하는 많은 사람들에게는 그다지 특별할 것이 없는 이야기다.

그러나 흑인과 백인이 혼합된 가계를 가진 오바마는 약간 특이한 경우인데, 특히 이 경우는 미국에서 문화적, 인종적으로 자주 충돌을 일으키는 갈등 요소의 한가운데에 던져진 경우다. 더구나 오바마가 흑인이 거의 없고 대부분이 아시아계인 하와이에서 성장했다는 점은 그가 인종적 고독감을 느끼게 된 데 한몫을 했다. 실제로 회고록의 첫 도입 부분에서, 오바마는 종종 재정적, 교육적으로 그리고 기타 여러 가지 면에서 결핍되어 있는 전형적인 흑인들의 삶을 설명하기 어렵다고 인정했다.

이 점은 이 프로젝트를 진행하는 사람들에게는 난감한 일이었다. 회고록 도입 부분에서 다시 한 번, 오바마는 그의 책 출판 제의를 거절한 맨해튼의 출판사가 "결국, 당신은 혜택받지 못한 소외계층 출신은 아니지 않느냐?"라고 말했다고 썼다. 그가 어린 시절을 독특한 환경에서 보내긴 했지만, 오바마는 자신은 흑인들과 유전적 연관이 깊다고 주장한다. 그는 또 이렇게 말한다. "그래서 나는 미국에서 그리고 아프리카에서, 나의 흑인 형제자매들을 포용할 수 있으며 그리고 우리 흑인들의 다양한 투쟁을 언급함이 없이도 그들에게 같은 혈통이라고 분명히 주장할 수 있다. 이것이 내가 책에서 말하고자 하는 한 부분이다."

책의 핵심 메시지는 일관되게 낙관주의 및 다문화주의라는 정치적 이슈와 관련되어 있는데, 그것들은 절망, 수세기 동안 계속되는 전쟁에 대항한 희망이라는 주제, 그리고 인종, 문화, 여러 형태의 가족들 그리고 모든 사람들 사이에서의 조화라는 주제를 다루고 있다. 《내 아버지로부터의 꿈》의 표지에는 케냐를 방문한 오바마가 활짝 웃고 있는 밝은 색 사진이 들어가 있는데, 낙관주의를 상징적으로 표현하고 있는 것 같다. 이 사진은 오바마의 이복 여동생 아우마가 찍은 것이다. 오바마는 아버지의 작은 농장에서 할머니인 사라 온양고 오바마(Sarah Onyango Obama) 옆에 앉아 있고, 할머니는 머리에 하얀 스카프를 두르고 케냐 전통 의상을 입고 있다. 그녀는 활짝 웃으며 오바마의 깔끔하게 손질한 머리를 그녀의 손등으로 쓰다듬고 있다.

오바마의 회고록은 다른 정치인들의 전형적인 회고록보다 훨씬 솔직하고 자연스럽게 서술되었다. 그 이유는 오바마가 공직 출마를 확실히 결정하기 전에 이 책을 집필했기 때문이다. 즉 청소년 시절 파티, 젊은 여성과의 만남, 술과 마약 복용, 백인 제도에 대한 분노, 조직화된 종교에 대한 의구심 등에 관하여 미국의 젊은 흑인 청년의 생각과 움직임을 솔직하게 고백했는데, 정치 컨설턴트로부터 지나치게 솔직하다고 지적받을 만한 수준인 것 같다. 이 책은 오바마가 케냐의 한 친척으로부터 전화를 받아 아버지의 소식을 듣는 장면부터 이야기가 시작된다. 운전이 서툴렀던 오바마의 아버지는 교통사고로 돌아가셨다. 그 당시, 오바마는 스물한 살이었고 컬럼비아 대학(Columbia University)을 다니며 맨해튼(Manhattan)의 한 아파트에서 생활하고 있었다. 그는 그 전화를 받고 몹시 놀랐고 그 소식에 대해 감정적으로 어떻게 반응을 해야 하는지 몰랐다. 왜냐하면 아버지는 오바마가 어렸을 때, 하버드 대학에 진학하기 위해 오바마 가족을 버리고 떠났기 때문이다. 책은 오바마가 하와이와 인도네시아(Indonesia)에서 유년기를 보내고 일리노이 주 상원의원에 출마함으로써 정치에 입문하기 직전까지 그의 인생에 대해 매년 있었던 이야기를 풀어 놓았다. 도입 부분에 오바마는 이야기의 진행과 특정 인물들에 대해 신분을 보호하기 위해 그의 인생에 실제로 있었던 사람들에다 소설적인 등장 인물을 추가하고 가상의 대화를 삽입했다고 밝히고 있다. 이러한 문학적 장치는 개인 회고록에서 보기 드문 일은 아니지만, 정치적으로 보면 과장이나 또는 허구가 있다는 의심을 살 수 있고 오바마의 과거를 뒤지는 언론인들로 하여금 면밀한 검토를 해보고 싶은 충동을 갖게 할 만하다.

《내 아버지로부터의 꿈》은 오바마가 출마할 때 오바마를 알리는 수단이 되었고, 정치부 기자들에게는 기사의 소재로 활용되었다. 나는 《시카고 트리뷴》에 그의 연방의원 선거운동을 기사화하기 전, 그의 인생에 대해 집요하게 질문하곤 했다. 오바마는 내 질문에 대해 지친 나머지, 나에게 책에 대답이 있다며 답변을 회피해 버렸다. 오바마는 "나는 내 자신에 대해 400페이지나 썼다. 더 이상 나한테 무슨 질문을 하고 싶은 것인가?"라고 말했다. 내 일은 새로운 일화나 인용들을 얻어내고 그 책에 쓰인 이야기가 맞는지 알아내는 것이라고 설명하자, 그는 손을 내저으며 이해한다고 말했다. 그러나 주름진 이마와 자꾸 파고드는 태도 때문인지 그의 작가적인 자질 그리고 개인적 약점 등에 대해 내가 질문을 하는 것이 매우 불쾌한 듯 보였다. 그는 또 그 책이 매우 길다는 일부의 지적에 대해 "50페이지나 100페이지 정도 줄였어야 했다."라고 수긍했다.

오바마의 어린 시절 부분에는 (그는 미국 사람들의 호칭 문화를 따라 아버지가 그랬듯이 '배리Barry'로 불렸다) 그가 태어난 호놀룰루(Honolulu), 청소년 시기가 되기까지 몇 년을 지낸 가난에 찌든 자카르타(Jakarta), 청소년기를 보낸 하와이 시절이 생생하게 기록되어 있다. 오바마는 또 그의 성격 형성에 영향을 준 가장 중요한 사람들, 즉 어머니와 할머니, 할아버지에 대해서도 짧지만 자세히 묘사했고, 흑인 사회에 적응하기 위한 그의 몸부림, 시카고 최남단 지역 가난한 이웃을 돕는 지역단체 활동가로 일하던 중 겪었던 좌절에 대해 기록했다.

그러나 그 책의 핵심은 어린아이 시절에서 청소년 시절을 보내는 동안 불가사의하게 느꼈던 혈통에 대한 탐색이었다. 거기에는 지금은 돌아가신 아버지에 대한 이야기와, 초기의 야망을 성취하지 못하도록 방해한 것들이 무엇이었는지 등에 대한 이야기들이 전개되어 있다. 그의 부모 중 한 명이 말 그대로 그를 버렸으며, 그 후 어머니는 뭔가를 찾아 늘 떠도는 생활을 했기 때문에, 오바마는 자라면서 가끔 그의 친한 친구들과 비교해서 '고아' 같은 느낌이었다고 말했다. 오바마의 아내인 미셸(Michelle)과 친한 친구들은 그의 외로운 어린 시절과 부모의 빈자리가 대중의 관심을 끌고자 하는 그의 갈망을 불러일으키는 데 중요한 영향을 주었다고 이해하고 있었다.

어쨌든 오바마가 자신의 부모에 대해 면밀히 연구하고, 왜 그 아버지가 떠났는지에 대해 알고 싶어 했던 것은 당연했다. 이 책은 오바마가 케냐 근교에 있는 아버지와 할아버지의 무덤에 엎드려 흐느끼는 장면에서 최절정에 달한다. 여기서 그를 떠난 아버지에 대해 품었던 간절한 질문들에 대한 대답을 얻었고, 오바마 주위를 떠돌던 그분들의 영혼은 마침내 안식처를 찾았다. 오바마는 이렇게 썼다. "나의 눈물이 다 말랐을 때, 나는 평화로움을 느꼈다. 나는 나로부터 끊어진 고리가 이어지는 걸 느꼈고, 내가 누군지, 내가 무엇을 원하는지에 대한 대답이 단지 지식도 아니고 더 이상 단어들의 조합도 아니라는 것을 알았다. 나는 미국 속의 내 인생을 보았다. ─ 흑인 인생, 백인 인생, 소년이었을 때 느꼈던 버려진 느낌, 시카고에서 경험했던 좌절과 희망 등 ─ 이러한 모든 것들은 지구와 바다 멀리 아주 작은 이야기들과 연결되어 있고, 사건들은 연관되어 있으며 내 피부색 이상의 의미를 담고 있었다."

자신의 아버지에 대한 오바마의 글을 통해 나는 그의 인생에 대해 많은 정보를 얻었다. 그러나 오바마의 아내 미셸은 나에게 오바마를 이해하려면 하와이를 반드시 방문해야 한다고 조언해 주었다. 케냐인인 아버지에 대해 그가 아무리 철학적으로 설명을 했다 하더라도, 태평양 한가운데 있는 섬, 즉 하와이에 가 봐야 오바마의 복잡한 인격에 대한 해답을 더 많이 찾을 수 있을 것이라고 덧붙였다. 그녀는 "버락은 아직도 하와이와 관련된 많은 것을 지니고 있습니다. 하와이를 이해하지 못하면 버락을 진정으로 이해하지 못할 거예요."라고 말했다. 실제로 오바마는 아직도 매년 크리스마스 때 호놀룰루로 여행을 가며 때때로 친한 친구들을 그 여행에 초대하기도 한다. 그 여행은 오바마의 스케줄에 고정적으로 정해져 있기 때문에, 선거운동을 포함하여 그 어떤 일정들도 그것을 변경하지 못했다. 이 얘기를 들은 후, 나는 《시카고 트리뷴》 편집장에게 일리노이 선거와 2004년 가을 연방의회 선거 중간 일주일 동안 오바마 분석 기사를 신문에 싣기 위해서는 호놀룰루 여행을 반드시 다녀와야 한다고 설득했다.

　내가 하와이를 방문할 당시는 오바마가 어렸을 때보다 인구도 늘어나고 관광업이 괄목할 만한 성장을 이루었다. 하지만 다양한 아시아인, 폴리네시아인 그리고 서양 문화가 혼합된 그 섬의 본질은, 열대의 고요함이 항상 하와이를 둘러싸고 있듯이 아직도 그대로 남아 있었다. 오바마와 선거운동 참모들은 오바마의 가족을 나한테 소개해 주기로 했는데, 그 이유는 오바마가 미국 최고의 입법부에 출마하는 후보이고, 《시카고 트리뷴》이 일리노이에서 가장 영향력 있는 신문이기 때문이었다. 《시카고 트리뷴》의 가족 인터뷰 요구를 거절하는 것은 연방의원 선거운동을 앞두고 있는 시점에서 현명한 결정이 아닐 것이다. 하지만 오바마의 핵심 참모들은 내가 어떻게 기사를 쓸지 무척 걱정한 것이 분명했다. 참모들은 수차례의 회의 끝에, 노라 모레노 카지(Nora Moreno Cargie)를 함께 보내기로 했는데, 그는 인터뷰의 내용을 검토하는 일을 맡았다. 다른 기자들과 마찬가지로 나 또한 이 결정을 전혀 반기지 않았다. 나는 방해를 받을 것이 뻔했지만 오바마 가족과 만나기 위해 그녀를 마지못해 받아들일 수밖에 없었다.

　그러나 결과적으로 그녀는 방해자 역할을 한 것이 아니고 오히려 기삿거리를 찾는 데 도움을 주었다. 카지는 전국 공영 라디오 방송국에서 일한 적이 있었는데 자신에게 질문을 하는 버릇이 있었다. 또한 내가 발견한 사실에 대하여 여성으로서 보는 관점을 제시하기도 했다. 그리고 오바마의 다른 선거운동원들처럼, 그녀 역시 오바마에 대해 많은 호기심이 있었다. 그래서 모레노 카지와 함께 30대 중반의 고등학교 역사 선생인 마야 소에토로 응(Maya Soetoro-Ng)을 따라 여행을 하게 되었는데, 마야는 인도네시아인의 아버지와 앤 사이에서 태어난 오바마의 동생이다. 하와이에서 오바마가 가장 좋아했던 장소들과 어린 시절 중요한 사건들이 발생했던 장소를 둘러볼 수 있었다. 오바마의 할머니, 메이들린 던햄은 그 당시 갖가지 만성 질환을 앓고 있었기 때문에 단 45분밖에 인터뷰를 할 수 없었다. 나는 또한 오바마가 공부했던 사립학교인 푸나호우 아카데미(Punahou Academy)를 돌아보았고 선생님들, 코치들 그리고 어린 시절 친구들 및 그들의 부모님들과 인터뷰를 했다.

특히 나는 그의 할머니를 만난 후, 오마바의 성장기에 관해 깜짝 놀랄 만한 이야기를 듣게 되었는데 전혀 예상치 못한 일이었다. 처음 나는 오바마가 아버지의 인생을 통해 현실적이며 실용적인 면을 배웠을 것이라고 생각했다. 그러나 할머니와 인터뷰를 한 후, 그런 면들은 할머니로부터 배우게 되었다는 것을 알게 되었다. 오바마의 어머니가 다른 나라의 문화를 공부하기 위해 세계 곳곳을 여행하는 동안 그를 키워준 사람은 할머니였다.

가족들은 메이들린 던햄을 'Toot' 라고 불렀는데, 이 말은 하와이말로 '조부모' 라는 의미의 'Tutu' 의 줄임말이다. 그녀는 아직도 오바마를 키웠던 평범한 아파트에서 살고 있었으며, 그곳은 와이키키(Waikiki) 해변의 번잡한 관광지 안쪽의 항로 맞은편에 위치하고 있었다. 마야는 할머니를 돌보기 위해 2년 전, 뉴욕에서 하와이로 다시 이주했다. 호놀룰루의 도심지역에 있는 12층 건물에서 메이들린은 10층에 살고 있었고 마야는 그곳에서 몇 층 아래에 살고 있었다. 그 건물은 해변을 바라보고 있었으며, 디자인이 지루하리만큼 단조로웠고 하얀 콘크리트로 지어졌으며 세로로 긴 직사각형 모양이었다. 삼각형의 아치가 유일한 장식이었고 1층의 현관문 위쪽에는 장미꽃 장식이 있었으며 몇 개의 의자가 겨우 들어갈 만한 발코니가 각 아파트에 달려 있었는데, 이 난간이 약간 특이했다. 이 아파트들의 외양은 매우 수수했고 해안을 끼고 자리 잡고 있는 콘도미니엄과 비슷한 모양을 하고 있었다.

하와이를 방문하는 일부 가족들은 오바마가 자랐던 이 아파트보다는 해변을 끼고 있는 넓은 콘도미니엄에서 머무른다.

메이들린은 잘난 척 하는 사람이 아니었다. 그녀의 아파트 벽들은 몇 점의 미술작품만 걸려 있었고 흰색이었다. 오른쪽으로 난 짧은 복도는 두 개의 작은 침실로 연결되었는데 그 중 하나는 오바마가 어렸을 때 사용했던 방이었다. 왼쪽은 부엌으로 연결되어 있었고 그 다음에 중간 크기의 거실이 있었으며 그곳의 유리문은 맨 끝에 인접한 작은 발코니로 이어졌다. 그 방에서 가장 눈에 띄는 장식물은 텔레비전 옆에 있는 책장이었는데, 거기엔 오바마, 미셸이 두 어린 딸인 사샤(Sasha)와 말리아(Malia)와 찍은 가족사진이 있었다.

모레노 카지와 나는 허리가 굽어 더욱 작아 보이는 메이들린이 앉아 있는 의자 반대쪽 거실 소파에 자리를 잡고 앉았다. 여든두 살로, 그녀는 나이에 비해 건강해 보였으며 마음은 여전히 온화하고 맑아 보였다. 검은 머리는 지금 숱이 줄어들어 하얗게 세었고 머리 가운데에 노란색 줄이 나 있었는데, 이것은 오랫동안 흡연을 했기 때문에 생긴 것이라고 했다. 그녀는 아직도 담배를 많이 피운다고 고백했다. 가족들은 그녀가 아직도 정기적으로 술을 마신다고 말해 주었다.

인터뷰를 통해 나는 다른 사람들로부터 들었던 대로 메이들린은 실용적이며 자기를 과신하는 면이 있다는 점을 확인했다. 그녀는 대학 교육을 받지 않았고 은행 말단 직원으로 직장생활을 시작했으며 부행장으로 정년퇴직했다. 그녀는 동료들과 상사들이 컴퓨터로 일하는 것을 배우라고 압력을 넣었던 것이 퇴직을 결심하게 된 원인 중 하나였다고 말했다. 또 메이들린은 컴퓨터는 "세상을 움직이는 새로운 유행 장치"라고 경멸하는 투로 말했다. 최대한 편안하게 대하려고 애썼지만 그녀는 다소 퉁명스럽게 반응했는데 아마도 나의 의도를 의심스러워하고 있는 것 같았다. 마뜩치 않은 표정으로 내 작은 디지털 녹음기를 뚫어지게 관찰하기도 했다. 내가 웃으며 "이것은 새로운 유행 장치 중 하나입니다."라고 설명했지만 그녀는 아무런 대답도 하지 않았다.

마야가 우아하고 따뜻했던 반면, 메이들린은 조심스럽고 방어적이었다. 그녀는 이런 인터뷰가 귀찮은 일이었지만 손자의 부탁으로 할 수 없이 응했다고 했다. 그녀는 나에게 그녀의 손자가 하버드 법대까지 졸업했으니 정치인보다는, 더 존경받는 다른 직업을 가졌으면 한다는 소망을 밝혔다. 그러면서 "국제법 관련 일이나 그와 비슷한 일을 했으면 좋겠다."고 말했다. 나는 만약 오바마가 정치를 맘에 안 들어 하거나 잘 안 풀리면 하버드 졸업장으로 쉽게 법조계에 진출할 수 있을 것이며, 그럴 경우 연방 재판관이 될 수도 있다고 말했다. 그러자 "대법원은 괜찮다."고 대답했다. 대법원 자리에 대해 말하는 그녀의 진지한 말투에 나는 웃고 말았다. 현재 오바마는 연방 상원을 행해 가고 있지만 그는 아직까지는 일리노이 주의원일 뿐이었다. 순간 오바가가 순진한 것인지 용기 있는 것인지 혼란이 왔다. 하지만 일단 이 두 가지가 섞인 것 같다고 결론을 내렸다.

30분 정도 질문을 하자, 메이들린은 피곤하다고 했고 할 수 없이 인터뷰를 매듭지었다. 문으로 가는 나의 팔을 살며시 잡고 그녀는 "내 손자에게 친절하게 대해 줘요."라며 어머니 같은 부탁을 했다. 나는 "그에게 친절하게 대해 주는 것은 제가 할 일이 아닙니다. 제가 할 일은 최대한 공정하고 정확하게 기사를 쓰는 것입니다."라고 대답했다. 그러자 "잘 알고 있어요."라며 간결하게 대답했다.

이 여행 중, 특히 메이들린과의 인터뷰 동안, 오바마의 회고록은 아버지와 관련된 내용이 주였지만 오바마의 인격을 형성하는 데엔 어머니가 더 중요한 역할을 했다는 것을 확실히 알아냈다. (그의 어머니의 본래 이름은 스탠리 앤 던햄Stanley Ann Dunham이었는데 그녀의 아버지가 아들을 원했기 때문에 남자 이름으로 지었다. 하지만 그녀는 앤이란 이름을 사용했다. 오바마는 스탠리라는 이름은 할아버지의 사려 깊지 못한 생각의 결과라고《내 아버지로부터의 꿈》에 썼다.) 오바마는 그의 인성을 형성하는 데 어머니가 대단히 중요한 역할을 했다는 것을 1990년 중반 쉰세 살의 나이에 난소 암으로 세상을 떠난 후 깨닫게 되었다.

자신은 특정 당을 지지하지는 않고 비교적 공화당 의원에 투표하는 쪽이지만 "오바마의 어머니는 아들라이 스티븐슨(Adlai Stevenson; 민주당 간부로 일리노이 주지사를 거쳐 대통령 후보 선거에 나갔지만 낙선한 정치인) 같은 진보주의자였다."고 메이들린이 말했다. 또 "오바마는 어렸지만 많은 사색을 했다."고 말했다. 그의 인생에는 아직도 어머니가 영향을 주고 있다고도 했다. 오바마와 개인적, 공개적 대화를 나눌 때 느낀 것인데, 그는 마하트마 간디(Mahatma Gandhi), 마틴 루터 킹 주니어(Martin Luther King Jr.)와 성경뿐만 아니라 어머니의 가르침을 자신의 도덕적 나침반으로 삼고 있는 것 같았다. 오바마는 "어머니에 대해 어떤 식으로든 객관적으로 설명하기가 참으로 어렵다. 어머니는 매우 다정스런 분이셨고 목숨 바쳐 자식들을 사랑하신 분이었다. 늘 가까이 계셨고 항상 즐겁게 사신 분이셨다. 또한 나에게 가장 큰 격려를 보내 준 분이며 가장 친한 친구이기도 했고, 나에게 항상 어떤 식으로든 특별하다고 자신감을 심어 준 사람이었다. 그래서 나는 항상 자부심을 갖고 살았다."라고 말했다. 그는 언젠가 농촌 여성 단체에서 말할 때 "내가 가진 장점은 모두 어머니로부터 온 것이다."라고 한 적이 있다.

2004년 다시 발행된《내 아버지로부터의 꿈》의 서문에서, 오바마는 간략하게 어머니에게 다음과 같이 경의를 표했다. "만약 어머니가 병으로 세상을 떠나게 될 것이라는 것을 알고 있었다면, 난 다른 책을 썼을 지도 모른다고 가끔 생각한다. 부모 없는 나에 대한 명상을 줄이고 내 인생에서 유일하며 한결같았던 분을 칭송하는 그런 책을 썼을 것이다. 어머니는 내가 알고 있는 모든 사람들 중에서 가장 친절하며 관대한 영혼을 가졌다. 내 안에 있는 최고의 것들은 모두 어머니에게서 온 것이다."

앤 던햄은 본래 캔자스 위치타(Witchita) 출신으로 경제공황시대를 거친 부부 사이에서 외동딸로 태어났다. 그녀의 아버지는 가구 소매점을 했으나 여의치 않자 평생 떠돌이 생활을 했다. 하지만 끊임없이 불안해하고 호기심이 많은 성격이라 앤이 어렸을 때 캔자스에서 캘리포니아 버클리(Berkeley)까지, 또다시 캔자스로, 그 다음은 텍사스(Texas)의 작은 마을로, 계속해서 이사를 다녔고, 그 후 앤이 고등학교를 다닐 때에는 시애틀(Seattle)에 정착했다. 오바마는 "그렇게 이사를 다닌 것은 과거를 지우고 싶어 했던 외할아버지의 열망 때문이었다. 외할아버지는 아무 근거도 없으면서, 세상을 만들 수 있다는 신념을 갖고 있었다."고 썼다. 앤이 고등학교를 졸업한 후, 앤의 아버지는 하와이에 직장을 잡고 마지막 정착지인 호놀룰루가 있는 태평양의 섬으로 가족들을 데리고 왔다. 거기서 앤은 하와이 대학 마노아 캠퍼스(University of Hawaii at Manoa)에 등록했다.

어린 시절, 특히 중학교와 고등학교 시절 여러 번 이사를 하면서, 오바마의 어머니는 책에서 위안을 찾았다. 그녀는 독서를 너무 좋아했고 책을 사랑하는 법을 하나뿐인 아들에게 물려주었다. 학문적으로 다른 아이들보다 앞섰던 앤은 조용히 앉아 외국 문화들을 섭렵하고 심도 깊은 철학 서적을 탐독했다. 그녀는 학문적으로 천부적인 재능이 있어서,

고등학교 재학 당시 시카고 대학(University of Chicago)에서 조기 입학 허가를 받기도 했으나, 아버지는 혼자 살기에는 너무 어리다며 입학을 허락하지 않았다. 메이들린 던햄은 "앤은 매우 총명했다. 그녀는 어린 나이에 너무도 많은 책을 읽었고 앞서가는 생각을 했다. 그녀는 열여섯 살이 되었을 때 이미 유명한 철학자들에 푹 빠져 있었다."고 회상했다.

혼자서 책을 읽는 시간이 너무 많았기 때문에, 앤은 사회적으로는 서툴렀고, 이타적이지 않은 세상 사람들에 비해 순수했다. 그녀는 성인이 되어서도 그러한 면들을 지니고 있었다. 오바마의 동생인 마야는 "내가 기억하기로 우리는 연극인지 음악회인지를 보기 위해 외출을 한 적이 있었어요. 극장 맞은편에 TGIF라는 가족식당이 있었는데 우리는 간단한 식사와 음료를 하기 위해 그곳에 들렀지요. 종업원이 와서 무엇을 시키겠냐고 물었는데 엄마는 메뉴를 보고는 '레모네이드'라고 대답했습니다. 그러자 종업원은 '버진(virgin)으로 하시겠어요?'라고 물었고, 어머니는 '아뇨, 설탕을 조금만 넣어 주세요.'라고 말했던 것으로 기억해요. ('물과 혼합하지 않고 그냥 레모네이드만 드릴까요?'라는 의미였는데 '처음 짠 올리브유를 섞어드릴까요?'라는 말로 들은 것 같다. - 역자주)"라고 회상했다. 마야는 이 일을 떠올린 후 웃음을 터뜨리면서 "엄마는 세계 여러 곳을 여행하며 다녔지만 전혀 세상의 때가 묻지 않았어요. 정말 우스운 일이에요. 엄마는 정말 너무 때 묻지 않았어요."라고 말했다. 오바마는 "거의 상상을 초월하는 이러한 순수한 성격과 천진함은 우리 가족의 가장 두드러진 면이었다."고 책에서 밝혔다.

그렇다. 앤 던햄은 아주 다정하고 친절한 마음을 가진 사람이었다. 그러나 무엇보다도, 그녀는 눈앞에서 결점이 드러나더라도 다른 사람의 단점을 보지 않으려는 이상주의자이자 몽상가였다. 그녀는 그녀 아버지의 지나친 낭만적 기질을 닮았고 이런 기질을 확실하게 아들에게 물려주었다. 현실적인 성격의 메이들린 던햄은 "앤은 한 번도 현실적인 적이 없었다."며 마치 그녀가 딸이 현실세계로 돌아오도록 많은 시간 동안 노력했지만 실패한 듯 말했다. 앤은 자신만의 생각이 있었다. 훌륭한 사색가들의 책들과 그녀 자신의 지성주의에 지나치게 몰두하여 그녀는 관습을 따르지 않는 사람이 되었다.

오바마는 '막연한 진보주의자'라고 묘사했지만, 앤의 정치적 신념은 매우 정확했다. 그녀는 '비종교적 인본주의자'였고 뉴딜 정책을 신봉했으며 평화봉사를 사랑하는 진보주의자였다. 문화인류학을 전공하고 흑인 학생과 결혼함으로써 다른 문화에 대한 많은 관심이 있음을 보여주었고, 학문으로 그것을 공부하는 것이 아니라 그들과 생활함으로써 다른 문화에 대해 연구했다. 어릴 적부터 해왔던 마야의 인형 수집은 앤의 국제연합(UN)적 세계관을 반영하고 있었다. 그 수집된 인형들은 다양한 인종들과 국적들을 상징하고 있었는데, 흑인 인형, 머리를 딴 중국 인형, 심지어 에스키모 인형까지 있었다.

내가 그의 어머니에 대하여 첫 질문을 하자, 오바마의 목소리는 부드럽고 진지하게 변했다. 그는 전국적 토론이나 그의 정치 경력에 막대한 영향을 끼칠 수 있는 중요한 정치 사안을 이야기할 때보다 그의 어머니에 대한 이야기를 할 때 더 신중히 단어 선택을 하는 듯이 보였다. 오바마는 비록 사람들이 그녀의 숭고한 이상에 부응하지 않더라도, 끊임없이 사람들에게서 선함을 찾아내는 어머니의 이상주의야말로 자신이 가장 존경하는 점이라고 말했다. 이것이 그가 정치 연설에서 항상 전하고자 하는 핵심 내용으로, 우리 모두는 하나이므로 반드시 함께 해야 하며 만약 우리가 한 국가, 사실상 한 종족으로 번영하려면 다른 사람들의 좋은 점을 찾아야 한다는 것이다. 실제로 오바마는 대통령 출마 연설에서 이와 같은 내용의 메시지를 던졌다. 오바마는 어머니에 대하여 "어머니는 친구들에게, 직장 동료들에게, 심지어 전 남편에게, 항상 존경심을 갖고 너그럽게 대했으며 그들로부터 가장 좋은 점을 찾고자 노력했다. 내가 마음속으로 추구하는 것이 바로 이러한 가치다. 왜냐하면 어머니가 어떻게 이러한 가치를 실행했는지 봤을 뿐만 아니라 그 가치가 다른 사람에게 어떻게 좋은 영향을 끼쳤는지도 난 봐왔기 때문이다."라고 말했다.

앤은 종종 사회 규범에서 벗어난 중대한 결정을 함으로써 부모님들을 놀라게 하는 경향이 있었다. 메이들린은 "앤은 그녀가 태어난 시대와 꼭 맞지는 않았다. 알다시피 대부분의 아이들은 고집스럽다. 아니, 최소한 우리 가족 중 한 사람은 그랬다. 다시 말해 앤이 성장할 때, 난 나 자신을 그 아이에게 맞췄고 종종 그 아이는 우리를 깜짝 놀라게 했다."고 말했다. 내가 어떻게 그녀가 깜짝 놀라게 했는지 묻자, 메이들린은 주저하지 않고 "그 아이는 배리(Barry)의 아버지와 결혼했다."고 말했다.

앤 던햄은 케냐 출신의 교환학생인 버락 후세인 오바마(Barack Hussein Obama)를 하와이 대학 러시아 언어 수업을 들을 때 만났다. 그들은 사랑에 빠졌는데 당시 그의 나이는 스물세 살, 그녀의 나이는 이제 겨우 열여덟 살이었다. 1960년대 후반, 이 둘은 마우이(Maui) 섬으로 몰래 도망가 결혼을 했다. 비록 메이들린은 이 두 사람에게 합법적으로 결혼하라고 요구했지만, 오바마는 후에 결코 그 결혼에 대한 법적 서류를 찾지 못했다고 고백했다. 1961년 8월 4일, 앤은 버락 후세인 오바마 주니어(Barack Hussein Obama Jr.)를 낳았다.

앤이 오바마의 아버지와 연애할 때, 오바마의 아버지는 대학 캠퍼스 안의 아무 특징도 없는 콘크리트 기숙사에 살고 있었다. (우리가 하와이의 빛나는 태양 아래 기숙사를 보고 있을 때, "아마 오빠는 이때쯤 여기서 생겼을 거예요."라며 마야는 깔깔거리며 웃었다.) 결혼과 아들의 출생 후 오바마의 아버지는 가족을 데리고, 대학가 좁은 길 언덕에서 멀지 않은 작은 공원 맞은편 단층집으로 이사를 했다. 오바마가 두 살 때, 아버지는 하버드 대학에서 장학금을 받았으나 가족 모두를 데리고 갈 돈이 없었다. 그래서 홀로 장학금을 받고 하버드로 간 후 가족에게 돌아오지 않았다. 그 후 어머니는 하와이에서 홀로 어린 오바마를 키우게 되었다.

책에서, 처음 오바마는 부모님의 연애와 결혼, 그리고 지금은 돌아가셨지만 어머니와 아버지로부터 여러 번 들었던 사랑과 이해에 대한 이야기들을 낭만적으로 표현했다. 오바마는 그의 조부모가 처음엔 불만이 많았으나, 나중엔 자연스레 받아들였고, 특히 자신이 깨어 있고 자유분방한 보헤미안 기질이 있다고 여기는 할아버지는 다른 인종간의 관계에 대해 포용력을 갖고 있었다. 1960년대 미국에서 다른 인종간의 결혼은 매우 드문 일이었으며, 특히 흑인과 백인간의 결혼은 더욱 더 그랬다. 실제로 비록 이와 관련한 법률이 거의 집행되고 있지는 않았지만, 절반 이상의 주에서 백인과 흑인간의 결혼을 중죄라고 여기고 있었다. 인권운동은 아직 초기 단계에 있었다. 오바마가 20대 초반일 때, 그의 어머니는 그녀의 부모님께서 자신의 결혼에 대해 무척 화를 냈다고 오바마에게 말해 주었다.

나는 오바마의 할아버지는 그 결혼을 흔쾌히 받아들인 데 반해 메이들린은 그 결혼을 탐탁지 않게 생각했었고 실망했었다는 인상을 받았다. 다른 모든 소년들처럼 오바마도 아버지를 우상화했다. 최소한 그의 아버지가 오바마에게 보여 주었던 총명하고, 강하며, 자신감 있고 성공적인 이미지를 우상화했다. 그러나 메이들린은 딸의 젊은 흑인 남편을 떨떠름하게 바라보았다. 딸과 남편(그리고 손자)의 몽상가적 성격들과는 대조적으로, 메이들린은 매우 의심이 많은 사람이었다. 그녀는 심지어 거의 냉소적이기까지 했다. 인터뷰할 당시 그녀는 나이가 많이 들어서인지 의심스러운 성향을 더 많이 드러냈다. 그러나 오바마는 어릴 적 그가 들었던 현실적으로 불가능한 이야기들, 특히 특별한 흑인 아버지에 관한 이야기들에 대해 검증을 하곤 했다고 말했다. 메이들린은 또한 자신이 한 말이 듣는 사람을 불쾌하게 할 수도 있다는 것에 거의 신경을 쓰지 않았다.

인터뷰에서 메이들린은 구체적으로 말하지 않으려 했지만, 나는 그녀가 앤과 그녀의 남편 사이의 문화적 차이점에 대해 상당히 염려했다는 것을 쉽게 알아낼 수 있었다. 세월이 흘렀지만 메이들린은 중서부적인 지방색을 고수하고 있었다. 그녀는 오바마의 아버지가 장인, 장모께 했던 이야기들을 의심했다. 메이들린은 "나는 외국에서 온 사람들의 이야기들을 약간 의심스러워한다."고 말했다. 나는 오바마의 아버지가 말을 잘하는 재주 외에 오바마의 할아버지가 케냐에서 부족 주술사였다며 다른 매력도 있다고 알려주자, 그녀는 눈썹을 치켜 올리면서도 머리를 끄덕였다. 그녀는 "그는······" 하며 길게 멈추고 "이상한 사람이었다."고 말했다. 그녀는 '이'를 매우 강조하며 "이~~~상한"이라고 길게 끌어 말하고 "그는 너무 피부가 검어 그리 잘 생겨 보이지 않았지만 블랙 벨벳 같은 목소리와 영국식 악센트가 있었다. 그리고 그는 그런 목소리를 아주 효과적으로 이용했다."라고 계속 말했다.

그녀는 잠시 망설이다가 "그리고 그는 지나칠 정도로 영리했다."고 덧붙였다. 오바마의 아버지는 하와이 대학의 첫 흑인 교환학생이었다. 영국 런던에서 공부한 후, 그는 1959년 미국에 도착했는데 오바마는 자신의 회고록에 "아프리카인들을 파견하여 서양 기술을 전수받아 새롭고 현대적인 아프리카를 건설하기 위해 다시 아프리카에 불러들이는 운동의 첫 번째 주자"였다고 썼다. 오바마의 아버지는 케냐의 루오(Luo) 부족의 저명한 노인이자 농부인 후세인 온양고 오바마(Hussein Onyango Obama)의 아들이었다. 어렸을 때, 버락 시니어(Barack Sr.)는 케냐 빅토리아(Victoria) 호수 근처 냔자(Nyanza)구에 있는 콜레고(Kolego)라는 가난한 마을 인근에 위치한 가족 농장에서 염소를 돌보았다. 그는 영국 식민자들이 세운 마을 학교에서 공부 면에서 두각을 나타냈기 때문에 미국의 하와이 대학에서 후원을 받기 전, 나이로비(Nairobi)에 있는 학교에 다닐 수 있는 장학금을 받았다. 오바마는 "아버지는 타의 추종을 불허하는 집중력으로 계량 경제학을 공부했고, 그 학과의 최우수 학생으로 3년 만에 졸업했다."며 아버지에 대해 자랑스럽게 썼다. 그러나 그가 미국에 올 때, 이미 케냐에 임신한 아내와 한 아이를 두고 왔다. 그가 아프리카로 귀향할 때는, 그는 또 다른 미국 여성을 데리고 갔으며 나중에 그녀와 결혼하여 두 명의 자녀를 더 두었다.

그는 천부적으로 재능 있고 똑똑했기 때문에 늘 사람들의 주의를 끌었지만, 많은 개인적 문제들로 인해 케냐로 돌아가서 제대로 역량을 발휘하지 못했다. 또 그는 분석적 사고를 지닌 무신론자로서, 그는 석유 회사에서 일했으며 한동안 케냐 정부에서 중요한 경제학자로 일하기도 했다. 그러나 케냐 부족의 복잡하게 얽힌 정치 문제에 대해 잘못 대처하여 그의 영향력은 시들고 경제적으로 힘들게 되었다. 아우마 오바마는 "나의 아버지는 케냐와 루오 문화간의 충돌 그리고 서양 문화와 그에 대한 기대감들 사이에서 힘들어 했다. 루오 부족의 우두머리로서, 아버지는 모든 사람들, 많은 친척들을 돌보아야 하는 책임감을 느꼈지만 그렇게 돌보는 것은 불가능했다."라고 말했다.

2006년 나이로비 연설에서, 오바마는 아버지의 인생에 대해 "실망스럽게 끝나 버렸다. 케냐가 어떻게 하면 발전할 수 있는지에 대한 아버지의 생각들은 종종 부족과 후원자들의 정치적 견해와 마찰을 빚었다. 그리고 아버지의 단점이기도 했지만, 자주 속내를 말하는 바람에 직장에서 해고되고 수 년 동안 케냐에서 직장을 얻지 못하도록 방해까지 받았다."고 말했다. 버락 시니어의 여자관계는 계속해서 복잡한 상태였던 것처럼 보이는데 그는 네 명의 아내들과 아홉 명의 자식들을 두었다. 미국에 오기 전, 그는 케냐에서 부족 예식으로 결혼을 했다. 앤에게 그 아내와는 이혼했다고 말했지만 앤은 나중에 공식적으로 이혼하지 않았음을 알고 불만스러워했다. 오바마는 "아버지는 부족의 전통과 서구의 현대화된 가족 개념을 완전히 융화시키지 못했다. 아버지는 할아버지가 여자를 대했던 방법으로 여자를 대했으며 모든 문제에 대해 여자가 복종하길 원했다. 그 결과 가족생활은 불안정했고 자식들은 아버지를 잘 알지 못했다."고 말했다.

하와이를 떠난 후, 버락 시니어는 미국인 아내, 즉 앤과의 관계를 사실상 끊었다. 메이들린은 한숨을 쉬며 "많은 계획들과 많은 약속들이 하나도 실행되지 않았다. 앤은 이후 그와 이혼했다."고 술회했다.

제3장

그냥 배리로 불러 달라

> 모든 사람들은 아버지의 기대에 부응하기 위하여, 또는 아버지의 실수
> 를 되풀이하지 않기 위하여 노력한다. 나의 경우, 두 가지에 모두 해당
> 된다.
>
> — 버락 오바마

어린아이 때부터 청년 시절에 이를 때까지, 특히 청소년 시절에는 버
락 오바마가 성인이 되어 전국적으로 유명한 정치인이 될 것이라는 조
짐은 나타나지 않았다. 그는 대부분의 학창 시절을 하와이에서 보냈는
데, 태평양 열대 섬의 조용한 분위기를 만끽하며 농구를 하고 파도를
타면서 친구들과 어울려 지냈다. 스스로 자기 평가를 하는 것이 종종
쓰라릴 때가 있지만, 오바마는 "하와이는 아이들에게는 천국과도 같은
곳이었다. 나는 그 시절엔 게으름뱅이였다."고 회고했다. 그러나 대부
분의 또래 아이들에 비해 오바마에게는 다른 점이 있었는데, 그것은 피
부색과 인도네시아 자카르타에서 5년 동안 생활했다는 점이었다. 오바
마는 "나는 인도네시아 아이로, 하와이 아이로, 흑인 아이로 그리고 백
인 아이로 자랐다. 내가 그 과정에서 배운 것은 문화의 다양성이었다."
고 말했다.

앤 던햄은 오바마의 아버지와 이혼한 후, 재혼했다. 앤은 이번엔 하

와이 대학의 또 다른 교환학생인 롤로 소에토로(Lolo Soetoro)라는 인도네시아 원주민과 결혼을 했다. 하와이에서 2년을 지낸 후, 그는 모국인 인도네시아에 정치적 대변동이 일어나 갑자기 자카르타로 돌아가게 되었는데 그로부터 1년 후, 앤과 배리도 그를 따라 인도네시아로 이사했다.

인도네시아는 여섯 살 난 어린 소년에게는 기이한 곳이었다. 오바마는 거기서 새로운 음식, 새로운 야생 동물들 그리고 완전히 이국적인 문화를 체험했다. 그는 논에서 물소를 타고 놀았다. 《내 아버지로부터의 꿈》에서 오바마는 "나는 저녁식사로 (많은 밥과) 녹색의 작은 칠리 고추를 날것으로 먹는 법을 배웠고, 그러한 저녁식사 외에도, (질긴) 개고기, (좀 더 질긴) 뱀고기, 그리고 (아삭아삭한) 메뚜기 튀김을 먹었다."고 썼다. 또한 난생 처음으로, 그는 지독한 가난으로 힘들어 하는 슬픈 광경도 보게 되었다. 거지들이 현관문에 모여들었는데, 롤로의 말에 의하면 약한 마음을 지닌 그의 어머니도 넉넉한 살림이 아니었으므로, 돈을 적선하기 전에 누가 더 비참한지를 살펴보곤 했다고 한다. 여러 해를 지내며, 롤로로부터 돈을 많이 써서는 안 된다는 훈계를 듣고는, 스스로 계산하는 방법을 터득하게 되었다고 그 책에 썼다.

2004년 라디오 인터뷰에서 오바마는 "인도네시아 생활로 나는 미국 시민인 것에 더욱 감사하게 되었을 뿐만 아니라 운명이 어린아이들의 인생을 결정지을 수 있다는 것을 알게 되었다. 그래서 어떤 아이는 상당히 부자로 살게 되고 어떤 아이는 극도로 가난하게 살게 된다는 것도 안다."고 말했다.

돈을 쓰지 말라는 가르침 외에도, 롤로는 어린 배리에게 강한 의지와 지혜를 가지라고 교육했다. 제3세계인 인도네시아에 만연된 가난 속에서, 롤로의 생활은 매우 힘들었는데, 그런 생활은 미국에서 비교적 편안한 중산층 생활을 보냈던 어머니와 오바마에게는 너무도 생소했다. 뉴기니아에 군인으로 파병되었을 때, 롤로는 뜨겁게 달군 단도로 군화에 붙은 거머리를 떼어낸 이야기를 오바마에게 들려주기도 했다. 롤로는 체력이 너무 약한 나머지 죽임을 당한 사람도 보았다고 말해 주었다. 롤로는 오바마에게 "사람들은 다른 사람들의 약점을 이용한다. 강한 자는 약한 자의 땅을 갈취하고 약한 자를 들에서 일하게끔 부려먹는다. 만약 약한 자의 아내가 예쁘면, 강한 자는 그 여자를 강제로 취하게 된다. 너는 어느 쪽이 되길 바라느냐?"라고 물었다.

오바마는 이런 말들을 듣고 난 후 어머니와 조부모가 조심스럽게 감싸 주던 편안하고 안전한 보금자리에서 멀리 빠져 나와 있음을 느꼈다. 그는 "세상은 너무 폭력적이다. 나는 예측할 수 없는, 그리고 종종 잔인하기도 한 세상을 배우고 있었다."고 썼다.

한편 롤로가 배리에게 힘과 용기의 중요성을 가르칠 때, 앤은 아들에게 도덕적 가치를 강조했다. 그녀는 네 가지를 강조했는데 그것들은 정직, 공평, 솔직한 대화 그리고 독립적 판단이었다. 마지막의 독립적 판단에 대해 그녀는 배리에게 "다른 아이들이 한 아이의 어떤 점이 이상하다고, 즉 머리 모양이 이상하다고 놀릴 때 너도 똑같이 그 아이를 놀리면 안 된다."라고 예를 들어주었다.

앤은 비록 흑인 역사가 왜곡되게 서술되어 있었지만, 오바마에게 흑인 역사에 대하여 가르쳤다. 오바마는 아버지가 없었기 때문에, 그녀는 흑인 역사에 대해 오바마가 자부심을 갖기를 바라며 가르쳤다. 마틴 루터 킹 주니어와 인권운동에 관한 책들을 읽게 했고, 떠오르는 종교 가수인 마할리아 잭슨(Mahalia Jackson)의 녹음테이프를 틀어주었다. 그녀는 틈틈이 연방 대법원 판사인 서굿 마셜(Thurgood Marshall)과 할리우드의 영화배우 시드니 포이티어(Sidney Poitier)와 같은 흑인 영웅들의 성공담을 그에게 들려주었다. 오바마는 책에 "흑인이 된다는 것은 위대한 유산, 특별한 운명, 그리고 고생을 견뎌 낼 만한 명예로운 의무의 혜택을 받는 사람이 되는 것이다."라고 썼다. 전 남편이 약속을 지키지 못한 사람이었지만 앤은 오바마에게 생물학적 측면에서 아버지의 긍정적 특성만을 이야기해 주었고, 오바마가 아버지의 지적 능력과 성격을 닮았다고 강조함으로써 배리의 자존심을 높여 주었다.

그러나 대부분의 경우, 배리는 "독특한 인종적 특징으로 인하여 따돌림을 받거나 외면당해서는 안 된다."는 가르침을 오랜 기간 반복하여 받았다. 하지만 오늘날 오바마는 오히려 모든 사람들이 깊이 우러러 보는 특별한 사람이 되었다.

이 당시 앤은 두 번째이자 마지막 아이인 마야를 낳았다. 앤은 가능한 한 인도네시아 문화를 많이 배워야 한다고 배리와 마야에게 가르쳤으며, 버릇없는 미국인으로 행동함으로써 외국 땅에서 거만한 아이들로 보이지 않도록 주의를 주었다. 그러던 중 인도네시아에서 아이들을 키우는 미국인으로서 그녀는 자카르타에서 여러 해를 보낸 후, 인도네시아인의 생활과 미국인의 생활을 비교해 보고, 그녀의 아들이 미국에서 생활할 기회가 있을지 생각하기 시작했다. 첫째, 오바마는 우수한 교육을 받을 수 있는 능력이 있지만 이러한 교육은 인도네시아의 사립학교에서는 제공받을 수 없었다. 배리는 인도네시아에서 이슬람과 가톨릭 학교에 다녔으나 거기서 오바마의 학습 성과는 앤이 원했던 수준에 미치지 못했다. 앤은 미국 대사관에서 인도네시아 사업가들에게 영어를 가르치는 일을 했는데, 일하러 나가기 전 새벽에 배리를 깨워 일주일에 닷새, 세 시간씩 영어를 직접 가르쳤다.

한편 오바마의 할머니는 하와이에서 전화를 하여, 자카르타의 제3세계 환경 속에서 아이들이 어떻게 행복할 수 있느냐고 걱정하며 딸을 호되게 꾸짖었다. 오바마는 《내 아버지로부터의 꿈》에서 앤이 어머니의 입장으로 돌아오게 된 계기에 대해 이야기했다. 어느날 오바마는 밖으로 놀러나가서 밤이 되어 캄캄해도 집에 돌아오지 않았다. 그가 집 근처에 이르렀을 때, 노심초사하며 기다리던 어머니는 그의 팔에 양말이 묶여 있는 것을 발견했다. 양말 밑으로는 길게 패인 상처가 있었다. 오바마는 갈고리가 있는 철조망에 팔뚝을 베었다고 설명했고 어머니는 도움을 청하기 위해 롤로에게 달려갔다. 그러나 롤로는 그녀의 근심에 대해 무척 난감해 하며 다음날 아침 오바마를 병원에 데리고 가라고 했다. 그 말을 듣고 앤은 무척 화가 나서 롤로의 말을 무시한 채 이웃집의 차를 빌려 오바마를 태우고 병원으로 갔다. 병원의 어두운 뒷방에서 도미노 게임을 하고 있는 두 명의 남자에게 그녀가 의사가 어디 있냐고 물으니 그들은 자신들이 의사라고 대답했다. 그녀는 아들의 부상에 대해 설명했으나 그들은 그 도미노 게임이 끝날 때까지 기다리라고 그녀에게 말했다. 앤이 한참을 기다린 후에서야 그 의사들은 오바마의 팔을 스무 바늘이나 꿰매 주었다. 이 일을 겪은 후 앤은 그녀의 아들이 미국으로 다시 돌아가야 한다는 사실을 너무 오랫동안 간과하고 있었다는 걸 깨달았다.

준비가 되자, 배리는 하와이에 있는 조부모의 집으로 보내졌다. 거기서 푸나호우 아카데미에 다니게 되었는데, 1841년 설립된 이 사립학교는 기독교계 학교로서 하와이 상류층 자제들이 일류 대학으로 진학하기 위해 다니는 예비 학교였다. 오바마가 들어간 상급반은 90퍼센트가 백인이고 동양인이 겨우 몇 명밖에 없어서 하와이 사람들은 '백인학교' 또는 '하울리(haole)' 라고 불렀는데 이 '하울리' 란 말은 하와이 원주민이 백인을 깎아내리며 부르는 별명 같은 것이었다. 오바마의 조부모는 푸나호우에 오바마를 입학시키기 위해, 이 학교 출신인 할아버지의 직장 상사에게 부탁하여 입학허가를 받아냈다. 할머니 메이들린은 은행에서 받는 월급을 쪼개 비싼 등록금을 내주었다. 서민적인 아파트에 살면서 오바마를 (나중에는 마야까지) 사립학교에 보내느라 조부모는 빠듯한 생활을 감수해야 했다. 내가 메이들린에게 두 손자를 푸나호우에 보내기 위해 많이 희생한 것 같다고 하자, 메이들린은 "우리가 고생한 건 전혀 없다. 알다시피 우리는 단독 주택이 아닌 아파트에 살고 있다.…… 만약 우리가 원했다면 아마 집을 샀을 것이다. 그러나 난 여행을 많이 했고 아이들을 위해 돈을 지출했다. 아이들과 여행이 나에게는 최우선이었다. 그렇다고 우리가 가난에 찌들지는 않았다."고 대답했다.

오바마는 평생 동안 그리고 정치생활을 하는 동안에도 마치 천사가 그의 일생을 수호하고 있는 것처럼 느낀다고 했다. 다시 말하면 오바마가 성공을 위해 사람들이 그의 앞길을 열어 주는 것 같다는 것이다. 푸나호우를 계기로 오바마는 상류층을 위한 교육기관에 첫발을 들여 놓았으며 이후로 그는 모든 정식 교육을 이런 학교들에서 받았다.

푸나호우는 호놀룰루에서 다소 인구가 밀집한 곳에 있었는데 그의 조부모가 사는 아파트에서 걸어갈 수 있는 거리였다. 캠퍼스는 섬 안의 섬 같았으며 사람들의 눈에 잘 띄지 않게 가려진 넓고 아름다운 공간이 울타리로 보호되고 있었다. 은빛으로 빛나는 아침 태양 아래서, 마야는 그녀의 모교를 구경시켜 주었다. 잠깐 동안 구름뭉치에서 안개 같은 비가 뿌려질 때 외에는, 청명한 파란 하늘 아래 완벽한 열대의 풍광을 느낄 수 있었다. 푸나호우로 첫 등교한 날, 오바마의 할아버지는 이 캠퍼스를 '천국'이라고 표현했는데, 결코 과장된 표현은 아니었다. 이 학교에는 그늘진 야자수 나무 사이로 멋진 공연장과 웅장한 건물들이 들어서 있었고, 녹지대 속으로 말끔하게 조경이 된 산책로가 있었다. 이 캠퍼스의 뒤쪽에는 나무로 뒤덮인 높은 언덕이 있었다. 분위기가 너무 전원적이어서 마치 할리우드의 촬영 세트장 같았다. 우리는 둘러친 울타리와 더불어 그러한 풍경 때문에 안전한 섬에 있는 듯한 느낌을 받았다. 길고 바쁜 여행 중에 모처럼 여기서 편안함을 느꼈다.

이 캠퍼스를 거닐면서, 나는 오바마가 이 교실에서 저 교실로 다니기도 하고, 멈춰 서서 여학생과 담소하고 친구들과 농담하는 여유롭고 미소 짓는 모습을 상상했다. 이 캠퍼스의 분위기를 접하며 오바마의 마음속에 자리 잡고 있는 여유롭고 침착한 기질이 하와이 사람들의 성격으로부터 비롯되었다는 것을 알 수 있었다. 연방의원 예비선거에서 승리한 날 밤, 오바마의 주변 사람들은 환호하는 데 비해 오바마는 이상하리만치 무덤덤하게 보여 기자들이 매우 놀란 적이 있었다. 오바마의 최대 장점 중의 하나는, 혼란스러운 상황에 부딪쳤을 때 내면적으로 시간을 늦추고 침착하게 대처하며, 감정을 차분히 조절하는 능력을 보여 주는 점이다. 이것은 매우 뛰어난 운동선수가 종종 게임의 속도를 늦추고 주변 상황을 분명하게 판단하는 능력이 있는 것과 같다. 하와이에서는, 대부분의 사람들에게 이러한 경향이 있다.

내가 곰곰이 선거가 있던 날 밤을 회상하고 있는데, 마야가 "하와이는 대체로 매우 친절한 곳이에요. 어디를 가든 다시 여기로 돌아오면 정신적으로 충전을 할 수 있답니다."라고 말했다.

하와이의 매력과 아름다움에 취해 있을 때 푸나호우의 또 다른 면이 눈에 들어왔다. 학생들이 믿을 수 없을 만큼 천천히 캠퍼스를 걸어 다니고 있는 것이었다. 학생들은 고무슬리퍼를 신고 청바지를 입은 채로 느릿느릿 캠퍼스를 걸어 다녔는데 모두 급할 것이 없어 보였고 야자수 아래에서 여유롭게 잡담을 하거나 공부를 하고 있었다.

피크닉 탁자에 모인 학생들도 여느 10대들처럼 시끄럽게 수다를 떨지 않고 한가하게 그리고 조용히 잡담을 나누고 있었다. 마치 모든 것이 평온한 상태로 유지되고 있는 듯했다. 인종적으로 볼 때, 비록 오바마가 다니던 시절과 비교하면 지금은 동양인이 조금 늘긴 했어도, 아직도 대부분의 학생들은 백인이었다. 캠퍼스 구경이 끝나고 우리는 렌트한 차로 향했다. 우리 차는 사브(Saab)와 볼보(Volvo) 그리고 렉서스(Lexus) 같은 고급 차량들 속에 파묻혀 있었다. 나는 오바마가 회고록 도입 부분에서 이야기했던 대목이 떠올랐다. 오바마의 책 출판 제의를 거절한 맨해튼의 한 출판사가 했던 말이 어느 정도 맞았다고 느꼈다. 확실히 오바마는 소외된 계층 출신이 아니었다.

오바마가 열 살 때 푸나호우에서 첫 해를 보내고 있던 중에 뜻밖의 크리스마스 선물을 받았다. 그의 아버지가 나타난 것이다. 아버지가 머물렀던 그 몇 주 동안이 오바마가 갖고 있는 버락 시니어에 대한 유일한 기억이다. 그 당시 어린 배리는 신화적인 존재로 여겼던 아버지에 대해 혼란스러움을 느꼈다. 오바마는 아버지가 재혼했고 다섯 명의 이복 남동생들과 한 명의 이복 여동생이 케냐에 살고 있다고 알고 있었다. 그의 아버지가 오기 전에, 어머니는 오바마에게 케냐와 케냐 역사에 대한 정보를 알려주었다. 그녀는 루오 부족이 세계에서 가장 위대한 강인 나일강 기슭에 있던 그들의 고향을 버리고 케냐로 이주했다고 설명해 주었다. 이것은 어머니가 버락 시니어를 거의 신적인 존재로 만들고자 한 이야기였다.

그러나 배리는 어머니와 할아버지가 아버지에 관한 이야기를 할 때 반쪽만 그에게 전해 주고 있다는 것을 알아차리기 시작했다. 오바마가 도서관에 가서 아버지 부족에 대해 읽고, 루오 부족은 가축을 치고, 진흙으로 만든 집에서 살며, 그들의 주식이 옥수수라는 것을 알아냈다.

그 전까지 오바마는 아버지가 어렸을 때 염소를 몰았던 사람이며 지적 능력과 교육만이 장래를 보장할 수 있다고 믿어 아프리카 부족의 농업 생활을 버리고 온 사람이라는 사실을 알지 못했다. 배리는 그 책을 탁자 위에 올려놓고 화가 나서 도서관을 뛰쳐나왔다.

불행히도 이 순간 그가 전에 우연히 알게 된, 어떤 화학약품으로 자신의 피부색을 하얗게 하려고 했던 흑인에 대한 이야기가 떠올랐다. 배리는 존경받는 사람들 중의 한 명이었던 그 흑인이 도대체 무슨 이유로 하얗게 보이려고 했는지 너무도 궁금했었다. 도서관에서 아버지 부족의 이야기를 읽고 난 후, 어린 그는 어머니가 우월한 존재로 흑인을 묘사했던 모든 이야기에 대해 의심스러워하게 되었다.

오바마는 아버지의 방문에 대해 몇 가지 생생한 기억을 갖고 있다. 첫째, 아버지의 당당한 풍채였다. 그의 아버지는 단지 방으로 걸어 들어오는 것만으로도 이목을 집중시켰고, 매우 자신 있게 말했고 품위 있게 행동했다. 심지어 다리를 꼬고 앉는 간단한 동작 하나에도 버락 시니어에게는 당당함이 있었다.

오바마는 아버지가 방문했을 때 발생한 한 가지 사건을 잊을 수가 없다. 그가 방에서 텔레비전에서 방영하는 고전 만화 〈그린치Grinch는 어떻게 크리스마스를 훔쳤을까?〉를 보고 있는데 아버지가 보지 못하도록 말했고, 이때 오바마의 할머니와 어머니의 감정이 폭발했다. 그의 아버지는 오바마가 공부는 하지 않고 텔레비전만 너무 많이 보고 있다고 생각했던 모양이다. 아버지가 내던진 그 명령을 계기로 세 사람은 서로를 큰 소리로 비난하며 심하게 말싸움을 벌였다. 그의 책에서, 오바마는 행복과 편안함이 그를 둘러싸고 있다가 사라지고, 대신 부모님들의 이혼, 가족에 대한 책임을 저버린 아버지 등 가혹한 그의 가정 상황을 그린치 이야기에 비유했다. 흑인이 우월한 인종이라는 이야기와 함께 그의 아버지의 위대함에 관한 이야기 모두에 대해 시간이 갈수록 믿음이 사라졌다. 순진한 믿음이 사라진 자리에 자신의 전통에 대해 완전히 다른 이미지가 채워졌다.

2003년 12월 나와의 첫 인터뷰에서 오바마는 "아버지 없는 인생은 정말 너무 복잡했다. 가축을 몰고 다니다, 18세기에서 20세기로 뛰어넘은 한 사람이 있었다. 그는 아프리카의 한 작은 마을에서 염소를 기르며 살다가 장학금을 받고 하와이 대학으로 와서 하버드 대학까지 갔다. 비록 멸망이란 단어는 너무 강한 듯하지만, 그는 정부의 고위 관리로 있다가 비극적으로 망했다. 그러나 부족의 문제와 케냐의 족벌정치, 그리고 과거생활과 현대생활을 잘 접목시키지 못한 그 스스로의 문제로 인하여 그가 가진 잠재력을 모두 펼치지 못한 사람이었다. 그는 매우 총명했지만, 그의 인생은 여러 명의 아내로부터 생긴 자식들과, 고립된 정치생활 등 여러 가지 면에서 엉망진창이었다."고 회고했다.

오바마는 아버지가 자신의 인생에 끼친 영향에 대해 반복해서 말한다. 본질적으로, 아버지의 결점으로부터, 그는 인생에서 가장 강한 힘인 야망을 이끌어 냈다고 했다. 또한 그는 아버지의 고귀한 이미지와 재능을 보고, 스스로에게 높은 기대감을 부여했다. 오바마는 "모든 사람들은 아버지의 기대감에 부응하거나 또는 아버지의 실수를 만회하려고 노력한다. 나의 경우, 두 가지 모두 해당이 된다."고 말했다.

배리가 고등학교에 들어가자 앤은 롤로와 헤어진 후 마야를 데리고 완전히 하와이로 귀국했다. 그리곤 앤은 하와이에 있는 대학원에서 인류학 공부를 시작했다.

배리의 가족은 푸나호우에서 단 몇 블록 떨어져 있는 작은 아파트에서 모여 살았다. 1970년대 중반 하와이에서, 배리는 보통 10대 청소년들처럼 생활했다. 여학생들의 관심을 끌기 위해 무엇을 해야 하는지 찾아다니고, 술이나 마리화나가 나오는 파티에 참석하고, 바다에서 친구들과 파도타기를 하면서 놀고, 여러 운동들, 특히 농구를 열심히 했다. 그 당시 길거리 게임이 가미된 농구는 대학이나 직장으로 진출하는 기회가 되기도 해서, 미국에서 흑인 청소년들이 즐겨 하는 운동이었다. 닥터 J라는 별명으로 알려진 줄리어스 어빙(Julius Erving)은 오바마와 많은 다른 청년들의 우상이었다. 10대 시절 오바마는 점잖고 영리하며 생각이 깊은 흑인이었던 어빙을 좋아했다. 또한 어빙은 드리블 - 패스 - 점프 슛을 하는 방법에서, 돌파 - 공중으로 치솟기 - 골대 위로 손을 뻗쳐 슛 하는 방법으로 게임 패턴을 바꾼 선수였다. 닥터 J의 덩크 슛은 정말 신기에 가까웠다. 그는 하늘 높이 공중으로 날아, 길고 날씬한 팔을 완전히 뻗어 힘들이지 않고 제자리 돌기를 하여 농구공을 골대에 꽂아 넣었다. 그의 경기는 박진감 있고 예술적이었으며 파괴적이었다.

오바마의 친구는 대부분이 백인이었다. 그런데 그는 책에서, 로스앤젤레스(Los Angeles)에서 하와이로 이사 온 자기보다 나이가 약간 많은 흑인 친구와 오랫동안 이야기를 나누었다고 썼다. 그 친구는 레이(Ray)라고 불렸는데 오바마는 그에게 마음속에 있던 복잡한 인종적 문제들을 처음으로 얘기했다고 말했다. 배리가 인종 차별에 대해 다소 냉소적이었던 반면, 레이는 모든 일을 인종적 문제로 보았다. 그러다 보니 오바마의 차분한 성격은 레이의 감정적인 성격을 누그러뜨리는 데 영향을 주었다. 레이가 여학생들이 인종 차별주의자라서 그와 데이트하는 것을 거절했다고 불평하자, 배리는 웃으면서 그 여학생들이 흑인이 싫어서 거절한 것이 아니라 아마 이미 사귀는 애들이 있거나 아버지나 오빠, 동생과 닮은 남자들에게 매력을 느껴 그런 것 같다고 말해 주었다.

본명이 키스 카쿠가와(Keith Kakugawa)인 레이는 2007년 4월 나와 만나 10대 시절 나누었던 대화에 대해 확인해 주었다. 혼혈이었던 카쿠가와는 가석방 위반으로 교도소에 있다가 얼마 전 출옥한 후, 로스앤젤레스 거리에서 노숙자 생활을 하고 있었다. 그는 고등학교 친구이자 지금은 유명한 정치인이 된 오바마에게 돈을 얻어내기 위해 대통령 후보 선거운동본부를 찾아왔다. 카쿠가와는 10대 시절 오바마가 부모님으로부터 버림받았던 사실과 자신이 혼혈이라는 사실에 대해 고민했었다고 증언했다. 그는 "그는 부모의 부재, 버려진 느낌, 그리고 여러 가지 혼란을 겪으며 청소년기를 보냈다. 그는 인종적 정체성, 즉 백인과 흑인 모두에 속하여 생긴 문제에 대해 마음속 깊이 고민을 갖고 있었다."고 말했다.

이 두 10대들이 인종 문제에 대해 고민하는 동안, 오바마의 백인 친구들은 대부분 오바마가 무엇을 고민하고 있는지 알아채지 못했다. 고등학교에서 가장 친한 친구들 중 하나이자 지금까지도 친구로 남아 있는 바비 티트콤(Bobby Titcomb)도 오바마의 고민거리를 전혀 알지 못했다고 말했다. 실제로 티트콤은 오바마가 하와이에서 가장 감정적으로 안정된 10대 청소년 중 하나라고 생각했다며, "그는 하와이에 사는 보통 아이, 그냥 평범한 아이였다."고 술회했다.

그러나 티트콤은 오바마가 독특한 분위기와 성격을 갖고 있었다고 기억했다. 오바마는 대부분의 다른 또래들보다 훨씬 덩치가 컸다는 것도 기억해 냈다. 실제로 고등학교 졸업 앨범에 나온 사진을 보면 통통하고 몸무게가 많이 나가는 아이라는 것을 알 수 있다. 티트콤은 고등학교 1학년 때, 오바마가 미식축구팀에서 수비수로 활동했고 '선수들을 번쩍 들어 올릴' 정도로 아주 강한 수비수였으나, 큰소리치며 뽐내지는 않았다고 말했다. 오바마는 그의 어머니처럼, 항상 자기 생각이 있었고 그날그날 변덕스럽게 행동하지 않았다고 한다. 티트콤은 "어떤 아이가 놀림을 당하고 있어도, 그는 같이 놀리지 않았다. 그리고 그것은 그의 평소 모습이었다. 그는 통상적인 것을 믿지 않는 다른 면이 있었다. 그는 재미로 다른 아이들을 놀리지 않았다."고 말했다. 실제로 그의 어머니가 가르친 교훈의 네 번째는 '독립적 판단' 에 관한 것인데, 단지 다른 아이들이 한다는 이유로 같이 괴롭히지 말라는 것이었다.

바비 티트콤은 오바마의 영원한 친구지만 내가 기대했던 타입의 사람이 아니었다. 티트콤이 좋아할 수 없는 사람이거나 똑똑한 사람이 아니라는 뜻은 아니다. 오바마가 하버드를 졸업하고 정치를 위해 전국을 여행하고 있을 때, 티트콤은 단지 뒤처진 어린 시절의 친구에 불과였다. 내가 그와 인터뷰할 때, 그는 오아후(Oahu)에서 집을 짓고 있었고 비행기 승무원으로, 어부로 일하고 있었다. 몸은 바람을 많이 맞고 햇볕에 탄 모습이었고 너무 느긋해서 마치 집에서 마가리타(Margarita)를 마시며 편안히 지미 버핏(Jimmy Buffet) 콘서트를 즐기고 있는 사람 같았다. 그는 오바마가 푸나호우에 다닐 때 어울린 많은 좋은 친구들 중 하나였고 하와이에 정착하여 행복한 생활을 하고 있었다.

내가 오바마가 고등학교 재학 시절 겪은 인종적 혼란에 대해 다시 물어 보자, 티트콤은 "알다시피 하와이에서 사람들은 9학년까지는 신발을 신지 않고 학교에 다닌다. 맨발로 등교한다. 그리고 하와이에서 사람들은 보통 다섯 명의 친한 친구를 사귀는데 하나는 중국인, 또 하나는 일본인, 하와이인 등등이다. 여긴 모든 인종이 섞여 사는 곳이며 흑인 친구를 사귀는 것도 아주 재미있는 일이다. 그래서 나는 한 번도 그가 그런 고민을 하는 것을 보지 못했다."고 반복해서 말했다.

오바마가 고등학교에 다닐 때, 그의 어머니는 연구 조사차 인도네시아로 되돌아가게 되었다. 그녀가 마야와 함께 인도네시아로 돌아가고 싶은지를 묻자 배리는 머리를 흔들었다. 그는 푸나호우가 좋았고 하와이에서의 생활이 행복했다. 그는 편안한 친구 모임도 있었다. 비록 인도네시아에서 국제학교에 다닐 수 있겠지만 하와이의 모든 것을 포기하고 가난한 생활로 돌아가고 싶지 않았다. 어머니가 떠난 후, 배리는 조부모가 살고 있는 아파트로 다시 들어와 살기 시작했고, 조부모는 특별한 이유 없이 그를 간섭하지 않겠다는 약속을 했다. 하와이로 손자들을 다시 데리고 오라며 딸에게 잔소리를 했던 메이들린 던햄은 그가 돌아오자 좋아했다. 그녀는 "난 오바마의 인생이 안정되는 데 기여했다고 생각한다."고 말하며, 그녀의 딸이 다른 세계에 대한 호기심으로 수개월 동안 오바마와 헤어져 인도네시아에 있게 될 것을 알고 있었다고 했다. "오바마는 어머니가 없을 때조차, 운동을 하며 시간을 보내는 예절 바른 10대 아이였다. 그는 그냥 평범한 소년이었다."고 메이들린은 말했다.

그러나 백인 조부모와 백인 친구들이 보지 않는 곳에서 배리는 흑인들이 경험하는 모든 것을 탐구하고 있었고 그럴수록 점점 더 괴로워졌고 고독해졌다. 하지만 그는 모든 것을 억누르고 있었다. 그는 책에 "나는 미국에서 흑인으로서 출세하려고 애썼다. 주어진 나의 외모를 뛰어넘고자 노력했는데 나의 주변에 있는 어느 누구도 그것이 무슨 의미인지 정확히 알고 있는 것 같지 않았다."고 썼다.

그의 인생에서 인종 문제와 관련된 사건들은 그의 마음속에 쌓여 가며 그에게 계속 고통을 주었다. 어느 비열한 테니스 코치는 피부색을 문질러 벗겨 낼 수 있다고 농담하며 배리를 테니스팀에서 내보냈다. 메이들린이 버스를 기다리는 동안 흑인 거지로부터 괴롭힘을 당한 적이 있었는데, 배리의 할아버지는 그녀가 적선한 것을 나무라며 너무 동정하지 말라고 했다. 배리는 흑인들이 연 파티에 두 명의 백인 친구들을 데리고 갔는데 흑인들로만 가득 찬 것에 매우 불편함을 느낀 백인 친구들은 그에게 화풀이를 했다. 인종적 혼란을 해결하고 싶은 마음에 그는 학교 숙제는 하지 않고 흑인들의 노여움과 무기력함을 다룬 위대한 흑인 작가들의 작품들에 푹 빠져 살았다. 그 작가들은 랭스턴 휴즈(Langston Hughes), 랄프 엘리슨(Ralph Ellison), 제임스 볼드윈(James Baldwin), 리처드 라이트(Richard Wrights), W. E. D. 두보이스(W. E. D. Dubois) 등이었다. 이러한 책들 중, 그는 맬컴 X(Malcolm X)의 회고록에 동질감을 느꼈다. 정치인이 된 이후 지금까지, 오바마는 맬컴 X처럼 급진적이고 혁신적인 인물을 거론하는 것은 피했지만 책에는 행동주의자의 '의지의 힘'과 "스스로 창조한 반복된 행동들이 나를 일깨웠다."고 기록했다.

10대의 세월은 어느 남자에게나 힘든 시기이다. 이 시기는 소년들이 사교모임에서 그리고 사회생활에서 어떻게 적응할지, 여성들과는 어떻게 행동을 해야 하는지, 그들의 남성다움을 다른 남성들에게 어떻게 나타내야 하는지 등, 성인으로서의 행동방식을 확립하기 시작하는 시기이다. 이 나이에 많은 소년들은 아버지를 무시하는 듯 행동하는 경향이 있지만, 실제로 그들은 이러한 중요한 점들에 대해 어떻게 행동할지 혼란이 올 때 그들의 아버지를 떠올린다.

오바마는 많은 흑인들과 공통된 무엇인가를 갖고 있었다. 바로 이러한 혼란의 시기를 잘 헤쳐 나가도록 조언을 해주는 아버지가 없다는 것이었다. 오바마는 부모의 빈자리를 채우기 위하여 대중문화에 빠져보기도 했고, 텔레비전이나 영화에 나오는 흑인 배우들을 흉내 내려고 노력하기도 했다. 그는 "청소년기의 반항과 호르몬 분비가 일으킨 사고들 중 일부는 아버지가 없었다는 사실과 관련 있다는 것을 주목했다. 그래서 그는 흑인 행동의 이러한 위장된 통념, 즉 공부에 초점을 두지 않고, 겉치레를 중시하며, 운동을 많이 하는 경향도 시도해 보았다. 그는 곱

슬머리를 둥글게 부풀린 흑인 머리 모양을 하고, 큰 옷깃에 하얀색 칼라가 있는 멋진 레저용 옷을 입었는데, 그런 흑인 스타일로 인하여 사람들 속에서 눈에 띄었다. 그는 개인적 자만심을 표출하기 위해, 곱슬머리를 펴서 둥글고 크게 부풀리는 머리 모양을 만들기 위해 무척 애썼고 마음에 꼭 드는 스타일을 만들기 위하여 머리카락을 세우는 데 많은 시간을 소비했다. 그의 가방에는 항상 머리를 다루는 플라스틱으로 만든 기구가 있었다. 어린 여동생 마야는 오바마를 화나게 하려고 손바닥으로 오바마의 머리를 쓰다듬곤 했다. 그럴 때마다 화가 난 오바마는 경찰관이 거리에서 하는 것처럼 그녀를 향해 손가락질을 하며 "헤이, 내 머리 만지지마."라며 경고했다.

배리는 농구장에 있을 때 가장 편안해 했으며 거기서 인종적 갈등으로 받은 상처를 위로했다. 조부모가 사는 아파트 건물 뒤 초등학교 밖에 있는 농구장에서 그는 많은 시간을 보냈다. 그는 빠른 교차 드리블과 길거리 농구의 영향을 받은 색다른 슛, 그리고 농구공을 왼쪽 귀쪽으로 멀리 젖힌 다음 농구대 가장자리 쪽에서 집어넣는 슛을 개발했다. 그가 특히 잘하는 것은 가장자리에서 왼손으로 슛을 하는 것과 공에 역회전을 더 넣는 것 그리고 낮은 아치 모양으로 슛을 하는 것이었다. 그는 책에서 "농구장에서 나는 내면 세계의 독특한 경험을 많이 했다. 그곳에서 나는 친한 백인 친구들을 사귀었는데 그곳은 흑인이라는 것이 단점이 되지 않는 영역이었다."고 썼다. 메이들린에게는, 그녀의 손자가 어디 있는지 알 수 있어서 안심이 되었다. 그녀는 귀로 오바마를 관찰했는데, 아파트에서 인터뷰할 때 그녀는 "나는 오바마가 어디쯤 오는지 알 수 있었다. 왜냐하면 거기에서부터 여기까지 농구공이 튀는 소리를 들을 수 있었기 때문이다."라고 말했다.

10대 청소년기는 어른에 대한 반항과 불만의 시기라는 특징을 갖는다. 오바마의 인종 문제에 대한 혼란은 10대 시절의 꿈틀거리는 감정 변화 때문에 더욱 악화되었다. 그는 항상 모든 과목에서 B 이상을 받는 학생이었지만 상급 학년이 되자, 농구와 해양 스포츠와 파티로 시간을 보내며 학과 공부를 게을리 했다. 또 나중에 고백한 대로, 그는 "약물과 술에 손을 댔다." 그는 방과 후 여섯 캔 묶음의 하이네켄 맥주를 사서 농구를 하는 동안 깨끗이 비웠다. 그는 마리화나를 피우고 코카인도 흡입했다. 그리고 마약 공급자가 그에게 헤로인을 하라고 압력을 넣었지만 헤로인은 거부했다.

그는 《내 아버지로부터의 꿈》에서 음주, 약물 복용, 헤로인 등에 대한 경험을 고백했다. 그는 생각의 흐름을 설명하면서, 인종적 번뇌 때문에 약물 남용이 심해졌다는 내용을 투박하고 과장되게 그리고 10대 청소년의 거친 언어로 표현했다. 오바마는 "마약 상용자, 마리화나 중독자…… 그것이 내가 가고 있는 곳이고 이 젊은 놈이 선택해야 하는 운명은 흑인 어른이 되는 것이다."고 썼다. 하지만 다음 단락에서는 보다 너그럽고 덜 자학적인 표현으로 바뀌었다. 그는 백인 아이들, 하와이 아이들 그리고 부자인 아이들도 역시 고통을 일으키는 무엇인가를 달래기 위해 마약에 눈을 돌린다는 것에 주목했는데 - 이는 다른 아이들도 자기만큼 또는 더 많이 고통 받고 있다는 것을 깨닫게 되었다는 뜻이다.

그의 할머니는 배리의 성적이 떨어지는 것에 대해 남편과 의논했으며 배리가 마약을 복용하고 있거나 인생의 목표를 상실하고 있지는 않은지 몹시 걱정했다고 회상했다. 그녀는 이렇게 살다간 많은 어려움이 따른다는 점을 배리에게 훈계해 달라고 남편에게 부탁하기도 했다. 그녀는 백인 친구들이 흑인의 외모를 뚜렷이 갖고 있는 배리를 마약 공급책으로 이용하게 되지는 않을까, 그러다가 마약 제공 혐의로 법에 의해 오랫동안 문제가 되지는 않을까 걱정했다. 오바마는 할아버지와 그런 대화를 한 적이 없다며 나이 든 할머니의 기억력을 의심했다. 메이들린은 "배리의 방황기는 오랫동안 지속되진 않았다. 그는 말을 많이 하는 편이 아니었으므로 혼자서 인종적 편견에 대해 괴로워했지만 우리에게 아무것도 말하지 않았다."고 회상했다.

푸나호우에서, 배리는 사려 깊은 성격으로 학생들과 선생님들 사이에서 인기가 있었다. 고등학교 4년 동안 그의 담임 선생님이었던 에릭 쿠스노키(Eric Kusunoki)는 등교 첫 날 있었던 이야기를 해 주었다. 출석부에 있는 오바마의 이름 '버락'을 몇 번이나 부르면서 나중엔 이름을 발음하기 어려운 것 같다고 말하자 오바마는 당황하지 않고 웃으며 "그냥 배리라고 불러 주세요."라고 큰 소리로 말했다.

쿠스노키는 배리가 좋은 학생이었지만 잠재력을 충분히 발휘하지 못했던 학생으로 기억했다. 나중에 하버드 법대에 가긴 했어도 고등학교 기간 동안은 노력을 하지 않아 성적 면에서 그다지 두각을 나타내진 못했다. "모든 선생님들은 그가 똑똑한 학생이라고 생각했다. 그는 도전해 보겠다는 의지가 약해서 그렇지 더 잘 할 수 있었다."고 덧붙였다. 오바마는 깊은 생각을 하는 학생으로 선생님들에게 좋은 인상을 주었지만 성적은 그만큼 따라 주지 못했다. 쿠스노키는 "오바마와 자주 대화를 나누었고 그는 인종 차별주의자라고 생각되는 친구들과의 문제에 대해 자신에게 상담했다. 그러나 오바마는 다른 많은 학생들처럼 자신의 인종에 대해 고통스러워하거나 혼란스러워하는 것 같지는 않았다. 우리가 나눈 대화에는 오바마가 자기 책에 설명한 많은 생각, 감정들에 관한 얘기는 없었다."고 회상했다.

오바마는 농구를 사랑했는데 그리 잘 풀리지만은 않았다. 대부분의 운동과 마찬가지로 농구는 오바마에게 살아가는 데 꼭 필요한 교훈을 주었는데 그것은 관대함이었다. 푸나호우 농구팀은 그가 상급 학년일 때 매우 성적이 좋아서, 경쟁팀에 완승을 거두며 하와이 주선수권대회에서 우승을 차지했다. 하지만 불행히도 코치가 오바마를 후보 선수로 밀어 냈기 때문에 그는 대부분의 경기를 벤치에서 보내서 팀의 우승에 별로 기여한 게 없었다. 대중적인 영광을 거의 맛보지 못했다는 뜻이다. 오바마는 주전 선수들이 더 좋은 선수가 되도록 훈련 상대가 되어 주는 게 역할의 거의 전부였다.《내 아버지로부터의 꿈》에서 오바마는 자신의 흑인 친구였던 레이가 고등학교 처음 2년 동안 다섯 명의 주전 선수에서 오바마를 뺀 것은 그가 흑인이었기 때문이라고 비난했다고 썼다. 그러나 오바마는 코치의 편을 들면서 자신의 팀은 코트의 반만 사용하는 길거리 농구랑은 다소 차이가 있는 백인 스타일의 게임을 한다고 맞섰다. 오바마는 그는 화해를 잘하는 사람은 아니었던 것 같다고 술회했다. 배리는 또 팀이 자기 없이도 항상 승리를 했기 때문에 자신의 입장을 강변할 수 없었다고 강조했다.

코치였던 크리스 맥라클린(Chris McLachlin)은 오바마가 많은 경기를 뛰지는 않았다고 태연하게 인정하면서 하지만 팀에 보탬이 되었다고 말했다. 자신의 팀은 굉장히 실력 있는 팀이었으며 배리는 출전 선수가 되기에는 너무 소극적이었다고 했다. 그는 "비록 그가 원했던 만큼 충분히 주전으로 뛰지는 못했으나, 그는 더 나은 선수가 되고자 하는 열정, 진실함 그리고 긍정적 태도를 보여 주었다. 그는 매우 공손했고 자신의 역할을 잘 이해하고 있었다."고 말했다.

회고록에는 오바마가 코치에 대하여 관대하게 설명해 놓았지만, 2004년 10월, 내가 그의 고등학교 농구 코치와 인터뷰했다고 하자 완전히 다른 태도를 보였다. 아주 드물지만, 오바마가 성급히 화를 내고 안정이 흐트러질 때가 있는데, 그 코치를 언급할 때가 그랬다. 오바마는 어려운 시기를 맞이할 때마다 하와이적인 고요함으로 대응하곤 하지만 다른 한편에는 불같고 매우 경쟁적인 경향도 있었다. 그는 지는 것과 뒤로 물러나는 것에는 익숙하지 않았다. "나는 코치와 언쟁을 했고 그는 서너 경기에 나를 출전시키지 않았다. 나를 무시했다. 그래서 매우 화가 났다."고 하며, 풀리지 않은 쓰라림의 고통이 느껴지는 목소리로 "나에게 벤치를 지키게 하다니!"라고 내뱉었다. 오바마의 전 언론 담당 사무관이었던 줄리안 그린은 그의 상사가 개인적인 대화를 나눌 때 여러 번 맥라클린에 대해 이야기했다고 말해 주었다. 그린은 "이 두 사람 사이에 아직도 무엇인가가 있다."고 말했다. (오바마는 성인이 되어도 계속 농구를 했는데 정기적으로 매주 경기를 했던 한 사람은 오바마가 천부적인 재능을 타고나지는 않았지만 확실하게 실력 있는 선수였던 것 같다고 말했다. 시카고 공립학교 단체장이자, 유럽과 오스트레일리아에서 프로 농구선수 생활을 한 아른 던컨Arne Duncan은 "그는 매우 훌륭한 고등학교 농구선수였을 것이다. 고등학교 선수 수준으로도 매우 훌륭하다."고 말했다.)

비록 배리가 모범적인 학생이거나 뛰어난 선수는 아니었다. 하지만 나는 그가 하와이에서 생활할 때, 그에 대해 뭔가 다른 것을 발견한 사람을 우연히 알게 되었다. 그 사람은 오바마의 친한 친구였던 대런 마우러(Darren Maurer)의 어머니 수잔 마우러(Suzanne Maurer)인데 그녀는 오바마에게서 활기차고 야망 있는, 또래보다 조숙하고 현명한 면을 느꼈다고 말했다. 그녀는 그녀의 아들과 배리가 고등학교 농구팀에서 같이 벤치를 지켰고 농구가 그 둘 모두에게 중요한 것이었다고 말했다. 그녀는 비록 오바마가 속으로 인종적 혼란을 겪고 농구장에서 상처를 받기도 했지만, 배리는 그녀 앞에서 대체적으로 인생에 대해 낙천적 태도를 보여 주었다고 말했다. 마우러는 "그는 꿈이 있다면 그것을 추구하는 사람 같았다. 배리는 후보 선수일 때조차도, 뭔지 노력하는 그런 타입의 사람이었다."고 말했다.

오바마가 하와이를 넘어 큰 꿈에 도전하게 되리라는 사실은 그 당시 배리도 미처 예상하지 못했다. 그러나 배리는 곧 그렇게 되었다. 마우러는 2004년 여름, 오바마가 연방 상원의원에 출마하고 그가 전국적으로 스타덤에 올랐다는 소식을 듣고, 오바마의 선거운동 웹사이트를 통해 이메일을 보냈다. 정치적으로 보수주의자인 마우러는 자신은 그의 정치적 입장에 동의하지는 않지만 그의 성실함과 헌신을 존경한다고 언급했다. 기쁘게도 오바마는 답장을 보내 왔다. 그리고 그녀는 오바마가 20년 전과 똑같이 현명하고 깊은 정신세계를 가진 사람이며, 하와이를 떠난 후 개인적인 발전이 많았음을 느꼈다. 푸나호우 아카데미 시절, 활달하고 농구를 즐기던 배리 오바마는 이제 과거의 사람이며 더 이상 존재하지 않는다. 그녀는 "우리는 의견이 다르다는 것을 확인했다. 그리고 나는 이메일에 그를 '배리' 라고 썼는데, 그는 답장에 '버락' 이라고 서명했다."고 말했다.

제4장

미국 본토

내가 당신을 '버락'이라고 불러도 되나요?
— 대학교 여자 친구

하와이는 버락 오바마가 성장하기에 너무나 좋은 곳이었다. 오바마는 조부모의 보살핌 속에서 평탄한 생활을 했고, 청소년기에 인종적인 문제로 마음속에 갈등이 있었을 때에도 따뜻한 가정환경 속에서 안정을 되찾았다. 그의 할머니는 "내가 몇 번 그를 벌 세운 적이 있었다. 여러 번은 아니고 단지 몇 번 뿐이었다."고 말했다. 20대에 어른으로 성장하는 길목에서, 오바마는 자신의 인생을 돌아본 후 하와이에서 보낸 시절을 '어린 시절의 꿈'이라고 불렀다.

그러나 열대의 화려함과 다양한 인종들에도 불구하고 하와이는 답답한 면이 있었다. 그의 이복동생인 마야는 하와이 주민들은 그 섬이 바다 한가운데 작은 한 점처럼 떨어져 있으며 자신들은 격리된 채 생활하고 있다고 느낀다고 말했다. 세상을 이끈 문명, 예술과 대중문화는 아주 멀리 떨어진 대륙에나 있었다. 이러한 평화로운 고독은 축복이자 저주였다. 마야는 "그 당시 뉴스는 이곳까지 너무나 느리게 전달되었다. 인터넷도 없었고 《뉴욕 타임스New York Times》도 이곳에서는 찾을 수 없었다."고 말했다. 심지어 9시부터 5시까지의 직장생활에 만족하며 손자들을 위해 안락한 가정생활을 꾸렸던 오바마의 할머니조차, 사람들이 본토로부터 분리된 것처럼 느낄 수밖에 없다고 불만을 표시했다. 예를 들면 미국의 동해안과 하와이의 시간 차이는 여섯 시간이었기 때문에, 하와이 주민들이 투표를 위해 집을 나서기도 전에 대통령 선거의 결과가 이미 판가름 났다. 메이들린은 "우리는 권리를 빼앗겼다."며 불평했다.

버락과 마야 모두 하와이 섬 너머에 있는 생활을 경험하고 싶어 했다. 이 남매 중 어느 누구도 미국 본토에 가서 사업을 하거나 돈을 많이 벌어 부자가 되려는 생각은 하지 않았지만, 어머니의 모험을 좋아하는 방랑적 기질과 자유스러운 감수성의 영향으로, 세계를 주도하는 미국의 문화를 그 중심지에서 느껴보고 싶어 했다. 얼마 후 두 사람은 세상에서 가장 중요한 도시 중 하나인 뉴욕에 도착했다.

내가 호놀룰루를 방문했을 때, 마야는 30대 중반이었다. 그녀는 1995년부터 2000년까지 맨해튼에 살았는데, 그곳에 있는 동안 대안학교 설립을 도왔다. 그러다가 2000년에, 그녀는 교육 관련 직업을 얻고 결혼하여 가족을 꾸릴 준비를 했다. 하지만 할머니의 건강이 급격히 악화되어 다시 하와이로 돌아오게 되었다. 하와이로 돌아온 후, 그녀는 호놀룰루 미술관(Honolulu Academy of Arts)에서 영화 매니저로 있던 싹싹하고 책임감 있는 캐나다인 콘래드 응(Konrad G. Ng)을 만나게 되었다. 오바마는 "처남은 모든 면에서 훌륭한 사람이다."라고 말했다. 내가 2004년 하와이를 방문하기 4개월 전, 마야는 그녀의 첫 번째 아이 수하일라 칼라 카일라 응(Suhaila Kala Kai-La Ng)을 출산했다.

그녀의 오빠처럼, 마야에게도 세련되고 자신감 넘치는 면이 있었다. 동그란 얼굴과 오빠처럼 활짝 웃는 미소를 지닌 그녀는 어머니와 오바마의 짙은 눈썹과 아버지 롤로의 올리브색 피부를 가진 유럽과 인도네시아 혈통이 섞인 아름다운 여인이었다. 숱이 많은 갈색 머리는 어깨까지 흘러내려 얼굴을 더욱 부드럽게 보이게 하고 커다란 갈색 눈을 더욱 강조해 주었다. 노라 모레노 카지는 "마야는 너무 아름답다."며 감탄했다. 대학에서 마야는 야간강좌에 출강하여 다중문화 교육학, 교육 철학 그리고 교육 역사를 가르쳤다. 나는 이러한 과목들이 그녀에게 너무 잘 맞는다고 생각했다. 왜냐하면 그녀의 가족들이 바로 이 다양한 문화적 요소를 갖고 있기 때문이다. 흑인이며 미국인인 오빠, 백인이며 미국인인 어머니, 인도네시아인인 아버지, 백인이며 미국 중서부 출신인 조부모 등 다양한 문화가 섞여 있는 가족이었다. (오바마는 "우리 가족이 모이면 UN에서 회의가 열린 것 같다."고 이야기하곤 했다.) 마야는 대서양 연안의 악센트가 가미된 영국식 정통 영어를 구사했고 그녀의 도시적 세련됨을 느낄 수 있는 섬세한 방법으로 단어들을 정확하게 발음했다. 그래서 나는 그녀가 그런 상류층이 사용하는 언어를 도대체 어디서 배웠을까 궁금했다. 그녀가 평생 동안 사립학교에서 교육을 받은 덕분일지도 모른다고 난 추측해 보았다. 그녀는 불교신자로서 취미 삼아 세계 각국의 춤을 가르쳤고 미술 작품 감식가로 일하기도 했다. 오빠가 유명한 정치인이고, 본인은 세련된 도시여성이었지만, 그녀는 자동차 대여·판매 전문점에서 싸게 산 휠 캡도 없는 다 낡은 하얀색 포드 콘투어(Ford Contour) 자동차를 몰았다. 다소 의외였다. 하지만 그녀와 그녀의 남편은 강사와 미술관 매니저로서 보잘 것 없는 연봉을 받으며 검소하게 생활하고 있었다. 그리고 어머니의 지적이고 자애로운 기질을 그대로 닮아, 마야와 버락은 명품 소유를 우선순위에 두지 않았다.

마야와 하와이 여행을 하는 동안, 우리는 작은 포드 승용차 뒤에서 거리를 두고 따라 가느라고 그 포드 차 뒷범퍼 위에 '오바마, 연방상원 민주당'이라고 새겨진, 일리노이에서 가져온 밝은 파란색과 하얀색이 어우러진 스티커를 계속 바라볼 수 있었다. 마야와 만나면서 가장 재미있었던 점은 그녀가 자기 강아지 이름을 '오바마'라고 지었다는 것이었다. 이것을 안 모레노 카지는 한참을 웃었다. 모레노는 "그녀가 강아지를 오바마라고 부르는 것이 너무나 우습다."며 재미있어 했다. 그녀가 오빠를 부를 때 주로 성을 사용하는 것은 나에게 여러 가지를 암시했다. 그것은 그녀와 그녀 오빠가 서로 다른 아버지가 있다는 의미이며, 그녀 오빠의 아프리카 성을 둘러싼 신비성을 강조하는 한편, 프린스(Prince)나 보노(Bono) 같은 유명한 가수들처럼, 오바마를 중요하게 여기고 있다는 느낌을 주었다. 마야가 성 대신 이름을 부르며 오빠에 대해 언급할 때는, 보통 공식적인 대화를 할 때였다. 그리고 그렇게 할 때, 그녀는 '버락'을 분명한 두 음절로 구분하고 'r' 발음을 할 때 혀를 더 굴렸다.

버락은 푸우 우알라카(Pu'u Ualakaa) 주립공원까지 가는 구불구불한 도로와, 가끔 가족들과 소풍을 갔던 아름다운 짙은 녹색의 열대우림 지역을 우리의 여행코스에 포함시켰는데, 마야는 이곳을 모두 보여 주었다. 하와이 이름으로 '구르는 고구마 언덕'이라는 뜻의 이 주립공원은 최정상이 300미터 이상 되는 산악지대인데, 이곳에 오면 와이키키, 다이아몬드 헤드(Diamond Head), 그리고 호놀룰루에 걸친 맑고 숨이 멎는 듯한 전경을 볼 수 있고 오아후 섬 거의 모든 지역을 광범위하게 화폭에 담듯이 조망할 수 있다. 또한 우리는 일흔다섯 살의 나이로 1992년 전립선 암으로 돌아가신 오바마의 할아버지, 스탠리 던햄이 묻힌 국립묘지 근처의 국군묘지도 방문했다. 우리는 1995년 어머니가 난소암과 자궁암으로 세상을 떠났을 때 낙심한 오바마와 여동생이 어머니의 재를 뿌렸던 샌디(Sandy) 해변 근처의 육중한 바위산까지 차를 몰고 가

보았다.

　나는 오바마가 제일 좋아했던 하우 트리 라나이(Hau Tree Lanai) 식당에서 저녁을 먹으며 마야와 인터뷰를 했다. 이곳은 복잡한 와이키키 해변에서 3킬로미터 정도 떨어진 곳으로 해안 거리를 따라 늘어선 낮은 호텔들과 아파트 숲이 우거진 카피올라니(Kapiolani) 공원 가운데에 자리 잡고 있었다. 또한 이곳은 관광객들이 짧은 거리를 운전하고 싶을 때 쉽게 올 수 있는 곳으로 오아후 주민들이 즐겨 찾는 식당이었다. 우리는 해변이 바라다 보이는 우아한 정원에서 저녁 식사를 했다. 그곳에는 밑둥이 굵고 가지가 길고 각진 몇 그루의 하우(Hau) 나무가 있었다. 이러한 배경들은 해변으로 부드럽게 밀려드는 하얀 거품을 얹은 약한 파도와 더불어, 그리고 밤공기 사이를 떠도는 온화한 저녁 바람과 편안하게 우리를 감싸는 구름 한 점 없는 흑색 하늘과 어우러져, 야외 식사를 하기에 이상적인 아름다운 분위기를 만들어 주었다. 밝게 빛나는 와이키키 해변은 우리의 시야 오른쪽 먼 곳에 있었는데 사방이 깜깜한 어둠 속에 있어서 그런지 더 고독해 보였다.

　메뉴판에 나와 있는 약간 비싸긴 하지만 신선한 해물 요리와 부드러운 스테이크를 보면서, 오바마가 하와이를 방문하면 이 식당에 꼭 가보라고 권한 이유를 알 것 같았다. 그리고 이곳에서 며칠을 지내고 보니, 하와이에 갔다 미국 본토로 돌아오는 대부분의 사람들이 왜 혈압이 몇 수치나 낮아졌다고 기뻐 하며 하와이 여행에 대해 좋게 이야기하는지 충분히 이해할 수 있게 되었다.

　하와이에 대한 이러한 아름다운 인상은 저녁식사 겸 인터뷰에서 마야가 오바마에 관해 말한 부분과 어울리지 않는 면이 있었다. 호놀룰루를 떠나 지식, 모험, 인종적 정체성 등을 찾고자 했던 오빠의 불타는 갈망이 그것이었다. 마야는 이렇게 말했다. "하와이에도 사상과 문화 그

밖의 것들이 있지요. 그러나 여기서는 실제보다 더욱 진하게 세상과 단절된 느낌을 받습니다. 본토로 이주해서 오빠는 논쟁하고 자기변호를 하는 와중에 처음으로 자신을 발견한 것 같아요. 여기에서, 오빠는 이곳을 사랑했고 행복했으며 잘 적응했습니다. 하지만 이곳에서는 근본적인 의문점에 대해 답을 찾기가 어려웠습니다. 예를 들면 오빠가 어떤 사람을 인종 차별주의자라고 느낄 때 또는 정체성 문제로 고민할 때, 오빠를 도와줄 사람도 없었고 의문점에 대한 대답을 찾으라고 재촉하는 사람도 없었습니다."

회고록에 의하면 오바마에게는 인종적 문제들에 대해 조언을 해주는 복합적 성격의 흑인들이 몇 명 있었는데, 친구 레이도 그 중 한 명이었다. 오바마는 조부모가 인종에 대해 이야기할 수 없는 분들이었다고 말했고, 마야는 어머니는 흑인 사회에 대한 실질적 경험이 없었다고 했다. 마야는 말하기를, 가족 간에는 거의 의견 차이가 없었으나, 오바마와 어머니는 한 가지 주제, 즉 맬컴 X에 연관된 주제를 놓고는 열띤 논쟁을 했다고 했다. 오바마의 어머니는 '필요한 모든 수단을 동원하여' 흑인들의 자유와 정의, 평등을 위해 투쟁했던 – 분노로 가득 찼던 흑인 지도자 – 맬컴 X를 이해하려고 노력했으나 실패했다.

마야는 "어머니는 단지 이해하지 않았어요. 하지만 이해하고 싶었죠. 어머니는 순진했고 다정했으며 매우 자유스러웠습니다. 그러므로 어머니는 차별 대우를 받아 온 모든 이들이 배타적으로 되는지 이해할 수 없었습니다. 어머니는 분노를 인정하지 않았어요. 그리고 내가 생각하기에 어머니는 노력했지만, 이 나라에서 흑인으로 태어나는 것이 어떤 것인지 오빠에게 가르쳐 줄 준비가 되지 않았다고 생각합니다. 어머니는 오빠를 어떻게 도와야 하는지 전혀 알지 못했습니다. 내가 생각하기에, 어머니는 단지 오빠의 기분이 좀 더 나아지기만을 원할 뿐이었죠.

어머니는 정말 사랑을 아낌없이 주는 사람이었습니다. 어머니는 오빠가 모든 일이 잘 풀려서 좋아지게 하고 싶었을 뿐이었습니다."라고 말했다.

그러나 이 기간 동안 오바마는 모든 것이 좋질 않았고 흑인 투쟁 사상에 이끌렸다. 《내 아버지로부터의 꿈》에 나타난, 그가 느낀 흑인들의 분노의 감정과 관련된 단락을 살펴보자. "아무리 잘해도 이러한 것들은 피난처였고, 최악이었으며 덫이었다. 우리를 미치게 하는 논리들, 즉 네 자신이 선택할 수 있는 유일한 길은 점점 더 작은 분노의 소용돌이 안으로 포기하고 움츠러드는 것뿐이다. 흑인으로 산다는 것은 결국 자신의 무기력한 패배를 알게 되는 것을 의미한다는 것을 깨닫기까지. 그리고 최후의 아이러니는 네가 패배를 거부하고 덤벼든다면 그들은 편집증, 투쟁, 폭력, 검둥이 등으로 낙인을 찍어 속박하게 될 것이 분명하다는 것이다."

오바마는 내부적 인종 혼란과 들끓는 분노로부터 자신을 정화시키기 위해 흑인 문화를 좀 더 가까이서 경험해야 한다고 느낀 것 같다고 마야는 말했다. 몇몇 대학에서 입학허가서를 받은 후, 오바마는 상대적으로 흑인이 별로 없는 로스앤젤레스 교외에 위치한 한 작은 문과대학에 입학하기로 결정했다. 아직 성인으로서 목표를 분명히 정하지 못하고, 그는 대부분의 젊은이들이 그 학교를 결정한 것처럼 (반드시 합리적이거나 장기 계획에 근거한 것이 아니라 단지 여자를 좋아했기 때문에) 옥시덴탈 대학(Occidental College)을 선택했다. 그의 눈을 사로잡은 옥시덴탈 대학의 여학생은 캘리포니아 브렌트우드(Brentwood) 출신이었다. 그녀는 부모님과 오아후로 휴가를 간 적이 있었다. 아직 고등학교에 다니고 있던 오바마는 휴가철 하와이를 방문하는 여대생들과 어울리기 위하여 자신의 매력과 준수한 외모를 이용하려고 노력했다. 오바마보다 연상의 여성들은 그의 지성과 환한 미소에 매료되었고, 그보다 더 성숙한 여대생들의 내성적인 몸가짐은 오바마를 매료시켰다. 그는 체격이 좋아 고등학교 1학년 때부터 미식축구 선수로 활약했는데 상급 학년이 되면서 덩치가 더 커졌다. 그는 20대 때만큼 마르진 않았지만 성인이 되면서는 아주 호리호리해져 가고 있다.

오바마는 2,000여 명 남짓한 잘 정돈된 인문대학에서 전액 장학금을 받았다. 옥시덴탈 대학에서, 오바마는 흑인 학생에 대한 그 학교의 적은 학비에 끌렸고, 미국에 있는 흑인들이 하와이에 있을 때 텔레비전으로 보았던 것처럼 강하고 도시적이며 세련된 집단이 결코 아니라는 것을 곧 발견했다. 흑인들은 다양한 견해들과 분산된 행동 양식을 가지고 있으며 백인들처럼 그들 안에서도 다양성이 있었다. 옥시덴탈 대학에 다니는 많은 흑인들은 중상류층 출신이었고, 오바마는 그 도시 아이들과 자신이 많이 비슷하다고 생각했다. "그들은 피부색에 의해 구별되지 않았다. 그들도 아마 그렇다고 인정할 것이다. 그들은 각자 개인들이었다. 그들의 태도에서, 언어에서, 불안정한 마음에서, 나는 내 자신을 발견했다."라고 썼다. 오바마의 기질은 미국 내 다른 지역의 흑인들의 그것과는 뚜렷이 달랐다. 백인 어머니와 흑인 아버지를 둔 시카고 토박이로 《시카고 트리뷴》의 기고가였던 돈 테리(Don Terry)는 오바마를 보면 좀 더 느긋하고 도시적 기질이 덜한 '캘리포니아 흑인들'이 생각난다고 했다.

오바마는 책에서, 친구를 사귈 때 정치적인 활동을 많이 하는 흑인 학생들을 의식적으로 골랐다고 했다. 왜냐하면 '배신자 또는 영합하는 자'로 낙인찍히는 것이 싫었기 때문이었다. 진정한 흑인의 이미지를 보여 주기 위하여, 그는 종종 다른 흑인 친구들 사이에서도 인정받기 위하여 무리한 행동을 하기도 했다. 오바마가 흑인적 태도가 부족한 한 흑인 학생을 '톰(Tom; 백인에게 굽실거리는 흑인, 엉클 톰 - 역자주)'으로 묘사하자, 다른 한 학생은 "내가 보기에 우리는 남들이 어떻게 행동해야 하는지 판단하기 전에, 우리 자신의 언행부터 먼저 바로잡아야 한다."고 말하며 오바마를 비난했다. 내가 그의 회고록에서 처음 이 대목을 읽었을 때, 오바마가 평소에는 흑인들끼리 있는 곳에서 편안한 듯이 보이지만, 여전히 일부 도시 흑인들과 어울리기 위하여 과장되게 행동하는 경향이 있다는 것이 생각났다. 오바마는 연방상원 선거운동을 하는 도중 가끔 흑인의 등을 살짝 때리기도 하고 "잘 있었나, 형제여?" 같은 흑인들이 하는 인사말을 하기도 했다. 오바마의 과장된 열성과 지나치게 호의적인 태도에도 불구하고 가끔 의외의 결과가 나타나기도 했다. 어떤 놀란 흑인은 "어?"라며 당황했던 적이 있었고, 또 다른 흑인은 아무런 반응도 하지 않았었다. 《시카고 선 타임스Chicago Sun-Times》의 정치부 기자인 스콧 포넥(Scott Fornek)은 오바마가 흑인 교회에서 선거운동을 하고 있던 중에 "오바마는 정말 훌륭한 후보다. 그러나 '헤이, 형제여' 같은 말은 가끔 좀 지나치다는 생각이 든다."라고 말했다.

옥시덴탈 대학에서 만난 흑인들 외에도, 오바마는 외국 학생들, 멕시코계 미국 학생, 마르크스주의자인 교수들, 구조적 여권신장론자, 펑크록 퍼포먼스 시인들 등 다양한 종류의 친구들을 사귀었다. 그는 정치적 반란을 주제로 지적 토론을 하고, 신식민지주의, 유럽 중심주의, 식민지 해방, 카리브 해 흑인 지도자인 프란츠 파농(Frantz Fanon)과 같은 무거운 주제에 대해서도 기숙사에서 밤을 새워가며 열띤 논쟁을 벌였다. 그는 "카펫이 깔린 복도에서 담배를 피워대거나 또는 벽이 흔들릴 정도로 크게 노래를 틀어 대며 사회의 숨 막히는 억압들 앞에 몸부림쳤다."고 회상했다.

오바마는 그 당시 가장 인기가 많았던 대학생운동에 가담했는데, 그 운동은 인종 차별 국가인 남아프리카에서 보내는 대학기금을 없애자는 것이었다. 오바마가 처음으로 언어의 힘을 배운 것은 이런 행동주의를 통해서였다. "나는 사람들이 내 의견을 경청하기 시작하고 있다는 것을 알아차렸다. 그때 언어에 배고파하는 나를 발견했다. 숨겨진 언어들이 아니라 메시지를 싣고 생각을 지지할 언어에 대하여 말이다."라고 썼다. 그의 첫 대중연설은 무대가 있는 집회에서 시작되었는데, 남아프리카 흑인이 말없이 끌려가는 장면을 설명하는 형식이었다. 그의 동료들이 무대에서 그를 끌어내리는 장면에서, 오바마는 청중들과 교감을 느꼈고 육체적으로 저항했다. 그는 《내 아버지로부터의 꿈》에서 "나는 내 목소리가 관중에게 전달되었다가 박수로 다시 돌아오는 것을 계속 듣고 싶어서 그곳에 더 오래 머무르고 싶었다."고 했다.

옥시덴탈 대학에서 비록 오바마는 여전히 학과 공부에서는 괄목할 만한 성과를 거두지 못했지만 지적으로는 엄청난 성장을 이루었다. 여기에서 그는 서서히 농구와 파티에서 멀어졌다. 그는 옥시덴탈 대학의 2부 팀에서 몇 주 연습했지만 많은 시간이 소요되었고 농구 실력도 더 이상 늘지 않았다. 그래서 그는 팀에서 탈퇴하고 그 대신 학생, 교수들과 픽업 게임(pickup game; 일종의 연습경기)를 했다. 수업시간에, 그는 생각이 깊은 학생들과 교수들을 만나게 되었는데 그들은 자아도취에 빠진 오바마로 하여금 자신을 다시 한 번 돌아보고 세계로 눈을 돌리도록 자극을 주었다. 가끔은 빈둥거리기도 했지만 통이 컸던 오바마, 10대 때 농구선수이자 파도를 즐겨 타던 오바마는 그 전에는 한 번도 접해 본 적이 없던 지적 영양분을 섭취했다. 해변에서 노는 것 대신, 오바마는 커피하우스에서 토론을 하며 시간을 보냈다. 토론회에서 여자를 만나기 위해 이 대학에 왔다고 그는 고백했다. 그는 "내가 다닌 학교는 운동경기에는 그다지 흥분하지 않았다. 여자를 사귀기 위해서는 코트에서 가장 슛을 잘 넣는 선수가 아니라 커피점에서 가장 똑똑한 남자가 되어야 했다."고 말했다.

그럼에도 불구하고 자기를 변화시키고 다른 사람의 관심을 끌기 위하여 그는 자신이 가진 지성과 매력에 의지했다. 그의 할머니는 나에게 "옥시덴탈 대학에 다닌 2년 동안 그는 인생의 어떤 목표를 세운 듯했다."고 말했다. 마야도 그녀의 오빠가 성장하고 있다는 것을 느꼈다. 그녀는 "본토로 이주한 이후, 오빠는 처음으로 활기찬 토론을 하고 있었어요. 그는 항상 똑똑했으며 모든 곳에서 의미 있는 몫을 하는 자신을 발견했습니다. 처음으로 그는 흑인 문화와 정면으로 직면했지요. 이제 오빠는 세상에서 자기 자리를 찾아야만 했습니다. 그렇게 하기 위해서는 상당한 공부와 토론이 필요했습니다."라고 말했다.

오바마는 옥시덴탈 대학에서 새로운 사람을 만났다. 한 커피하우스에서 토론하던 중, 그가 매력있다고 생각해 온 한 젊은 여성이 그에게, '버락' 이라는 이름에 대해 물었다. 그는 아랍말로 '축복받은' 이라는 의미인데, 그의 친할아버지가 이슬람교도였다고 설명해 주었다. 그녀는 "당신을 '버락' 이라고 불러도 되나요?"라고 물었고 오바마는 미소로 대답했다. 그의 회고록을 읽는 일부 사람들은 "음, 여자들은 배리보다는 버락이라는 이름을 더 좋아할지도 모르겠다."는 자막과 함께 이 청년 머리 위에 떠오른 전구 모양의 그림을 상상할 수 있을 것이다. 그 후 배리 오바마라는 이름은 영원히 쓰지 않게 되었다.

1981년 2학년이 지나고, 오바마는 컬럼비아 대학과 옥시덴탈 대학이 맺은 프로그램에 따라 뉴욕에 있는 컬럼비아 대학으로 전학을 갔다. 그는 뉴욕을 경험하고 흑인 사회를 찾아보고 싶었다고 말했다. 그는 "옥시덴탈 대학은 너무 작았고 그곳에서 필요한 것은 모두 얻었다고 느꼈기 때문에 뉴욕에 있다는 사실이 더욱 매력적으로 다가왔다."고 했다.

아이러니컬하게도 그에게 뉴욕은 복잡하지도 않았고 소란스럽지도 않았으며, 도심에 그를 힘들게 하는 수백만 명의 사람들이 있지도 않았다. 다만 이 큰 도시에 새로 들어 온 사람이라는 고독과 격리감만 느껴질 뿐이었다. 그는 수도자적인 생활방식으로 살기로 하고, 맨해튼의 아파트에서 프리드리히 니체(Freidrich Nietzshe), 허먼 멜빌(Herman Melville), 토니 모리슨(Toni Morrison)이 쓴 책들과, 성경책을 보며 홀로 시간을 보냈다. 그는 규칙적으로 운동을 하기로 하고 매일 몇 킬로미터를 뛰었는데, 이러한 운동 습관은 현재까지도 이어지고 있다. 하루나 이틀 운동을 하지 못하면 가끔 그는 기분이 우울해지기도 했다.

그는 "나는 접시 두 개, 수건 두 개를 갖고 있었다. 어머니와 여동생이 와서 이것들을 보고는 수도승 같다고 놀렸다. 나는 수 톤의 책을 갖고 있었고 그 모든 책들을 다 읽었다. 그때가 내가 지적으로 가장 성장했던 기간이었던 것 같다. 그러나 그것은 내부적 성장이었다."고 말했다. 오바마의 지적인 엘리트주의 기질도 이 당시 싹트기 시작했으며, 그때부터 그는 자신이 아주 진지한 사람이라고 느꼈다. 그 당시 10대 중반이었던 마야는 오빠가 준 책들을 읽지 않고 텔레비전과 연예주간지 《피플People》을 가까이 한다며 오빠한테 핀잔을 들었던 일을 기억했다. 그녀는 오빠가 너무 극으로 치닫는 것이 아닌지 걱정했지만 어머니는 그건 단지 오빠 인생의 하나의 과정이라고 설명해 주었다고 말했다. 전 일리노이 홍보 보좌관이었던 줄리안 그린은 이 시기는 현재 오바마의 지성이 형성되는 데 가장 도움이 되는 시기였다고 말했다. 그는 "버락은 대부분 사람들이 전혀 하지 않는 어떤 것, 즉 매일 하루 종일 독서하고 마음을 성장시키는 것으로 자신을 단련시켰다. 그것이 그와 성공하지 못한 사람들 간의 차이인 것 같다."고 말했다.

오바마는 자신에게 좀 더 초점을 맞추었으며 대학 교수를 많이 믿지 않았다. 하지만 오바마의 한 친구는, 옥시덴탈 대학의 한 교수가 그의 지적 발전에 막대한 영향을 끼쳤다고 말했다. 그는 로저 보에쉬(Roger Boesche)로, 오바마는 그의 강좌를 두 개 들었는데 하나는 미국인의 정치사상이고 다른 하나는 현대 정치사상이었다. 그 중 현대 정치사상 강의는 오바마에게 절대적인 영향을 주었다.

보에쉬는 개인적으로 토머스 제퍼슨(Thomas Jefferson)과 참여 민주주의를 옹호한 사람들을 존경했다. 그러나 보에쉬는 학생들에게 자신의 정치적 사상을 강요하지 않았다. 그는 "나의 수업방식은 그들이 스스로 생각하게 하는 것이다. 바람직한 정치이론 수업이란 그들이 스스로 결론을 이끌어 낼 수 있도록 도와주는 것이어야 한다고 생각한다. 그들이 어떻게 결론짓는지에 대해서 나는 별로 상관치 않는다. 나는 학생들을 내 사고방식으로 끌어들일 수 있다고 믿지도 않는다. 그들이 사회로 나가서 과격주의자가 될지, 진보주의자가 될지, 또는 보수주의자가 될지에 상관없이, 나는 그들이 세운 가정을 되짚어 보고 자기에 맞는 새로운 방향으로 가도록 유도할 뿐이다. 나는 한 주는 플라톤이 되고 또 다른 주는 아리스토텔레스가 되기도 한다."고 말했다.

실제로 보에쉬는 오바마에 대해 어렴풋하게 기억하고 있었는데 비해, 오바마는 그의 인생에서 선택을 할 때 그리고 그의 사상에 보에쉬가 큰 영향을 끼쳤다고 말한 점은 매우 재미있는 일이다. 오바마가 그의 수업을 들을 때, 보에쉬는 대학 교수가 된 지 얼마 되지 않은 때였다. 그 당시 30대 초반이었던 보에쉬는 종종 대학가의 '쿨러(Cooler)'라는 햄버거 가게에서 친구들과 함께 있는 오바마와 어울리곤 했다. 그리고 비록 그가 오바마에 대해 조금밖에 기억을 못했지만, 그는 오바마에게 공부할 때 좀 더 집중력 있게 노력하라고 강조했었다고 기억했다. 그는 오바마는 가능성이 많은 학생이었으나 옥시덴탈 대학에서는 그 가능성을 실현하지 못했다고 말했다. 그는 "때때로 학생들의 숙제나 논문, 그리고 수업시간의 질문 속에서 학생들의 잠재성을 발견한다. 나는 배리에게서 이러한 잠재성을 보았다. 하지만 그의 성적은 그의 거대한 재능과 일치되지 않았다. 그래서 나는 그러한 재능을 개발하도록 그에게 더욱 강한 자극을 주었다"고 말했다.

2년 후 내가 다시 보에쉬를 만나, 오바마가 뉴욕시의 한 고독한 아파트에서 니체와 그 밖의 정치 사상가들의 책들에 푹 빠져 산다고 말해주자, 오바마는 철학적 성장 경험을 거쳤음에 틀림없다고 말했다. 그는 "니체는 모든 것에 이의를 제기했다. 모든 사물을 의심의 눈으로 바라보아야 한다고 말했다. 그는 신은 죽었다고 주장했다. 그래서 만약 오바마가 니체의 책을 계속 읽었다면, 그는 그가 이때까지 가지고 있던 모든 핵심적 믿음들을 재평가하게 되고 다른 방향으로 결론을 얻는 총체적 추론 과정을 겪게 되었을 것이다."라고 말했다.

보에쉬의 오바마에 대한 관찰은 정확했다. 오바마는 현대 정치 이론에 대한 보에쉬의 수업을 가장 좋아했다. 그는 무엇보다 보에쉬의 이 수업 때문에 자아반성과 자아관찰에 박차를 가할 수 있었다. 보에쉬는 아직 완전히 여물지 않은 오바마의 지성을 이끌어 내는 재주가 있었다. 그는 오바마가 시험에서 확실히 A를 받을 만한데도 B를 줌으로써 분발을 촉구했다. 오바마는 여전히 열심히 파티에 다니긴 했지만 보에쉬의 수업들만큼은 특별하게 생각했다고 말했다. 그는 "비록 내가 공부를 안 했지만, 난 여러 가지 것들에 대해 다른 학생들보다 더 많이 알고 있다고 생각했다. 그래서 '너는 실제 수업에 집중하지 않는다.'며 보에쉬 교수는 나에게 낮은 점수를 주었다. 그것에 나는 화가 났다."고 말했다.

오바마는 보에쉬에 대하여, 자신을 성숙하게 도와준 많은 사람들 중 하나로, 자아도취에서 벗어나게 하고 번뇌가 가득 찬 10대 청소년기에서 진지한 어른으로 성장하도록 이끌어 준 사람이었다고 말했다. 오바마는 "나에게는 내 가능성을 보고 내 부족한 행동들에 대해 기꺼이 지적해 준 사람들이 많이 있었다. 그리고 그러한 도전들로 인해 난 진지해지게 되었다고 생각한다. 가장 중요한 것은, 그것으로 인하여 이 세상에서 내가 최고가 아니라는 것을 알게 되었다는 것이다. 더 큰 세상이 있었고 그 세상을 보게 된 나는 다른 사람들에 비해 행운아였다. 나는 내 자신의 재능들을 더 진지하게 받아들이고 다른 사람들을 위해 내 재능을 어떻게 써야 하는지에 대한 책임감을 갖게 되었다."고 했다.

실제로 보에쉬의 자극 전략은 성공했고, 오바마는 지적으로 더욱 자신에게 도전하고 분발하며 열심히 공부했다. 뉴욕에서 그는 더욱 큰 성장을 이루게 되었다.

오바마는 "그 2년은 나에게 너무나 중요했다. 나는 모든 것을 다 뜯어 내어 다시 쌓아 올렸다. 약 2년이 지나는 동안, 나는 고통스럽게 홀로 남아 많은 생각을 하는 것 외에는 다른 어떠한 것에도 몰두하지 않았다."고 했다.

오바마는 1983년 정치학 학사로 컬럼비아 대학을 졸업했다. 그는 맨해튼에 남아 다국적 기업에 취직했는데 그 회사는 전 세계의 비즈니스 뉴스를 실은 신문을 발행하고, 해외에서 활동하는 미국 회사들에게 컨설팅을 해 주는 회사였다. 오바마는 그 회사의 국제금융정보 부서에서 편집장과 리서치 보조로 일했다. 그의 이력서를 보면, 거기서 일하는 1년 동안 그는 "연구하고, 글을 쓰고, 기사를 편집하고, 다국적 기업들을 위해 국제적 사업과 금융에 대한 길잡이 안내서를 만들었다." 오바마는 연방상원 선거운동 기간 동안 나에게 이 일에 대하여 "그다지 흥미 있는 일은 아니었지만 현대 사업과 국제금융, 그리고 자본주의의 냉정함에 대한 지식을 빨리 배울 수 있었다."고 말했다. 《내 아버지로부터의 꿈》에서, 오바마는 자기가 하는 일과 자기 인생의 엇갈리는 진행에 대해 기록했다. 맨해튼에 있는 그의 아파트는 뮤지컬 〈웨스트 사이드 스토리West Side Story〉의 실제 무대인 어퍼 웨스트 사이드(Upper West Side)에 위치했다. 그는 중요한 국제 거래를 성사시키는 위엄 있고 권위 있는 사업가가 되고자 하는 야망도 가져 보았지만, 양복을 입고 넥타이를 매고 서류 가방을 든 자신의 모습을 상상하긴 싫었다. 자신의 개인적 특성에 대한 관찰은 오바마를 괴롭혔다. 그는 "나는 내가 누군지 알기도 전에, 기업의 회장으로 명령을 하며 거래를 성사시키는 내 자신을 상상하곤 했고, 결심이 부족한 것에 대해 죄책감을 느꼈고 또한 느껴야 한다고 내 자신에게 말하곤 했다."고 말했다.

실제로 오바마는 할머니(Toot)에게 '이 세상이 아닌 더 나은 곳'에서 살고 싶다고 했다. 부유하고 권력 있는 기업의 회장이 되는 것으로는 그렇게 될 수 없었다. 어떻게 해야 하는지 정확히는 몰랐지만, 그 지역의 가난한 사람들에 힘을 실어 줄 실천주의자가 되어야겠다는 생각을 하기 시작했다. 그는 하던 일에 더 이상 만족을 못하고 결국 그만 두고 말았다. 오바마는 '거리'에서 일하고 싶어서, 집세도 내지 못하는 가난한 사람들이 많이 사는 지역인 브룩클린(Brooklyn)과 할렘(Harlem) 지역에서 시간제로 몇 가지 일을 시작했다. 그는 본격적으로 지역단체를 조직하는 일을 찾고자 여기저기 이력서를 보냈지만 어느 곳에서도 연락이 없었다.

다시 직장으로 돌아가야 하는 건 아닌지 고민하던 차에 오바마는 시카고 지역단체 조직 책임자인 제리 켈먼으로부터 전화 한 통을 받았다.

켈먼은 시카고 최남부 지역에 있는 가난한 흑인 지역에서 사람들에게 도움을 줄 조직적 모임을 만들기 위해 잡지에다 새로운 인물을 찾는 광고를 냈다. 켈먼은 유태계 백인이었고 그의 파트너는 흑인 주민들로부터 그리 신임을 얻지 못하고 있었다. 오바마가 그 광고를 보고 연락하자, 켈먼은 오바마라는 이름을 보고 어떤 인종의 사람인지 궁금해 했다. "동양인 이름 아닐까?" 하며 일본계 미국인인 아내에게 물어 보았더니 그런 것 같다고 했다. 켈먼은 맨해튼의 한 커피숍에서 오바마와 만났는데 그는 오바마가 첫눈에 마음에 들었다. 그 이유는 첫째로, 오바마가 흑인이었기 때문이었다. 단지 연봉 3,000달러를 받고 지역단체 조직을 위해 일하고 싶어 하는, 대학 교육을 받은 젊은 흑인을 찾기란 하늘의 별따기였기 때문이다. 둘째로, 오바마는 긍정적인 자세로 지역 사회를 위해 일할 각오가 되어 있었으며, 게다가 그는 지적이었다. 이렇게 오바마는 켈먼에 의해 남을 돕는 삶을 시작했다.

제5장

활동가

그는 정말 참신한 꿈을 가지고 있었지만,
나는 "버락, 안 돼, 안 돼, 안 돼. 가능성이 없어."라고 했다.
—제러마이어 라이트(Jeremiah A. Wright) 목사

1985년 6월 버락 오바마는 스물세 살의 젊은 나이에 시카고에 도착했는데, 그는 여전히 모든 사람들은 선하다는 지나친 이상주의적 사고를 지니고 있었다. 그러나 오바마는 미국 중부에서 가장 큰 도시인 시카고에서 세상이, 특히 정치, 인종, 권력이 복잡하게 뒤엉켜 있는 세상이 얼마나 냉소적이고 복잡하며 불공평할 수 있는지를 처음 경험하고 너무나 놀랐다. 그러나 오바마는 시카고에서의 생활에서 인간의 결함 이상의 것들에 대해 배웠다. 젊은 혼혈 청년에게 이 생활은, 그가 그동안 오랫동안 이해하고 싶었고 소속되길 바랐던 흑인 사회에 처음으로 뿌리내리게 되는 계기였다. 사회단체 조직 활동을 통하여 그가 얻은 자산들은 오랫동안 오바마에게 깊이 각인되었고, 그 과정에서 얻은 교훈들은 그가 나중에 정치인이 되었을 때 어떻게 행동해야 하는지에 큰 영향을 끼쳤다.

그는 낡은 혼다(Honda) 차를 몰고 시카고 도시에 들어온 후에도, 매일매일 그가 관찰한 것들과 감정들에 대해 일기에 적었고, 광범위하게

철학책과 문학책을 읽었으며 다소 격리된 개인생활을 계속했다. 그의 일상생활은 작가의 고독한 생활과 너무 흡사해서 함께 지역 사회단체에서 활동하는 동료들은 그가 혹시 소설을 써서 돈을 벌기 위해 이런 일을 시작한 것은 아닌가 의심하기도 했다. 그들의 의심이 아주 틀린 것은 아니었다. 몇 년 후 오바마는 비록 자유로운 형식의《내 아버지로부터의 꿈》이라는 회고록에 시카고의 생활을 생생하게 기록했다. 제리 켈먼은 "버락이 자신의 미래와 관련하여 관심을 가졌던 일 중 하나는 작가가 되는 것이었다. 시카고에 왔을 때, 그는 여전히 작가가 되는 것에 대해 심사숙고하고 있었다. 그는 단편소설을 썼다. 그것은 나중에 그가 갔던 길과는 매우 다른 길이었다. 그는 아버지가 어떻게 판단을 잘못하여 궁핍하게 되었는지에 대하여 이야기했고 자신은 그렇지 않길 바랐다."고 말했다.

오바마는 지역 사회단체를 조직하는 일을 하게 되었는데 그 이유는 가난하고 절망한 이웃을 보고는 그렇게 해야겠다고 심적 압력을 받았기 때문이었다. 뉴욕에서, 비영리단체를 영향력 있는 단체로 키웠던 한 활동가는 오바마의 이력서를 검토하고 오바마와 잘 맞는 한 직업을 제의했는데, 그것은 회의를 조직하고 가난한 흑인 사회를 위하여 정치인들을 교섭하는 역할이었다. 그러나 오바마는 소외되고 낙심한 사람들의 실제 삶에 더욱 가까이 다가가길 원했으므로 그 제의를 거절했다. 독특한 미국 문화의 중심이라 할 수 있는 시카고에서 오바마는 지역 사회단체를 조직하고 활동했다. 시카고 남부 지역에는 흑인 밀집 지역이 있었는데 단일 지역으로는 미국 최대의 흑인 거주 지역이었다. 1980년대 중반, 이 남부 지역은 안정된 중산층 지역에서부터 끔찍이 가난한 사람들이 사는 빈민 지역까지 걸쳐져 있었다. 이 빈민 지역은 모든 일상생활의 폭력, 마약 그리고 범죄로 병들어 가고 있었다. 게다가 주로 중산층이 사는 일부지역도 중간 소득자와 저소득자 사이에 계층 양분화가 이루어지면서 이웃간에, 가진 자와 가지지 못한 자의 위화감이 조성되고 있었다.

켈먼은 시카고 최남부 지역인 로즈랜드(Roseland)와 서부 풀먼(Pullman) 지역을 오바마의 영역으로 정해 주었다. 가난하고 질서를 어지럽히고 문맹인 사람들을 조직하면서 겪은 많은 좌절감을 밑바탕으로 켈먼은 오바마를 위한 가정교사, 조언자의 역할을 맡아 주었다. 켈먼은 오바마에게 그의 임무가 쉽지 않으며 완전히 실패할 수도 있다고 충고하면서, 몇 가지에 특히 주의한다면 좋은 결과를 가져올 수 있을 것이라고 알려주었다.

켈먼은 "내가 할 수 있는 일은 이상주의에 빠지지 말라고 가르치는 일뿐이었다. 그 나머지는 그가 다 해 냈다. 그냥 거기 가서 어떤 중요하고 정치적인 일을 하고 단체를 조직하며 이상주의자처럼 행동하면 안 된다. 하지만 그는 지나치게 이상주의적이었다. 알다시피 그것은 그의 성향이다. 그는 몽상가였다. 그러나 장밋빛 색깔의 유리를 통해서는 사람들을 정확히 인지할 수 없는 것이다. 그 사람들을 실제로 접촉해야 한다."고 말했다.

로즈랜드는 한때 네덜란드 농부들이 살던 지역으로 장미 덤불이 많아서 그런 이름이 지어졌는데, 이 지역은 빈부격차의 상징적 지역이었다. 로즈랜드는 거의 흑인 밀집 지역이었는데 잘 정돈된 잔디밭과 보수가 잘된 집들로 이루어져 있었다. 그러나 그곳은 때때로 좌절과 가난, 실업, 범죄의 온상이기도 했다. 그래서 그곳 주민들의 생활은 북서부 지역의 도시에 살고 있는 백인들의 생활보다 훨씬 더 위험했다. 시카고 최남부의 몇몇 도시로 기업을 유치하기 위해 노력하는 비영리 그룹의 임원인 팻 드보닛(Pat DeBonnett)은 "중류층 사람들 주변으로 극빈자들이 몰려들면, 그동안 지켜왔던 높고 숭고한 목표들을 계속해서 유지하기 어렵게 된다."라고 말했다.

　1914년부터 1950년대까지 남부 흑인들이 시카고로 이주하는 동안, 로즈랜드는 거의 모든 백인들이 이탈하여 극도의 투자 감소가 이루어져 고통을 받았다. 백인의 이탈은 자산가치의 하락으로 이어졌고, 담보 대출 체납, 사업 실패, 주택 유질(流質) 처분, 범죄 그리고 실업으로 이어졌다. 그런 후 1980년대, 남부 지역의 산업 기반이 무너지자 로즈랜드는 큰 타격을 받았다. 1980년대 중반까지, 로즈랜드에 사는 여섯 명의 거주자 중 한 명은 빈곤계층 이하의 생활을 했다. 도처에 살고 있는 빈곤층 주민들은 중산층 흑인들에게 감정적인 반발심을 갖게 되었다. 어느 정도 부유한 주민들은 그들의 이웃이 부유한 사람들과 비교 대상이 되는 가난한 상황에서 살고 있다는 사실에 유념했다. 그러나 흑인 중산층은 그 가난한 이웃들에게 어느 정도 적개심을 품고 있었는데 그 이유는, 가난한 사람들 때문에 그 지역의 전반적인 생활 수준이 낮아졌기 때문이었다. 드보닛은 "가난은 한 지역을 실제로 분단시킬 수 있다. 그리고 나는 같은 인종 사이에서도 분열이 일어난다고 감히 말할 수 있다."고 했다.

　오바마는 이 까다롭고 복잡한 곳에 떨어뜨려졌다. 켈먼은 오바마를 고용하여 지역 개발 프로젝트를 시작했는데, 이 사람들은 지금까지도 농업 단체를 통하여 가난한 사람들의 권리를 신장하는 것을 주임무로 하는 그룹으로, 범교파적인 자금을 지원받고 있었다. 그 그룹은 솔 앨린스키(Saul Alinsky)의 지역 조직 전통에 기반을 두고 있다. 20세기 초반에 일어난 앨린스키의 실천주의는 비록 그가 사람들을 고용하는 사업에서 끝나지 않고 항의 운동까지 확대했으며, 노동 운동과 궤를 같이 했다. 1909년에 태어난 앨린스키는 대공황 시절 시카고에 있는 한 이웃

집의 모래투성이인 뒷마당에서 자랐다. 그는 유럽에서 이민 온 노동자들이 많았던 그의 고향에서 처음으로 정치적 노력을 기울였는데, 정육업자들을 모아 더 나은 작업환경을 만들자고 계몽했다. 그는 연좌농성과 불매운동이 대중적인 운동의 형태로 좋다고 생각했다. 그러나 그가 성공한 주된 원인은, 실천주의와 조직운동을 통하여, 사람들에게 자신의 삶을 향상시킬 권한이 있다는 믿음을 부여해 준 데 있었다.

과격파를 위한 정책원리에서, 앨린스키는 "어떤 사람이 자수성가했다고 말할 때, 우리는 권력을 이야기한다. 권력이 무엇인지 이해해야 하고, 또 우리 인생의 모든 면에서 작용한다는 것을 이해해야만 한다. 만약 권력을 이해하려면 특히 다원론의 사회에서 그룹들과 조직들 사이의 중요한 관계와 기능을 파악해야 한다. 권력을 알고 두려워하지 않는 것은 그것의 건설적인 사용과 통제를 위해 필수적이다."라고 했다. 앨린스키는 활동가들에게 그들의 지역에 무엇이 필요한지 그리고 현실적으로 무엇을 실현시킬 수 있는지 파악하기 위해 몇 시간씩 주민들의 의견을 들으며 현장 뒤에서 일하라고 가르쳤다.

앨린스키의 인생 목표와 방법론은 오바마의 현대 정치 메시지에 중요한 역할을 했다. 전에 언급한 대로, 오바마의 연설에 계속해서 등장하는 부분은 그의 임무로 "말하지 못하는 사람들에게 말을 하게 해 주고, 힘이 없는 사람들에게 힘을 주는 것"이란 대목이었다. 그러나 또한 오바마는 종종 궁극적으로 재정과 사회적 빈곤에서 빠져 나오는 가장 효과적인 방법은 자립이라고 말했다. 앨린스키 자신도 정치적으로 활동적이었고 전국을 다니며 대중을 정치화하려고 노력했다. 그러한 과정에서 그는 다른 사람들과 어떤 기관을 설립하여 미국 노동조합 설립자인 시저 차베스(Cesar Chaves) 등을 훈련시켰다. 앨린스키의 일은 또한 민권운동과 베트남 전쟁 반대 시위자들에게 영향을 주었다. 오바마는 그가 앨린스키의 직접적인 행동에 이끌렸다고 썼는데 "나는 사람들이 관심을 가지는 한 문제에 직면한 적이 있었는데, 바로 행동에 옮겼다. 실천을 많이 하자, 나는 힘을 기를 수 있었다. 문제들, 실천, 힘, 자기 이익, 나는 이런 개념들을 좋아한다. 그것들로 실리적임, 세속적인 감상의 결핍, 정치, 종교적이지 않은 것들에 대해 미리 준비할 수 있다."고 했다.

시카고 남부 지역에 있는 흑인 사회에서 오바마가 처음 발견한 것 중 하나는 교회의 힘과 영향력이었다. 가톨릭 교회든, 흑인 감리교회든, 침례교회든 상관없이, 큰 교회들과 그들의 목사들은 지방 정치에 대해 엄청난 영향력을 행사하고 있었다. 그리고 이러한 기관들로부터 오바마는 처음으로 혹독한 경험을 했는데, 교회 성직자들의 대부분은 서로 별개로 움직였고 신도 수와 권력을 위해 경쟁했다. 오바마는 이들을 통합하려는 이상적인 목표를 세웠다. 그러나 얼마 되지 않아 그는 현실적으로 그 임무가 얼마나 어려운 것인지 알게 되었다. 그는 "시카고에 와서야 나의 머릿속에 있던 모든 것들을 현실에 반영할 조직적인 일을 시작하게 되었다. 하지만 항상 성공한 것은 아니었다. 그렇지만 나는 내가 받은 최상의 교육은 활동가로 있을 때 배운 것들이라고 말할 수 있다. 그 일은 가상의 영토를 찾기 위해 지도를 들여다보는 것과 같았다."고 말했다.

남부 지역에서 가장 영향력 있는 사람 중 한 사람은 제러마이어 라이트(Jeremiah Wright)라는 이름의 삼위일체 연합교회(Trinity United Church of Christ) 목사였다. 라이트는 오바마에게 그 지도에 나온 지형 및 지대는 믿을 수 없는 것이며 시카고 목사들을 단합하려는 그의 꿈은 실현 불가능하다고 설파했다.

처음 우리가 만났을 때, 나는 이런 말을 했다. "구약에 나오는 요셉은 꿈을 가지고 있었는데, 그 꿈들에 관해 형제들과 나눈 이야기를 기억하는가? 그런 후 어느 날, 요셉은 형들이 있던 들로 나갔는데 그 형들은 '몽상가야, 조심해라.'고 말했다." 나는 오바마에게 "내가 버락, 당신의 이야기를 들을 때 이 이야기가 생각났다. 당신은 몽상가다."라고 했다. 그는 뉴욕과 동부에서 교회들을 재조직했던 것처럼 시카고의 교회들을 재조직하려는 꿈을 가지고 있었다. 그의 야망과 구상은 사람들, 실제 사람들에게 혜택을 주는 중요하고 의미 있는 변화를 일으킬 수 있었다. 정치도, 자기 권력 확장도 필요 없고 어느 정치인이 더 나은지 염려할 필요도 없다. 그러나 이 사회에서 그 사람들이 원하고 필요한 변화를 어떻게 이끌어 낼 수 있는가? 나는 오바마에게 "아, 버락, 당신의 생각은 너무 좋다. 그러나 시카고에 대해 잘 모르지?"라고 물었고, (라이트는 그런 후 따뜻한 웃음을 지었다.) 오바마는 나에게 "당신은 목사인데 왜 그렇게 의심이 많습니까?" 하고 물었다. 나는 "시카고의 목사들은 단합하기 정말 어렵다. 그런 일은 아마 이루어지지 않을 것이다."라고 말했다. 그는 참신한 꿈이 있었지만 나는 이것에 대해 "버락, 아니야, 아니야. 그런 일은 벌어지지 않을 거야."라고 했다.

라이트의 염세주의는 냉혹한 현실에서 나온 것으로, 오바마는 얼마 되지 않아 마음 깊이 그의 가르침을 새기게 되었다. 《내 아버지로부터의 꿈》이라는 회고록에서, 오바마는 그가 주최했던 한 지역 경찰관 회의에 대해 이야기했다. 거기에서 한 목사는 오바마를 시카고의 백인들 손에 휘어잡힌 순진한 사람이라고 부르며 그를 바보 취급했다. 그가 말한 백인들은 호숫가의 유태인 진보주의자들과 로마 가톨릭 교회 사람들이었다. 실제로 이러한 부류의 사람들은 켈먼의 지역 사회 개발 프로젝트의 수혜자들이었다. 오바마는 이 회의에 대해 '불행한 재난'이라고 말했다. 인생의 중요한 시기에 오바마의 종교적 믿음은 종교적인 것과는 거리가 있었지만 어머니의 관용적인 인본주의와 비슷했다.

《내 아버지로부터의 꿈》에서 오바마는 종교가 시카고 교회에서 어떻게 작동하고 있는지에 대해 묘사하고, 긍정적 변화를 일으키는 종교적 신념과 교회들의 진정한 힘에 의구심을 품게 되었다. 그는 "많은 교회가 있다는 것은 많은 신념이 있다는 것이다. 이러한 신념들이 한 데 모였던 적이 있었다. 링컨 기념관 앞에 모였던 수많은 군중들, 점심 판매대에 모인 '프리덤 라이더(Freedom Rider; 인종 차별 철폐를 위한 버스·기차 여행 참가자)'들이 그들이다. 그러나 그러한 움직임은 일부였고 미완성이었다. 눈을 감고, 우리는 같은 말을 반복하고 있지만 우리의 마음속에는 새로운 주인을 위해 기도하고 있다. 우리는 스스로의 기억에 갇혀 살았고, 우리는 스스로의 바보 같은 주문에 매달려 있었다."고 했다.

앨린스키가 갖고 있는 조직 철학의 중요한 신념은 대중들을 집결시키기 위해서는 먼저 그들의 얘기를 경청해야 한다는 것으로, 활동가는 주의 깊게 경청하고 모인 사람들의 경험과 염려, 한계점을 이해해야만 한다는 것이다. 교회의 작은 사무실에서 일하면서, 오바마는 일주일에 20명에서 30명의 사람들을 인터뷰하라는 임무를 배정받았다. 처음에 주민들은 타 지역에서 온 진지한 청년에 대해 매우 조심스러워 했으나 오바마는 서서히 그들의 신임을 얻었다. 그는 "난 정말 진지한 일을 하러 여기에 왔다."고 주민들에게 말했다. 시간이 지나자, 주민들은 동안(童顔)이었던 오바마를 '베이비 페이스(baby face)'라고 불렀다. 오바마는 세심하고 치밀한 계획을 수립하는 것으로 유명했는데, 이것은 그가 정치에서도 실행하는 특징이었다. 그는 회의에서 당황해 하는 것을 좋아하지 않았고, 그래서 준비하지 않고 회의에 참석하는 것을 꺼렸다.

켈먼이 오바마에게 맡긴 첫 번째 중요한 프로젝트는 '알트겔드 가든 (Altgeld Gardens)'이라고 불리는 주택공급 프로젝트와 관련된 일을 통해 사람들을 도와주는 것이었다. 알트겔드에 무질서하게 퍼져 있는 아파트에는 2,000명의 주민이 살고 있었는데 대부분 흑인이었다. 로즈랜드 바로 근처에 위치한 이 아파트는 1940년대에 공장에 다니던 근로자들의 숙소로 지어졌다. 이 아파트 단지는 커다란 쓰레기 하치장과, 냄새가 지독한 오물 처리장, 페인트 공장 그리고 심각하게 오염된 캘류멧(Calumet) 강 한가운데서 약간 떨어져 있었다.

알트겔드는 거의 황폐한 상태였고 주변 환경은 해가 지나도 겨우 조금씩만 나아질 뿐이었다. 오바마의 그룹은 알트겔드에 활동하던 두 그룹 중 하나였는데 부모들과 다른 사람들을 조직하고 시카고 주택공급 담당자에게 화장실, 창문 그리고 난방 장치를 고치도록 압력을 넣는 것이었다. 어느 정도까지, 오바마의 노력은 성공적이었다. 그는 주민들을 모아 시청에 직업소개소를 열도록 성공적으로 로비활동을 했지만, 그 일을 하면서 여전히 많은 흑인들이 이 노동운동을 의심스럽게 여긴다는 것을 알게 되었다. 시카고의 직종별 조합들은 제조업이 없어지자 그들의 계급에서 흑인들을 제외했다.

알트겔드에서 오바마는 많은 노력을 했다. 그 과정에서 오바마는 어떤 인지도를 얻지는 못했지만, 석면포를 제거하자는 운동은 많은 대중적 관심을 이끌어 냈다. 그는 시카고 도심 지역에서 두 가지 회의를 주최했다. 첫 번째 회의는 석면포 문제에 대해 시의회 의원인 바비 러시 (Bobby Rush)를 설득하여 알트겔드 밖에 거주하는 주택공급 담당자들을 시의회로 불러 놓고 청문회를 열게 했다. 두 번째 단계에서는 수백 명의 사람들로 구성된 한 그룹이 도심 지역을 행진하고 시의원들을 방문하여 농성하게 했다. 이러한 운동의 결과 주택공급 담당자들은 즉각

인부를 고용하여 석면포를 밀봉했다. 주민이었던 캘리 스미스(Callie Smith)는 오바마에 대하여 "그는 우리에게 동기를 제공했다."고 말했다. 켈먼은 오바마에게 자신의 중요성은 무시하라고 조언했다. 왜냐하면 활동가로서, 그는 현장 뒤에서 일하기를 원했고 그래야 불만들에 대하여 주민들이 앞장서게 되기 때문이었다. 예를 들면 비록 오바마는 자신의 책에서 '새디(Sadie)'라고 불리는 한 실천가에게 공을 돌렸지만, 알트겔드의 주요 공공 건물에서 석면포 제거 서비스를 한다는 광고에서 본 것은 실제로는 오바마였다고 켈먼은 말했다. 그 광고로 주민들은 다른 아파트 단지에도 석면포가 있는지 의심을 갖게 되었다.

첫 번째 회고록을 집필할 때, 오바마는 켈먼을 자신에게 가장 중요한 시카고 인물 중의 하나로 묘사하고 '마티 코프만(Marthy Kaufman)'이란 별명을 붙여 주었다. 오바마는 나에게 "제리 켈먼은 매우 영리하다. 내가 만났던 사람 가운데 가장 똑똑한 사람 중의 하나다."라고 말했다. 《내 아버지로부터의 꿈》이란 책에, 오바마는 켈먼을 30대 중반의 안경 끼고, 수염이 덥수룩하고, 자신감에 차 있는 듯한 평범한 외모를 가진 백인이라고 묘사했다. 2006년 내가 켈먼을 만났을 때, 그는 그가 묘사한 것과 거의 똑같은 모습을 하고 있었는데, 나이가 50대 중반이란 점만 빼면, 여전히 급한 성격을 조절하며 자신이 하는 말에 신중을 기하는 사람이었다. 뉴욕 출신으로 유대교에서 가톨릭으로 개종한 켈먼은 그 자신을 '다시 돌아온 활동가'라고 설명했지만, 나는 그가 단체를 조직하며 보낸 세월을 즐겁게 생각하는 것만은 아니라는 인상을 받았다. 그는 여전히 시카고 북부 교외의 로마 가톨릭 사회봉사 프로젝트의 책임자로 가난한 사람들과 소외된 사람들을 돕는 일을 하고 있었다.

겨우 몇 시간 인터뷰를 하는 것으로 그의 자세한 얼굴을 기억하는 것은 무리다. 그러나 그 인터뷰에서 나눈 내용은 한동안 나의 마음에 새겨졌다. 켈먼의 목소리는 종종 매우 낮은 톤으로 바뀌곤 했는데, 난 그런 목소리에 매력을 느꼈다. 그것은 내가 그의 목소리를 주의 깊게 들어서가 아니라, 그가 듣고 있는 사람이 진심으로 믿기를 바라는 지혜를 말하고 있었기 때문이다. 오바마에 대한 그의 관찰은 친밀하면서도 정확했는데 이것은 둘이 거의 3년 동안 매일 친구처럼 서로 상담하며 지냈기 때문에 가능했다. 그들은 단체를 조직하는 일에서부터 오바마의 미래에 대한 야망까지 거의 모든 것에 대해 서로 의논했다.

켈먼의 주요 관심사는 오바마가 너무 탈진하지 않게 도와주는 것이었다. 그는 단체활동을 하는 일이 너무 안 풀릴 때에는 한걸음 물러서서 시간을 갖고, 즐거운 시간을 가져보라고 충고해 주었다. 처음엔 혼자 독서하며 주말을 보냈던 오바마는 나중에 이 조언을 받아들였다. 그는 데이트를 시작했고 한동안 여자 친구와 동거생활을 했다. 그러나 그런 관계는 끝이 났는데, 오바마는 그녀와의 관계가 끝난 것은 자신의 성숙함이 부족했기 때문이라고 인정하며 미안한 마음을 가졌다.

오바마의 할머니처럼, 켈먼은 오바마를 사회에 봉사할 임무를 띠고 태어난 사람으로 묘사했다. 오바마는 켈먼에게 이제까지 자신은 행운아였다며 앞으로는 특히 흑인 사회에서 그들의 경제적, 사회적 향상을 이루며, 다른 사람에게 도움이 되는 삶을 살고 싶다고 말했다. 켈먼은 "버락은 다른 사람을 섬기고 싶어 했고 다른 사람들을 인도하고 싶어 했다. 그리고 그는 야망이 큰 사람이었지만, 단지 야망을 위해서만 살지는 않았다. 그는 항상 자신의 야망과 더불어 봉사심을 갖고 있었다. 그는 그가 관심을 갖고 있는 사람들을 위하여 중요한 구조적 변화를 일으키고자 했다. (그런 희망을 갖고 있었다.) 그리고 흑인 사회에서 역사적으로, 지적으로, 종국적으로, 지리적으로 그 자신을 발견했다."고 말했다.

오바마가 하버드 법대에 진학하기 위해 시카고를 떠난 후, 이 두 사람 사이에 연락이 끊겼다. 그 후 오바마의 인생은 더욱 바빠졌고, 켈먼의 인생에도 다소 변화가 있었다. 켈먼은 오바마가 유명 인사가 된 후로는 그와 많이 대화하지 못했다. 하지만 그는 오바마가 예전의 본질적인 가치관을 그대로 가지고 있는 것이 확실하다고 말했다. 실제로 그는 오바마의 정치적 명분에 공감해서, 그의 연방상원 선거운동에 1,500달러를 기부하기도 했다. (그는 수줍어하며 "그것은 많지는 않지만 나에게는 큰 돈이며 다른 사람이 가톨릭 교회에 헌금한 것이었다."고 말했다. 나와 인터뷰한 지 얼마 되지 않아, 켈먼은 오바마를 만났고 그 둘은 한참 동안 대화를 나누었다.)

　오바마를 시카고에서 하는 프로젝트로 보내기 전에, 켈먼은 그에게 《물 가르기 Parting the Waters》라는 책을 읽어 볼 것을 권했는데 그 책은 테일러 브랜치(Taylor Branch)의 첫 작품으로 1950년대와 1960년대의 인권운동을 다룬 풍부하고 철저한 내용의 3부작 소설이었다. 그 소설을 다 읽고, 오바마는 켈먼에게 "이것은 나의 이야기다."라고 고백했다. 그러한 고백은 자기 자신과 일에 대해 오바마가 진지하게 임하고 있음을 켈먼에게 시사한 것이다. 또한 깊은 인종적 혼란을 겪었던 한 사람이 마침내 자신이 흑인임을 편안하게 받아들였다는 증거이기도 했다. 오바마는 결국 흑인이었기 때문이었다.

　그는 다음과 같은 농담을 했다. 뉴욕의 한 거리에서 한 택시 운전사가 그의 어머니 쪽 백인 친척을 보지 못하고 지나쳤다. 하지만 대부분의 흑인들도 그를 쳐다보지 않았고 그의 정체성에 대해 물어 보지도 않았다. 오바마는 "많은 흑인과 백인 지성인들이 인종에 대한 그들 자신의 혼란을 해결하기 위해 나를 그들의 '로르샤흐 테스트(Rorschach Test; 성격을 진단하는 심리투사 시험법)'로 이용하고 싶어 하는 것 같다.

하지만 중요한 것은 내가 시카고 남부 지역에서 걸어 갈 때, 그리고 이 발소에 들어갔을 때 또는 이 지역 주민들과 야구경기를 할 때 나는 한 번도 그런 질문을 받은 적이 없었다."라고 말했다.

켈먼과 오바마는 거의 매일 만났고 오바마는 단체 조직활동을 통해 점점 흑인 사회에 편안하게 섞이게 되었다. 오바마가 정치적으로 활동하는 걸 치켜본 후, 켈먼은 대담한 발표를 했다. 오바마가 전형적인 흑인생활을 경험하지 않았다고 흑인 사회에서 말들이 많았지만, 켈먼은 마틴 루터 킹을 적극적으로 지지했는데, 오바마는 흑인들의 도덕적 대변자로서 마틴 루터 킹의 유산을 이어받을 가능성이 크다고 주장했다. 또 오바마는 수년 전 이런 역할을 하겠다고 결심했지만, 이러한 말이 거만하게 들리고 비(非)흑인 유권자들과 위화감이 생길지 모르기 때문에 현재 공개적으로는 이런 사실을 인정하길 꺼리고 있다고 말했다. 켈먼은 또한 오바마가 이런 처신이 갖는 중대성을 깊이 생각하고 이해하게 될 거라고 예측했다.

켈먼은 또 이렇게 말했다. "버락을 보면 마틴 루터 킹과 비슷한 점을 볼 수 있다. 버락은 사람들의 희망이 되었다. 그런 면에서 마틴 루터 킹과 비슷하다. 내가 아는 바로는 버락은 이 임무를 막중하게 받아들일 것이며, 그리고 진지하게 실천할 것이다. 분명하게, 이런 상황은 사람들에게 혼란을 줄 수 있다. 과도하게 부풀려질 수도 있다. 하지만 동시에 당신 자신의 중요성에 대해 정신이 번쩍 들게 할 수도 있다. 나는 그가 만약 원하는 방향으로 정치를 하고 싶어 한다면, 그는 흑인 사회 이외의 다른 사회에 대해 더 호소해야 한다는 것을 알고 있다고 생각한다. 그러나 그는 남은 인생 동안, 흑인들이 처한 상황을 개선시킬 사람은 바로 자신이라는 부담을 떠맡게 될 것이다."

오바마의 시카고 생활에서 두 번째로 중요한 역할을 한 사람은 라이트 목사였다. 오바마는 그가 조직하고 있던 흑인들의 삶에 교회가 상당한 영향력을 미치고 있다는 것을 알았다. 그는 "그래서 나도 예배에 빠지지 않고 참석하기로 했고 어떤지 알아보기로 했다."고 말했다. 그가 간 곳은 라이트 목사가 있던 교회로 그의 카리스마 넘치는 가르침은 오바마의 막 싹트기 시작한 영적 세계에 큰 울림이 되었다. 영원한 미국인으로서의 정체성을 구하는 데 있어서, 오바마는 불가지론은 그를 고립된 장소로 밀어 넣는다는 것을 깨닫게 되었다. 그는 《담대한 희망The Audacity of Hope》이라는 회고록에 "특정 사회의 신념에 대한 특정한 책임감 없이는, 난 항상 어느 정도 동떨어지고, 어머니가 그랬던 것처럼 방랑의 신세일 수밖에 없고, 어머니가 결국 혼자였던 것처럼 나도 혼자일 수밖에 없다는 것을 깨닫게 되었다."라고 썼다.

라이트는 흑인 목사들 가운데 가장 진보적인 사람이었다. 그는 불같이 화를 내고 잔소리가 없었다. 오바마가 삼위일체 연합교회를 찾아갔을 때, 라이트는 40대 중반이었고 그 교회는 거의 8,000명의 신도를 거느리고 있었으며 성장일로에 있었다. 건장하고 밝은 색 피부를 가진 라이트는 필라델피아 한 침례교회 목사의 아들이었다. 그의 지적인 설교는 종종 종교적이라기보다는 오히려 좌익 정치인들의 외침 같았다. 그는 목사로서는 다소 불경스럽고 과격하게 보일 수도 있었다.

오바마처럼 다문화 문제에 개방적인 입장을 가지고 있었지만 라이트의 교회는 흑인 중심이었다. 라이트 목사 자신도 가끔 화려한 색깔의 아프리카 전통 의상을 입고, 흑인 사회의 과거 또는 현재에 겪고 있는 사회적, 경제적 재난의 원인은 백인들이라고 가차 없이 비난했다. 종종 설교에서 그는 공화당 정책을 비난하고 부시 대통령을 뽑은 사람들을 '바보 멍청이'라고 불렀다. 삼위일체 연합교회는 시카고 흑인 사이에서 상류 교회로 불렸는데 왜냐하면 래퍼(rapper)인 커먼(Common)과 텔레비전 쇼의 거물 오프라 윈프리 등 많은 유명인들이 그 집회에 참석했기 때문이었다. 어떤 면에서, 오바마와 라이트는 확연히 다른 스타일 때문에 잘 맞지 않는 것같이 보였다. 그러나 다른 면에서 보면, 그들은 정반대의 매력 때문에 완벽히 꼭 들어맞는 것처럼 보였다. 오바마의 조심스러운 면과는 대조적으로, 라이트는 과장되고 반항적이며, 권력에 거침없이 직언 하는 것을 두려워하지 않았다.

라이트는 하워드 대학(Howard University)에서 종교음악을 전공하여 학사와 석사 학위를 땄고, 시카고 신학대학(University of Chicago Divinity School)에서 박사과정을 시작했지만 나중에 목사를 하기 위해 중간에 포기했다. 그의 과격한 주장과 흑인적인 호전성은 시카고 주변의 일부 침례교 목사들과 공개적으로 충돌을 일으키기도 했는데, 그러던 중 라이트는 지금의 삼위일체 연합교회에 자리 잡게 되었다. 그 교회는 '부끄럽지 않는 흑인과 변명하지 않는 그리스도인'을 모토(motto)로 했는데 라이트는 이를 가슴에 새겼다.

라이트는 시카고의 각양각색의 흑인 목사들 가운데서 독불장군이었다. 그는 성경이 상식과 어긋난다고 느끼면 그 성경에 의문을 제기할 것이다. 그는 의무적인 학교 기도에 강력히 반대했고, 흑인 목사들 사이에서는 들어 보지도 못한 동성애 권리를 옹호했다. 삼위일체 연합교회에서 매주 일요일 손을 꼭 잡은 채 교회 의자에 앉아 예배를 보는 동성연애자들도 눈에 띄었다. 비록 일부 흑인들은 라이트의 교회가 중상계층의 사람들만을 중시한다고 생각하지만, 그의 목회활동은 시카고 흑인 사회에 광범위한 영향을 미치고 있었다. 처음 오바마는 그 교회를 주시했다. 라이트 목사는 지속적인 인종 차별주의에 항의하기 위하여 '아프리카에 자유를'이란 표지판을 교회 앞에 놓았다. 컬럼비아 대학에서 교육을 받은 진보적인 오바마는 라이트의 이지적이고 통 큰 기질에 매료되었는데, 그것은 사회적으로 더 보수적이며 학벌이 부족한 시카고 주변의 다른 목사들과는 대조되는 점이었다.

오바마가 미국 흑인들의 삶 속에서 작동하는 그리스도의 힘을 이해하고자 할 때, 그리고 오바마가 복잡하고 변덕스런 시카고 흑인 정치사회와 맞부딪혔을 때, 라이트는 그에게 조언자이자 정신적 지주자 역할을 했다. 라이트는 "버락 같은 사람과 대화하는 것, 그리고 버락이 어떤 목사들과 대화를 하는 상황은, 말하자면 어떤 여자와 데이트를 하는 것과 같은 것인데, 그 여자는 오프라 윈프리 쇼에서 봤던 로지(Rosie)라는 여자에 대해 계속 얘기하길 바라는 것과 비슷한 상황이다. 그게 전부다. 여기서, 나는 한 주제에서 다른 주제로 옮겨 갈 때 처음부터 끝까지 엄격하게 그의 생각을 따라 갔다. 그는 신(新)현대주의, 신계몽주의, 그리고 대학이나 대학원을 졸업한 사람들이 고민하는 문제들을 나에게 편안하게 물었다. 우리는 인종과 정치에 대해서도 이야기를 나눴다. 나에게는 이러한 질문들이 위협적으로 느껴지지 않았다."라고 설명했다.

또한 라이트는 오바마가 종교에 대해 질문하는 사람에서 실천하는 그리스도인으로 변하도록 돕는 역할을 했다. 오바마는 연방상원 선거운동 기간 동안 언제나 성경을 지니고 다녔다. 그는 자주 들여다볼 수 있게 성경을 자동차 조수석 옆에 있는 작은 칸에 넣어 두었다. 2004년 10월, 나는 오바마의 종교적인 신념과 성경에 대해 처음 질문을 했을 때, 그가 약간 망설이는 것 같다는 인상을 받았다. 그는 그답지 않게 짧게 대답했다. 오바마는 흑인 교회에서, 그리고 사회적으로 보수적인 일리노이 남부 지역에서 선거운동을 할 때, 어김없이 교회와 그리스도적 신념에 대해 언급했다. 그러나 기자와 이야기할 때, 그는 종교와 정치에 대해 말하려 하다가 곧 응축된 메시지로 전환했다. 그는 나에게 성경을 일주일에 두 번 정도 읽는다고 말했다. 그는 "성경은 훌륭한 책이고 많은 지혜를 담고 있다."라고 단순하게 말했다. 내가 더 자세히 파고들자, 그는 그리스도인이 된 이유로 기독교의 이타주의와 사심 없는 사랑을 들었는데, 이것은 그의 철학과 일치했다. 그는 "교회들과 신앙을 가진 사람들과 일하면서, 나는 내가 가지고 있던, 그리고 나를 앞으로 전진시켜 준 많은 힘들이 교회에서 말하는 것과 같은 것임을 알게 되었다."고 말했다.

그러나 한걸음 더 나아가, 오바마는 삼위일체 연합교회가 성경에 대해 조금 덜 엄격한 교리적 접근 방식을 갖고 있는 데 호기심과 매력을 느꼈다. 라이트는 "그에게 신앙이라는 것은 인간이 삶을 사는 방법이다. 그에게 신앙은…… 있는 그대로 흡수하는 리트머스 시험지도 아니고, 입으로 줄줄 외는 것도 아니며, 성경을 인용하는 것도 아니다. 그것은 인생을 어떻게 사느냐 하는 것이며, 인생에서 무엇을 하느냐 하는 것이다. 그것은 여자는 바지를 입으면 안 되고, 술을 마시면 지옥에 간다고 말하며 성경으로 머리를 때리는 것보다 훨씬 중요한 것이다. 버락은 그런 사람과 다르다."라고 말했다.

결론적으로 오바마의 시카고에서의 경험은 나중에 그가 정치인이 되는 데 중요한 밑거름이 되었다. 그의 기독교 신앙은 흑인들과 일부 도시 근교의 백인들 사이에서 잘 받아들여졌다. 그는 지역단체를 조직하고 후원하면서 이상주의는 실용주의와 엄격한 현실주의를 수반해야 한다는 것을 배웠다. 이 교훈은 그가 주 상원의원으로 법을 제정하는 일을 할 때 크게 도움을 주었는데, 그는 한 법안을 상정하기 위해서는 타협도 가끔 필요하다는 것을 깨달았다. 또한 이러한 단체를 조직하고 후원하는 일은, 한때 자아도취된 10대 청년과 대학생이었던 그로 하여금, 다른 사람들의 걱정에 대해 심혈을 기울여 경청하고 유권자들과 이러한 걱정들에 대해 토론하는 사람이 되게 했다.

오바마는 한 번도 시카고의 목사들을 통합하려고 시도하지 않았다. 그러나 2년 후 시카고로 돌아오자마자 한 잡지에 기고한 수필에서 그는 그러한 희망을 버리지 않고 있다는 것을 드러냈다. 1990년대 기사에서, 오바마는 흑인 교회를 "시카고 같은 도시의 정치적 그리고 경제적 풍경에서 잠자고 있는 거인"으로 표현했다. 그는 계속해서 "지난 몇 년간 더욱 더 젊고 진취적 생각을 가진 목사들이 지역단체 조직화에 관심을 기울이고 있는데, 그들은 이 지역단체 조직화를 단지 몇몇 예언적인 지도자들을 위한 것으로서가 아니라 전체 신도들을 교육하고 권리를 부여하는 사회적 복음이 되게 할 강력한 도구로 생각하고 있었다. 시카고에 있는 수천 개의 교회 중 단지 50개 정도 되는 유명한 흑인 교회들이 훈련된 지역단체들의 직원들과 공동 연합하기로 결정한다면, 우리는 교육, 주택, 고용 그리고 흑인 사회 중심 도시로서 거대하고 긍정적인 변화를 일으키고, 그 변화는 도시 전체에 걸쳐 강력한 파문을 일으킬 수 있을 것이다."라고 말했다.

실패와 승리와 새로운 영적 기운을 경험한 후, 그리고 '지역 사회 개발 프로젝트'에서 일한 경험을 평가한 후 오바마는 평등과 정의라는 이상으로 미국 사회를 발전시킬 효과적인 수단은 지역단체 조직화이며 이런 활동은 법적으로 보장되어야 한다고 결론을 내렸다.

"미국에서 세 번째로 큰 도시의 시장과 협상 테이블에 마주 앉아, 자기 입장을 굽히지 않는 주부 그룹과, 카메라 앞에 서서 손자들의 미래를 위한 희망에 대해 의견을 말하는 퇴직한 철강소 직원들을 돕는 것이 지역단체가 할 수 있는 가장 중요하며 만족스러운 역할이다.

지역단체를 조직하는 일은, 어떠한 것도 보통사람들의 이러한 아름다움과 힘보다 더 값진 것이 없다는 점을 느끼게 해 준다. 교회에서 노래하고 계단에 서서 대화하는 것을 통해서, 그리고 생계를 꾸릴 일거리를 찾고, 빈약한 예산으로 전체 가족을 부양하고, 마약으로 자신의 아이를 잃고, 다른 사람들이 학위 따는 것을 쳐다만 보고, 부모는 꿈꿔 보지도 못한 일을 찾았다는 이 남부 지역에서 쏟아지는 개개인의 이야기들을 통해서 – 꺾인 희망과 인내의 힘, 고난, 신비함, 웃음의 힘을 담은 이러한 이야기들과 노래들을 통해서, 지역단체 활동가들은 다른 사람들을 위해서가 아니라 자신들을 위해서 공동체 정신을 키워 나갈 수 있다."

제6장

하버드 대학

우리는 그가 진정으로 보수주의자들이 주장하는 것과 생각하는 것에
관심을 가지고 열린 마음으로 그들의 말을 듣고 있다고 느꼈다.
그래서 다른 사람들보다 편집장인 버락에 대해 훨씬 편안한 생각이 들
었다.

― 하버드 로스쿨 동기생, 브래드 버렌슨(Brad Berenson)

지역 사회를 체계화하고 조직하는 일은 굉장히 힘든 일이다. 가난한
사람과 소외된 사람들을 종종 무시하는 가혹한 세상과 맞서는 일은 하
와이 출신의 젊은 이상주의자의 인생에서 첫 번째로 좌절감을 맞보게
했다. 이전까지 버락 오바마는 거의 실패한 적이 없었다. 최소한 그는
농구를 배우는 것에서부터 대학에 진학하고 여자를 사귀는 것까지 그
가 원하는 것은 무엇이든지 어느 정도 성공을 거두었다.

처음에 그가 맡은 가장 큰 체계화 프로젝트 중 하나는 알트겔드 가든
에서의 석면포 제거 운동과 그 운동에 대해 시카고 대중매체를 잘 활용
하는 것이었는데, 이것은 오바마와 다른 알트겔드 실천주의자들에게는
작은 승리처럼 보였다. 궁극적으로 그 승리는 하찮은 것이 되었다. 워
싱턴 행정부의 예산 우선권을 바꿔 끊임없이 성과를 이루려는 많은 활
동가들의 사기가 저하되었다. 연방 고위 관리는 공영주택에 사는 저소

득층 주민들에게 알트겔드의 오래된 배관과 새는 지붕을 수리하든지 또는 유독한 석면포를 청소하든지 두 가지 중 하나를 선택하라고 하면서, 이 두 가지 모두를 지원할 충분한 예산이 없다고 했다. 이 일로 많은 주민들은 왜 자신들과 활동가들이 그렇게 열심히 일했는지 의아해했다. 한 낙담한 주민은 "바뀌는 것은 아무것도 없을 것이다."라며 오바마에게 불평했다. 게다가 오바마의 '지역 사회 개발 프로젝트' 회원들과 다른 그룹 사람들 사이의 다툼으로 알트겔드를 체계화하는 노력이 성공을 거둘 것이라는 희망이 점점 사라져갔다. 그리하여 몇몇 주민들은 오바마에게 자신들은 생계를 유지하는 데 너무 바쁘기 때문에, 특히 조금의 진전도 보이지 않는 이때, 대중운동을 위한 시간을 더 이상 낼 수 없다고 말했다.

오바마가 좌절감에 빠져 있을 때, 시카고의 정치적, 인종적 상황을 급격하게 바꿀 갑작스런 외부적 사건이 발생했다. 1987년 11월, 시카고 첫 흑인 시장인 해롤드 워싱턴(Harold Washington)이 시청에서 집무를 보다가 심각한 심장마비를 일으키고 쓰러져 사망했다. 오바마가 시카고로 오기 1년 전인 1983년, 비록 워싱턴의 당선은 시카고의 뿌리 깊고 사라지지 않는 인종적 분리를 더욱 확대시켰지만, 이로 인해 시카고 흑인 사회에 희망을 안겨 주었다. 이때 오바마는 선거에서 선출된 정치 지도자들에게 큰 힘을 부여하는 미국의 민주주의 선거제도에 관한 교훈을 얻게 되었다.

활동가들은 10만 명 이상의 새 흑인 유권자들을 등록시켰는데 워싱턴은 인종에 따라 3파전이 전개되고 있는 선거전에서 고전을 면치 못하고 있었다. 두 명의 백인 후보 중 한 명은 현직에 있던 제인 번(Jane Byrne)이었고 다른 한 명은 오랜 기간 시장을 역임한 리처드 J. 데일리(Richard J. Daley)의 아들 리처드 M. 데일리였는데 그들은 백인들 표를 나눠 가졌다. 한편 워싱턴은 거의 모든 흑인 투표를 얻었고, 겨우 얼마 안 되는 일부 진보적, 개혁적인 생각을 지닌 백인들의 지지를 얻었다. 시카고 지역 중 일반적으로, 쿡 카운티(Cook County)는 민주당이 우세했고 민주당 예비선거에서 승리한 사람이 가을 본선거에 출마하게 되었다. 그러나 워싱턴에게는 다른 이야기였다. 그는 공화당 버니 엡턴 (Bernie Epton)과 맞서 11월 선거에서 간신히 승리했는데 버니 엡턴은 백인 민주당원들과 백인 사회에서 영향력 있는 병원 단체들 사이에서 갑작스런 지지를 받았다. 워싱턴이 취임한 후조차, 그는 시의회에서 완고한 백인들의 저항에 부딪혀 그의 계획들을 추진하고 그가 지명한 사람들을 임명하기에 충분한 투표수를 얻지 못했다. 시의회는 '의회의 전쟁'이라고 이름 붙을 정도로 인종적으로 양분화된 채 치열한 대결로 치닫고 있었는데, 이 대결은 유명한 공상 과학 영화인 〈스타워즈Star Wars〉로 빗대어 불리기도 했다.

워싱턴이 취임한 후 2년이 지난 1986년, 선거가 있었는데, 그 선거로 워싱턴이 지지한 후보들이 승리하여 그의 공약들이 추진되게 되었다. 《내 아버지로부터의 꿈》에서 오바마는 워싱턴의 지배력이 시카고 100만 흑인들의 삶에 얼마나 중요한 영향을 미쳤는지를 가슴 뭉클하게 썼다. 워싱턴의 사망은 시카고에 엄청난 타격이었다. 수천 명이 시청 대기실에서 있었던 장례식에 참석했다. 오바마는 "모든 곳에서 흑인들은 망연자실하고 괴로워하며 방향성을 잃고 미래에 두려움을 갖고 있는 것처럼 보였다."고 썼다.

대중운동에서 조금씩 성공을 거두던 오바마는 워싱턴의 갑작스러운 사망으로 크게 낙심했다. 가난한 흑인을 돕고자 하는 책임감으로 행했던 시카고에서의 운동은 여러 가지 면에서 가치가 있었다. 그는 인종적 문화 다양성과 단점들을 알게 되었고 미국 사회의 우선순위에 대한 냉혹한 현실을 깨닫게 되었다. 그러나 그가 꿈꿔왔던 '거리'와 밀접하게 일을 한 지 3년이 지나서, 오바마는 광범위한 변화를 일으키길 원하는 작은 비영리 그룹의 힘이 한계가 있음을 느끼게 되었다.

푸나호우 아카데미 동창생인 바비 티트콤은 이때쯤 오바마를 방문했는데, 그는 오바마가 하와이에서의 어린 시절보다 덜 낙천적으로 그리고 더 열정적으로 변했다고 느꼈다. 어느 날 밤, 불만에 가득 찬 주민들과 교회에서 회의를 한 후 굉장히 좌절한 오바마는 시카고 대학 근교에 있던 티트콤의 아파트를 찾았다. 오바마는 그에게 "법대 학위 없이는 여기서 도저히 일들을 해결할 수 없다. 이런 사람들과 일을 하기 위해서는 법대 학위가 필수적이다. 왜냐하면 그들은 여기저기로 빠져나갈 구실을 너무 많이 가지고 있다. 법적 자격증이 그 사람들과 맞서 일할 유일한 방법이다."라고 말했다.

얼마 안 있어, 오바마는 워싱턴 시장도 노스웨스턴 법대(Northwestern University School of Law)를 졸업했고, 거기서 받은 학위와 자신이 가진 개인적 카리스마를 이용하여 매우 성공한 정치인이 되었다는 것을 알게 되었다. 실제로 오바마는 가까이서 워싱턴 시장이 시카고의 소외된 지역 사회에 공적 자금을 쏟아 붓기 위해 자신의 권력을 이용하는 것을 보았다. 워싱턴은 라틴 아메리카계 주민들과 흑인들이 더 많은 대표자를 선출할 수 있도록 하려고 선거구역을 재개편하여 논쟁을 일으켰고, 소수계가 소유한 기업들이 시카고 시에서 발주하는 계약을 더 많이 받도록 행정명령을 내렸으며, 가난한 흑인과 라틴 아메리카계 주민들을 위하여 행정 업무의 질을 높였다. 오바마가 로즈랜드와 알트겔드에서 밤낮으로 셀 수 없이 많은 사회단체 회의를 주최하는 것보다 워싱턴 시장이 거부권을 행사함으로써 시카고의 가난한 흑인을 위하여 더 많은 일을 할 수 있었다.

티트콤은 오바마의 실천주의와는 거리가 있었고, 그 당시 가족 내 문제들로 고심하고 있었기 때문에, 오바마의 얘기 중 개인적 실망 부분만 이해할 수 있었다. 그러나 그는 오바마의 결의에 찬 눈을 보았다. 오바마는 곧 상류층 세계로 자신을 더 높이 끌어올려 주고, 나아가 해롤드 워싱턴이 걸어갔던 정치적 권력의 길로 그를 안내해 줄 미국에서 가장 유명한 대학에 입학하게 되었다.

오바마는 하버드 법대 대학원에서 독특한 존재였다. 그는 매우 유명한 대학을 졸업하고 곧바로 이곳에 들어온 다른 또래 동기생들보다 몇 살이나 많은 스물일곱 살이었다. 그러나 다른 많은 학생들처럼, 오바마도 상류층 자제들이 가는 초등학교와 중고등학교를 다니는 특권을 누렸다. 푸나호우 아카데미, 옥시덴탈 대학 그리고 컬럼비아 대학은 모두 최고의 사립학교였다. 그러나 오바마의 인생은 전형적인 하버드 법대 학생들의 인생과는 이미 너무도 달랐다. 그는 3년 동안 시카고에서 지역활동을 체계화했던 하와이 출신의 흑인이었다. 그는 이즈음 아버지의 뿌리를 찾고자 케냐로 첫 번째 여행을 다녀왔다. 뉴욕에서 최소한의 생활로 몇 년을 보내고, 시카고 지역에서 열심히 일하며 몇 년을 보낸 후, 오바마는 엄청난 자제력과 성숙함을 배웠는데, 이 자제력과 성숙함은 오바마가 하버드 법대에서 큰 성공을 거둘 수 있는 밑거름이 되었다. 그는 당시 난생 처음으로 공부에 전력을 다했고 그 결과 그는 차석으로 졸업했다.

나중에 빌 클린턴(Bill Clinton) 정부의 재무부에서 일하게 된 동기생인 마이클 프로먼(Michael Froman)은 오바마는 확실하게 다른 사람들과는 다른 비행기를 조종하고 있었다며 "그가 문제에 접근하는 방법을 보면 그는 나이보다 훨씬 더 성숙했다. 나는 오바마와 같은 자질을 가진 나이 많고 훨씬 더 경험이 많은 사람들을 알고 있었다. 하지만 그는 20

대에 벌써 그러했다. 이 점이 다른 동료들과는 분명하게 다른 그의 기질이며 스타일이었다."(2004년에 프로먼은 다시 오바마와 만났고, 오바마가 연방 상원의원을 위한 일을 준비할 때 중요한 조언자가 되었다.)

뉴욕과 시카고에 있었을 때처럼, 오바마는 하버드 대학이 있는 케임브리지(Cambridge)에서 많은 시간을 혼자 보냈다. 첫해에, 그가 매일 했던 일은 도서관에서 1학년 학생들의 구역에서 한 자리를 차지하고, 공부에 집중하며 몇 시간씩 앉아 있는 것이었다.

오바마는 대학에서 다시 몇몇 흑인 학생들을 친구로 사귀었다. 그러나 인종적으로 혼혈인 자신의 혈통에 대해 공개적으로 말한 후, 몇몇 백인 학생들과도 친구가 되어 가까이 지냈다. 그는 〈하버드의 인권 - 국민의 기본권에 대한 법률 재검토Harvard Civil Rights - Civil Liberties Law Review〉라는 논문을 쓰고 연구했다. 그는 대학 내 반(反)인종 차별 운동에 적극 참여했고 '흑인 법대생 협회'가 주최하는 정기 저녁 모임에서 연설을 했으며 그 협회의 이사를 역임했다.

하버드 대학은 단합과 이타주의를 담은 오바마의 메시지가 처음으로 연설이라는 형태를 띠며 나타난 곳이었다. '흑인 법대생 협회'와의 저녁 모임에서, 오바마는 청중들에게 그들의 현재 교육은 특권이며 따라서 그들은 수단과 기회를 가지고 있다는 것을 의미하고, 그러므로 법대 학위 특권을 받지 못한 사람들을 위해 사용해야 할 책임감이 있다는 것을 명심해야 한다고 말했다. 친구들과 교수들은 대학 내에 혼합된 문화들과 생각들의 중요성에 대하여 오바마가 가끔 선동적이고 고무적인 연설을 할 때 이런 내용의 연설을 했다고 회상했다.

오바마의 바람은 만약 다른 철학을 가진 학생들이 상호 교류를 하면, 자신과 반대 의견을 가진 사람들을 너그럽게 대하게 된다는 것이었다. 인종과 당파 정치의 이러한 중재 조정적 접근 방식은 그가 이제까지 신중하게 처신하며 살아온 결과로 몸에 익힌 것이었다. 소외된 소수에게 목소리를 주되, 회유적인 방법을 병행하여 백인들을 절대 위협하지 않았다. 게다가 그는 기꺼이 보수파들의 논쟁을 경청하여 그들에게 감명을 주었다. 정치 생애 동안, 오바마는 특혜를 받지 못한 사람들을 돕는 이타적 가치와 이상적인 다문화주의에 대한 입장을 담은 수많은 연설을 했다. 이런 것들이 모여져서 오바마는 심하게 나뉜 국가를 단합하자는 메시지를 제시하며 대통령 선거운동을 펼쳐 나가고 있는 것이다.

인종적, 지적으로 단합하자는 그의 메시지는 항상 그랬던 건 아니었지만 1990년 초반 하버드 대학 내에서 열린 주요 행사를 앞두고는 항상 논쟁을 불러 일으켰다. 특히 흑인 학생들은 좀 더 많은 소수계 교수를 채용하자며 강력히 부르짖었고. 결국 흑인 그룹은 차별적 대우를 이유로 학교를 고소하는 데까지 이르렀고 흑인 교수인 데렉 벨(Derreck Bell)은 이 사태에 책임을 지고 사임했다. 오바마는 그러한 싸움에 관여하지 않았지만, 그는 좀 더 다양한 인종의 교수들을 채용하기를 촉구하고 도전적 입장을 표명하기 위하여 벨 교수를 지지했다.

이러한 인종적 긴장감 외에도, 하버드 법대는 심한 이념적 전쟁의 한가운데에 서 있었다. 진보파와 보수파들은 수업시간, 점심시간, 파티, 명성 있는 법률 학술지 사무실 등 장소를 불문하고 맹렬한 지적 논쟁을 벌였다. 여러 흐름이 존재하고 있기는 하지만, 대부분의 사람들은 하버드 법대가 진보적 사상의 요새라고 간주하고 있다. 이러한 좌파적 경향의 역사는 베트남 전쟁 시기로 거슬러 올라가는데, 이 시기에 하버드 법대에서 개혁을 주장하는 행동주의자들은 학교의 정책, 전쟁에 대해 소리 높여 대항했다. 진보파 교수인 로렌스 트라이브(Laurence Tribe)와 앨런 더쇼비츠(Alan Dershowitz)는 학교의 이미지를 진보적 방향으로 강하게 만들어 최근까지도 전국적으로 명성을 얻고 있다. 경제 전문지

《이코노미스트The Economist》는 심지어 하버드 법대를 '미국 진보주의의 지휘본부'라고 하기까지 했다.

오바마는 즉시 친구들과 교수들 사이에서 눈에 띄게 되었다. 그는 트라이브 교수 밑에서 조교로 일을 했는데, 그 유명한 법학 교수는 오바마에 대하여 너무 강한 인상을 받아 나중에 그를 '가장 놀라운 연구 조교'라고 불렀다. 2006년에 하버드대 행정부 직원들이 인터넷에 만든 블로그에 트라이브 교수는 "나는 이 학생이 언젠가 대통령이 되길 바란다."는 믿을 수 없는 말을 올렸다.

오바마는 하버드에서 지속적으로 친구를 사귀었는데, 가장 중요한 친구들 중 한 사람은 커샌드러 버츠(Cassandra Butts)라는 이름의 흑인 여성이었다. 그녀는 나중에 미주리(Missouri) 주의 리처드 게파트(Richard Gephardt) 하원의원의 고위급 자문인이 되었다. 이 두 사람은 학교가 시작한 첫 주, 학교금융지원 센터에서 만났다. 오바마의 인간적인 매력, 흥미로운 배경과 독특한 관점은 그녀의 호기심을 자극했다.

그녀는 이렇게 말했다. "일단 매력을 알게 된 후, 다른 이들을 사로잡고, 흥미를 끄는 것은 - 최소한 나의 흥미를 끄는 것은 - 그의 품위와 지적 호기심이었다. 그리고 그 둘을 합한 장점과 그가 활동가로 일하면서 얻은 경험, 그가 가진 국제적 경험들로, 그는 내가 만났던 다른 사람들, 법대에 다니는 어느 누구와도 다른 세계관을 가지고 있었다. 그런 점들 때문에 나는 그에게 흥미를 느꼈다. 오바마는 훌륭한 필터였는데 그는 우리가 배우는 것은 물론, 우리가 배우는 것을 바깥 세상에 적용하는 법까지를 여과시켜 보았다. 그는 대부분의 다른 학생들보다 훨씬 많은 실제 경험을 갖고 토론에 참석했다. 다시 말하면 우리는 모두 나름대로의 생각이 있었지만 버락은 경험을 갖고 있었다." 오바마는 자신의 생각을 강요하지는 않았지만, 이러한 경험들은 그의 생각과 의견들에 더욱 무게를 실어 주었다고 그녀는 회상했다.

　오바마가 다른 관점을 가지고 있다는 것을 뚜렷이 이해할 수 있을 때가 있었는데, 하버드 법대, 의대, 경영대에 다니는 흑인 학생들과 대규모 토론을 벌였을 때였다. 그 회의는 교육받은 흑인들 사이에서 가장 뜨거운 관심을 모은 주제, 즉 "흑인과 아프리카계 미국인, 어떻게 불러야 하나?"에 대한 토론회였다. 이 토론은 1980년까지 계속되었다. 10년이 지난 후 《시카고 트리뷴》에 실린 한 수필에서, 클라렌스 페이지라는 기고가가 이 문제에 대해 거론했다. 그는 호칭은 다수 백인들이 흑인들의 정체성을 정하는 방법이 아니라 흑인 스스로 자신들의 정체성을 찾고자 하는 방법이라고 주장했다. 그러나 그는 이러한 토론이 모든 인종들 사이에 큰 혼란을 초래할 수 있다는 것을 인정했다.
　페이지는 다음과 같이 말했다. "다양성은 더 심화되고 있다. 그러나 인종은 개인이 스스로 정체성을 찾고자 하는 시도를 지나치게 침해하고 있다. 나는 '색깔 있는 사람(colored)'이라는 호칭에 익숙하다. 나는 원래 '니그로(Negro)'였다가 '흑인(black)'이 되었다가 '아프리카계 미국인(African American)'이 되었다. 오늘날 나는 '사람이지만 색깔이 있다.(person of color)'고 불린다. 30년 동안, 나는 '색깔 있는 사람(colored person)'에서 '사람이지만 색깔이 있다.'는 것으로 변화했다. 우리 흑인들이 스스로를 부르는 호칭의 변화는 일부 백인들에게는 매우 성가신 일이지만 일부 흑인들에게는 보상이 되는 일이다. 그러나 만약 백인들이 이 호칭에 대해 혼란스럽게 느낀다면, 일부 흑인들도 마찬가지일 것이다."
　하버드 대학에서, 그런 정체성 논란은 흑인 학생들 사이의 토론에서 격렬하게 불거져 나왔는데 거기 참가자들은 편을 갈라 논쟁했다. 그러나 오바마는 연설할 때, 어느 누구의 편도 들지 않았다. 그 대신 그는 전 사회단체 활동가로서 실용적인 견해로 그 토론에 참여했다. 그는 그 토론에서 논의된 모든 문제들은 현실과 전혀 관계가 없다고 말했다. 버츠는 오바마가 그 군중에게 "알다시피 우리가 흑인으로 불리느냐 아프리카계 미국인으로 불리느냐 하는 것은 뉴욕과 시카고에서 근근이 생계를 유지하기 위해 매일 열심히 일하고 있는 사람들의 삶에 아무런 영향을 주지 않는다. 호칭이 그들의 삶을 바꿔 주는 것이 아니라, 우리가 그들의 삶을 향상시키기 위해 남은 3년 동안의 교육을 어떻게 사용하는가가 더 중요하다. 그렇게 함으로써, 미국에 영향을 주고, 더 살기 좋은 나라가 되게 하며 그들의 삶에 영향을 주는 것이다."라고 했다고 기억했다.

하버드 대학에서 오바마가 중요한 경험과 뚜렷한 활동을 한 계기가 있었는데, 작가로서, 편집인으로서, 그리고 마지막으로 미국에서 가장 중요한 법률 학술지인 《하버드 로 리뷰》의 편집장으로서 일을 했던 기간이었다. 그 당시 그는 이러한 역할의 중요성을 알지 못했지만, 그는 그 학술지의 편집장으로 지내면서 처음으로 과격한 선거 정책들과 각자의 개인적 문제들을 동시에 다루는 경험을 할 수 있었다.

《하버드 로 리뷰》는 학생들이 편집을 했는데, 이것을 통해서 학생들은 그들의 연구와 작문 실력을 뽐낼 수 있어서 이 학술지는 유명한 공공 대화의 장으로 여겨졌다. 그러나 또한 이 학술지는 많은 교수들과 학생들의 논쟁거리를 게재했기 때문에 법조계에서 가장 많이 읽히는 학술지이기도 했다. 《하버드 로 리뷰》에서 한 일, 특히 편집장으로서 한 일은 어떠한 일보다 즉각적인 관심을 끌었다. 오바마는 일류 직장에는 거의 흥미가 없었다. 로스쿨 1학년을 마쳤을 때, 그는 높은 성적과 우수한 작문 실력, 학생들과 교수들 사이에서의 지지로 《하버드 로 리뷰》의 편집장이 되었다. 거의 동시에 그의 친구들은 대통령에 출마해 보라고 그를 재촉했지만 오바마는 별 관심이 없었다. 그는 《하버드 로 리뷰》를 편집하는 일은 미래에 변호사가 되는 데 아무 상관이 없다고 말했다. 결국 그는 연방 판사가 되거나 또는 유명한 법률 회사에 취직하고자 하지 않았다. 오바마는 시카고로 돌아가서 그곳에서 불이익을 당하는 사람들을 돕기 위해 그의 학위를 사용하길 원했으며 해롤드 워싱턴 시장을 본보기 삼아 정계에 비수를 꽂고 싶었다. 그랬기 때문에, 《하버드 로 리뷰》의 편집장 경력은 그에게 거의 가치가 없어 보였다.

1990년에 75명의 학생들로 이루어진 《하버드 로 리뷰》의 멤버들은 극도의 당파 분쟁으로 갈라졌다. 다수의 진보파와 소수의 보수파가 서로 그 학술지의 주요 견해를 자신들의 방향으로 이끌기 위해 노력하면서 거대한 이념주의 다툼이 뒤따랐다. 진보파가 보수파보다 수가 많았기 때문에, 진보파는 대부분의 토론에서 우위를 차지했다. 그러나 대학 내에서 보수파의 움직임이 커지자 이 보수파는 확고한 지위를 얻고 더 높은 목소리를 내기 위해 압력을 가했다. 전국 변호사 및 법대생의 모임인 '페더럴리스트 소사이어티(Federalist Soceity; 보수 성향 법률가들의 모임)'는 이것을 "현재의 법체계를 개혁하려고 헌신하는 보수주의자들과 진보주의자들"이라고 묘사하여 하버드 법대생들 사이에서 더 많은 지지를 얻어 냈다. (그 후 20년 동안, 이 페더럴리스트 소사이어티는 기하급수적으로 성장하여 하버드 대학 보수주의의 배경이 되었다. 그리고 이 그룹 회원들은 사법부 전반에 걸친 모든 직위에 임명되어 공화당 조지 W. 부시 행정부에 지대한 영향을 끼치고 전국적으로 두각을 나타냈다.)

나중에 부시 행정부 법무부에서 일하게 된 오바마의 동기생인 브래드 버렌슨(Brad Berenson)은 하버드 법대에 다니는 동안 그토록 극심한 정치적 내분과 험담을 본 적이 없다고 했다. 그는 "하버드 법대는 장차 극도의 정치적 이상주의에 사로잡힌 다니엘 웹스터스(Daniel Websters) 같이 될 사람들로 가득 찼다. 학술지 내부의 정치적 대립과 개인적 분쟁은 말할 수 없이 견디기 어려웠고 거의 희망이 없어 보였다."고 덧붙였다.

이상주의와 개성 있는 논객들 사이의 뜨거운 분쟁은 《하버드 로 리뷰》가 1990~1991년 편집장을 선출하기 위한 선거를 실시하자 더 격렬해졌다. 선거 과정 자체가 다른 곳과 비교도 되지 않았다. 개인 주택이었던 3층의 그리스 양식으로 지어진 건물 내에 《하버드 로 리뷰》가 쓰는 어수선하고 비좁은 사무실들이 있었는데, 여기에서 후보들은 선거일 편집장 투표가 이루어질 때 약 75명이나 되는 동료들과 음식을 해먹으며 시간을 보냈다. 몇 시간 동안 매운 멕시칸 고추와 덜 매운 스파게티를 먹으며, 후보들은 단계적으로 탈락했고 서서히 유력한 후보들의 윤곽이 드러났다. 선거의 마지막 순간에 이르렀을 때 오바마는 친구들의 재촉으로 그 경쟁에 뛰어들었다. 그는 편집장에 출마한 19명의 편집인 중 1명이었는데 출마 인원은 4명당 1명꼴이었다. 그래서 그해의 투표 기간은 일요일 아침부터 시작하여 월요일 아침에 이르기까지 터무니없이 길게 이어졌다. 탈락한 후보들은 보통 앉아서 식사를 하고 다음 투표에 표를 행사했다.

마지막으로, 최후까지 남았던 보수파가 그 경쟁에서 투표로 물러나자, 그 파벌들은 오바마를 지지하여 오바마가 선거에 이기게 되고, 그는 《하버드 로 리뷰》 창립 약 100년 만에 최초의 흑인 편집장 자리에 오르게 되었다. 마지막 결과가 발표될 때, 케네스 맥(Kenneth Mack)이라는 한 흑인 학생은 눈물을 흘리며 오바마를 얼싸 안았다. 이러한 결과로 난생 처음 오바마는 대중매체에 소개되어 전국적인 관심을 받았고, 《뉴욕 타임스》와 기타 다른 매체들은 재빨리 그의 이력을 게재했다. 오바마는 이때 얻은 평판을 밑천 삼아 《내 아버지로부터의 꿈》이란 회고록을 발행할 수 있는 기회를 얻게 되었다.

보수파 그룹의 회원이었던 버렌슨은 오바마가 다른 학생들을 제치고 그 자리를 차지한 데는 여러 가지 이유가 있었는데, 인종은 그 이유에 들지 않았다고 했다. 그는 "오바마는 오로지 실력 때문에 선출되었다."고 했다. 오바마는 헌신적인 진보주의자였지만, 보수파들은 그가 공평하게 자신들의 의견도 들어 주었다고 믿었다. 오바마는 이념적으로 융통성이 있었고 다른 진보주의 후보자들보다 훨씬 더 공명정대했다. 버렌슨은 "버락은 항상 이러한 논쟁들과 분열 위에 약간 떠 있었다. 버락은 그가 진보주의자라고 말하는 것을 전혀 개의치 않았다. 하지만 우리는 그가 《하버드 로 리뷰》에 대하여 어떤 이념적 사실을 위해 다른 사람들과 연맹을 맺거나, 《하버드 로 리뷰》에 다른 이념적 사실을 게재하려고 노력하는 당파적 성향을 전혀 느끼지 못했다. 그는 더 성숙하고 더 이성적이며 더 열린 마음을 가진 사람이었다. 그것은 그의 편집장 임기 중 이루어졌다고 생각되었는데 그는 편집장을 하는 동안, 보수파들이 무엇을 원하는지, 무엇을 생각하는지, 열린 마음으로 그들의 생각을 경청했다. 그래서 다른 사람들보다 편집장으로서 버락에 대해 훨씬 편안한 생각이 들었다.

실제로 보수파들은 정확한 평가를 했다. 오바마는 공공연한 사회적, 경제적 진보주의자였다. 그러나 그는 이성적인 말투와 경청하는 기술로 우익 당파에게 전혀 위협적이지 않게 호소했다. 실제로 오바마는 《하버드 로 리뷰》의 주요 편집인 자리에 보수파를 앉히는 데 그의 임명권을 사용했다. 그는 각 견해는 공평하게 받아들여져야 한다고 주장했는데, 이런 관대함 때문에, 오바마는 자신의 진보적인 친구들로부터, 또는 그가 자신들을 《하버드 로 리뷰》의 관심 사항으로 만들어 주길 바라는 소수계로부터 비난을 받았다. 그러나 오바마는 진보파와 흑인 학생들 모두를 만족시키는 것보다 다양한 의견을 수렴하고《하버드 로 리뷰》발행 업무를 능숙히 처리하는 것에 더 관심이 많았다. 실제로 그의 편집장 임기는 미래 정치적 스타일의 전조가 되었는데, 그의 스타일은 그 자신보다 다른 사람에게 더 관심을 가지자는 믿음과, 여론을 형성하는 방법을 찾고자 하는 희망, 그의 행동과 품행에 있어서 거슬리지 않으며 자신의 친구들, 즉 흑인과 진보주의자를 실망시키는 경향이 그것이었다.

그러나 이런 불평불만에도 불구하고, 특히 격렬한 당파 분쟁이 있었던 것을 생각해 볼 때, 오바마 체제하에서《하버드 로 리뷰》편집은 비교적 평화롭게 이루어졌다. 열렬한 보수주의자인 버렌슨은 "그는《하버드 로 리뷰》편집장으로서 그곳에서 일하는 모든 사람들과, 또는 학술지에서 편집일을 하는 사람들과 좋은 관계를 유지하기 위하여 필요 이상으로 정치적으로 처신하지 않았다. 다른 많은 문제들과 분열이 존재함에도 불구하고, 그는 사람들이 소속감을 느끼고 중요한 사람이라는 생각이 들게 했으며 모든 사람들이 동료애를 가지고 공통된 목표를 향해서 열심히 일하게 했다. 나는 그가 가진 대인관계 운영 능력과 정치적 재능에 너무나 놀랐다. 그리고 그는 주목할 만한 솜씨와 수완으로 그 그룹을 이끌었다."고 말했다.

오바마의《하버드 로 리뷰》에 환멸을 느낀 한 그룹은 대학 내 일부 흑인들이었는데, 그들은 오바마가 흑인을 관리직에 더 임명하지 않는다고 비난했다. 오바마는 그 비난으로 굴욕을 느꼈다고 시인했고, 그러한 비난은 그가 정치활동을 하는 동안 계속해서 그를 따라 다녔다. 오바마는 꾸준하게 철저한 다양성과 긍정적인 행동을 주장해 왔으나, 또한 실력에 바탕을 둔 승진을 주장했다. 그래서 그가 학술지의 상급 편집인 자리에 소수계와 여학생을 제치고 보수파를 임명했을 때, 비난이 빗발쳤다. 비록 버츠는 오바마보다 《하버드 로 리뷰》 내부적 일에 깊숙이 관여하지는 않았지만, 그녀는 오바마의 결정을 옹호했다. 그녀는 오바마는 재능과 헌신, 기질에 바탕을 둔 최고의 인사 선택을 고수했다고 말했다.

오바마는 인사에 관하여 자세하게 이야기하지 않았다. 그러나 연방 상원의원 취임을 몇 주 앞둔 시기에, 그는 나에게 《하버드 로 리뷰》 편집장으로 지낸 경험은 워싱턴에서 직면할 것들에 대한 전조라고 말하며, 그는 워싱턴에서 모든 인종들, 민족들 그리고 정치적 소속단체들을 포함한 유권자들을 존중하는 데 전념할 때도 일부 소수계와 진보주의자들을 화나게 할 것이라고 예상했다. 그는 《하버드 로 리뷰》 편집장을 할 때, 나는 처음으로 미래에 내가 다루어야 할 것 같은 어떤 일을 해야만 한다고 느꼈다. 그 일은 영향력 있는 자리에 앉은 흑인으로서 폭넓은 유권자들과 균형을 이루는 일이었다."라고 말했다. 그리고 이렇게 덧붙였다. "나는 각자 모두 자신의 자리를 갖기를 원하고 모두 승진하길 바라는 75명의 학생들과 함께 《하버드 로 리뷰》를 발행했다. 그리고 나는 다양성을 장려하는 결정을 내림과 동시에 사람들이 모두 공평하다고 느끼게 해야 했다. 그래서 그런 식의 비난을 받을 때, 나는 무엇이 문제인지 알 수가 없었다."

하버드 대학에서 공부를 마치고 난 후, 시카고에서 흑인을 위한 정치를 해야겠다는 사명감을 느끼기 시작했다. 케임브리지에서 보낸 시간 동안, 그는 시카고 시장에 출마하는 것 외에 어떠한 공직에 출마하는 것을 생각해 본 적이 없었다. 시장으로서 해롤드 워싱턴은 오바마에게 큰 감명을 주었고, 오바마는 마음속으로 시카고를 책임지는 것은 미국에서 가장 큰 정치적 일을 하는 것이라고 생각했다. 버츠는 "오바마는 시카고 시장이 되고 싶어 했고 공직자로 일하고 싶다고 이야기하곤 했다. 그는 연방 상원의원에 대해선, 한 번도 얘기한 적이 없었고 주지사가 되는 것에 대해서도 마찬가지였다. 그는 오로지 시장이 영향력이 있다고 생각했다. 시장이 되는 것이야말로 그가 수 년 동안 단체를 조직하며 도왔던 사람들의 삶에 직접적 영향을 줄 것이라고 생각했다. 그는 서서히 환호를 받고 있었지만 흑인들을 위한 사명감은 아직도 사라지지 않고 있었다."고 말했다.

제7장

내 고향 시카고

"버락은 '난 정치인이 될 것이다. 어쩌면 미국의 대통령이 될 수도 있다.' 고 말했으며, 나는 '알았다. 알았으니 이리로 와서 그레이시(Gracie) 이모에게 인사나 드려라. 그리고 그런 이야기는 아무한테도 하지 마라.' 고 말했다."

– 버락 오바마의 처남, 크레이그 로빈슨(Craig Robinson)

버락 오바마는 미셸 로빈슨(Michelle Robinson)이라는 이름의 둥근 눈을 가진 조각 같은 흑인 변호사를 보자마자 그녀가 자신의 배우자가 될 것임을 직감했다. 젊은 아가씨인 미셸 로빈슨은 미래의 남편감에 대해 확실히 아는 바가 없었다. 버락은 낭만적인 몽상가이며 미셸은 안정적인 현실주의자였다. 미셸을 보자마자 오바마는 그녀의 매력에 완전히 빠졌고 그녀는 프러포즈를 받아들였다.

두 사람은 1988년 오바마가 하버드 법대 대학원 1학년일 때 만났는데, 그때 그는 지금은 시들리 오스틴(Sidley Austin)이라고 불리는 법무법인의 시카고 사무실에서 여름방학 동안 실습교육을 받고 있었다. 그 회사의 젊은 변호사였던 미셸은 그의 교육 책임자로 지정되었다. 처음에 미셸은 오바마가 의심스러웠다. 왜냐하면 그가 여름에 이곳으로 오기도 전에, 회사의 사람들이, 너무나 많은 사람들이 그에 대해 이야기했기 때문이었다. 비서들은 그가 너무 잘 생겼다고 수군댔고 관계자들은 하버드 대학에서 오바마가 첫 해 이룩한 대단한 행적들에 대해 찬사를 보냈다. 상급 파트너들은 훌륭한 오바마의 소개서를 보고 환호성을 질렀다. 미셸은 "그에 대한 말은 너무 좋은 말들이어서 믿을 수 없을 정도였다. 나는 전에 이런 평판을 듣는 많은 흑인들과 데이트를 했기 때문에, 그도 그런 좋은 흑인들 중 하나일 것이라고 생각했다. 그래서 우리가 점심을 함께할 때, 그가 좋은 운동복을 입고 담배를 피자 나는 속으로 '그러면 그렇지. 역시 잘생기고 말솜씨 좋은 사람이네. 전에도 난 이런 것에 속은 적이 있지.' 라고 생각했다. 나중에 나는 그가 사람들과 진실하게 대화할 수 있고, 속이 깊은 사람이라는 것을 발견하고는 너무 놀랐다. 그는 강한 도덕적 가치를 지닌 일류 지식인이었던 것이다."라고 말했다.

오바마는 미셸에 대해 나쁜 선입견이 없었고 그녀를 만나자마자 그녀에게 푹 빠져 버렸다. 하지만 처음에 그녀는 그의 호의를 거부했다. 그녀는 자신이 교육시켜야 하는 직원과 데이트를 하는 것은 적절치 않다고 생각했다. 게다가 그들은 그 법무법인에서 유일하게 흑인이었다. 미셸은 "난 '이제 사람들이 우리를 어떻게 볼까' 하고 생각했다. 여기서 유일한 흑인인 우리 둘이 데이트를 하고 있다. 난 그것은 매우 촌스럽다고 생각했다."고 말했다. 미셸은 오바마에게 친구를 소개시켜 주었으나 그는 미셸 이외의 다른 사람에게는 관심을 보이지 않았다. 결국 그녀는 마음이 누그러져 데이트하기로 했고, 시카고 대학 근처의 배스킨라빈스(Baskin Robbins) 아이스크림 가게에서 초콜릿 아이스크림을 먹으며 오바마는 그녀의 애정을 얻었다. 오바마가 가을에 하버드 대학으로 돌아간 후, 두 사람은 장거리 연애를 이어나갔는데, 이에 대해 오바마는 그 전에는 상상할 수도 없는 일이었다고 인정했다. 오바마는 나에게 "미셸을 만나기 전, 나는 너무 미숙해서 이런 관계를 잘 유지하기 어려웠다."라고 말하고 그가 30대에 들어서면서 안정된 낭만적 관계에 대하여 관점이 바뀌게 되었다고 했다. 지역단체 활동가로 일할 때, 오바마는 진지한 여자 친구(와 고양이)가 있었는데, 이 셋은 그가 하버드 대학으로 갈 때 합의하에 헤어졌다.

20대 후반, 오바마는 결혼과 가족에 대한 가치를 최우선에 두게 되었다. 비록 그는 가만히 있지 못하는 성격과 야망 찬 에너지가 있는 사람이었으므로 안정적인 생활을 할 수 있을지 두려웠지만, 지속적인 관계와 가족을 원하기 시작했다. 그는 혼란스러웠던 아버지의 가족생활을 심각하게 생각해 보고 자신은 다른 가족생활을 이루고 싶어 했다. 하버드 대학에서 다시 시카고로 돌아온 후, 오바마는 시카고에서 거의 인종이 섞이지 않은 지역 중의 하나인 베벌리(Beverly) 지역에 사는 제리 켈먼과 그의 아내를 자주 방문했는데, 그는 켈먼의 뒷마당을 보고 자신도 '이런 안정'을 갖고 싶다고 털어놓았다.

미셸 오바마는 시카고의 넓게 뻗은 남부 흑인 지역 내 남쪽 강변 지역에 살았는데, 그녀의 가족은 노동자층으로 가족애가 두터웠다. 가끔 그의 어린 시절을 '고아'라고 표현하는 오바마는, 1950년대 목가적 미국 가족코미디 〈오지와 해리엇의 모험The Adventures of Ozzie and Harriet〉에 나오는 아내 같은 미셸의 잔소리를 좋아했다.

미셸 로빈슨의 가족은 전형적인 시카고의 작은 주택 단지 중 작은 아파트의 맨 위층에 살았다. 미셸의 아버지 프레이저 로빈슨(Frasier Robinson)은 시카고의 한 상수도 여과처리장에서 보일러공들을 감독하는 일을 했는데, 이따금씩 일하러 나갔다. 그녀의 어머니 매리언(Marian)은 밖에서 일하지 않고 살림만 했는데 미셸이 고등학교에 진학한 후, 한 은행의 신탁부에서 행정 보조로 일하기 시작했고, 2007년까지 그 일을 계속했다. 미셸에게는 16개월 먼저 태어난 크레이그(Craig)라는 오빠가 있었다. 그는 타고난 농구선수였고 결국 유명한 금융회사의 높은 연봉을 받던 일을 그만 두고, 대학 농구 코치가 되었다. (2006년에 그는 브라운 대학Brown University의 수석 코치가 되었다.)

미셸의 아버지는 몸이 쇠약해지는 병을 앓고 있었는데, 비록 병원에서 공식적으로 진단을 받은 것은 아니었지만, 가족들은 그 병이 복합적 다발성 경화증일 것이라고 알고 있었다. 두 아이들은 아버지의 불안정한 신체적 상태와 그것을 극복하려고 하는 강한 의지를 보며 앞길을 구체화했다. 그들의 아버지는 굳건한 부모상을 보여 주려고 노력했고 가족을 위해 헌신했다. 비록 육체적으로 쇠약한 상태였지만, 그는 거의 직장을 빠지지 않았고 항상 아이들과 시간을 보냈다. 크레이그 로빈슨은 "아버지가 우리를 위하여 열심히 일하셨기 때문에 우리는 아버지를 실망시키지 말아야 한다고 생각했다. 만약 우리 둘 중 하나가 아버지에게 꾸지람을 듣게 되면 우리 둘은 모두 같이 울었고 '맙소사, 아버지가 화나셨어. 우리가 아버지께 무슨 짓을 한 거지?'라고 했다."라고 말했다.

미셸은 어린 시절의 대부분을 오빠의 뒤꽁무니를 쫓아다니는 데 썼고, 어느 정도는 그의 영향력 안에서 살았다. 크레이그는 훌륭한 학생이었고 인기가 많은 운동 선수였으며, 미셸은 매우 경쟁심이 많았다. 팔다리가 매우 길고 키가 180센티미터인 미셸은 가끔 오빠와 오빠 친구들과 함께 농구경기를 했는데, 대단한 운동 솜씨를 보였다. 그러나 항상 좋은 성과를 내는 오빠와의 경쟁에서 이기기 위해, 그녀는 여럿이 하는 운동을 하지 않기로 마음먹었다. 그 대신 그녀는 혼자 하는 것에 몰두했는데, 주로 피아노를 배우고 공책에 단편 소설을 쓰고, 학생회 재무위원으로 일하며 좋은 성적을 내는 것에 열중했다. 그녀는 휘트니

영(Whitney Young) 고등학교에서 2학년을 월반하고 계속 우등생 명단에 들었는데, 이 학교는 시카고 교육계에서 가장 우수한 공립학교 중 하나였다. 그녀는 우수한 성적으로 프린스턴 대학(Princeton University)에 입학했고 우등생으로 졸업한 후 그녀의 남편처럼 하버드 법대 대학원에 다녔다. 아버지의 권유로, 그녀의 오빠 또한 프린스턴 대학에 다녔다. 그는 미국 대학 농구 1부 리그에 속한 대학에 진학할 정도로 농구에 천부적인 소질을 보였는데, 최고의 농구 프로그램을 가진 몇몇 대학으로부터 전액 장학금을 받고 입학하라는 제의를 받았다. 그러나 교육에 더 큰 가치를 두는 아버지 때문에 부분 장학금을 받고 프린스턴 대학에 진학했다. 크레이그는 "아버지는 비용은 중요하지 않고 교육이 가장 중요하다고 말씀하셨다."고 말했고 그는 아이비리그(Ivy League) 역사상 가장 훌륭한 학생들 중 한 명이 되었다.

프린스턴 대학에서 미셸은 오바마가 대학 시절 경험했던 것과 비슷한 인종적 정체성 문제를 겪었다. 그녀는 인생에서 처음으로 거의 백인이 전부인 학술적, 문화적 환경에 들어섰다. 비록 그녀는 인기가 많았고 좋은 친구들을 많이 사귀었지만, 그녀는 〈프린스턴 – 교육받은 흑인과 흑인 공동체Princeton - Educated Blacks and the Black Community〉라는 제목의 논문에서, 대학 내 소수 흑인 여성 중 한 명으로서 인종적 소외감을 느꼈다고 인정했다. 그녀는 "프린스턴 대학에서 백인 교수들과 친구들이 얼마나 진보적으로 혹은 열린 마음으로 나를 대해 주었는지에 상관없이, 나는 때때로 마치 이 대학 내에서 속하지 않은 방문자 같은 느낌을 받았다. 프린스턴 대학에서 백인들과 교류하면서, 가끔 나는 그들에게 흑인으로서 먼저 받아들여지고 난 후, 학생으로 받아들여지는 것 같은 느낌이 들었다."고 썼다.

그러나 그곳의 대학생활을 마치고, 그녀는 일류 대학의 동창생으로서 나중에 직장생활을 하면서 주로 백인 그룹에 들어가게 되었다고 말했다. 그녀는 언젠가는 자신이 받은 교육을 흑인 사회를 위해 사용하기를 바랐다. 하지만 그녀는 "프린스턴 대학 마지막 학년이 되어서, 나는 다른 백인 학생들과 같은 목표, 즉 유명한 대학원에 입학하거나 성공한 기업에서 높은 연봉을 받는 자리에 취직하는 목표를 추구하고 있는 자신을 발견했다. 그때는 내 목표가 무엇인지 분명히 알지 못했다."고 말했다.

그녀는 시들리 오스틴이라고 불리는 그 법무법인의 고위직에 있으면서 높은 연봉을 받았다. 그러나 몇 년 후, 오바마와 결혼한 다음, 미셸은 막강한 백인 법조계에서 흥미를 잃고 자신이 항상 꿈꿔왔던 공익사업에 더 관심을 가지게 되었다. 먼저 그녀는 리처드 데일리(Richard J. Daley) 시장 밑에 있는 직원들의 부책임자로 일하기 위하여 시들리 오스틴을 그만두었다.

그런 다음, 그녀는 공익사업으로 젊은이들에게 채용 기회를 주는 빌 클린턴 행정부의 자원봉사단체 아메리코즈(AmeriCorps)에 의해 만들어진 프로그램의 하나인, 공익 연합체(Public Allies)의 시카고 사무실 설립을 돕게 되었다. 굉장히 효율적이고 체계적인 성격을 가진 미셸은 처음부터 끝까지 이 프로그램을 도왔다. 임원으로서의 3년 동안, 그녀는 확실한 임원진을 구축하고 장기간 이 프로그램을 설립할 충분한 기금을 마련했다.

2004년 1월, 오바마의 연방상원 선거운동 기간 중에 나는 미셸 오바마를 처음으로 만났는데, 그때 나는 그녀 남편인 오바마의 인물 소개를 《시카고 트리뷴》에 게재하기 위해 정보를 수집하고 있었다. 그 당시 그녀는 시카고 하이드 파크(Hyde Park) 지역에 있는 그녀의 집과 자녀들의 학교에서 얼마 떨어지지 않은 시카고 대학병원에서 지역 홍보활동을 책임지고 있었다. 그녀는 병원에서 지역홍보를 담당하기에는 너무 자격과잉인 것처럼 보였다. 또한 매우 추운 어느 아침 그녀의 사무실로 갔을 때, 나는 그녀가 그녀 가족을 위하여 자신의 경력을 희생했음을 직감했다. 그녀의 작은 사무실은 넓게 흩어져 있는 병원 건물의 찾기 힘든 한 구석에 자리 잡고 있었다. 복도의 구조는 깜짝 놀랄 정도로 미로같이 디자인되어 있었는데, 그녀를 방문할 때마다 나는 기억력을 측정하는 과학실험에 쓰이는 쥐 같은 느낌이 들었다. 그녀의 사무실은 그녀의 성격처럼 장식이 거의 없이 매우 기능적이었고, 비서의 대기실에 있는 것과 똑같이 대량 생산된 나무 가구들로 단순하게 꾸며져 있었다. 아이들과 남편의 매력적인 가족사진들이 책상과 장식장 위에 많이 올려져 있어서 누가 봐도 그녀의 우선순위가 가족임을 알 수 있었다.

전에 정치 후보자들의 아내들(그리고 남편들)과 인터뷰를 해 본 적이 있었는데, 인터뷰가 어떻게 진행될지 예상할 수 없었다. 말실수를 두려워하는 어떤 배우자는 실수를 걱정하며 선거운동 참모들이 준비한 엄청나게 많은 원고를 읽는다. 어떤 사람은 자신이 직접 말하는 것을 더 편안해 하지만, 여전히 일반적으로 매우 조심성 있게 발언을 한다. 미셸 오바마는 이 두 가지 중 어떤 타입도 아니었다. 그녀는 전혀 원고를 읽지 않았고 마음을 열고 편안하게 나에게 인사를 건네와, 나는 마치 전에도 여러 번 만난 적이 있는 것처럼 느꼈다.

오바마처럼, 그녀의 장점 중 하나는 다른 사람들을 편안하게 만들어 주는 능력이었다. 그녀는 나의 질문에 서두르지 않고 편안하게 대답하여 조금 계산한 것같이 보일 정도였다. 그녀는 매우 자신감이 있었으며 품위와 지적인 매력이 있었고, 남편에게 매우 헌신적이었다. 그녀는 오바마가 이번 선거에서 반드시 이기길 원하고 있다는 것을 알고 있었다. 나중에, 그녀는 그의 긍정적인 면을 매우 잘 지적해 냈지만, 그녀는 남편의 단점이나 결점에 대하여 주석을 다는 것에는 거의 관심이 없는 듯 보였다. 그녀는 나에게 "나는 그를 '사실만 말하는 남자'라고 부른다. 그는 모든 것에 대해 사실을 알고 있는 듯하다. 그는 어떠한 것이라도 논쟁하고 토론할 수 있다. 그가 당신에게 동의하는지 상관없이, 그는 여전히 당신과 논쟁할 수 있다. 대부분의 경우 그의 의견은 옳다."고 말했다. 그녀는 자신의 마지막 언급에 대해 장난스럽게 웃음을 터뜨렸다.

그녀는 오바마가 너무 승부욕이 강하여 스크래블(Scrabble)이나 모노폴리(Monopoly)와 같은 보드 게임에 이기고도 지나치게 자랑스러워한다고 말했다. 그녀는 남편이 대중을 섬기기 위하여 개인생활을 많이 희생했는데, 그 중에서도 특히 경제적인 희생을 많이 했다고 강조했다. 남편의 성격 중 이런 부분에 대한 강조는 확실히 그의 선거운동에 상당히 도움을 줄 수 있을 것으로 생각되었지만, 그녀는 그의 단점에 대하여 너무 공개적으로 이야기했기 때문에 명백히 대본을 읽고 있다는 점을 느끼지 못했다.

우리의 인터뷰는 거의 두 시간이 지나서 끝났다. 나는 그녀가 자신의 능력에 확신이 있고 결혼생활과 자신의 경력에 자신만만하며 남편의 능력을 매우 존경하는 사람이라는 인상을 받고 나서 미로 같은 복도로 다시 걸어 나왔다.

오바마는 미셸이 정치인의 아내인 것을 좋아하지 않는다고 공개적으로 밝혀왔는데 그것은 분명한 사실이었다. 오바마의 끝없는 개인적 야망과 우수한 정치적 재능은 그의 인생을 과열 상태로 몰고 갔고, 때로는 가족들을 기진맥진하게 만들었다. 그리고 이것은 결혼생활에 마찰을 일으켰다. 처음 미셸이 오바마에게 느낀 매력은, 최소한 매력의 한 부분은, 대중을 섬기려는 그의 의무감이었다. 오바마가 처음 정치를 하겠다는 희망을 그녀에게 말했을 때, 그녀는 용기를 북돋아 주며 그에게 이렇게 말했다. "만약 정말로 당신이 정치를 하고자 원한다면, 난 당신이 잘할 수 있을 것이라고 생각한다. 당신은 사람들이 공직자로 이런 사람을 원한다고 말하는 바로 그 사람이다."

4년간 이어진 그들의 연애는 남들이 보기에는 약간 쉬운 듯 보였다. 비록 미셸의 가족들은 처음에는 약간 주저했지만, 두 사람 모두 서로에게 헌신적이었다. 미셸의 어머니인 매리언 로빈슨(Marian Robinson)은 오바마를 좋아했지만 그의 두 인종적 혈통이 문화적 충돌을 일으키지 않을까, 혹은 그들의 결혼이 다른 사람들에게 인정을 받지 못하면 어떻게 하나 염려했다. 반면 미셸의 오빠는 까다로운 여동생이 전 남자친구들에게 요구했던 것 같은 엄격한 기준들에 오바마가 맞춰가며 살 수 있는지 궁금해 했다. 그는 "아버지가 돌아가시기 전, 어머니, 나 그리고 아버지는 '아이고, 미셸은 결코 결혼할 수 없을 것이다. 왜냐하면 만나는 사람마다 씹어 내뱉을 테니 말이다.' 라며 걱정했다. 그래서 나는 버락이 한 가지 잘못된 것을 말하면 동생은 그를 차버릴 것이라고 생각했다. 미셸은 1분 안에 남자를 퇴짜 놓을 수 있다. 사정없이 차버릴 것이다. 이런 말이 자만에 빠진 말처럼 들리지 않았으면 한다. 동생은 남자에 관하여 일정한 틀이 있었다.

또 동생은 자신이 원하는 타입의 남자에 대하여 마음속에 기준을 두고 있었다. 그래서 어머니와 나는 동생이 컸을 때, 항상 '너는 완벽한 남자를 찾을 수 없다. 왜냐하면 그들에겐 아버지다운 아버지가 없었기 때문이다. 그러니 너는 다른 기준을 세워야 한다.' 고 말해 주었고 미셸은 고집이 세서 갖고 있던 기준을 버리지 않았다."고 말했다.

크레이그의 오바마에 대한 첫인상은 매우 긍정적이었다. 크레이그는 웃으며 "그는 키가 컸다."고 말했다. 미셸은 그녀보다 키가 작은 남자들과 데이트를 한 적이 있었는데 그녀의 자신감 있는 행동과 여자로서 엄청나게 큰 키는 상대방에게 위협이 될 수 있었다. 특히 키가 작은 남자들은 큰 위협을 느꼈을 것이라고 추측했다. 크레이그는 여동생의 새 남자친구가 농구장을 찾아왔을 때 가장 인상 깊었다고 말했다. 오바마는 NBA 필라델피아 세븐티식서스(Philadelphia 76ers)에서 선수로 뛰다가 그만 둔 후 유럽에서 프로농구 선수를 한 크레이그만한 재능은 없었지만, 농구 솜씨에 나름대로의 자신감이 있었으며 전 대학 농구 스타와 함께 코트에 서보길 원했다. 그 담력에 크레이그는 깊은 인상을 받았다. 그는 "버락의 게임은 그의 성격과 같았다. 그는 확신이 있고 방어를 뚫었을 때 슛 하는 것을 두려워하지 않는다. 그런 행동은 그 사람에 대해 많은 것을 말해 준다. 많은 사람들은 게임에 나갔다고 말하기 위해 게임에 나가고 싶어 한다. 그러나 그는 나가서 게임의 한 부분이 되려고 한다. 그는 노력하고 이기려고 하며 공헌하고자 한다."고 말했다.

이런 지나칠 정도의 자신감 또는 확신은 오바마가 어릴 때부터 타고난 성격이었다. 그의 외할아버지는 오바마에게 그것은 아버지가 비록 옆에 계시지 않았지만 그로부터 배울 수 있는 '자신감 – 성공한 사람의 비밀'이라는 훌륭한 교훈이라고 말씀해 주셨다. 그것으로 오바마의 아버지는 인생을 이끌어 나갔고, 자기를 불신하던 때조차도, 오바마는 이 지혜로 다시 귀를 기울였다.

비록 오바마와 크레이그는 농구장에서 친해졌지만, 크레이그는 그들의 첫 휴일 모임을 기억했다. 그때 오바마는 하버드 법대를 졸업하고 직업을 가져야 하는데 정치를 해야 할 것 같다고 고민을 털어놨다. 그뿐만 아니라 오바마는 때로는 엄청난 노력이 필요한 최고의 위치를 추구하는 것이 자신의 운명인 것 같다고 암시했다. 오바마는 미래 처남이 될 크레이그에게 언젠가는 자신이 대통령이 될지도 모른다는 생각을 털어놨다. 크레이그는 "버락은 '난 정치인이 될 것이다. 아마도 미국의 대통령이 될 수도 있다.'고 말했고, 나는 '알았다. 알았으니 이리로 와서 그레이시(Gracie) 이모에게 인사나 드려라. 그리고 그런 이야기는 아무한테도 하지 마라.'고 말했다."며 회상했다.

오바마와는 대조적으로 미셸은 그의 숭고한 야망에 대하여 좀 더 신중했다. 그녀는 오바마가 굉장한 재능을 지니고 있지만, 전국적인 정치인이 되겠다는 것은 다소 몽상적이라고 생각했다. 그는 언젠가는 정계에서 스타가 될 수도 있지만 그것은 그녀에게는 전혀 관심 밖의 일이었다. 오바마의 날카로운 지성과 개인적 매력을 넘어서, 미셸이 그에게 사랑을 느낀 점은 그의 공손함과 열정이었다. 그녀는 알코올 중독에 걸린 삼촌을 대하는 오바마의 태도를 보고 깊은 감명을 받았다. 오바마는 그 당시 하버드 법대에서 공부하고 있었고 그의 앞에는 확실히 밝은 미래가 있었기 때문에 그런 삼촌을 쉽게 무시할 수도 있었다. "하지만 버락은 존경심과 품위를 가지고 평등하게 그 삼촌을 대했다."고 미셸은 말했다. (아마도 오바마는 자기 가족들의 알코올 문제에 면역이 되어 있었기 때문에 그 삼촌에 대하여 연민을 느꼈을 것이다. 오바마를 키웠던 외할아버지는 오바마의 케냐 아버지처럼 지나친 음주를 했다.)

사랑과 매력은 너무나 형용하기 어려운 개념이어서 오바마가 왜 그렇게 미셸 로빈슨에게 강력히 끌렸는지를 설명하기는 불가능하다. 하지만 그와 친한 사람들은 아마도 같은 인종이라는 것이 한 요인이 아닐까 추측했다. 하와이에서 본토로 돌아온 후, 그는 자신의 문화적 정체성뿐만 아니라 인생을 살아가는 데 편안하게 의지할 수 있는 사람을 찾고자 노력했다. 어떤 사람은 오바마가 흑인 여성을 아내로 선택한 것은 의식적으로(혹은 잠재의식적으로) 흑인 사회에 자신을 정착시키기로 결정한 것이라고 짐작하기도 한다. 켈먼은 오바마가 흑인 여성과 결혼한 것은 우연히 일어난 일이 아니라고 믿었다. 오바마는 미국에서 흑인들과의 경험에 매우 큰 관심을 가졌다.

켈먼은 또한 이렇게 말했다. "만약 당신이 혼혈인이라면, 어렸을 때부터 부당한 대우를 받는 약자와 일체감을 갖게 되기 시작한다. 당신은 그런 약자에 더욱 관심을 갖게 되고 버락은 지적으로 그것을 더욱 유념하게 되었다. 당신은 그러한 면을 대학에서 혹은 다른 장소에서 발견할 수 있을 것이다. 내 말 뜻은, 미국에서 흑인들은 역사적으로 부당한 대우를 많이 받아왔다. 그래서 그쪽에 관심을 가지고 그 길을 선택하는 것은 어쩌면 당연한 일일지도 모른다. 그런 면에서, 오바마가 약자를 위한 일을 하고 그런 일에 영감을 받는 것은 너무나 자연스러운 것이다. 그의 회고록에는 어머니보다 그를 버렸던 아버지에 대한 이야기가 더욱 많다. 미래를 위해 그가 선택한 것, 즉 그의 이런 인종적 뿌리를 찾는 데 도움을 줄 이상적 사람으로, 또한 인생을 공유할 사람으로 미셸과 결혼하기로 선택한 사실은 이러한 본보기가 될 것이다. 그리고 개인적으로, 그에게는 모든 것이 적절하게 잘 이루어진 것처럼 보였다."

오바마 가족은 시카고 남부 지역의 호수 앞을 따라 펼쳐진 하이드 파크 근처에 자리를 잡았다. 그 중심에 시카고 대학이 있는 하이드 파크는 시카고에서 인종적으로 분리가 된 몇 지역 중 하나로, 인구 구성의 대부분이 대학교육을 받은 상당수의 백인과 흑인들로 이루어져 있었다. 특히 출세지향적인 흑인들이 많은, 유행에 민감한 지역으로 하이드 파크에는 다른 인종끼리 결혼한 커플들이 많았다. 그래서 오바마가 1990년 미셸과 결혼할 때, 시카고에서 성공한, 사무직 흑인들 사이에서 새롭게 만들어진 그녀의 인맥과 결혼한 것이나 마찬가지였다. 오바마와 미셸은 하버드 법대를 졸업한 매력 넘치는 사람으로, 사람들이 놀라워하는 전문직에 종사하는 흑인 부부가 되었다. 그러나 이러한 상태에도 불구하고, 이 두 사람은 경제적으로 보상이 되는 직업을 찾지 않았다. 미셸은 가장 가까웠던 두 사람을 잃고 곧바로 시들리 오스틴을 그만 두었는데, 한 사람은 그녀의 아버지로 미셸과 오바마가 결혼하기 직전 돌아가셨고, 다른 한 사람은 대학 시절 룸메이트로 스물다섯 살의 나이에 갑자기 사망했다. 이 두 사람의 죽음으로 그녀는 인생을 어떻게 살아야 하는지 깊게 생각하게 되었다. 그녀는 발레리 자렛 아래, 시카고 시청에서 근무하는 자리에 인터뷰했고, 나중에는 리처드 데일리 시장 직원들의 총책임자가 되었다.

자렛이 그녀를 채용할 때, 미셸은 특이한 요청을 했는데 자렛에게 그녀는 먼저 그 당시 약혼자였던 오바마와 만나 줄 것을 부탁했다. 나중에 안 일이지만, 오바마는 데일리 시장의 시(市)행정부와 미해결된 업무 사이에서 다리 역할을 하고 있었다. 그는 미셸이 너무 직설적이고 솔직해서 공공연한 정치적 환경에서 살아남기 힘들 것이라고 걱정했고 데일리 시행정부에 대해 의심쩍어 했다. 그 당시 데일리 시행정부는 시카고 기구정치(정치 조직으로 법안의 제정이나 선거의 승리를 도모하는 일)의 최신 형태라며 비난을 받아왔는데 지역사회의 이익보다는 데일리 시행정부의 이익을 도모하기 위한 수단이라며 눈총을 받아왔다. 자렛은 오바마에게 정치적 중상모략으로부터 미셸을 보호하겠다는 약속을 했고 오바마는 결국 미셸이 그러한 일을 하는 데 동의했다.

오바마가 하버드를 졸업하고 시카고로 다시 돌아왔을 때, 그는 법률 관련 전문직을 6개월 정도 쉬면서 투표 등록을 책임지고 시카고의 저소득층 흑인들을 목표로 선거운동을 교육하는 일을 했다. 그가 담당한 '일리노이 프로젝트 보트(Illinois Project Vote)'는 1992년 대통령 선거 때 거의 15만 명의 새로운 유권자를 등록시켰다. 그 프로젝트의 라디오 선전과 광고 전단에는 "이것이 힘이다."라는 선언이 적혀 있었다. 그러한 노력은 두 명의 민주당원을 선출하는 데 매우 중요했다. 이것으로 빌 클린턴은 일리노이에서 승리했고, 흑인으로 주 상원의원인 캐럴 모즐리 브라운(Carol Moseley Braun)이 흑인 여성 최초로 연방 상원의원이 되었다. 그러나 오바마는 그 당시 또 다른 프로젝트에서 일하고 있었는데, 이 두 가지 일에서 오는 과다한 업무량 때문에 결혼생활이 매우 힘들었다. 오바마는 낮에는 '프로젝트 보트'를 운영하고, 밤에는 회고록을 집필하여 미셸은 다소 외로움을 느꼈다. 그녀의 일상은 일찍 잠자리에 들고 새벽 4시 30분에 기상하여 운동을 하는 것이었으나, 그녀의 남편은 새벽까지 서재에서 글을 쓰며 그녀 곁에 없었기 때문에 그러한 부분에 그녀는 적응해야 했다.

이것은 야망에 가득 찬 오바마가 정치생활을 하는 내내 취한 생활방식이었는데, 그는 업무적으로 너무 많은 부담을 지고 있어서 아내에게 항상 미안한 마음이 들었다. 오바마는 이런 경향은 개인적인 단점이라고 인정했다. 그는 나에게 "나는 모든 것을 하고 싶을 때가 있고 내가 모든 것이고 싶을 때가 있다. 나는 내 아이들과 책을 읽고 수영을 할 시간을 갖고 싶고, 내 유권자들을 실망시키지 않고, 각각 또는 내가 하는 모든 일을 정말로 신중하게 잘 해 나가고 싶다. 그런 욕심 때문에 때로 곤경에 빠지기도 한다. 그것이 이제까지 나의 가장 큰 결점 중 하나였다. '프로젝트 보트'를 체계화하고 동시에 나는 책을 쓰고 있는데, 하루에 할 일은 많고 시간은 정해져 있다."고 말했다.

미셸은 남편의 바쁜 생활에 관하여 공개적으로 거리낌 없이 불평해 왔다. 현실적인 오바마 할머니처럼, 미셸은 꾸준히 가족들의 안정을 유지하기 위해 노력했는데 두 딸이 태어난 이후에는 더욱 그러했다. 그녀는 "나는 미칠 수 없었다. 왜냐하면 그러면 나는 미친 엄마가 되기 때문이었다. 그저 화난 아내였다. 내가 남자들에게 느낀 점은 그들의 우선순위가 나, 내 가족, 하나님은 그 중간 어딘가에 있는데, 그 중에서 '나'가 가장 먼저이다. 여성들에게는 '나'는 네 번째이다. 그것은 건전한 생각이 아니다."라고 말했다. 미셸은 '모든 남자들'이라고 강조함으로써 남편을 곤란하게 하지 않았다. 하지만 나는 '모든 남자들'이 그들의 가족 중에서 자신들을 첫 번째 우선순위로 두지 않는다고 말하는 것이 더 공평하다고 생각했다. 보통 미국 가정에서는 실제로 어머니가 아이들을 위해서 자신의 직업을 포기하는 일이 있지만 항상 그런 것은 아니기 때문이다. 그러나 미셸이 결혼한 남자는 그의 우선순위 맨 위에 직업적 야망을 올려놓기 쉬운 사람이었다. 실제로 겨우 서른세 살의 나이에 거의 400페이지에 달하는 회고록을 쓰는 사람은 방종하다고 비난받을 수 있는 일이었다. 그리고 오바마의 인생에서 그가 어느 정도 자아도취 성향이 있다고 비난한 여자는 미셸이 처음이 아니었다. 옥시덴탈 대학의 한 여자 친구는 오바마에게 심술궂게 "너는 항상 모든 것이 자기에 관한 것이라고 생각한다."라고 말했다.

1992년 11월 선거가 끝나고 '프로젝트 보트'가 종결된 후, 오바마는 시카고에서 변호사 업무를 시작했다. 하버드 법대 차석 졸업생이며, 법률 학술지 《하버드 로 리뷰》 최초의 흑인 편집장으로서, 그는 최고의 법률 회사들을 골라서 취직할 수 있는 선택권이 있었다. 오바마는 인권과 인종 차별 소송 전문인 마이너, 반힐 앤드 갤런드(Miner, Barnhill & Galland)라는 회사를 선택했다. 그 회사는 시들리 오스틴과는 정반대의 면이 많았다. 마이너, 반힐은 행동주의 회사로 재판을 통해 사회적, 경제적 부당함을 개선하고자 노력했다. 그런 면에서 그 회사는 오바마가 찾고 있던 임무와 완벽하게 맞았다. 마이너, 반힐은 전에도 아이비리그 졸업생을 채용한 적이 있었지만 상급 파트너인 저드슨 마이너(Judson Miner)가 1년 전 오바마를 만나기 위해 《하버드 로 리뷰》에 전화를 걸었을 때, 그는 "이름과 전화번호를 남겨주세요. 당신은 통화번호 647번째입니다."라는 거의 가망 없는 대답을 들었다. 오바마는 《하버드 로 리뷰》편집장 직위 때문에 전국적 대중매체의 관심을 받았고 하버드 졸업생 명단 중 최고에 오르게 되었다.

일리노이에서 오바마의 변호사 자격증이 유효했던 9년 동안, 그는 한 번도 재판을 처리한 적이 없었고 대부분 다양한 소송들에 대하여 개요를 준비하고, 교섭을 이끄는 변호사로 일했다. 그는 행동주의 그룹이 일리노이 주에 대하여 미비한 투표 등록을 돕고자 고안된 연방 법안을 적용하지 않았다고 고소한 소송에서 행동주의 그룹을 대변하여 승리로 이끈 변호사들 중의 한 명이었다. 다른 소송에서, 오바마는 쿡 카운티와 500만 달러의 연방 연구 보조금을 관리하는 사립 연구소의 비리를 폭로한 내부 밀고자를 위하여 장문의 호소문을 작성했다. 그 보조금은 마약 복용 임산부의 치료를 연구하는 데 쓰였는데, 내부 밀고자는 그 비용에 대하여 의심을 품자 그 프로그램에서 해고된 의사였다. 오바마는 또한 흑인 유권자와 1990년 인구조사 후 새롭게 편성된 선거구가 불공평하다며 제소한 시카고의 시의원을 대신하여 고소한 변호인 그룹에 속했다. 항소심 재판에서 새로 개편된 지도가 투표권을 위반했다고 판결이 났고, 그 선거구역은 다시 개편되었다.

그러나 그 회사의 법률적 업무를 넘어서, 저드슨 마이너는 다른 이유로 오바마에게 관심을 두었다. 마이너는 해롤드 워싱턴의 시(市)행정부에 조언을 제공하는 법인이었다. 실제로 마이너는 시의회에서 백인 기구정치에 대항하여 워싱턴 시장이 이끄는 싸움에 도움을 준 변호사들 중 한 명이었다. 그 당시 마이너는 시카고 정치계에 많은 연고가 있었고 오바마가 친구와 가족들에게 정치에 매우 관심이 있다고 말한 것도 바로 이때였다. 오바마는 워싱턴 시장이 얼마나 효과적으로 빨리 시카고의 인종적 사회적 원동력을 바꾸는지 지켜보았다. 그 변화의 속도에 오바마는 깊은 인상을 받았다. 그는 이렇게 말했다. "법원들은 일반적으로 매우 느리고 매우 보수적이며, 반드시 이념적으로 보수적인 것이 아니라, 제도나 규정에서 매우 보수적이다. 법대나 법에 관련된 일을 하는 것은 이 나라가 어떻게 운영되어야 하는지에 대한 틀을 정하지만, 그것은 법정 제도를 통한 사회 변화가 얼마나 어려운 일인지 다시 한 번 인식시켜 준다. 유일하게, 법정 제도를 통해 중대한 사회적 변화를 일으킨 브라운(Brown) 대(對) 교육위원회의 소송을 제외하고는 우리 역사상 거의 그런 적이 없었다. 그래서 이 시점에서 나는 정치인이 되는 것에 대하여 더욱 심각하게 생각하게 되었다."

제8장

8 정치

나는 선출된 공직자들 가운데 많은 사람들이 – 잘 하고 있는 사람들조
차도 – 정치의 본질은 신경도 안 쓰면서 정치적 구조에 대해 얼마나 많
은 시간을 할애하는가를 보고 놀랄 때가 있다. 그들은 오직 자기 자리
를 고수하고 자기의 정치 경력을 늘리는 것에만 지나치게 관심을 쏟는
다. 그들이 하는 이야기들은 오직 사업, 정치적 게임 및 당략적 경쟁에
관한 것들뿐이다.

– 버락 오바마

버락 오바마의 첫 번째 선거 정치활동으로의 진출은 개인적으로는
정치에 대한 강한 야망과 사회 변화, 특히 가난한 흑인 사회에 대한 변
화를 향한 강한 희망을 나타냈다. 다시 말하면 오바마에게서 정치입문
은 시카고 흑인 사회를 가로막는 정치적 성벽 안으로 들어가기 위한 티
켓이었다. 시카고 흑인 정치세계는 권력과 특권을 갖춘 흑인들로 구성
된 한 특정 그룹이 이끌고 있다. 그리고 또한 이 그룹은 전체적인 흑인
사회가 발전하는 것을 방해하기도 하는 완고한 내부 알력이 팽배한 곳
이기도 하다. 이러한 이유들 때문에 오바마가 정치세계에 입문한다고
했을 때 낙천주의자들조차 시카고 흑인 사회에 대해 비관적인 의견을
나타냈다. 1995년쯤 발행된 《내 아버지로부터의 꿈》에서 오바마는 이

렇게 회고했다.

"내가 시카고로 돌아왔을 때, 나는 예전보다 초라해진 시카고 남부 지역이 전체적으로 더욱 쇠퇴하고 있음을 느꼈다. 아이들의 환경은 더 나빠지고, 사회는 이들에 대한 아무런 관심이 없었으며, 중산층은 점점 더 교외로 이주하고 있었고, 교도소는 아무런 희망 없는 형제들, 청년들로 넘쳐나고 있었다. 우리 아이들의 가슴이 왜 이리 황폐하게 되었는지, 어떠한 가치관을 갖고 살아야 하는지 어떤 올바른 도덕적 가르침을 따라야 하는지 아무도 관심이 없었다. 그 대신 항상 그래왔듯이 이 아이들이 우리들의 아이들이 아닌 척, 전에 하던 일만 그대로 되풀이하고 있음을 알 수 있었다."

저드슨 마이너의 투표 프로젝트를 진행하고 그의 정치활동을 도운 오바마는 그 경험으로 시카고 남부 지역에 있는 다양한 흑인 정치권에 참여할 수 있게 되었다. 그래서 1995년 정치에 입문할 기회가 왔을 때 그 기회를 잡았다. 첫 임기 동안 존경받는 주 상원의원이었던 앨리스 파머(Alice Palmer)가 연방의원 출마를 선언했을 때 오바마는 정치 경력을 더욱 진전시킬 첫 번째 선택을 하여야 했다. 파머는 오바마처럼 진취적인 흑인이었고 자신의 후임 후보로 오바마를 지지했다.

그러나 그것은 단지 다른 사건의 시작일 뿐이었다.

오바마의 입장에서 보면, 파머는 비록 그녀가 연방의원 출마를 위한 선거전에서 좋은 결과를 얻지 못해도 정치에서는 은퇴할 것이며 오바마가 그녀 자리를 위해 출마해도 된다고 동의했다. 하지만 파머가 의원 선거에서 완전히 밀리게 되자 갑자기 노선을 바꾸어 버렸다. 그녀의 지지자들은 오바마를 만나 만약 파머가 질 것 같으면 오바마도 물러나라고 요구했다. 그렇게 된다면 파머는 지금 보유하고 있는 일리노이 주 상원의원의 자리에 다시 도전할 수 있게 되기 때문이었다. 하지만 이러한 요구를 수용하면 오바마는 혼자 버려지게 되는 것이었다. 선거운동에 협력한 후 오바마는 기존 입장을 고수하기로 하고 파머의 대변인에게 자신의 의향을 분명히 했다. 서른네 살인 오바마는 인생을 전환시킬 수 있는 계기를 열심히 찾고 있었다. 결국 "이봐, 누가 알아? 오바마는 언젠가 이 나라의 대통령이 될 수도 있어."라고 몇 년 전 처남과 이야기한 사실을 심사숙고하고 있었던 것이다. 오바마의 관점에서 보면 파머는 신의로 맺어진 서로의 약속을 고의로 어긴 것이었다. 그래서 오바마는 파머 주변 사람들에게 그녀가 자리를 양보하고 그를 지원하기로 약속했다고 알리고 그도 약속한 대로 밀고 나가겠다고 말했다. 당연하게 파머는 이것을 받아들이지 않았다.

실제로 파머는 2005년 11월 연방의회 예비선거에서 제시 잭슨 주니어(Jesse Jackson Jr.)에게 패했고, 비록 겉으로는 오바마가 그 자리를 가질 수 있게 공공연히 그를 지원하는 척 하다가, 실제로는 재빨리 오바마를 대신하여 2006년 3월 민주당 예비선거에서 재출마를 신청했다. "일단 그녀가 나를 지지했기 때문에 '나의 경쟁자들도 나를 원한다.' 라는 슬로건을 선거운동에서 언제든지 사용할 수 있다."라고 오바마는 재치 있게 《시카고 트리뷴》에 말했다.

그러나 유머의 의도와는 달리, 이러한 발언은 처음 시작하는 오바마의 선거에 어려움을 줬다. 갑자기 현직 의원의 축복을 받고 선두에서 출마하는 것이 아니라 현직 의원인 그녀를 겨냥하여 출마를 하게 된 것이다. 그는 선거 현장에서 일했고 그의 입후보에 대한 많은 지지를 확보하고 있었다. 하지만 현직의원인 파머의 힘에 대항하기에는 많은 어려움이 있었다. 예를 들면 이미 형성된 파머 지지 집단들이 선거 자료를 배포한다든지 선거일에 많은 사람들이 그녀에게 투표하게끔 이끈다든지 기존 흑인 정치인들의 지지를 받아 낸다든지 하는 일에서 말이다.

실제로 파머는 기자회견을 자청하여 그녀가 재선할 것을 촉구하는 100명 이상의 지지자들이 작성한 청원서를 받아들인다고 밝혔다. 또한 그녀의 측근에는 제시 잭슨 주니어라는 신임 의원이 있었다. 사실 의회에서 처음으로 승리한 여세로 잭슨의 측근들은 파머의 기자회견에 참석하여 그녀에 대한 전폭적인 지지를 선언했다. 파머가 그 전 선거에서 현직자 중 가장 잠재적이며 폭발적인 인지도를 갖고 있었던 반면, 오바마의 이름은 선거유세에서 그다지 가산점이 되지 못했다. 오히려 독특한 이름과 성이 끊임없는 논쟁을 일으키게 했다.

하지만 오바마는 한 가지 비장의 무기가 있었다. 그는 파머의 지지자들이 아무리 일치단결했다 하더라도 어떻게 그토록 짧은 시간에 그녀의 선거 출마 청원서에 필요한 수의 투표자 서명을 받아 냈는지 이해할 수 없었다. 파머 또한 기자회견에서 주 선거관리위원회에 보고한 처음 1,600명의 청원자들을 단지 열흘 내에 모았다고 주장했다. 그래서 오바마 측의 한 자원봉사자는 그녀에 대한 청원서가 합법적인지 내지는 이 선거전에서 다른 몇몇 후보자들에 대한 청원서들이 합법적인지 알아보기로 했다. 청원서 배후에 있는 선거관리위원회 청문회에서 파머는 그녀가 필요한 수의 서명을 합법적으로 획득하지 않았음이 드러났다. 많은 수의 투표자들이 법에서 명시한 대로 사인한 것이 아니고 그들의 이름이 단지 프린트되었다는 것이 밝혀진 것이다. 파머는 이름을 프린트한 그 투표자들로부터 선거 진술서를 받아 내려 노력하고 있다고 변명했으나 시간은 점점 다 되어가고 있었다. 그녀는 선거전에서 물러나는 수밖에 없었다. 다른 경쟁자들도 투표에서 져서 예비선거에서 오바마만 반대 없이 선거에 나가게 되었다.

대중 앞에서 파머는 한 점의 유감도 없다고 밝혔으나 개인적으로 매우 쓰라린 경험을 한 것이었다. 그녀는 이러한 일련의 사건들을 겪으며, 특히 의회 선거전에서 아주 낮은 지지율을 받아 매우 수치스러워했다. 하지만 수치심보다 더욱 중요한 것은 그녀의 촉망받던 정치 경력이 이로써 사실상 끝났다는 것이었다. 그리하여 그녀는 시카고 기자들에게 오바마가 처음 생각했던 것보다 덜 진보적이라서 예비선거나 가을선거에서도 오마마를 지지하지 않을 것이라고 밝혔다. 그럼에도 불구하고 시카고 남서부 지역에는 공화당의 기반이 없는 관계로 오바마는 가을선거에 승리할 것이 확실시되고 있었다.

오바마는 이러한 사건을 거치며 몇 가지를 배웠다. 현직 의원을 내쫓거나 혹은 빈자리를 차지함으로써 일리노이 주의원이 되는 것보다는 다른 방법으로 하는 것이 낫겠다는 생각이 들었다. 그리고 호전적 진보주의자로서 흑인 정치권에서 높이 추앙받는 파머에 도전함으로써 오바마는 흑인 정치인들, 즉 그가 국회의사당과 그의 선거구에서 함께 일한 영향력 있는 많은 흑인 정치인들을 공격한 결과가 되었다. 파머의 편에서 보면 오바마로부터 맛본 쓴맛과 분노가 많은 사람들에게로 퍼져나가는 것이 나쁜 일만이 아니었다.

이러한 일련의 사건을 통하여 오바마는, 흑인 사회의 목표를 달성하기 위해, 그리고 개인적인 정치적 행보를 위해서는 어떤 것도 감수해야 한다는 것을 깨닫게 되었다.

오바마의 시카고 남부 주 상원 선거구는 일리노이에서 경제적으로 다양한 사람들이 사는 곳 중 하나였다. 그곳은 미국에서 가장 가난한 흑인 지역과 가장 열악한 저소득층을 위한 공영주택 지역 중의 몇 곳을 포함하고 있었고, 하이드 파크 부근에 있는 중상류층 거주 지역도 포함하고 있었다. 게다가 그의 구역은 시카고의 도심 상업 구역의 남단인 남부 주변 지역도 포함하고 있었다. 1980년부터 오늘날까지 시카고의 고층화가 도시 외곽까지 진행되자 남부 주변 지역과 인근 지역은 강력한 개발 압력에 시달렸다. 남부 지역 주변은 도심에서 일하는 직장인 등 많은 사람들을 다시 끌어들여 콘도미니엄 및 타운하우스 지역들로 개발됨으로써 고급화되어 갔다. 많은 사업체와 가게들, 식당들이 이러한 개발에 따라 우후죽순처럼 생겨났다.

주 상원의원 선거 중 오바마와 파머가 벌인 같은 흑인 사이의 치열한 대결은 시카고 대중매체에 흥밋거리를 제공했다. 그러나 정치적 음모로 많은 뒷거래가 행해지는 도시에서 그것은 상대적으로 밋밋한 경쟁일 뿐이었다. 그럼에도 불구하고 시카고의 정치세계에 오바마가 출현한 것은 많은 관심을 불러 모았다. 그의 하버드 학력, 첫 회고록 출판과 능란한 웅변술은 대중매체와 시카고 남부 밖의 영향력 있는 사람들 사이에 흥미를 끌기에 충분했다.

시카고의 흑인 전문직 종사자들을 위한 잡지인 《엔디고N' DIGO》는 시카고에서 가장 영향력 있는 사람 중의 하나로 오바마를 지명했다. 그리고 시카고의 가장 앞서가는 주간 신문인 《시카고 리더Chicago Reader》는 신문 1면에서 장황하게 오바마를 소개함으로써 그가 매우 중요한 인물임을 시사했다. 그 신문은 4,000단어 정도 길이의 논설에서 오바마를 높이 칭찬하고 심지어 논설의 마지막 3분의 1 정도는 오바마가 직접 기술한 인종과 정치 사이의 복잡한 문제들에 대한 그의 견해에 관해 할애했다.

그 논설은 오바마에게 일종의 선언문과 같은 역할을 했다. 모든 중대한 개혁을 포함하여 광범위한 시카고 사회에 그의 정치 철학을 이야기한 것은 이것이 처음이었다. 그의 '새로운 정책'에 대한 시각은 아직 초기 단계였고 향후 시카고 남부에 거주하는 흑인 구성원들에 국한하여 걱정과 염려를 나타내는 것이었다. 하지만 전체적인 메시지는 현재 그가 설파하는 정치 메시지와 동일한 것이었다. 말하자면 만약 미국이 자유 사회로 진보하려면 사람들은 당연히 편협하고 자기중심적인 관심을 위해 싸우는 것이 아니라 건강한 사회를 건설하기 위해 함께 일하는 것을 배워야 한다는 것이다. 오바마는 다음과 같이 말하고 있다.

정치적 논쟁은 이제 너무 비뚤어져 있고, 너무 제한되어 있고 너무 왜곡되어 있다. 사람들은 그들이 잃어버린 사회에 대해 너무 갈망하고 있다. 그들은 변화에 목말라 하고 있다. 만약 정치인들이 그들의 할 일로, 대중들이 원하는 것에 대한 기획자도 되고, 선생님도 되고, 변호인도 되고 또는 유권자들을 매수하는 대신 유권자를 위한 선택이 무엇인지를 교육시킨다면 어떨까? 예를 들면 선출된 공직자로서 나는 사회단체에 대한 기획자나 변호사로서 할 수 있는 것보다 더 쉽게 교회와 사회단체 리더들을 더 잘 융합시킬 수 있다.

우리는 좀 더 구체적인 경제개발 전략을 서로 의논하여 수립할 수 있고, 현재 법률과 법 구조를 잘 이용함으로써 사회 모든 분야 사이에 다리를 놓고 결속시킬 수 있다. 우리는 나와 자신의 행동에 더 많은 책임을 질 다른 선출된 공직자들을 결속시킬 대중적 구조를 만들어야 한다. 우익파 특히 기독교 우파들은 좌익파 또는 급진파들보다 이러한 책임 있는 단체들을 설립하는 데 기여했다. 하지만 완고하고 편협하며 잘못된 동경심으로 무엇을 계획하기는 항상 쉽다. 그리고 가족의 가치관이나 도덕적 책임이라는 이름으로 더 심오한 도덕성을 강탈하기도 한다. 지금 우리는 가족 내에서 자신감을 북돋워 주고 서로를 보살펴 주고, 서로 나누며 더 큰 사회를 위해 서로 희생하는 그러한 가치관을 추구해야 한다. 개인들의 가치관에 근거하여, 개인적인 가족을 위하는 것이 아니라 사회를 건설하기 위해 노력해야 한다. 우리는 현재 10대에 임신하는 것에 대한 개인적 무책임을 논하지 말고 큰 꿈을 품도록 10대를 교육시키지 못한 무책임함에 대해 논해야 한다. 나는 선출된 공직자들 가운데 많은 사람들이 – 잘하고 있는 사람들조차도 – 정치의 본질은 신경도 안 쓰면서 정치적 구조에 대해 얼마나 많은 시간을 할애하는가를 보고 놀랄 때가 있다. 그들은 오직 자기 자리를 고수하고 자기의 정치 경력을 늘리는 것에만 지나치게 관심을 쏟고 그들이 하는 이야기들은 오직 사업, 정치적 게임 및 당략적 경쟁에 관한 것들뿐이다. 그들에게서 정치란 단지 경력과 같을 뿐인 것이다.

오바마가 중요시 하는 논제 중의 하나는 미국 사회에서 강력하고 잠재적인 다문화주의이다. 흑인들을 학대한 강압적인 역사에 대항하여 백인들과 충돌하고 백인들의 관심사에 끊임없이 싸우는 것보다는 흑인들은 주류 권력 구조에 스며들어 거기서부터 사회를 변화시키기 위해 노력해야 한다고 오바마는 제안했다.

"우리의 심각한 실업 재앙을 해결하기 위해서는 우리 스스로 창의적으로 상호의존하고 다문화와 국제 경제 안에서 노력해야 한다."고 오바마는 말했다. "성공을 방해하는 것으로 오직 인종 차별만을 언급하는 모든 흑인들은 백인, 라틴계 그리고 아시안계 모두에게 경제적 불안정을 일으키게 하는 더 큰 경제적 힘을 모르고 상당히 잘못 인식하고 있는 것이다."

하버드 재학 중 오바마는 논쟁 도중에 양쪽 모두의 의견을 참을성 있게 잘 듣는 것으로 유명했고, 교내 보수적 멤버들 사이의 충돌을 잘 조정했다. 그러나 그의 다문화와 인종에 대한 확고부동한 믿음은 오히려 시카고 흑인 사회가 하나로 뭉치게 하는 데 방해가 됐다. 다양한 인종들을 연결할 다리를 건설하자는 그의 생각은 많은 흑인 보수파, 즉 아직 시카고 흑인 사회에서 많은 목소리를 내고 있는 흑인 인종주의자들에겐 이단적인 생각이었다. 이들은 그들 자신의 정체성을 위한 정치를 하고 있었다. 그들은 백인이 다른 소수 그룹들과 경제적 부를 나누는 수용력이 없다고 비관하고 있었을 뿐 아니라 상류층 백인들을 위한 제도에서 교육받고 백인 주류사회에 흡수되어 다문화의 개념을 지지하는 오바마와 같은 흑인을 경계하고 있었다.

이러한 사람들 사이에서는 오바마가 법률에 관한 업무를 했다는 것 외에도 그가 하이드 파크에 위치한 시카고 법대 대학원(University of Chicago School of Law)에서 법학개론을 강의했다는 사실이 전혀 도움이 되지 않았다. 일부 시카고 남부 흑인들에게 그 대학은 이른바 역사적으로 흑인 지역이라 일컬어진 곳에 세워진 백인 학교로서 곧 백인 권력의 대명사로 여겨졌기 때문이다. 이 대학교는 들어갈 수 없는 성(城)과 같았고 지적으로도 들어갈 수 없는 가난한 흑인 동네 한 가운데 세워진 백인 상류층만을 위한 학교였다. 그런데 여기 하버드에서 교육받은 오바마가 이 학교에서 백인을 위해 수업을 하고 있었다.

비록 일부 사람들은 대중매체를 통해 대중에게 알렸지만, 대부분은 뒤에서 끊임없이 불평불만을 털어놓았다. 노스웨스턴 대학(Northwestern University)의 한 흑인 정치학 교수는 오바마를 '얼빠진 새로운 진보정치인'이라며 비난했다. 흑인의 권한을 부여받은 특별대책본부장은 오바마는 흑인 사회와는 거리가 먼 세력 중의 하나에 지나지 않는다며 더욱 직설적이며 냉소적으로 비난했다. 물론 오바마에게서 이런 흑인 사회의 반응은 전혀 새로운 것은 아니었다. 그는 하버드 대학 재학 중 특정 흑인 학생들의 승진을 희생하며 편집장 자리에 보수적인 학생들을 임명함으로써 각 단체들 사이의 화합을 증진시켰고 그 노력의 일환으로 일부 흑인 학생들을 재정비했다.

혹인 사회에서 이러한 문제들은 일리노이 주의회에서까지 오바마를 따라다녔고 거기서 오바마는 일리노이 혹인 의원총회 회원들로부터 냉대를 받았다. 혹인 의원 내에서는 항상 내부분쟁이 있었다. 시카고는 두 주요 혹인 사회가 있었는데 하나는 서부에 주거하는 사람들이었고 하나는 남부에 주거하는 사람들이었다. 이 두 지역을 대표하는 의원들은 가끔 의견 충돌을 일으켰는데 그 한 가지 이유는 그들이 똑같은 주(州)의 자원을 놓고 서로 차지하고자 일리노이 주도(州都)인 스프링필드에서 경쟁했기 때문이었다. 그리고 오바마는 무질서하고 무한 경쟁을 하는 스프링필드 내 정치 분위기에 대해 개인적으로 헐뜯는 발언을 하며 다른 의원들에게 아양을 떨 필요가 없었다. 한편 일부 의원들은 오바마의 비평에 주목하기 시작했고 다른 일부는 스프링필드에 갑자기 등장하여 직접적으로 자기들을 비난하는 이 하버드 로스쿨출신의 능수능란한 새 인물이 도대체 누구인지 궁금해 했다. "선서식에서 어떤 사람들은 이미 무언가의 정열을 느꼈다."고 스프링필드의 한 정치가는 회상했다.

사실 얼마 있어 오바마의 주요 정치 조언가가 된 사람이 있었는데 그는 처음 회의에서 오바마를 별로 좋아하지 않았다고 했다. 댄 쇼몬(Dan Shomon)은 스프링필드에서 민주당을 돕기 위해 저널리즘을 포기한, 부지런하고 사교적이며 안경을 낀 뉴스통신사 통신원이었다. 1997년까지 쇼몬은 8년 동안 스프링필드에서 민주당을 위해 일했고 정치에 능숙했다. 오바마가 그 측근들이 일에 전념하는 시간의 양에 대해 불만을 느끼고 있을 때 그의 옆방에서 한 상원의원을 위해 고집스럽게 일하고 있는 쇼몬을 알게 되었다. 그리고 오바마는 혹인 의원총회 의장인 에밀 존스 주니어(Emil Jones Jr.)에게 쇼몬을 자신에게 배정해 달라고 밀어붙였다.

쇼몬은 전에 오바마에 대한 몇 가지 소문을 들었기 때문에 처음에는 내키지 않아 했다. 그는 오바마가 다른 민주당 의원 후보를 돕기 위해 각 집을 방문하는 선거운동을 할 때 오바마를 몇 번 만난 적이 있었다. 오바마는 자원봉사 가운데 하나인 도보 행진을 하던 중, 다른 자원봉사자가 그와 같은 구역으로 배정되어 같이 행진하게 되자 시간이 아깝다고 화를 내며 그 자리를 떠나 버렸다. 쇼몬은 그때 오바마가 약간 신경질적이고 엘리트주의가 있는 사람인 줄 알았다. 그래서 오바마를 위해 일하게 되자 "난 정말 바쁜데…… 그가 세상을 바꾼다는 것은 훌륭하지만 난 그가 그다지 좋지 않아."라고 쇼몬은 생각했다. 하지만 쇼몬은 오바마와 만나기로 하고 오바마가 저녁을 초대했을 때 나중에는 뜻이 잘 맞음을 발견했다. 그래서 쇼몬은 의원 초년생인 오바마를 입법적이고 전략적인 일을 돕는 일을 하게 되었다. 쇼몬은 전직 통신원이었기 때문에 그의 특기를 살려 대중매체와 관련된 일을 하며 오바마를 돕겠다고 했다. 하지만 오바마는 직접 대중매체를 상대하겠다며 기자회견을 돕는 사람은 필요치 않다고 했다. 오바마는 대중에게 전하는 메시지는 혼자 전적으로 통제하고 관리하기를 원했으며 그의 말과 의견을 전할 대변인도 원치 않았다.

(그리하여 오바마와 대중매체 사이에 공손하지만 거리감이 있는 관계가 시작되었다. 그는 종종 사려 깊은 인용구를 사용하는 것으로 잘 알려져 있었으나 기자들은 그것을 곱게 보지 않고 그를 계속 조사하듯 했다. 오바마는 후에《시카고 선 타임스》의 데이브 맥키니Dave McKinney 기자만 자기 말에 주의를 기울였다고 농담했다. 오바마는 "오직 맥키니 기자만 나에게 좋은 말투로 이야기했다."라고 말했다.)

쇼몬의 첫 전략적인 보좌는 정치 초년생인 오바마가 크게 발전하는데 중추적 역할을 했고, 이 과정에서 오바마는 미국 전체의 정치 경쟁에서도 이길 수 있다는 자신감을 얻었다. 쇼몬은 오바마에게 시카고 지역 외에 다른 곳에 사는 일리노이 주민들에게도 영향을 끼칠 문제들에 대해 투표가 행해지는 것을 상기시키고 오바마에게 일리노이의 광범위하게 분산된 문화에 대한 이해를 돕도록 일리노이 주 남부로 여행을 가라고 권했다. 오바마는 이 여행이 여러 가지 이유에서 도움이 될 것으로 생각했는데 그 중 한 이유는 그의 마지막 정치 종착지가 스프링필드에 국한되지 않았기 때문이었다. 오바마의 첫째 아이가 태어나기 전인 1997년 당시까지 그에게는 별로 힘든 시기가 없었다. 그래서 쇼몬은 "오바마가 망설이지 않고, '그래, 하자.' 라고 말했다."고 회상했다. (그는 두 번째 회고록인 《담대한 희망 – 아메리칸 드림을 다시 일으키기 위한 생각 The Audacity of Hope: Thoughts on Reclaiming the American Dream》에서 첫 남부 여행을 통해 이러한 생각을 품게 되었다고 했다.)

쇼몬의 생각 이면에는 다음과 같은 것이 있었다. 즉 일리노이는 시카고 지역과 그 외 지역 사이에 끊임없는 지역적 다툼이 있다. 일리노이 주의 3분의 2에 해당하는 약 800만 명의 사람들이 시카고 지역에 살고 있었고, 이 시카고 지역은 뉴욕, 로스앤젤레스에 이어 세 번째로 큰 도시 지역이다. 나머지 3분의 1은 일리노이 전역의 시골 또는 작은 도시들에 퍼져 살고 있고, 스프링필드에서 의원들이 부나 자원을 분배할 때 이들 지역이 시카고에 뒤처지는 것을 계속해서 불평하고 있다. 이러한 알력 때문에 시카고의 많은 정치인들은 시카고에 바로 근접한 교외에 살고 있는 유권자들로부터 항상 의심스런 눈길을 받고 도심 외에 다른 지역에서는 더 큰 의심의 눈총을 받았다.

그러나 중부 및 남부 일리노이에서는 오바마가 인종을 어떻게 생각하는지가 또 다른 중요한 역할을 했다. 오바마는 시카고 정치인이었을 뿐 아니라 흑인이기도 했기 때문이다. 이것은 어쩌면 이 지역에서 그에 대한 두 번째 저항이었다. 특히 남부 일리노이는 중서부라기보다는 오히려 전통적인 남부에 더 가까웠다. 이 지역은 오랜 역사 동안 편협한 인종 문제를 겪어 왔다. 일리노이 남부 지방을 여행 중, 오하이오와 미시시피(Mississippi)가 만나는 작은 도시인 카이로(Cairo)는 특히 1900년대 초기에 흑인들이 일반 시민에게 집단 구타를 당했던 아픈 과거가 있었고 1967년에는 인종 폭동도 있었다. 그 폭동은 너무 끔찍해서 그곳에 거주하는 수천 명이 그곳을 떠나는 계기가 되었다. 증오와 적의(敵意)로 가득한 여러 곳을 여행하면서 오바마는 그가 이곳에서 받아들여지기 위해 무엇을 해야 하는지 그리고 정치적으로 또는 정치 자금 모금을 위해 어떤 공약을 해야 하는지를 생각하게 되었다. 중요한 의문점은 이 지역에서 인종이 오바마를 친구 내지는 비위협적인 외부인으로 인지될 수 있을 정도로 충분히 평등화되었는가 하는 것이었다. 쇼몬은 "골프도 치면서 일주일 정도 더 돌아봅시다."라고 했다.

첫 번째 여행에서 오바마는 이른바 적색 지역이라고 하는 넓은 백인 지역을 돌아보고 놀랐다. 쇼몬과 오바마는 이 교육적이며 정치적인 목적의 여행에 대해 서로 다른 견해를 갖고 있었지만 오바마가 이 시골, 작은 도시들에서 승산이 있다는 가능성을 본 아주 성공적 여행이었다. 오바마는 약 400페이지 정도 되는 《내 아버지로부터의 꿈》이란 책에서 그의 다인종적 혈통에 대한 위로를 찾는 뼈아픈 여정과 마침내 그의 정체성에 대해 인정하게 되었음을 기록했다.

"우리는 페리 타운십(Perry Township) 지역을 지나 핀크니빌 쿤 클럽(Pinkneyville Coon Club)으로 가고 있었다." 쇼몬은 Coon을 특별히 대문자로 강조해서 COON으로 표현했다. (여기에서 Coon은 너구리인 Raccoon을 축약한 구어체였지만 미국에서 역사적으로 흑인을 비하하는 말로 쓰였다.) "오바마는 남부를 한 번도 방문하지 않았다. 그래서 그가 그 표지판을 봤을 때 날 보고 '아마 난 핀크니빌 쿤 클럽에 들지 못할 거야.' 라고 했다. 그런 후 웃기 시작했고 너무 웃은 나머지 의자에서 떨어질 뻔 했다."라고 쇼몬은 말했다.

나중에 작은 마을들을 여행할 때 오바마와 쇼몬은 듀코인 카운티(DuQuoin County)에서 부주의하게 일방통행 길을 잘못 들어서서 경찰에게 걸리고 말았다. 경찰관이 오바마의 녹색 체로키(Cherokee) 지프에 대한 주 면허증을 요청하자 쇼몬이 그에게 오바마는 주의원이라고 소개했다. 경찰관은 "여기서는 아니다."라며 대답했다.

하지만 남부 지역을 한참 돌아본 뒤 오바마는 사람들이 그를 따뜻한 눈길로 보고 있음을 느꼈다. 어떤 경우에는 주의원이 한 번도 방문한 적이 없었으므로 오바마를 아주 귀하게 접대해 주었다. "그 여행은 오바마의 눈을 뜨게 해 준 아주 중요한 여행이었다. 그들 또한 비록 오바마의 이름을 제대로 발음하지 못했지만 오바마와 어떤 연관이 있는 듯 느꼈고 오바마도 그들을 아주 좋아했다."라고 쇼몬은 회상했다.

이 여행은 쇼몬이 어느 문화를 접하든지 가능한 한 최선을 다해 적응하라는 정치의 또 다른 면에 대해 오바마에게 가르쳐줄 수 있는 기회가 된 아주 유용한 여행이었다. 그렇지만 오바마가 항상 쇼몬의 사소한 충고를 잘 받아들인 것은 아니다. 오바마 가족은 이제껏 충분한 돈은 없었지만 개인교습으로 학교 교육을 받고 하버드 졸업장을 얻은 것은 특히 성인이 되어 엘리트 사회에 속할 수 있는 수단이 되었다.

어느 날 아침, 쇼몬은 호텔에서 단추가 앞에 쭉 달리고 칼라가 있는 검정 셔츠와 국방색 바지를 입고 나오는 오바마를 만났다. 그 셔츠는 골프 회동에서 입을 수 있는 셔츠가 아니라 소풍 갈 때나 입을 만한 셔츠였다. 더군다나 그 셔츠는 단추 두세 개가 달린 평상적으로 입는 골프 유니폼형인 폴로 셔츠가 아니었다. 오바마는 평상시에도 고집스럽게 국방색 바지와 검정 셔츠만으로 간편히 차려 입었다. "크리스마스 때 검정 셔츠를 선물하면 너무 기뻐할 것이다. 그는 오로지 검정 셔츠만 입는다. 전혀 멋을 부리는 사람이 아니다."라고 오바마의 아내는 쇼몬에게 말했다. 그래서 쇼몬은 왜 자꾸 그 셔츠만 입느냐고 물었지만 오바마는 오히려 그가 왜 그런 질문을 하는지 의아해 했다. "난 오바마에게 우리는 오늘 골프 회동이 있다고 말했고 그는 그 검정 셔츠를 입는 게 무슨 문제인지 알아채지 못했다. 그래서 다른 사람과 같은 골프 셔츠를 입으라고 했는데 왜 그래야만 하는지 나에게 다시 물었다. 그는 골프 셔츠는 하나밖에 없는데 그저께 골프를 칠 때 벌써 입었다고 했다. 나는 다시 바꿔 입으라고 했고 그는 그 골프 셔츠로 갈아입었다. 난 오바마에게 여긴 일리노이 남부이니 도시에서 온 것처럼 보이지 말라고 상기시켜 줬다. 오바마는 처음엔 화를 냈으나 나중에 그러한 사실을 받아들여야만 하는데 약간의 좌절감을 느꼈다. 설명을 한 후 골프 셔츠로 순순히 갈아입었지만 그런 상황에 대면하는 것을 굉장히 힘들어 했다. 오바마는 굉장히 도시적인 사람이었다."

오바마는 두 번째 회고록에서 이 일화에 대해 약간 다른 견해를 보이고 있었다. 그는 쇼몬이 이 여행을 할 때 이곳에서 눈에 띄지 않게 시종일관 폴로 셔츠와 국방색 바지만을 입으라고 했다고 썼다. 그리고 남부 지역의 한 식당에서 식사를 할 때 좀 더 고급인 디종 머스터드보다는 보통의 노란 머스터드를 먹으라고 충고했다고 썼다.

오바마는 이러한 쇼몬의 충고가 그다지 중요하지 않다고 느꼈다. 이러한 의견 차이는 겉으로 보기에는 그다지 큰 문제가 아닌 것처럼 보일지도 모르지만 이 두 사람이 각각 어떻게 다른지 보여 주고 있다. 두 사람 모두 고집이 세고 완고했지만 각각 정당한 이유가 있었던 것이다. 그리고 이러한 문제는 정치 자문역으로서 끊임없이 오바마에 대해 갖고 있던 힘든 점을 그대로 드러낸 것이었다. 즉 오바마에게서 종종 나타나는 엘리트적인 면이 그의 피부색과 직결되는 것이다. 그것이 옳든 그르든, 쇼몬은 흑인인 오바마가 갖고 있는 예전부터 그랬던 것 같은 도시적 성향이 백인 노동자 계층에 위화감을 조성할까 걱정했고 그런 이미지를 완화시키도록 노력했다. 하지만 오바마는 자기 자신이 아닌 다른 사람처럼 행동하면 진실하지 못하다고 여겼다.

어쨌든 쇼몬과 오바마는 이 남부 지방 여행에서 많은 것을 얻었고 오바마는 이곳 유권자의 표를 이끌어 선거에서 승리할 수 있다는 자신감을 얻었다. 대부분이 백인 중산층이며 중서부의 직선적인 사람들로서 이들은 오바마에게서 그들의 할아버지, 할머니의 모습을 보았고, 오바마는 떠날 때 이들에 대해 매우 편안함을 갖게 되었다. 이런 편안함은 분명히 상호적인 것이었다. 오바마는 미국 상원의원 경선 동안 남부 지방 선거운동을 위한 여행을 하며 쇼몬에게 "난 이곳 사람들을 완전히 알게 되었다. 나의 할머니는 공화당이었고 나도 이러한 사람들 사이에서 자랐다."라고 말했다.

제9장

의원

오바마에게는 계속해서 영광스런 승리를 하는 것이 중요한 것이 아니었다. 그는 이상적이며 핵심적인 원리에 주의를 기울이면서도 매년 더 많은 일을 처리하는 것이 낫다고 생각했다.

— 빈곤 퇴치주의자 존 부먼(John Bouman)

오바마가 일리노이 주의회에서 재직한 약 8년 중 처음 6년 동안, 그는 소수당 내 회원들끼리였지만 공격적인 의원들의 진 빠지는 싸움 속에서 매우 힘들었다. 오늘날 미국 전체의 정치를 살펴볼 때 일리노이는 줄곧 민주당을 지지해 왔으며 공화당 대통령 후보는 무조건 패배한 주이다. 하지만 일리노이 유권자들은 역사적으로 오랜 기간 온건한 공화당 주지사를 선출했고 주 상원의회를 공화당으로 바꿨다. 시카고를 품고 있는 도심 지역과는 반대로 일리노이 외곽의 전원 지역은 공화당원을 주의원으로 선출하고 있는 것으로 유명하다. 일리노이 하원의회는 상당 기간 동안 민주당이 우세였으나 1992년에 공화당이 주 상원의회를 장악하면서 10년 동안 그 기세를 유지하고 있었다.

오바마가 1997년 1월 주 행정수도인 스프링필드에 입성했을 때 귀빈 대접을 받지는 못했다. 만약 받았다면, 그것은 다른 의원들로부터의 냉소적인 눈총이었다. 오바마의 많은 동료들은 그의 측근인 댄 쇼몬이 처음 오바마를 만났을 때 반응했던 것과 같은 반응을 보였다. 그의 인생을 지역 사회와 하버드 법대에 바쳤다고 종종 말하는 아이비리그 출신의 훌륭한 정치인이라는 바로 그것이었다. 시카고 교외의 공화당 의원인 커크 딜라드(Kirk Dillard)는 하버드 법대의 졸업장을 갖고 법학개론 교수였다는 사실만으로도 사람들이 오바마를 고운 눈길로 보지 않았다고 말했다.

오바마가 시카고에서 멀리 떨어진 남부 지역에 거주하는 가난한 사람들을 위해 조직을 만들고 계획할 때조차, 그가 하이드 파크에 사는 그와 같은 부류의 사람들 외에 도시에 거주하는 흑인들을 광범위하게 연결할 수 있는 능력이 있는지 매우 의심스러워했다. 그리고 비록 그가 시카고의 경제적으로 어려운 사람들을 위한 활동가로서 여러 해를 보냈지만, 그도 역시, 그의 이성적이고 목표 지향적이며 정책 전문적인 면을 더욱 강조하고 도드라지게 하는 호숫가 백인 지역의 민주적 환경에 더 편안함을 느꼈다. 그의 대중 연설은 하버드 법대생을 위해서는 정책적 무게가 있고 매우 지적인 면이 있었지만 일반 대중을 위해서는 상당히 무미건조했다. 실제로 그의 상원위원 동료들, 특히 흑인 의원 총회 위원 중 몇 몇은 오바마가 더러운 시카고 지역의 정치세계와 진흙탕 같은 입법 과정에서 자신을 오염시키고 싶어 하지 않는 아이비리그 출신의 엘리트라고 생각했다. 쇼몬은 "오바마는 스프링필드를 태풍과 같은 곳으로 여겼다."고 했다.

주의회 정기간행물인 《캐피털 팩스Capital Fax》의 발행인 리치 밀러(Rich Miller)는 비교적 교제 수완이 덜 했지만 2000년 오바마에 대해 "사람들은 처음 몇 년은 그가 총명하고 사려 깊으며 머리가 좋다고 느꼈지만 선두 주자로 나설 만큼은 아니라고 여겼다. 오바마는 매우 영리한 사람이다. 그는 여기서 많은 성공을 거두지는 못했는데 그 이유는 다른 사람보다 그가 우월하다고 여겼기 때문일 수도 있다. 그는 자신이 하버드 출신이라는 것을 사람들이 알기를 바랐다."

밀러의 오바마에 대한 묘사는 지나치게 가혹했지만 관대한 입장에서 보면 오바마가 처음 의회에서 다소 불분명하게 일한 것은 사실이었다. 그의 지성주의는 스프링필드에서 처음엔 잘 해석되지 못했다. 대부분의 떠벌려지는 입법적 성공은 그 지역의 선술집이나 골프장에서 이루어졌다. 게다가 오바마는 동료 의원들 사이에 이루어지는 불쌍한 아부를 경멸하는 분명한 성격으로 그런 동료들과 친하게 지내지 않았다. 그와 동시에 스프링필드에는 오바마와 같이 점잖은 사람들은 거의 근접할 수도 없는 자기중심적이고 퉁명스러운 면이 있었다.

그럼에도 불구하고 결국 오바마는, 자신에게 선생과 같은 쇼몬과 함께 그런 환경에 적응했다. 그는 골프를 배웠고 많은 다른 의원들과 사무적으로 또는 개인적으로 우정을 돈독히 쌓았다. 그리고 이러한 관계는 앞으로 펼쳐질 그의 정치 경력에 많은 도움을 주었다. 스프링필드에서의 임기가 거의 끝날 즈음엔 매우 유명한 주의원들과 긴밀한 친분 관계를 맺었다. 그의 흑인 동료 의원은 조심스럽게 생각했지만 오바마는 우선적으로 남부 민주당 의원과 많은 공화당 의원들과 친분 관계를 만들었다. 일부 특히 일부 흑인의원들은 오바마를 엘리트로 여겼지만 이러한 친분 관계는 오바마가 다른 의원들과 평상시 매우 편하게 어울릴 수 있음을 보여 준 것이다.

오바마가 그의 기반인 시카고 외의 다른 구역을 대표하는 백인 민주당 상원인 테리 링크(Terry Link), 데니 제이콥스(Denny Jacobs)를 포함한 동료 상원의원들과 함께 매주 포커 게임을 하게 된 것은 매우 중요한 사실이다. 하버드에서 경제학을 공부한 아버지의 아들로서 그가 능숙한 포커 게이머라는 사실은 놀랍지 않았다. 그는 집에서 보드 게임을 할 때 경쟁이 심해질수록 더욱 심각하게 게임을 했다. 그는 아주 신중히 게임을 했고 속내를 드러내지 않는 것에 매우 능숙했다. 오바마가 게임을 배우는 중이었을 때 링크 의원은 오바마가 그의 판돈을 모두 가져갔다고 하며 나중에 골프에서 다시 따겠다고 농담했다.

하지만 자유로운 이 포커 게임의 분위기는 어머니로부터 물려받은 예의 바르고, 도덕적이며 지나치게 엄한 면이 있는 그와는 어울리지 않았다. 한 포커 게임에서 오바마는 어느 기혼 로비스트가 점잖지 않은 옷을 입고 술에 취한 듯 행동하는 한 여자를 데리고 오자 무척 화가 났다. 그 로비스트의 기분을 상하게 하지 않고, 오바마는 그 상황에 대해 에둘러 불쾌감을 드러냈다. 오바마의 한 관계자는 "그는 그 여자를 거기 데리고 온 이유를 몰랐다."고 말했다.

입법적인 면에서 오바마는 소수당으로 첫 임기를 지낸 의원으로는 상당히 많은 수의 법안을 통과시켰다. 그의 첫 번째 중요한 입법 성과는 1998년 5월 선거운동에 관한 재정 개혁을 보호하는 것이었다. 이 법안은 의원들이 주 영토 내에서 하청업자, 로비스트 또는 기타 다른 단체로부터 뇌물을 받는 등 선거 기금을 요청하는 것을 금지하고 있다. 일리노이 남부 출신으로 베테랑 흑인 정치인인 주 민주당 상원의원 리더인 에밀 존스 주니어는 오바마에게 그가 추진하고 있는 '좋은 일을 하는 사람들'의 취지에 꼭 맞는 것 같다며 이 법안을 밀어붙이라고 기회를 주었다. 존스는 오바마를 호의적으로 바라보던 전 의원이자 연방 판사 애브너 미크바(Abner Mikva)와 전 연방 상원의원인 폴 사이먼에게 오바마를 추천했다. 그 법안에 대해 일하면서 정치 초년생인 그는 새로운 경험을 했다. 그것은 오랜 기간 동안 그의 동료들이 누려왔던 특권과 특혜를 뺏을 수도 있는 법안을 지원하는 것이었기 때문에 신참 입법인에게는 하기 어려운 과제였다. 한 사적 모임에서 그의 친한 동료 중

한 의원은 의원들에게 부여된 권한에 상충하는 법안이라며 화를 내고 비난을 퍼부었다. 하지만 오바마는 사려 깊고 신중하게 이 문제를 처리했고 이 법안은 상원에서 찬성 52 대 반대 4의 득표로 통과되었다. "이것은 우리에게 규범이 되었다. 그리고 스프링필드에 대해 점점 더 냉소적인 대중들과 올바른 일을 하려는 주의회 사이에 교감을 형성하게 했다."고 오바마는 이 법안이 통과된 직후 기자들에게 말했다. 이 법안은 일리노이를 제외한 다른 곳에서는 획기적인 일이 아니었다. 이 법안은 고질적으로 오랜 기간 위법과 뇌물 정치가 난무한 일리노이를 윤리적 제한이 있는 현대 사회로 옮겨 놓았다. 이 법안은 오바마에게 입법적인 승리를 안겨 주었지만, 아이비리그 출신 변호사는 너무 고고하다고 생각하고 있던 스프링필드의 보수파 정치인들은 이것을 잘 받아들이지 않았다.

게다가 대중에 큰 환영을 받은 이 승리로 오바마는 오히려 의원들 사이에서 고립되었다. 오바마는 법 제도와 같이 입법 제도도 달팽이 걸음으로 움직이고 있음을 느꼈다. 실제로 그가 소수당에 소속되어 있었으므로 그는 입법 과정에서 점점 좌절하게 되었다. 그는 특히 화려한 언론 플레이와 겉으로 그럴 듯이 보이는 법안들은 쉽게 통과되고 구조적 변화를 요구하는 법안들은 위원회에서 무시되고 감춰지다가 상정조차 되지 못하는 것에 매우 화가 났다. 예를 들면 의원들은 불법 낙서를 근절하는 법안은 쉽게 통과시켰지만 그 보다 더 심각한 청소년법에 관한 문제는 무시했다. 불법 낙서에 관한 법안은 정치적 부(富)의 원천인 대중매체의 지원을 얻어 냈다.

스프링필드에서 오바마는 그가 하버드 재학 중 흑인들과의 사이에서 경험했던 같은 문제들에 부딪혔다. 그는 흑인 리더들과 그들의 법률제정 전략을 비평하는 것에 대해 전혀 두려워하지 않았다. 또한 흑인의원 총회가 지향하는 것에 일부러 따르지도 않았다. 심지어 그는 그의 법안 들을 통과시킬 때 백인 민주당 의원들이나 보수파 의원들과 더 친밀히 일했다. 확실하게 오바마는 흑인의원 총회와 연대관계에 있었지만 비 평가로서의 몫도 있었다. 그의 경쟁자로는 시카고 서부 지역을 대표하 는 리키 헨던(Rickey Hendon)과 주의회에서 오바마를 상대로 출마할 던 트로터(Donne Trotter)가 있었다.

서부 지역 출신인 헨던과 다른 흑인의원들은 남부 지역 의원들과 가 끔 의견 충돌을 일으켰는데, 헨던과 오바마 사이의 불화는 특히 더 심 했다. 흑인의원 총회 내에서 오바마를 지지하는 의원인 킴벌리 라이트 포드(Kimberly Lightford)는 헨던과 트로터가 아무 이유 없이 오바마를 힘들게 했다고 말했다. 한때 영화산업을 꿈꿔왔다는 이유로 별명이 '할 리우드'가 된 헨던은 스프링필드에서 건방지고 잘난 체하는 유머와 종 종 부적절한 공중도덕으로 유명했으며, 독특한 개성을 지닌 사람이었 다. 어느 의원 회의에서 이 두 사람은 오바마가 정말 우연히 헨던 지역 을 돕고 있는 한 계획의 자금 모금이 포함된 법안을 반대하자 육체적 충돌을 일으킬 뻔했다. 수년 후, 이 사건의 목격자들이 이 일에 대해 자 세하게 알려주었다. 오바마의 측근들은 오바마가 자리를 뜨면서 다른 사람에게 자신을 대신해 투표해 줄 것을 부탁했다. 이것은 각 회의에서 수천 번의 투표를 해야 하는 상황이라 흔히 있는 일이었다. 그러나 그 의 대리인은 오바마의 의도와는 달리 다른 법안에 투표했다. 오바마가 개표 결과에 대해 자신의 의도와는 달리 투표되었다고 지적하자 헨던 은 공개적으로 오바마가 이중적이라며 비난했다. 헨던은 항상 감정을 드러냈고 오바마의 부드러운 이미지를 독특한 방법으로 상처 냈다. 곧 이 두 사람은 의원석에서 소리치기 시작했고 옆방으로 자리를 옮겨 더욱 격렬히 다투었다. 이를 지켜본 한 사람은 오바마가 신체적으로 제압되었다고 했다. 두 사람 모두 지금은 그 일에 대해 언급하길 원치 않고 있지만 헨던은 아직도 오바마가 그 투표에 대해 자신의 의도가 아니었다고 하는 말은 믿지 않고 있다. 이 사건을 잘 아는 몇 사람들은 헨던이 아직도 오바마가 일부 서부 지역에 대한 계획들에 견제하는 북부 지역 보수파 재무위원들을 달래기 위하여 그의 계획에 대해 반대하는 투표를 했다고 믿고 있다. 헨던 측근은, 헨던은 이 일에 대해 더 논쟁하지 않을 것이며 단지 그 일이 일어났다는 것만을 확인해 주었다. "사람들은 나에게 오바마를 내버려두라고 조언했고 난 앞으로 그렇게 할 것이다. 난 과거에 일어난 일은 과거에 묻어 둘 것이다. 그 일은 일어났다. 그게 내가 말할 수 있는 전부고 일어난 일은 일어난 일이다."라고 헨던은 말했다.

비록 오바마가 헨던과 같은 일부 의원들을 멀리하고 대중적 관심을 그리 많이 얻지 못했지만 그는 힘없는 민주당에서 신참 의원으로서는 인상적인 기록을 세웠다. 이 성공의 대부분은 소리 없이 뒤에서 그를 돕는 직원들과 단체들 덕택이었다. 처음 2년 동안, 오바마는 56개 법안을 상정하거나 공동 제안했고, 그 중 14개 법안은 법률로 제정되었다. 신인 의원으로 또는 2년차 의원으론 좋은 결과였다. 재무 및 윤리 관련 법안에 참가하는 것 외에도 오바마가 이끈 다른 법안들, 즉 범죄 희생자의 특정 재산 손실을 보상하는 법안과 지방 자치 단체들 사이의 규정 및 조례를 통합할 때 행정상의 절차를 간결화시키는 법안과 약물을 이용한 강간범의 형벌을 늘리는 법안은 법률로 제정되었다.

3년째가 되는 1999년, 오바마의 업적은 더욱 성공적이었다. 거의 60개의 법안을 공동 제안했고 그 중 11개의 법안이 법률로 제정되었다. 이 법안들의 내용은 주정부 지원으로 전립선암(특히 흑인들에게 많은 질병임)을 미리 예방해 줄 프로그램을 마련하는 것과 심장 세동 제어기 사용에 대한 훈련 프로그램을 제공하고, 병원에서의 임상 실험과 거기서 벌어지는 성추행에 대한 보고를 강화하며, 방과 후 프로그램을 위한 기금을 늘리며, 양로원에서 벌어지는 가학 행위와 납 성분 경감을 위한 프로그램(흑인 사회에서 또 다른 큰 문제임) 지원 기금을 늘리는 것 등이 있었다.

오바마의 입법 노력 중 대부분은 특별한 이익단체들과 토론하는 과정에서 나온 것이었다. 특히 그는 빈곤퇴출 또는 인권보호와 같이 자신이 지지하는 문제들에 대해 그의 도움을 요청하는 행동주의자들의 말을 경청했다. 하지만 그는 단지 관심을 받기 위한 목적으로 그들의 제안을 대하지 않았다. 그는 결과를 매우 중시했다. 돈 위너(Don Wiener)는 다른 두 명의 선거 경쟁자들에 의해 고용된 상대편 연구가였는데, 오바마의 초기 상원의원 경력을 평가하는 보고서에 "오바마는 통과될 법안들을 제안하는 것에 관심이 있지 상징적인 법안에는 관심이 없었다."고 했다. 오바마는 사람들이 해달라고 했다는 이유로 법안을 제시하지는 않았으며 그가 기본적으로 추구하는 사회정의를 반영할 법안을 통과시키기 위해 노력했다. 시카고에 본부를 둔 '빈민법을 위한 전국센터(National Center for Poverty Law)' 의장인 존 부먼은 "오바마는 이상주의자이자 실용주의자이다. 그에게는 계속해서 영광스런 승리를 하는 것이 중요한 것은 아니었다. 그는 이상적이며 핵심적인 주장에 주의를 기울이면서도 매년 더 많은 일을 처리하는 것이 낫다고 생각했다. 그는 선의의 타협을 즉시 실천할 의지가 있었지만 선의라는 이유만으로 타협을 하지는 않았다."고 말했다.

그가 높은 법안 통과율을 보인 가장 큰 이유는 공화당 측까지 두루 포괄하는 그의 능숙함에 있었다. 《하버드 로 리뷰》를 편집할 당시 보수주의 학생들과 원활히 일한 경험으로, 오바마는 일리노이 보수파 의원들의 노여움을 달랬고, 그들의 요구에 관심을 갖는 것이 전혀 불편하지 않았다. 이런 면에서 깍듯한 예의와 악의 없는 매너는 그의 성공에 한 몫을 차지했다. 오바마의 이념적 경쟁자였던 보수적 듀페이지 카운티(DuPage County)의 고집 센 공화당 검사인 조 버케트(Joe Birkett)는 "모든 협상과 거래를 함께 하며 난 오바마가 진정한 신사라는 걸 느꼈다."고 말했다.

그의 입법 경력 가운데 오바마는 사회복지 개혁과 경찰의 인종적 차별에 반대하는 것과 같은 양극화된 법안들에 대해 공화당과 함께 주도권을 쥐고 양당의 지지를 얻어 내고자 노력했다. 사회단체의 활동가로서 얻은 교훈을 깊이 새기며 오바마는 "스프링필드에서 해야 할 가장 중요한 일은 모든 당이 내놓은 문제들을 협상 테이블로 이끄는 것이며 그들의 문제에 귀 기울이는 것이다."라고 했다. 오바마의 투표 기록을 보면 분명히 진보적이었지만 공화당의 문제에 대해 합리적인 어조와 신중함을 나타내어 그는 공화당 및 민주당 의원 모두에게 중요한 사람이 되었다. 오바마와 종종 공동 제안을 한 시카고 교외의 공화당 의원인 딜라드는 "양당 모든 의원들은 그의 말에 항상 귀 기울였다."고 했다.

오바마의 첫 번째 임기가 끝날 무렵, 그는 처음으로 정치적으로 중요한 실수를 했는데 그 원인은 큰 야망 때문이었다. 시청에서 해롤드 워싱턴의 역사상 중요한 종신 재직을 보고 난 후에 시장직을 마음에 둔 오바마는 하버드 법대를 나온 후 시카고로 돌아왔다. 하지만 오바마가 없는 동안, 오랜 기간 시장으로 재직한 리처드 J. 데일리의 아들이 흑인 사회와의 평화를 중재했고 시장이 되었다. 2000년까지 데일리는 거대한 정치적 조직을 만들어 놓고 퇴임한, 시장과 같은 친족인 그를 퇴임시킬 수 있는 시의회와 긴밀한 관계를 유지했다.

그래서 오바마는 2000년 민주당 예비선거에서 바비 러시 하원의원과 경쟁하기로 결정하고 차선으로 주의회로 눈길을 돌렸다. 오바마는 러시가 남부 지역에서는 그다지 영향력이 없다고 생각했다. 사실 러시는 1998년 데일리를 퇴임시키려 노력했지만 시장에 의해 무산되었다. 이러한 이유로 오바마는 러시를 흑인 사회의 병폐를 고칠 신선한 비전과 새로운 열망을 지닌 젊은이에 의해 대체되어야 할 늙은 정치인으로 생각했다. 오바마는 만약 그의 메시지를 사회 정의 단체나 권력 부여 기관에 퍼뜨린다면 러시를 이길 수 있을 것으로 생각했다. 이것은 곧 윤회의 원리였다. 왜냐하면 러시가 바로 그런 똑같은 방법으로 1992년 의회에 자리를 차지했기 때문이었다. 러시는 한 임기만 채우면 필요한 연금을 받게 되어 있던 주목 받던 흑인 하원의원인 찰스 헤이스(Charles Hayes)를 사임시킴으로써 일부 민주당 의원들과 관계가 멀어졌다. 이런 정치적 사실에도 불구하고 러시는 오바마의 도전을 전혀 용납하지 않았다.

1990년대를 지나며 러시는 주의회에서 커다란 성과를 거두지도 못했고 또한 크게 실패하지도 않았다. 그는 단지 주변에 머물며 안일하게 의원생활을 하고 있었다. 이것은 흑인 유권자들 덕으로 유명한 위치에 서게 한 그의 다소 극단적 정치 과거를 고려해 볼 때 아주 놀라운 일이었다. 러시는 학생 비폭력 조직 위원회(Student Non-Violent Coordinating; SNCC) 의 회원이었고 블랙파워(Black Power; 흑인의 조직화된 정치, 경제력으로 흑인 지위를 향상시키려는 운동) 변호사 스토클리 카마이클(Stokely Carmichael)의 일을 돕기도 한 1960년대 시민운동권의 베테랑이었다. 카마이클의 영향을 받아 러시는 SNCC를 탈퇴하고 '대중들에게 힘을' 이라는 슬로건을 갖고 있던 일리노이 흑표범당(Illinois Black Panther

Party; 흑인 정치 결사) 의장이 되었다. 이 일리노이 흑표범당의 철학은 학생 비폭력 조직 위원회가 추구하던 비폭력과는 정반대되는 것이었고 '눈에는 눈'이라는 법칙을 걸고 시카고와 LA에 두드러진 백인 중심 경찰력에 대항하여 무장함으로써 지지를 이끌어 내었다. 이 일리노이 흑표범당이 대중의 관심에서 멀어지자, 러시는 해롤드 워싱턴 시대에 시카고 시의회의원이 되었고 그 의회에서 워싱턴의 부지사로 일했다.

이러한 경력으로 바비 러시는 흑인 의회 구역을 대표하는 흑인 정치인으로서의 입지를 굳혔다. 실제로 러시를 대표하는 모습은 사진 속에서 일리노이 흑표범당 의장으로서 검정 가죽 점퍼를 입고 소총을 쥐고 있는 이미지였다.

그래서 서른여덟 살의 오바마가 쉰세 살의 러시를 경쟁상대로 했을 때 흑인 정치권에서는 오바마를 용납하지 않았다. 대부분의 흑인들조차 오바마가 이 흑인 노장 의원을 왜 퇴임시키려 하는지 궁금해 했고, 사적으로 일부 흑인들은 오바마의 움직임뿐만 아니라 그의 흑인으로서의 정체성에 대하여 의문을 제기하기 시작했다.

오바마의 흑인 정체성에 대한 의문은 여러 해 동안 파장을 일으켰다. 본질적으로 오바마가 전통적 흑인 사회에서 자라지 않았기 때문에 이러한 의문이 계속 이어졌다. 오바마도 분명히 시카고의 가난한 흑인 사회를 위해 활발히 활동했고 거기서 어느 정도 신용도 얻었지만 러시가 전임 일리노이 흑표범 당원 및 해롤드 워싱턴의 신임을 얻은 행동대원이었다는 사실에는 대적할 만하지 못했다. 결국 오바마는 러시와 다른 흑인들이 흑인의 지위를 향상시키기 위해 이뤄 놓은 일의 수혜자였던 것이다. 그리고 러시를 상대로 한 출마는 이 건방진 젊은이가 그러한 수고에 보답할 줄 모르는 배은망덕한 수혜자일지도 모른다는 의문을 낳게 했다.

이러한 여러 가지 우려가 표면으로 드러났고, 시카고 흑인 민족주의자 사이에서도 오바마의 정통성에 대한 의문이 생기기 시작했다. 이 그룹은 대부분 흑인 인권 투쟁을 생생히 기억하고 있는 노년층으로 구성되어 있었고 시카고 흑인 사회에 여전히 영향력을 행사하고 있었다. 오바마가 흑인 정통성이 없다는 의문은 2000년 3월 시카고의 한 격주 발행 신문인 《시카고 리더》에서 그 내용을 게재했을 때 최고점에 이르렀다. 러시와의 경쟁에서 또 다른 한 후보인 주 상원의원 트로터는 오바마가 막강한 백인 이익단체의 은밀한 조종을 받고 있다며 악의적으로 비난했다. 얼마 되지 않아 그러한 소문은 시카고 남부 지역 흑인 사회에서까지 확산되기 시작했다. 이러한 의문을 부추기는 것은 백인 파워를 상징하는 두 학교 즉 하버드 대학 및 시카고 대학과 관계된 그의 개인 경력과 하와이에서 자라 흑인 사회에 대한 관련이 적었다는 것 그리고 그의 선거운동의 주요 자금이 전 연방 판사인 애브너 미크바, 베틸루 샐츠먼(Bettylu Saltzman)과 전 일리노이 주상원의원인 폴 사이먼 등 민주당 백인 재벌들에게 나왔다는 사실 때문이었다.

게다가 오바마의 주의회 구역인 시카고 남부는 이 기간 동안 인구통계학적으로, 사회 경제적으로 변화를 겪고 있었고 이러한 경향은 2000년대까지 이어졌다. 한때는 도심 지역 남부의 단지 음산했던 한 지역이 고급화되어 가고 있었다. 오바마는 지역 시의원인 토니 프렉윈클(Toni Preckwinkle)과 정치적 연대를 맺어 갔고, 이 두 정치인은 느닷없이 개발 부상 지역이 된 남부 지방을 눈여겨보고 있는 개발자들로부터 상당한 선거 기금을 받았다. 이 자금 지원은 오바마에게 득이 되면서도 한편으로는 독이 되었다. 개발자들로부터의 선거 자금은 오바마가 데일리라는 정치적 거물로부터 독립적일 수 있게 도움이 되었으나 나이 많은 흑인 민족주의자들에게는 문제를 일으켰다. (나중에 오바마에게 적극적으로 아부를 했던 한 개발업자인 안토인 토니 레즈코Antoin Tony Rezko가 뇌물 정치로 연방정부의 조사를 받기 위해 기소되자 오바마에게 심각한 문제가 되었다.) 이러한 신진 개발업자들 사이에는 상당한 알력이 있었는데 일부는 백인들이었고 나머지는 이 지역에서 오랜 기간 활동한 자들이었다. 그리고 사실상 그들의 이익을 조정할 방법이 없었다. 《시카고 리더》와의 인터뷰에서 트로터는 "버락은 우리 사회에서 흑인 얼굴을 한 백인이라고 어느 정도 생각된다. 그를 지지하는 사람들을 보라. 어떤 사람들이 그를 여기까지 단숨에 오르도록 밀어 줬는가? 그것은 하이드 파크에 사는 사람들이다. 그들은 그 지역에서 가장 원하는 것에는 항상 관심이 없는 사람들이다."라고 직접적 우려를 나타내었다.

흑인 사회에서 정통성이 부족하다는 비난은 여러 단체들 사이에서 공개적으로 논란이 되었다. 흑인 사회에서 오바마에 반대하는 이러한 정치적 흐름 때문에 그를 옹호하는 일부 지지자들도 시카고 흑인들 사이에서의 정치적 강점을 심각하게 미심쩍어하기 시작했다. 2000년 오바마가 러시에게 도전하는 동안 《시카고 리더》는 "오바마는 하이드 파크 마피아와 시카고 대학 같은 비밀결사로부터 자금 지원을 받고 있고 그의 정치적 지위를 높이기 위하여 '오바마 프로젝트'라는 이름하에 백인들에 의해 배후에서 조종되고 있다."라고 썼다.

이러한 생각이 팽배해진 원인 중의 하나는 시카고에서 가장 유력한 신문인 《시카고 트리뷴》이 오바마에 호의적이었기 때문이었다. 《시카고 트리뷴》은 전통적으로 공화당과 친밀한 관계가 있었고 그 신문의 배달 지역은 여전히 백인에 많이 치우쳐 있었다. 《시카고 트리뷴》은 2000년 예비선거에서 러시와 트로터보다 오바마를 지원하면서 "오바마는 민주당의 떠오르는 별이다."라고 거침없이 밝혔다. 보수적 성향인 《시카고 트리뷴》을 구독하는 남부 지역의 흑인 리더들은 의심의 눈길을 보냈다. 남부 지역에서는 《시카고 트리뷴》이 집으로 배달되어도 여러 날 동안 아무도 집어 들지 않았고 반면 경쟁지인 《시카고 선 타임스》는 이른 새벽부터 사람들이 먼저 집어가지 않도록 빨리 들고 들어와야 할 정도였다. 오바마를 시카고로 불러들인 시카고 지역 행동주의자인 제리 켈먼은 "매우 흥미로웠다. 버락은 흑인 사회에 속해 있었지만 완전한 흑인이 아니라고 비난 받았다. 그 이유는 그가 백인과 섞였기 때문이 아니라 하버드를 졸업하고 백인처럼 말하며 행동했기 때문이었다. 오바마처럼 말하고 행동하는 수많은 흑인들이 있지만 그들은 시카고 남부 지역에서 의원으로 출마하지 않고 있다."라고 말했다.

오바마의 입장에서는, 그가 완전한 흑인이 아니라는 비난은 단지 정치적 경쟁자들이 대대적으로 선전하는 유언비어에 불과하다고 여겼다. 그는 "신기한 것은 이 점이 거리에 다니는 일반인에게는 아무 문제도 되지 않는다는 것이다. 알다시피 버스 운전자나 선생님들 심지어 내가 말을 건넨 거리 한 모퉁이에 있던 한 사람조차도 이것을 문제 삼지 않았다. 이 문제는 항상 정치인들에 의해 정치 상황과 관련되어 불거졌다. 그리고 동시에 나와 나의 배경에서 중요한 부분을 차지하는 것을 분리하기 위해 쉽게 쓸 수 있는 무기였다. 하지만 유권자들을 고려해볼 때 이 문제는 나에게는 큰 문젯거리가 아니었다."고 말했다. 그러나 개인적으로 오바마는 나에게 흑인 운동에 대한 그의 공약을 의심하는 흑인들과 흑인으로서의 그의 동질성 사이에서 심한 갈등이 있었다고 말했다. "내가 깨달은 것은, 그들이 스스로 동질성 문제를 겪고 있으며 그래서 나에게 그 문제들을 제시한다는 것이다."라고 오바마는 말했다.

오바마의 흑인 정통성에 대한 문제는 그 후로도 계속 그를 따라다녔고 연방 상원의원과 대통령 후보 경쟁에서도 이어졌다. 그러나 이 문제가 처음 불거진 때가 바로 이 주의원 선거였다.

오바마의 주의원 선거는 처음부터 매우 불운했다. 1999년 10월 18일, 예비선거 5개월 전, 러시의 스물아홉 살 난 아들 휴이 리치(Huey Rich)가 남부 지역의 한 거리에서 총격을 받아 쓰러졌다. 그 후 며칠 동안 시카고의 대중매체에서는 러시의 아들이 위독하다는 기사가 넘쳐났고 그 사건에 대해 말하고 있는 슬픔에 찬 러시의 모습이 상당히 많이 실렸다. 4일 후 리치는 숨을 거뒀고 러시는 세간의 이목을 끌어 1998년 시장 후보로 나섰다. 결국 아들을 잃은 비극을 겪은 슬픈 부모의 이미지로 데일리 시장을 꺾고 승리를 거두었다.

오로지 리치의 죽음에 대한 이야기뿐이었고 오바마 선거운동에 관한 이야기는 없었다. 투표 결과에서 오바마가 러시에게 비참하게 밀리고 있을 때,(한 설문조사에서 현직 의원이 90퍼센트의 지지를 얻은 반면 오바마는 같은 구역에서 오직 9퍼센트의 지지율을 얻었다고 나왔다.) 오바마의 유일한 희망은 러시에 우호적이지 않은 입장으로 대적하는 것이었다. 이것은 그 총격 사건부터 오바마가 생각해 오던 전략이었다. 오바마 상대방 쪽의 한 조사팀은 러시와 그의 장성한 아들과의 관계를 조사했다. 러시는 1960년대 후반쯤 일리노이 흑표범당의 한 당원이었던 산드라 리치(Saundra Rich) 사이에서 휴이 리치를 얻었다. 실제로 러시는 아들의 이름을 흑표범당 창설자인 휴이 뉴턴(Huey Newton)의 이름을 따서 지었다. 하지만 오바마의 조사팀은 러시가 그 아들의 성장 과정에 거의 관여하지 않았으며 휴이는 고모의 손에 의해 키워졌다고 밝혔다. 그 총격 전으로 기소된 한 사람은 경찰 조사에서 그 의원의 아들이 마약범의 돈을 갖고 있다고 확신해서 그를 찾아냈다고 말했다.

만약 오바마가 러시 자리를 빼앗길 원한다면 그는 이러한 러시의 부정적 이미지를 이용해야만 했다. 하지만 휴이 리치가 비참하게 죽었기 때문에 그러한 잠재된 부정적 정보는 협상 대상이 되기 어려웠다. 이때 러시를 무책임한 부모로 비난하는 것은 시기적으로 품위가 없어 보였고 잔인하게 보였다.

오바마는 "난 잭슨 목사로부터 받은 전화를 결코 잊지 못한다. 그는 나에게 '흑인의 역동성은 이제 변했다. 버락이 이 점을 깨달았으면 한다.'고 말했다."고 했고, 오바마의 선거운동을 총괄하고 있던 쇼몬은 "바비의 아들이 총격 받고 난 후에는 도저히 바비를 이길 수가 없었다."고 덧붙였다. 그러나 그것만이 오바마의 의원 선거운동을 둘러싼 불행이 아니었다.

주의원으로서 오바마의 임기 내내, 쇼몬은 오바마에게 단호하게 주의회에서 하는 모든 투표에 빠지지 말라고 강조하고 또 강조했다. 쇼몬의 끊임없는 훈계는 오바마를 짜증나게 했고 어떤 때는 화나게 했다. 시카고에서 스프링필드까지의 세 시간 걸리는 출근길에 여러 번 오바마는 쇼몬에게 전화를 걸어 의회에서 아무 성과도 올리지 못할 것이 뻔한데 주의회로 매번 의미 없는 운전을 해야 하느냐며 불평했다. 쇼몬은 오바마의 출석이 의원회의에 혹은 미해결 입법안에 큰 영향을 주지는 않지만 높은 투표율은 그가 국민에 대한 의무를 저버렸다는 비난의 빌미에서 벗어나게 되며 이는 오바마의 향후 정치 경력에 매우 중요하다고 설명해 주었다. 쇼몬은 "매일 출석해야 된다."고 오바마에게 말했고, 비록 오바마가 말로는 그의 시간을 방해하고 낭비하는 것을 몹시 싫어했지만 쇼몬의 충고를 항상 기억하여 스프링필드에서의 그의 재직기간 동안 투표에 거의 빠지지 않았다.

하지만 오바마가 이런 계획을 따르지 않아 커다란 낭패를 본 사건이 생겼다. 연휴 기간에는 늘 그랬듯이 1999년 12월 오바마는 아내 미셸과 18개월 된 말리아를 데리고 호놀룰루에 있는 할머니 집을 방문하기로 했다. 유년 시절의 기억이 있는 집으로 매년 가는 이 여행은 열심히 일하는 오바마가 쉴 수 있는 유일한 기회가 되었고, 1년 내내 오바마는 그가 성장했던 조용한 열대 분위기에서의 편안한 2주를 학수고대했다. 그러나 1999년 여행은 결코 편안하지 못했다. 연휴 기간에 일리노이 주 의회에서 전쟁이 일어나고 있었다. 조지 라이언(George Ryan) 주지사가 '안전한 이웃 법안'이라 알려진 총기 사용 법안을 재제정하도록 압력을 가했고 의원총회는 그 법안에 대한 열띤 논쟁으로 달아올랐다. 무엇보다 그 법안은 불법 총기 운반에 관한 처벌을 경범죄에서 중범죄로 높일 수 있었다. 오바마는 총기 폭력에 염증을 느낀 많은 지역들을 포함하고 있는 구역의 대표자로 총기 사용법 옹호자였고 진력을 다해 그 법안을 지지했다. 총기 사용법에 반대하는 의원들은 대부분 교외의 보수파로 사냥꾼이나 법을 잘 지키는 총기 소유자들이 총기를 소유하고 장소를 옮길 때 뜻하지 않게 중범죄인이 될 수 있다며 반발했다.

오바마가 태평양에서 휴가를 보내고 있을 때 그 법안은 크리스마스 직전 상원의원을 소집한 특별회기에서 표결에 부쳐지게 되었다. 그 주에 쇼몬은 오바마에게 급히 전화를 걸어 이 투표를 위해 일리노이로 돌아올 것을 심각하게 충고했다. 그러나 오바마는 선거운동과 더불어 상원의원직 그리고 대학 교수직을 겸하고 있었기 때문에 너무 바빴고 그래서 실로 오랜 만에 미셸과 그의 어린 딸과 한적한 시간을 보내고 있었다. 실제로 이미 그는 보통 2주 정도 갖는 하와이 여행을 바쁜 선거운동 스케줄 때문에 닷새로 줄였다. 그런 면에서 일을 핑계로 특히 연휴 기간에 가족과의 휴가를 저버리면 미셸에게 매우 미안한 일이었다. 그녀는 이미 그의 정치 경력 때문에 오랫동안 가족과 함께 하지 않는 것에 불만이 많았는데 이때 상황을 오바마는 "그녀와 겨우 인사만 할 정도였다."고 표현했다. 게다가 미셸은 딸이 심한 감기에 걸려서 걱정하고 있었다. 오바마는 그의 의원으로서의 의무와 아버지, 남편으로서의 의무 사이에서 심한 갈등을 했고 결국 하와이에 남기로 결정했다.

한편 일리노이에서는, 폭발적으로 이어질 외부의 연락을 피하기 위해 쇼몬은 자리를 비웠고, 주지사의 직원들과 신문기자들은 그 법안이 회의에 상정되기 전까지 투표를 위해 출석할 수 있는지 알기 위해 오바마를 찾았다. 단 한 표가 절박했던 라이언 주지사는 오바마에게 시카고에서 비행기로 스프링필드까지 오라고 요청했을 정도였다. 쇼몬은 어쩔 수 없이 잠적했다. 하루 내지는 이틀 동안 그는 이 문제가 사라지기를 바라며 전화 응답을 하지 않았다. 이 중대한 문제가 논쟁 중인 때에 주지사와 신문기자들에게 자신의 보스가 하와이에서 휴가 중이라는 것을 어떻게 말할 수 있단 말인가? 쇼몬은 그 법안이 투표에 부쳐지지 않기를 바랄 뿐이었다.

불행히도 그의 전략은 실패로 돌아갔고 시간이 다하여도 어떠한 타협도 이루어지지 않았다. 12월 29일, 그 법안은 상정되어 표결에 부쳐졌고 통과를 위해 필요한 36표 중 3표가 모자라 실패하게 되었다. 주지사 라이언이 의지했지만 투표를 하지 않았던 세 명의 의원 중 한 명이 바로 오바마였다. "솔직히 말하면 난 그 의원이 일처리를 잘 못한 것에 매우 화가 났다."고 주지사는 간단하게 기자들에게 말했다.

일주일 뒤 오바마가 시카고로 돌아왔을 때 쇼몬은 그에게 전화해 정치적 재앙을 알렸다. 쇼몬은 3표차로 이 강력한 방범 법안이 통과되지 못한 상황을 설명했다. 아울러 시카고가 역사상 가장 높은 살인율로 몸살을 앓고 있는 이때에 한가하게 와이키키 해변에서 열대 음료수를 마시고 있는 이미지가 바로 그의 미래 정치 이미지라며 경고했다. 라이언 주지사 외에도 여러 분야의 대중매체로부터 그에 대한 비난이 쏟아졌다. 보수 지향적임에도 불구하고 총기 사용법에 대해 지지했던 《시카고 트리뷴》은 사설에서 "시카고 민주당 상원의원 버락 오바마가 일리노이 시민의 안전을 무시하고 하와이로 여행을 떠나다니 주의회의 일원이 되고자 하는 열망이 과연 있었고 현재도 있는가?"라며 혹평했다. 덧붙여 러시도 《시카고 트리뷴》에 "이 투표는 아마도 가장 중요한 투표였던 것 같다. 내가 기억하기로는 주의회에서 했던 가장 중요한 투표 중 하나였다. 오바마가 이 투표에 불참한 것에 대한 어떤 변명도 받아들일 수 없다."고 말했다.

내가 처음 오바마를 만난 것은 이 사건이 일어난 때였다. 그 연휴가 끝난 2주 동안, 나는 《시카고 트리뷴》에서 주말 기사를 담당했다. 바로 그 일요일 오후, 오바마는 처방약에 대한 가격 통제를 위한 방안을 알리기 위해 하이드 파크 인근의 노인 단체를 모았다. 하지만 아직도 오바마가 그 투표에 불참했다는 사실이 대중의 뇌리에 생생했고 그 사실을 다루는 기자들은 의료보험 제안에는 별 관심이 없고 대신 오바마에게 왜 그 투표에 불참했는지 직접적인 설명을 얻고자 노력했다. 의료보험에 관련된 질문을 다루는 대신 오바마는 어떻게 그 딸이 아프게 됐는지, 어떻게 그가 의원으로서의 의무와 하와이에서의 가족여행 사이에서 갈등했는지를 설명하게 되었다. 그는 확신에 찬 태도로 질문에 응답했으나 이번 경험으로 혹독한 형벌을 받은 듯했다. 뉴스 사진 기자들과 카메라 앞에서 그는 자세를 이쪽저쪽으로 바꾸며 자신의 정치 경력보다는 가족을 더 위하는 태도를 고수했다. 그는 그의 높은 투표율을 언급하고 그 사건은 자신의 평소 의도가 아니었다고 밝혔으나 정상이 참작될 수 있는 상황이 아니었다. 오바마는 기자들에게 "난 내 정치 경력을 위해 딸의 건강이나 안위를 져버릴 수 없었다. 나는 내 딸과 아내를 위해 옳다고 느낀 대로 결정했을 뿐이다.…… 만약 기자들이 '안전한 이웃 법안'의 법률 제정 실패의 원인으로 나의 부재를 꼽는다면 그냥 그렇게 기사를 쓰면 된다.…… 나는 스프링필드에서 내 입법적 의무에 최선을 다했다는 기록이 있다."고 말했다.

오바마의 설명을 듣기 위해 모인 50여 명의 노인들 중 대부분은 그의 아픈 딸에 대한 이야기를 믿는 듯 보였다. 오바마가 그 법안을 실패하게 만든 진짜 범인으로 주지사와 상원의원장 사이의 갈등을 꼽자 많은 노인들이 지지의 의미로 고개를 끄덕였다. 그러나 나는 그것에 다소 냉소적이었다. 하와이에서 휴가를 보내는 동안 딸이 아팠다는 사실을 변명거리로 한다는 것이 믿어지지 않았다. 그래서 그 다음날《시카고 트리뷴》에 기사의 첫 부분을 "국민을 위한 중대한 결정 사항에 임하는 태도를 증명하면 정치인을 구별할 수 있다. 주 상원의원인 버락 오바마는 일요일 경로당으로 기자들을 불러 그의 의료보험 안건에 대해 설명했지만 곧 논쟁을 일으킨 그의 크리스마스 휴가에 대해 설명했다."고 썼다.

떠오르는 별이기보다는 오바마는 시들고 있는 후보처럼 보였다. 그의 연설은 무대에서 죽어가고 있는 한 코미디언을 연상케 했다.

이 사건은 러시와 경쟁할 때 직면한 오바마의 불행을 연상케 했다. 투표에 대한 불참과 그의 흑인 정통성에 대한 질문들, 대중의 관심을 끈 오바마의 첫 주요 선거운동 중 현직 의원 아들의 죽음 등은 그에게 의심의 여지가 없는 재앙들이었다. 오바마는 후에 이 시기가 그의 인생에서 가장 힘든 시기 중 하나였다고 말했다. 그의 회고록《담대한 희망》에서 그는 "선거운동을 절반도 하기 전에 나는 뼛속 깊이 선거 패배를 예감했다. 매일 아침 난 알 수 없는 두려움에 눈을 떴고 오늘 하루도 미소 지으며 악수하고 모든 것이 계획대로 잘 진행되고 있는 척 해야 한다고 생각했다."고 적었다.

그 후 두 달이 지나고 나서야 오바마는 진정이 되었고 가까스로 《시카고 트리뷴》의 지지를 다시 얻어냈다. 그리고 비록 주요 대중매체는 대부분 그를 무시했지만 시민과의 토론을 잘 치러 내 높은 점수를 얻었다. TV에 중계된 그의 이미지는 좋지 않았다. 그는 처음처럼 링에서 잘 싸울 수 있다며 필사적으로 몸부림치며 로프에 매달려 있는 권투선수 같았다. 시카고 공영방송국에서 주최하고 필 폰스(Phil Ponce)가 단독 사회를 본 토론인단과의 비공식 논쟁에서 후보들에 대한 질문이 있었다. 그 당시 세 명이 한 동안 경쟁관계에 있었는데 그들이 벌인 대화는 매우 호전적이었다. 오바마와 러시의 다른 경쟁자인 돈 트로터(Donne Trotter)는 러시가 워싱턴을 이끌기에는 역부족이라며 비난했고, 두 사람 모두는 이제 새롭고 강력한 리더십이 필요하다고 주장했다. 한편 러시는 오바마를 두드러진 업적도 없이 유권자에게 그를 워싱턴으로 보내달라고 하는 철면피라며 단지 야망만 큰 젊은 의원으로 묘사했다.

오바마가 급하게 러시의 발언을 가로막으며 그의 입장을 항변하려고 하자 사회자 폰스는 그를 막고 러시가 더 발언할 수 있도록 시간을 주었다. 이러한 불쾌한 장면으로 오바마는 더욱 젊고 거만하며 자기중심적인 이미지로 비춰졌다. 설상가상으로 러시는 오바마의 눈길을 피하며 발언이 중단된 것에 눈도 깜짝하지 않고 계속해서 오바마에게 공격을 가했다. 오바마는 그가 오랫동안 가난한 사람들과 유권자를 위해 일한 것을 언급했지만 러시의 발언은 고기칼로 버터를 베듯이 오바마의 메시지를 잘라 버렸다.

제10장
뉴로셸행 열차

그는 항상 뉴로셸(New Rochelle)행 열차에 대해 말했다. 그 열차는 매일 통근자들을 뉴욕으로 실어 나른다. 그는 매일 이러한 열차가 되지 않기를 바랐다. 역동적 인생이 아닌, 움직임이 없는 인생은 그에게 매우 두려운 것이었다.

— 시카고 지방단체 활동가, 제리 켈먼

바비 러시를 상대로 한 버락 오바마의 선거운동은 그에게 중요한 교훈을 많이 가르쳐 주었다. 정치에서는 어느 후보가 대중의 인기를 많이 얻고 있는지, 또 얼마나 그 후보가 화려한 경력을 지녔는지 하는 것은 전혀 상관이 없는 경우가 많고 결코 혼자서 자기의 운명을 결정할 수 없다는 것이다. 마약이 개입된 총격전과 같은 우연한 사건이 똑똑하고 순발력 있는 정치 전문가들조차 예측할 수 없는 오묘한 방법으로 선거판을 바꿀 수도 있는 것이다.

오바마는 그 전에도 한 번 인생의 변덕스러움에 대하여 이와 비슷한 쓰라린 경험을 한 적이 있다. 그의 노력과 강렬한 희망에도 불구하고 푸나호우 재학 시절, 경기 도중 코치와 언쟁을 벌인 후 농구팀에서 벤치를 지키게 되었다. 하지만 경쟁심 많은 정치인인 오바마는 선거에서 러시에게 패배했을 때 깊은 상처를 입었다. 그는 현직 의원의 자리를 뺏는 것은 매우 힘든 일이란 것을 알게 되었다. 하지만 낙천적 성격을 가진 그는 만약 매일 유권자들에게 그의 메시지를 전하고 그의 진심을 경험케 하며 그 마음속에 있는 정열을 느끼게 해준다면, 그들을 자신의 편으로 끌어들일 수 있다고 믿었다. 그러나 정치란 단지 매력적인 메시지를 전달만 한다거나 야기된 문제들의 올바른 편에 서기만 하면 되는 것이 아니었다. 정치는 곧 빈틈없는 계산이자, 자금 조성 그리고 필요한 특별 이익단체들의 요구를 수용하는 것이며 승리를 위하여 응집된 전략을 수립하고 그 계획을 실행하는 것이었다.

오바마는 선거일에 투표장 밖에 서서 유권자들과 일일이 악수를 나누면서 자신에게 중대한 계산 착오가 있음을 깨달았다. 유권자들은 한 명씩 차례대로, 오바마에게 그를 좋아하며 그가 대중을 위해 더 많은 것을 할 수 있고 밝은 미래가 있을 것이라고 생각하지만 그를 찍어줄 수 없다고 말했다. 한 노파가 간단하게 오바마에게 "바비는 어떤 잘못도 하지 않았다."라고 말했을 때 그 이유를 간파했다. 그는 그 자신을 유권자보다 앞세웠고 진보를 위한 그의 시간대가 그를 바라보는 유권자들의 시간대와 같지 않았음을 명백히 알았다. "알다시피 그들이 옳았고 그 당시 상원의원으로서 나에게는 중요한 외부적 절박감이 없었다는 것을 깨달았다. 나 자신이 더 문제였다."고 오바마는 말했다.

오바마는 인생처럼 정치의 성공도 거친 야망과 인내심의 균형으로 이루어짐을 배웠다. 선거운동 중 한 텔레비전 논쟁에서 오바마는 너무 성급한 사람처럼 보였다. 그때까지 그는 책도 발행했고 미국에서 가장 명예로운 법률 학술잡지를 이끌었고, 전국적으로 발행되는 출판물에 소개되기도 했으며, 《시카고 트리뷴》의 편집위원회에서부터 애브너 미크바처럼 시카고의 진보 단체를 후원하는 사람들에 이르기까지 광범위한 상류층과 연계하고 있었다. 스프링필드에서 그는 신임 의원치고는 많은 성공을 거두었지만 필요한 이익단체, 즉 영향력 있는 정치기자들, 기득권을 갖고 있는 의원들, 노동조합 조합장, 정치계의 내부인들에게 충분히 아부하지 않았기 때문에 별 볼일 없는 사람으로 간주되었다. 그의 친구이자 고문인 제러마이어 라이트 목사는 오바마에게 "버락, 당신은 당신이 소속된 당에 당신 편이 많이 없다. 당신은 밖에서 홀로 활동하는 사람 같다."라고 말했다.

비록 필요한 사람들이 그의 뒤에서 지켜주고 있었지만 유권자들이 한 개인으로 그와 연관을 갖지 못하면 다 소용없는 일이었다. 앞으로 여러 해가 남았고 정치인으로서 오바마의 역량이 전 세계적으로 알려지리라는 것은 상상하기 힘든 일이었지만 그는 엄혹한 경쟁을 하기엔 너무나 가난한 정치 후보자였다. 여러 면에서 볼 때 러시와의 경쟁에서 오바마는 자신의 화려한 경력에 대해 너무 자주 언급했고, 여러 번 의원을 위해 높은 연봉의 법률회사를 포기했다고 이야기했으며, 법학개론 교수로서 너무 지나치게 고상한 어조로 연설을 했었다. 이 모든 것들은 그가 대중들 앞에 거들먹거리는 사람으로 보이게 만들 수도 있었다. 그러한 어조는 하이드 파크의 대학 인근에 가깝게 위치한 상원의원 구역 내의 유권자들에게는 잘 먹힐 수도 있었지만 더 넓은 남부 지역의 흑인 사회에서는 관계가 없는 것이었다.

지하실에서 무리 지어 살고 있는 노동자 계층의 유권자들은 어떻게 이 후보가 자신의 인생을 바꾸어 줄 수 있는지 알고 싶어 했다. 특히 흑인 유권자들은 그 유권자가 그의 정치 경력을 위해서가 아니라 그들을 위해 흑인 운동에 혼신의 노력을 다하고 있다는 것을 느끼길 원하고 있었다. 미크바는 "바비와의 경쟁에서 오바마는 어떻게 그들 흑인 유권자와 연대할 수 있는지를 배웠다."고 회상했다.

이러한 면에서 오바마의 이야기는 미국에서 가장 재능 있고 카리스마가 넘치는 정치인으로 가끔 오바마가 비교되는 존 F. 케네디(John F. Kennedy)의 이야기와 비슷한 점이 있다. 오바마처럼, 케네디가 처음에는 가난한 선거운동원이었다는 것은 믿기 힘든 일일지도 모른다. 내성적인 케네디는 악수하고 웃는 대신에 정치 경력을 쌓던 초반에 사무실에 앉아서 사람들과 소그룹 안에서 행동하며 방송에는 거의 모습을 드러내지 않았다. 그 가족의 재력과 엘리트 교육으로 볼 때 케네디도 역시 처음에는 거들먹거리는 상류층이라고 일부 사람들에게 인식되었다. 하지만 상원의원 선거운동을 전개하면서 천천히 케네디는 대중을 감동시키는 연설이 매일 유권자들과 악수하며 갖는 관계 속에서만 힘을 발휘한다는 것을 배웠고, 그것으로 마침내 그는 정치의 이 모든 면을 능수능란하게 잘 다룰 줄 아는 실천가 중의 한 사람이 되었다. 만약 오바마가 앞으로 성공을 거두고 싶다면 러시에게서 겪은 정치 경험에 대한 이 같은 교훈을 잘 새겨 둘 필요가 있었다.

오바마가 스프링필드로 돌아왔을 때, 그의 동료들과 친구들은 그가 다소 단련된 사람으로 변했다는 것을 느꼈다. 그는 더 이상 민주당에서 사랑받는 하버드 법대 출신의 젊은 청년이 아니었고 더 위대한 정치적 인물이 되고자 준비하는 사람도 아니었을 뿐 아니라 더 높이 더 빨리 목표를 달성하기 위해 조급해 하는 사람도 아니었다. 오바마는 단지 러시에게 패배를 한 것이 아니라 오바마 자신의 말을 인용하면 '볼기를 맞은 것'이었다. 오바마 진영의 요원들은 그를 위로했지만 그는 투표 결과에는 그다지 놀라지 않았다. 주 상원의원인 테리 링크 외에 다른 의원들도 오바마에게 러시 같은 현직 의원의 자리를 차지하는 것은 거의 불가능한 일이라고 조언한 바 있었다. 오바마가 이들과 함께 회의를 할 때 그는 "당신들이 그런 말을 할 줄 알고 있었으니 다시 상기시킬 필요가 없다."고 말했다.

하지만 오바마는 언짢아하며 화를 내는 대신 고개를 숙이고 주의회에 다시 동참함으로써 그의 동료들과 친구들을 감동시켰다. 오바마는 상원의원으로 그가 흑인 정통성이 없다고 비난한 돈 트로터, 《캐피털 팩스》의 발행인으로 그가 의회에서 이룬 업적이 없다며 비난한 리치 밀러와 함께 의원 경선 동안 그에게 다소 비협조적인 사람들에게 악의를 품지 않고 대신 그들을 찾아가 관계를 더욱 돈독하게 하기 위해 노력했다. (러시와의 관계만이 고칠 수 없이 타버린 다리와 같이 되어 버렸는데 그는 지금도 오바마에 깊은 원한을 품고 있다.)

오바마는 스프링필드로 돌아오자마자 깊이 반성하고 교수로서 강의를 시작했다. 그는 정치가 진정으로 자신이 원하는 길인지 생각했다. 2001년 그의 둘째 아이인 사샤가 태어났고 가족에 대한 책임감을 더욱 강하게 느꼈다. 그는 여러 비영리 단체들의 회원으로 위촉받았는데 이중 가장 중요한 단체는 유명한 조이스 재단(Joyce Foundation)이었다. 그리고 이즈음 이러한 단체들 중 하나에서 전임 이사직을 맡아야 하는지 고민하게 되었다. 결국 그는 아직도 상원의회에서 소수당에 속해 있었고 그 민주당이 언제 다시 힘을 얻게 될지도 모르는 일이었다. 그가 얼마나 영향력이 있을까? 게다가 둘째 아이가 태어난 후 미셸은 남편이 더 안정적 직장을 갖게 되기를 원했다. 경제적으로 그 의원선거는 전혀 도움이 되지 않았다. 그는 선거운동에 거의 55만 달러를 썼지만 그 가운데 수천 달러는 오바마의 수중에서 나온 것이었다.

오바마와 미셸은 중상층이며 백인이 많이 살고 있는 하이드 파크에 위치한 넓은 타운 하우스에 살고 있었고 두 아이를 돌볼 보모도 있었다. 그러나 1년에 25만 달러가 넘는 이 두 부부가 합친 수입에도 불구하고 오바마는 개인 빚이 있었다. 그는 주로 선거 자금 때문에 최고 한도까지 신용카드를 사용했고 두 부부 모두 하버드에서 빌린 학생융자를 갖고 있었다. 그에게 높은 직위의 의원이 되기 위한 미래는 없었으며 변호사 자격도 정지되었다. 그의 친구가 2000년 여름 로스앤젤레스에서 열리는 민주당 전당대회에 참석하라고 권유했을 때 그는 갈 돈이 없다며 거절했다. 그러다가 가장 싼 사우스웨스트 항공사(Southwest Airlines)의 표를 구해 로스앤젤레스로 날아갔다. 그러나 로스앤젤레스 공항에 도착하여 차를 빌리려고 했을 때 렌트회사 직원이 그의 신용카드를 거부했다. 오바마는 "난 완전히 빈털터리였다. 그 뿐만이 아니라 내 아내는 어린 아이들이 있는데 의원선거에 출마했다며 몹시 화를 냈다. 로스앤젤레스에서 차를 빌리려 했지만 내 신용카드는 거절당했다. 내 인생에 전혀 생각하고 싶지 않은 때였다."라고 회상했다. 그는 그 회의에 참석하지 못했고 거의 어떤 정보도 얻지 못하고 낙담하여 주중에 집으로 돌아왔다.

처음으로 이때 오바마는 인생에서 돈의 중요성을 알게 되었다. 그는 그의 직원들에게 연휴 때마다 항상 보너스를 지급했으며 돈에 관한 한 직원들과 친구들에게 관대했다. 그러나 개인적으로 돈에 연연치 않았고 한 번도 값비싼 명품을 사 본 적이 없었다. 실제로는 정반대였던 것이다. 쇼몬은 "그는 사람들 때문에 동기를 부여받고 일을 추진했지만 돈은 전혀 중요시 하지 않았다. 그는 종종 공적인 여행을 하고 비용을 환급받는 것도 잊어버리곤 했다. 그래서 나는 '도대체 왜 그러는 거야? 미셸은 내가 당신 회계를 관리해 줘서 아주 다행이라고 생각할 거야.' 라고 했다. 그러나 그는 결코 구질구질한 사람은 아니었다. 한 직원이 결혼할 때 버락은 상당한 액수를 적은 개인 수표를 주었다. 결코 인색한 사람이 아니었다. 내가 만약 버락한테 5,000달러를 빌려 달라고 하면 그는 선뜻 빌려 줄 사람이다. 그렇게 너그러운 사람이다."

돈을 중시하지 않는 경향은 오바마의 개인적 기호와 여러 곳에서 나타나는 그의 심플한 취향을 보면 알 수 있다. 그가 하와이에서 성장할 때, 그에게 돈의 중요함을 강조한 사람은 오직 할머니뿐이었고 할머니는 돈에 관한 한 매우 현실적이었다. 오바마의 할머니는 미소를 지으며 나에게 "내가 더 돈에 관한 중요성을 강조했더라면 미셸이 더 행복했을 것이다."라고 말했다. 그리고 그 당시 오바마의 심플한 천성은 그의 외모에서도 드러났다. 정치계에 입문한 후, 그는 항상 잘 다려진 파란색 정장과 검정 정장으로 단정하게 차려 입었고 누구 앞에서도 부끄럽지 않고 당당하게 보이도록 옷을 입는 센스가 있었다.

하지만 그는 오로지 네 벌 또는 다섯 벌의 정장이 있었을 뿐이다. 봄이 지나갈 무렵쯤에는 국방색 정장을 한 주에 한 번 또는 두 주에 한 번 꼴로 입었다. 그는 새 옷을 사는 것을 별로 좋아하지 않아서 미셸에게 크리스마스 선물로 몇 벌의 정장과 넥타이를 사 달라고 한 것이 전부였다. 그의 양말은 발꿈치가 다 닳고 짙은 회색 겨울 외투는 안감이 다 해지고 몇 년이나 유행이 지난 것이었다. 오바마는 마른 체형이어서, 어떤 옷을 입어도 대부분 그에게 잘 어울렸는데, 그는 특히 국방색 바지와 더불어 평범한 검정 폴로 셔츠나 목까지 올라오는 셔츠를 즐겨 입었다. 평상시 복장은 걸어 다니는 갭(Gap) 광고처럼 보였고 단지 그의 해묵은 패션 센스는 몇 년 전 만들어진 갭 광고처럼 보이게 했다. 아이들과 미셸도 그에게 좀 더 화려한 색의 옷이나 그것이 싫으면 최소한 줄무늬나 아니면 다른 무늬가 있는 옷을 입으라고 권했지만 그는 평범한 흰색, 검정색 또는 국방색만을 즐겨 입었다. 그의 성향에 맞게, 오바마는 향수도 거의 사용하지 않았고 귀금속 종류도 거의 하지 않았다. 단지 단순한 결혼 금반지와 검정색 가죽줄 시계가 전부였다.

러시와 경쟁 후 경제적으로 다소 어려워진 오바마는 시카고 대학이나 비영리단체에서 종신 재직권을 갖는 자리를 찾기 시작했다. 그러나 그는 그렇게 고리타분한 자리로 이직해야 하는 것이 참을 수 없었다. 그래서 대신, 잠시 행보를 멈추고 대학 교수로서 그리고 주의회 의원으로서 더욱 더 열심히 일하는 것으로 자신을 만족시켰다. 오바마는 "검토한 결과 여러 가지의 선택이 있었다. 그러나 매일 매일 법안을 제시하고 토론하는 것이 더 즐거웠다. 생각해 보면 이때는 암울한 시기라기보다는 자기 반성의 시간이었다."라고 말했다.

오바마가 상원의원으로 돌아왔을 때 맺은 가장 중요한 인간관계는 1993년부터 상원의원의 민주당 대표였던 에밀 존스 주니어와의 관계였다. 에밀 존스 주니어는 시카고 하수도 검사관에서 스프링필드의 막강한 실력가가 된 막강한 흑인 정치가다. 존스는 그의 성공에도 불구하고 정치가로서는 감동적인 연설을 못하는 사람 중의 한 사람이다. 그는 거친 목소리를 갖고 있어서 때때로 낮게 중얼거리는 것처럼 들려 무슨 말을 하는지 이해하기 힘든 때가 많았다. 하지만 그는 누구도 대적할 수 없을 정도로 시카고 남부 지역에서의 정치적 기반을 쌓음으로써 지난 20년 간 일리노이 주에서 가장 영향력 있는 흑인 정치가 중의 한 사람이 되었다. 의회에서 민주당 내 그의 권력은 논쟁의 여지가 없었고 아무도 거기에 도전하지 못했다.

만약 오바마가 의회에서 그의 이름을 각인시키기를 원한다면 존스를 설득하면 되었다. 오바마는 실제로 그가 지역단체 활동가로 일을 하고 있을 때 존스를 만난 적이 있었다. 오바마는 존스 저택 인근에 이웃 모임을 결성하고 있었고 그 모임이 작은 행진을 하자 존스가 무슨 일이 났는지 보기 위해 집 밖으로 나왔던 것이다. 이 두 사람의 배경은 완전히 달랐다. 오바마는 하와이에서 백인 가족에서 자라 상류층만 받는 교육을 받은 반면, 25년 연상인 존스는 트럭 운전사였던 아버지 밑에 자란 8남매 중 하나였고 시카고 위생국에 자리를 얻어 일하는 시카고 남부 지역의 가장이었다. 아마도 존스는 아버지의 도움으로 그 일자리를 얻은 듯했다. 왜냐하면 그 당시 그의 아버지가 민주당 한 중요 구역의 장으로 있었기 때문이었다. 존스는 시카고 조직 정치의 중심에서 성장했다. 그러나 오바마가 스프링필드에서 그의 정치 경력을 시작했을 때, 존스는 오바마와 너무 가까워져서 아버지 없는 오바마를 양자라고 말할 정도였다. 오바마는 변함없이 존스를 극도로 존경했다. 대부분의 사람들이 존스의 이름을 중서부 발음으로 '에멀(E-mul)'이라고 불러도 오바마는 항상 조심해서 정확하게 '에밀(E-meel)'이라고 발음했다. 오바마는 "에밀은 흑인 사회가 항상 공평한 분배를 받지 못했던 이유로 대표자로 추대되었고 그가 항상 그것을 만회하고자 노력하고 있기 때문에 나는 그의 사명을 매우 존중한다."라고 말했다. 존스는 오바마를 좋아하는 이유로 좀 더 개인적인 의미를 부여했다. 그는 "오바마의 대부(代父)가 되어 매우 영광이다. 그는 나에게 아들과 같다."라고 했다.

2002년이 다가오자, 일리노이의 정치적 움직임이 더욱 급하게 돌아가기 시작했다. 마치 11월 선거에서 민주당이 다시 일리노이 주 상원의회를 되찾게 될 것같이 보였고 그러한 시나리오는 현실로 나타났다. 존스는 상원의원장이 되었고 오바마는 의원이 되었고 소속당이 황량한 소수당에서 빛나는 다수당의 입장으로 확실하게 급회전했다.

2002년 내내, 오바마의 야망은 그를 다시 성가시게 했다. 갑자기 그는 법안들을 통과시킬 위치에 놓였고 그의 시선은 여전히 더 높은 의원직에 맞춰 있었다. 어떤 의원직을 겨냥할 것인가라는 질문에 이제는 2004년 미국 연방의원 경선이라는 대답을 할 시간이었다. 민주당 후보로 현직 공화당 피터 피츠제럴드(Peter Fitzgerald)와 부딪쳐야 할 것처럼 보였다. 현직 의원을 퇴출시키는 것은 일반적으로 힘든 일이라고 여겨질 수도 있지만 피츠제럴드는 거침없는 말과 독자 노선적인 행동으로 워싱턴과 일리노이 두 지역 내 그가 소속된 당 의원들 사이에서 환영받지 못하고 있었다. 이런 저런 이유로 피츠제럴드는 특별히 취약해 보였고 오바마와 많은 다른 민주당원들은 피츠제럴드와의 싸움에 최초의 흑인 여자 상원의원인 민주당 캐럴 모즐리 브라운 의원이 갖고 있었던 그 자리를 꿰찰 희망을 갖게 되었다.

오바마는 일리노이 주 상원의회에서 동료들에게 만약 그가 연방 상원의원에 출마하면 그를 도와줄 것인지 떠보았고 그는 매우 호의적인 반응을 얻었다. 하지만 그와 절친한 사람들은 출마하지 말라고 한결같이 그를 말렸다.

그의 아내 미셸뿐만 아니라 그에게 조언을 해주었던 많은 사람들 중 으뜸인 그의 최고 참모이자 좋은 친구인 쇼몬도 마찬가지였다. 월급을 받는 조언자로서가 아니라 친구로서 쇼몬은 반대 의견을 나타내었다. 오바마는 연방 상원의원까지 갈 길이 멀고 이길 수 없을지도 모른다고 생각했다. 쇼몬은 오바마가 그 경선에 나선 것을 후회할 것으로 믿었다. 왜냐하면 정치적으로 또 다시 실패해서가 아니라 가족 관계가 악화될 것이 뻔했기 때문이었다. 2002년에 이 부부 사이의 두 번째 아이인 사샤는 한 살이었고 첫째인 말리아는 겨우 네 살이었다. 오바마는 바비 러시에 대한 선거운동을 할 때인 1999년과 2000년 이미 정기적으로 몇 달씩 집을 비웠고 그의 아내는 여전히 이 문제를 잘 받아들이지 못하고 있었다. 2년이 지난 지금 두 아이의 아버지인 오바마는 또다시 야망 찬 전국적 경쟁을 고려하고 있고 이 경쟁은 지역 의원 경선보다 더 소모적일 것이 뻔했다. 쇼몬은 또다른 숨가쁜 선거운동은 오바마 가족의 삶을 무너뜨릴 수 있다고 생각했다.

이 시기에 쇼몬은 거의 알아차리지 못했지만 오바마는 1년 내내 연방의원 경선에 출마할 것을 심각하게 고려하고 있었고 마침내 벌써 마음의 결정을 내렸던 것이다. 오바마에게 이번 기회는 정치 경력을 발전시킬 최선의, 다시는 올 것 같지 않은 최후의 기회로 받아들여졌다. 지금까지 보면 바비 러시는 그가 원하는 만큼 오랫동안 의원석을 차지하고 있을 것이 분명해 보였다. 그럼 오바마는 어디로 갈까? 아마도 그는 주의원직 가운데 하나를 위해 출마할 수도 있다. 하지만 다른 민주당 의원들은 그러한 자리들을 차지하기 위해 오바마에 앞서 이미 길게 줄을 서고 있었다. 오바마는 비영리단체들 중 한 곳의 이사직을 놓고 사기업 부분의 일을 하기 위한 인터뷰를 한 적이 있었다. 하지만 끊임없고 거침없는 야망으로 그는 흥미와 모험 없는 직장에서 아무 생각 없이 아침 9시부터 오후 5시까지 일을 하며 인생을 보내지 않을까 너무 두려웠다.

맨해튼 사무직에 있던 오바마를 시카고로 오게 한 지역단체 활동가인 제리 켈먼은 "오바마는 항상 뉴로셸행 열차에 대해 이야기했다. 통근자들은 그 열차를 타고 뉴욕으로 혹은 뉴욕에서 다른 곳으로 간다. 그는 매일 그러한 열차가 되지 않기를 바랐다. 역동적이지 않은, 움직임이 없는 인생은 그에게 매우 두려운 것이었다."고 말했다.

한편 쇼몬은 오바마가 비영리단체의 이사가 되려고 하자 매우 환영했다. 사실 오바마는 시카고에 본부를 둔 조이스 재단에도 이사로 취임하기 위해 인터뷰를 했었다. 쇼몬은 웃으면서 "난 이제 정치가와의 관계는 끝났다고 생각했다. 연봉 15만 달러를 주는 이 자리를 꼭 차지해야 했다. 그래서 오바마는 인터뷰하러 가면서 나에게 전화를 걸어 꼭 될 것만 같아 불안하다며 떨린다고 했다. 왜냐하면 그는 그 일을 원치 않았기 때문이다. 그래서 나는 오바마에게 말했다. '도대체 뭐가 문제인가? 이것은 꿈에 그리던 일이다. 당신은 돈을 벌 수 있고 관계를 다져 다시 출마할 수 있다.'"고 말했다.

쇼몬은 "우리는 일리노이 4번 도로 옆에 섰다. 그리고 버락에게 '난 당신이 다시 출마하면 안 된다고 생각한다.' 라고 말했다. 난 미셸과 두 아이를 위해 좋지 않은 생각이라고 했다. 버락은 굉장한 죄의식을 느꼈다. 그는 지각이 있는 사람이었기 때문에 결국엔 출마하지 않을 것으로 생각했다. 하지만 그는 나를 보며 말하기를 '어찌됐건 난 출마하겠다.' 라고 했다."며 회상했다.

연방 상원의원 자리를 차지한다는 것은 어쩌면 제리 켈먼에게 말했던 그가 열망하는 역동적 인생을 추구하는 오바마에게 마지막 기회일지도 모른다. 그것은 집과 직장 사이를 매일 운행하는 뉴로셀행 열차가 되지 않기 위한 마지막 기회였다.

제11장

11
후보

나이가 들수록, 나는 사람들이 무엇을 이야기하느냐가 중요한 것이 아니라 어떻게 이야기하느냐가 중요하다는 것을 더욱 깨닫는다. 그 점은 정치계에선 당연한 이야기였다.

– 호텔 경영인, 페니 프리츠커(Penny Prizker)

연방 상원의원으로 출마하고자 한 버락 오바마의 첫 번째 결심은 바비 러시에게 쓰라린 패배를 당한 후 1년도 되기 전인 2001년 중반에 이루어졌다. 그 경선에서, 오바마는 일리노이 주 법무장관으로 출마하라고 권유받았지만 댄 쇼몬이 연방 상원의원 출마에 대해 그에게 경고했던 것과 같은 이유들 때문에 그러한 생각을 던져 버렸다. 오바마는 "나 때문에 미셸과 가족들은 그런 지옥 같은 주의원 경선을 겪었고 그 경선으로 말미암아 우리 결혼생활은 돌이킬 수 없는 어려움에 처해 처음부터 다시 시작해야만 했다. 그래서 포기하게 되었다."라고 했다.

우연하게 시카고에 본부를 둔 민주당 대중매체 조언자였던 에릭 어델스타인(Eric Adelstein)도 오바마의 연방 상원의원 출마에 대해 생각했다. 어델스타인은 이러한 서로의 생각을 논의하기 위해 2001년 9월 오바마와 회의를 하기로 시간을 정해 놓았다. 그러나 그 해 9월 11일 사건이 발생하리라고는 꿈에도 생각지 못했다. 오바마는 "9·11이 발생했고 즉시 모든 기자들은 이 일을 저지른 사람인 오사마 빈 라덴에 대해 집중 취재했다. 그 회의에서 어델스타인의 나의 출마에 대한 관심은 누그러졌다. 한동안 얘기한 후 그는 지금 시점에서 내 이름에 대한 이미지가 좋지 않을 것이라고 했다. 에릭이 얘기한 것처럼, 내가 생각하기에도 지금 시점에서 버락 오바마란 이름을 가진 사람이 선거에서 이길 수 있다는 생각은 어리석게 느껴졌다."라고 했다.

그래서 오바마는 다시 그의 두 가지 일, 즉 주 상원의원과 대학의 법학 교수란 일에 전념했다. 그러나 2002년 중반쯤 되자, 다시 정치적 야망이 일기 시작했다. 그는 다시 연방 상원의원 경선 출마에 대한 아이디어로 분주해졌고 그 문제에 관하여 일리노이 상원의원 동료들과 심각하게 논의했다. 상원의원장인 에밀 존스 주니어와 흑인의원들 그리고 데니 제이콥스와 테리 링크, 래리 월시(Larry Walsh) 등은 호의적으로 반응했다. 그들은 오바마 지지를 약속했고 이 문제를 회의에 상정하기도 했다.

그러나 승인을 꼭 받아내야 할 사람이 한 사람 있었는데, 바로 미셸이었다. 또 하나의 선거운동 기간 동안 그를 지지해 달라고 미셸을 설득하는 것은 오바마가 넘어야 할 가장 큰 장애물이었다. 미셸은 정치적 경력이 오바마에게 얼마나 중요한지 알고 있었지만, 그의 연방의원 출마 계획을 듣자마자 이 낙천적인 몽상가는 곧 깊은 낭떠러지로 떨어지고 말 것이라고 생각했다. 이 부부에게는 두 아이들이 있고, 갚아야 할 담보대출 및 신용카드 빚이 있었다. 오바마가 바비 러시에게 참담하게 패하고 난 뒤, 그녀는 현실적으로 경제난을 걱정하면서도 남편이 또 다른 일거리를 만들지도 모른다고 염려했다. 또 다른 정치 경쟁은 그 가족을 빚더미에 앉게 할 수도 있고 더 깊은 빚의 수렁으로 빠뜨릴 수도 있었다. 그리고 만약 그가 연방 상원의원 자리를 차지한다 해도 그녀의 생각에는 그들의 재정 상황이 나아질 것 같지 않았다.

"나에게서 연방 상원의원 출마에 대한 가장 큰 문제는 도대체 어떻게 그 자금을 댈 것인가 하는 것이다."라고 미셸은 나에게 말했다. 그녀는 "그 문제를 거론하고 싶지 않다. 왜냐하면 사람들이 그의 신용카드가 벌써 한도에 달했다는 것을 잊어버렸기 때문이다. 어떻게 그 자금을 댈 것인가? 현재 우리는 스프링필드와 워싱턴 등 두 곳에 자금을 대야 한다. 우리는 법대에서 빌린 빚을 갚고 아이들의 학비를 지불해야 한다. 그리고 앞으로 이 아이들의 대학 등록금을 마련해 놓아야 한다.…… 내가 말하고자 하는 것은 이것이 단지 도박인가? 하는 것이다. 이것은 그냥 우리를 죽이는 일이다. 만약 그가 이길지라도 터무니없는 일이다. 인생의 멋진 다음 단계를 어떻게 준비할 것인가? 그리고 그는 내게 말하기를 '글쎄. 그러면 그냥 책을, 멋진 책을 쓰지.' 라고 하지만 난 '이봐요, 한꺼번에 두 마리 토끼를 잡겠다고요? 그냥 책만 쓰세요. 그게 맞는 말이지요. 그렇고말고요. 당신은 잭과 콩나무의 이야기처럼 황금 달걀을 꿈꾸고 있어요.'"라고 말했다.

그러나 오바마는 단지 재단을 운영하는 사무직이나 법을 강의하거나 또는 일리노이 주 상원의회에서 소수당에 속하며 기진하는 것보다 더 큰 운명이 그를 기다리고 있다고 확신했다. 그리고 그러한 값진 운명의 결실을 맺기 위해 여전히 설득 작업을 해야 한다고 생각했다.

오바마는 "내가 미셸에게 말한 것은 정치가 당신을 엄청나게 힘들게 했지만 정말로 이번 경선에는 이길 가능성이 있다는 것이었다. 분명하게 나는 내 인생의 많은 시간을 공무에 바쳤고 만약에 내가 연방 상원의원 경선에 이긴다면 큰 변화를 이룰 수 있다고 생각한다. 나는 미셸에게 만약 내편에 서서 나를 도와준다면 선거에 패배할 경우 정치에서 물러나겠다고 약속했다. 내가 진심으로 말하는 것을 미셸이 느꼈다고 생각한다. 그리고 만약 미셸이 원한다면 정치를 그만둘 수 있다는 것을 미셸이 알게 되었다고 생각한다."라고 설명했다.

미셸은 "궁극적으로 나는 항복했고 '어쨌든 우리는 해나갈 거야. 우리는 아직 비참하지는 않아. 그냥 밀어붙여. 그런데 아마 당신은 질지도 몰라.' 라고 웃으며 오바마에게 말했다."고 덧붙였다.

오바마는 다시 쇼몬을 찾아왔고 그에게 동참해 달라고 했다. 오바마는 "그래서 나는 댄에게 미셸과 대화했으며 그녀도 파란불을 켜 주었다고 말하고 내가 하고 싶은 일은 주사위를 던지고 이 일에 전념하는 것이다."라고 말했다.

여전히 그는 주의회 경선에서 돈을 모두 날려 버린 상태여서 출발 자금이 필요했다. 그래서 그는 작은 자금 모금 행사를 열어 3만 3,000달러를 모았다. 그 기금으로 선거운동 책임자인 쇼몬과 직원들, 전임 기금 모금자들의 월급을 지급했다.

그러나 그 기금 모금 행사 전, 오바마는 또 다른 중요한 행보를 했다. 그는 2000년 성공적이지 못한 주의원 경선에서 재정적인 지원을 했던 주요 인사들과 중요한 회의를 했다. 오바마는 연방 상원의원 선거운동은 바비 러시와 벌였던 그의 경선보다 훨씬 많은 자금이 필요하다는 것을 알았다. 그래서 그의 주의원 경선에서 재무담당자였던 마티 네스빗의 집으로 많은 수의 흑인 부자들을 초대했다. 네스빗은 프리츠커 가문 제국의 하나인 프리츠커 부동산 그룹의 회장이다. 흑인으로 키가 크며 마른 체형의 그는 오랜 기간 오바마의 친구였다. 그들의 아내들도 매우 친했고 네스빗의 아내인 애니타 블랜차드(Anita Blanchard)는 산부인과 의사로 오바마의 아이들을 받아 주었다. 이 두 사람은 함께 농구를 했으며 하이드 파크 인근의 젊고 성공한 전문직에 종사하는 흑인들과 어울려 지냈다. 네스빗은 말씨가 온화했고 예의 바르며 상냥한 사람이었다. 그는 시카고 현대 미술관(Museum of Cotemporary Art, Chicago), 대형제자매 운동(Big Brothers/Big Sisters) 그리고 흑인 대학생 장학 기금(United Negro College Fund), 기타 여러 가지의 대중을 위한 일에 매우 적극적이었다.

오바마가 러시에게 패배한 후 얼마 지나지 않아, 네스빗은 오바마에게 다음 경선은 주 전체를 겨냥하라고 제안했다. 너무 비참하게 패배했기에 다시 러시를 퇴임시키려는 것은 의미가 없어 보였다. 그래서 오바마가 흑인 전문가들을 모아 주 전체를 겨냥한 출마 계획에 대해 언급했다. 네스빗은 자연스럽게 오바마가 일리노이 주 법무장관이나 재무장관을 고려하고 있다고 짐작했다. 그러나 오바마는 폭탄 발언을 했다.

네스빗은 "버락은 연방 상원의원에 출마하겠다고 했다. 난 너무 놀라 말 그대로 의자에서 떨어졌다. 그리고 우리는 모두 웃기 시작했다. 그는 '정말이다. 나는 연방 상원의원에 출마하겠다.'고 했다."며 그날의 일을 회상했다. 그런 후 오바마는 그러한 경선에서 어떻게 이길 수 있는지 합리적인 토론을 벌였다. 그는 피츠제럴드 상원의원에 대한 찬성 비율은 너무 낮아서 2004년에는 민주당에게 패할 것이라고 말했다. 오바마는 흑인들과 민주당원들을 함께 모아 협력하게 하면 혼잡한 예비선거에서 최정상으로 올라갈 수 있다고 믿었다. 네스빗은 "그날 그 방에서 오바마는 다시 출발하자고 우리들을 설득했다. 그러나 주로 그는 우리가 친구이기 때문에 우리를 설득했고 우리도 또한 그를 돕기를 바랐다."고 말했다.

러시와의 경쟁을 통해 정치에서 돈의 중요성을 깨달은 오바마는 그들에게 승리를 이끌기 위해서는 몇 십만 달러가 아니라 몇 백만 달러가 들 수밖에 없다며 재정상의 어려움을 말해 주었다. 그는 300만 달러로는 40퍼센트의 승률이 있고, 500만 달러로는 50퍼센트의 승률이 있으며, 700만 달러로는 80퍼센트의 승률이 있다고 세분화하여 설명하기까지 했다. 그리고 오바마는 1,000만 달러만 있으면 "내가 확신하건대 이길 수 있다."고 단언했다.

네스빗은 오바마는 자신감 있는 모습으로 분명한 목표를 제시하며, 그리고 작은 부분에까지 세심하게 설명하면서 선거에서 이길 수 있다고 그들을 설득했다고 술회했다. 이길 것인지 확실히 알 수 없었지만 그렇게 말할 수는 있었다.

네스빗은 "그래서 우리 모두는 '각자 밑에서부터 밀어붙여 이 일을 진행시키자.'고 했다. 그러나 이때 나는 너무 고지식했던 데 반해, 버락은 자금을 요구하는 데 거침이 없었다. 나는 그의 말을 어디까지, 어느 정도로 받아들여야 하는지 몰랐다."고 말했다.

어느 정도란 말은 네스빗과 오바마가 지금까지의 기부자들을 훨씬 넘어서 더 많은 기부자들을 모아야 한다는 의미였다. 주의원 경선에서 오바마는 흑인 사업자들로부터, 호숫가의 진보주의자 일부로부터 자금을 얻는 데 성공했지만, 이번에는 더욱 깊이 더욱 많이 그들의 주머니를 훑어야 했다. 그래서 네스빗은 오바마가 프리츠커 가족들 같은 사람들의 주머니를 깊숙이 공략할 수 있게 돕기 위하여 주말 여행을 계획했다.

프리츠커는 상류사회에 흔한 족벌 경영을 하고 있고 시카고의 굉장한 재벌이다. 200억 달러에 달하는 재산을 보유하고 있으며, 미국 전체에서 가장 부유한 가문의 하나인 프리츠커의 성공 이야기는 우크라이나 이민자인 니콜라스 프리츠커(Nicholas Pritzker)가 시카고 도심 중앙 상업 구역에 법률 사무소를 개업한 1902년으로 거슬러 올라간다. 4대째 그 가족들은 하얏트(Hyatt) 호텔, 회계 서비스 등 상당한 많은 기업들을 통해 부를 축적해 갔다. 그 가문은 굉장히 박애적이었지만 또한 극도로 개인주의적이었다. 네스빗은 오바마가 페니 프리츠커에게 그에 대해 알릴 수만 있다면, 그녀의 도움으로 굉장한 자금을 즉각 얻을 수 있고 자금 모금 네트워크에 중요한 밑거름이 될 것이라고 생각했다.

그래서 2002년 늦여름, 오바마, 미셸 그리고 그 두 딸들은 오바마의 후보 자격을 알리기 위해 시카고에서 45분 정도 떨어진 미시간 호반에 자리잡은 페니 프리츠커의 주말 산장으로 차를 몰고 갔다.

그 당시 다른 모든 사람들처럼 프리츠커도 오바마의 지적인 면에 큰 감동을 받고 있었지만 그가 생각하고 있는 것을 잘 이루어 낼 수 있을지는 의문이었다. 상당히 까다로운 베테랑 사업가에게 자신을 효과적으로 설득하는 것은 오바마의 몫이었다. 민주당을 지원해 왔고 자신을 중도파라고 여기는 프리츠커는 그 주말을 "미래가 보이는 순간"이라고 회상했다. 그녀와 그녀의 남편인 브라이언 트라우버트(Bryan Traubert)는 시카고 마라톤을 위해 훈련 중이었는데, 이 두 부부는 아름다운 햇볕 아래 미시간(Michigan) 호수 근처의 굽어진 길을 따라 긴 코스를 뛰기 위해 사라졌다. 뛰는 동안 그들은 오바마가 자신들의 지원을 받을 가치가 있는지 논의했고 그녀는 그들이 논의한 것을 다음과 같이 묘사했다.

우리는 전에 버락과 미셸을 알고 있었지만 그가 연방 상원의원에 출마하는 것을 도와줄 것인지는 결정하지 못했다. 그리고 우리는 마음의 결정을 해야만 했다. 그래서 상당히 오랫동안 나라를 위한 그의 인생관, 그의 목표에 대해 그와 이야기를 나누었다. 그는 그의 세계관과 생각을 명료하게 이야기하는 사려 깊은 사람이었다. 그리고 내가 늙어갈수록,

나는 더욱 사람들이 말하는 것이 중요한 것이 아니라 말하는 방법이 중요하다는 것을 느꼈다. 이점은 정계에서는 당연한 이야기였다.…… 그래서 브라이언과 나는 버락과 그의 가치, 그의 말하고 설득하는 방법, 그의 가족, 그와 미셸의 인간됨, 그리고 그들의 숭고한 정치적 이상 등에 대해 서로 깊이 토론했다. 이 시점에서 문제는 '출마하는 사람들이 다른 사람들에 대해 어떤 의무감을 느끼고 있는가?' 하는 것이었다. 만약 버락이 이긴다면 그가 한 흑인 의원이기 때문이 아니라 한 남성 흑인 상원의원이기 때문에 지적이며 기회가 있는 특별한 지도자가 될 것이 분명했다. 여기 놀라운 지적 능력을 갖고 배움에 목마른 한 남자가 있다.…… 그러나 그는 의료, 사업, 외교 문제 그리고 경제에 관해 얼마나 알고 있는가? 그는 부분적으로 이러한 것들에 대해 알고 있지만 우리는 자신에게 그가 이러한 것들을 전체적으로 다룰 수 있는 능력이 있는지 질문해 봐야 했다.…… 그는 불화를 일으키는 사람이 아니라 치료사라고 자신에 대해 말했다. 그는 서로 다른 선거 지역을 하나로 통합할 수 있는 사람이었다.…… 우리는 그가 완벽하지 않지만 총명하고 사려 깊으며 확신에 차 있다고 생각했다. 그는 자신감이 가득했다. 그 주말에 우리는 그를 지지하기로 결정했는데 그날은 미래를 위한 날이었다.

페니 프리츠커가 참여하자 시카고에 기반을 둔 다른 영향력 있는 민주당 의원들과 박애주의자들이 곧 뒤를 따랐다. 아들라이 스티븐슨 상원의원, 존 F. 케네디와 린든 존슨(Lyndon Johnson)에게 조언한 시카고 변호사인 뉴턴 미노우(Newton Minnow), 제임스 크라운(James Crown)과 크라운 재벌가의 다른 가족들, 그리고 사라 리(Sara Lee Corporation)의 최고 경영자인 존 브라이언(John Bryan) 등이 그들이었다.

그러나 오바마는 아직 그의 입후보를 발표하지 않았고 정치적 수완을 더 갖추어야 한다고 느꼈다. 이미 어델스타인은 또다른 잠정 후보로 전 시카고 교육위원회 회장인 게리 치코(Gery Chico)를 지명했다. 그래서 오바마는 그가 알고 있던 정치계 주요 참모인 데이비드 액슬로드에게 도움을 청했다. 2년 전, 액슬로드와 그의 아내 수잔(Susan)은 오바마의 지역구가 그들의 집을 포함한 도심 지역을 포함하는 쪽으로 변경되었을 때 오바마를 위하여 시카고 도심에 우뚝 선 자신의 콘도미니엄에서 간단한 기금 조성 모임을 마련했었다. 하이드 파크 밖에서 오바마는 이름이 알려지지 않았으므로 첫 모임에서 약 20명의 사람이 모였다. 액슬로드는 "우리는 '이봐, 여기 새로운 주 상원의원이 있어.' 라고 재촉하며 수영장에 있던 사람들을 그곳으로 모았다."라고 말했다.

이 맥 빠진 기금 행사 이후, 그리고 바비 러시에게 오바마가 패배한 다음에는 그 정치 참모는 연방 상원의원 잠정 후보로서 오바마에 대해 그다지 열광하지 않았다. 액슬로드는 희망에 찬 오바마에게 그는 '굉장한 재능' 이 있고 "나는 당신을 친구로 생각한다."고 말했지만 연방 의원직으로 출마하는 것은 '비현실적' 이라고 했다. 액슬로드는 오바마에게 "만약 내가 당신이라면, 나는 데일리가 은퇴할 때까지 기다리겠다. 그런 후 시장 경선을 넘보겠다. 왜냐하면 그때가 되면 인구 통계상 당신에게 유리한 여건이 마련될 수도 있기 때문이다."라고 퉁명스럽게 말했다.

이 말은 오바마를 크게 실망시켰지만 그는 포기하지 않았으며 여전히 연방 상원의원이 되는 데 높은 승산이 있다고 생각했다. 그 외에도 그는 액슬로드의 경고보다 더 큰 장애물에 부딪혔다. 1993년부터 1999년까지 연방 상원의회에서 일리노이 주를 대표했던 캐럴 모즐리 브라운은 공화당 피츠제럴드가 뺏은 그녀의 자리를 되찾겠다며 출마할 것을 발표했다. 모즐리 브라운은 연방 상원의원이 된 첫 번째 흑인 여성으로 역사에 이름을 남겼지만 임기 중의 불미스러운 사건으로 말미암아 1998년 피츠제럴드에게 패배했다. 모즐리 브라운은 조사에서 밝혀진 것이 없다고 했으나 그 당시 그녀의 남자친구로 후에 그녀의 선거운동을 책임졌던 코지 매튜(Kgosie Matthew)가 한 여성 선거운동원을 성추행했다는 주장이 제기되었다. 그 커플은 선거 자금을 의상과 귀금속 구입으로 사용한 혐의로 고소당했으며 선거 후, 한 달 동안 아프리카 여행을 갔다는 비난을 받기도 했다. 그러나 그녀가 실패한 주요 이유는 인권 침해로 비난받은 전 나이지리아 독재자인 사니 아바차(Sani Aba-cha) 장군과 회동했기 때문이었다.

피츠제럴드는 일리노이와 워싱턴에서 GOP(Grand old Party; 미국 공화당) 조직과 마찰을 빚는 등 매우 입지가 취약해 보였다. 이 점이 오바마가 그를 의원직으로부터 축출할 수 있다고 생각한 중요한 이유였다. 그러나 만약 모즐리 브라운이 경선에 출마한다면, 오바마는 그녀에게 경선을 포기하도록 설득할 것이라고 말했다. 현실은 그에게는 선택의 여지가 없다는 것이었다. 그녀는 그의 잠정적 기반인 흑인과 진보주의자들의 지지를 갉아먹을 것이 분명했다. 그는 "이길 승산이 없었다."고 말했다. 그래서 오바마는 스프링필드에 있는 그의 의원 사무실에서 그녀와 회의를 갖자고 요청했다. 그는 "우리는…… 그녀가 얼마나 심각하게 출마를 고려하는지를 물었다. 아직 마음은 정하지 않았지만 출마 여부는 명백히 그녀의 특권이라는 것이 그녀의 기본 태도였다."고 회상했다. 그는 또 "나는 그녀의 상황을 이해했다. 그녀는 한때 선구자였다. 이번이 정말로 내가 원하고 잠정적으로 할 수 없었던 것을 실행할 마지막 기회일지도 모른다고 생각하는 것이 정말 괴로웠다. 그러나 그것이 바로 정치의 본성이었다."고 했다.

모즐리 브라운의 출현은 오바마에게 골칫거리였을 뿐만 아니라 일리노이와 워싱턴의 민주당 권력 내의 큰 두통거리가 되었다. 그녀는 연방 상원 역사상 최초의 흑인 여성 상원의원으로 국민적 인물이었기 때문에 소속당은 그녀가 재직 중 저지른 불미스러운 행위로 크게 당혹스러워했다. 그리고 비록 피츠제럴드가 매우 취약하게 보였지만 민주당원들은 그녀가 본선에서 그 부끄러운 과거로 인해 비운을 맞게 될 것이라고 두려워했다. 《시카고 트리뷴》의 진보파 기고가인 에릭 존(Eric Zorn)은 어떤 공화당 후보라도 그녀를 크게 이길 수 있다고 예측했다. 연방 상원의원 자리를 쉽게 얻기 위해서 민주당원들은 오염된 스캔들을 가진 후보는 출마할 자격이 없다고 했다.

경선에서 모즐리 브라운을 제외시키기 위하여 오바마와 친한 각계 민주당 실세들은 그녀에게 다른 일자리를 주려는 계획을 세웠다. 오바마의 한 친구는 "그러나 문제는 그녀의 일자리를 찾을 수 없었다는 것이다. 아무도 그녀가 할 수 있는 일거리를 찾지 못했다."고 말했다. 그 일자리 찾기가 계속되는 동안, 막연히 연방 상원의원 잠정 후보로 출마하고 그 경선에서 자신을 도와줄 민주당 행동주의자들을 찾겠다는 모즐리 브라운의 의지도 약해졌다. 특히 정치적 경력이 균형을 이뤄왔던 오바마에 대해서는 더욱 자신감이 없었다. 그러나 (이 문제에 관하여 인터뷰하기를 거절한) 모즐리 브라운에게는 그런 것이 중요하지 않았다. 데이비드 액슬로드는 "그녀는 (오바마를) 젊은 애송이, 잘난 척하는 사람 또는 협잡하는 사람으로 여기는 듯했다. 내가 보기에 그녀는 이 문제를 개인적 차원으로 받아들였다. 오바마가 그녀의 무대에서 움직이고 있었기 때문에 그녀는 벼락의 등장이 아주 불쾌하다고 분명히 말했다."고 했다.

모즐리 브라운이 여러 여지들을 고려하고 있을 때, 오바마는 지지 기반을 더욱 돈독히 할 목적으로 해마다 열리는 흑인의원 총회에 참석하기 위해 2002년 9월 한 주말에 워싱턴으로 여행을 가기로 했다. 그는 거기서 영향력 있는 많은 흑인의원들을 만나 그들의 도움과 조언을 받을 수 있을 것이라고 생각했다. 하지만 기대가 컸던 오바마는 그 여행에서 매우 큰 실망을 했고 워싱턴에서 그들이 하는 일에 큰 환멸을 느껴 바로 시카고로 돌아왔다.

시카고로 돌아온 약 2주 후, 오바마는 목사이자 친구인 제러마이어 라이트에게 조언을 청했다. 눈에 띄게 풀이 죽은 오바마는 삼위일체 연합교회의 2층에 있는 라이트 목사 사무실 소파에 풀썩 주저앉았다. 그는 라이트 목사에게 모즐리 브라운이 출마 여부를 아직 결정하지 않고 있어서 자신도 어떻게 해야 할지 너무 힘들다고 했다. 그러나 그것뿐만이 아니었다. 부친이 힘 있는 시카고 한 구역의 시의원으로 있는 일리노이 감사관인 댄 하인스(Dan Hynes), 억만장자 증권 거래인인 블래어 헐(Blair Hull), 시카고 시장 리처드 데일리의 전 보좌관이자 교육위원회 회장인 게리 치코 등 여러 명의 이름이 잠정 후보로 거론되기 시작했다. 그 누구도 아직 확실한 후보가 아니었고, 그의 기반을 침범하지는 않았지만 각자 장점이 많았으며, 선거운동 운영을 조직하는 면에서 오바마를 앞서갔다.

하인스는 전에도 연방의원에 출마한 적이 있으며 아버지의 정치적 연대를 등에 입고 있었다. 헐은 선거운동에 아낌없이 쓸 수 있는 개인 재산이 수천만 달러나 되었다. 치코는 이미 상당한 자금을 모금했고 선거운동 단체를 모집하는 등 벌써 앞서 나가고 있었다. 또한 시카고 북부 지역 교외의 민주당 대의원 잔 샤코프스키(Jan Schakowsky)가 거론되고 있었는데 그는 이미 호반의 오바마에 대한 지지 구역을 침범하고 있었다.

오바마는 라이트 목사에게 "나도 벌써 일을 시작해야 했다. 하지만 캐럴 모즐리 브라운은 출마 여부를 밝히지 않고 있고 난 흑인 여성을 상대하여 출마하고 싶지는 않다. 만약 그녀가 출마하면, 난 포기하겠다. 그녀가 출마를 결정할 때까지 아무 입장도 표명하지 않겠다."고 했다.

그러나 그 회동에서 라이트는 오바마가 워싱턴에서 있었던 흑인의원 총회에 대해 큰 실망을 한 것에 더욱 놀랐다. 라이트는 오바마가 정치 세계에 대해 얼마나 순진하며 이상적인 생각을 갖고 있었는지 다시 한번 알게 되었다. 그 회의는 오바마가 상상한 그런 회의가 아니었고, 시카고의 유일한 흑인 시장 해롤드 워싱턴의 전 조언자였던 라이트가 알고 있던 지저분한 사람들의 모임이었다.

"그는 지지를 얻고 누가 그를 후원할 것인지를 알아내기 위해 거길 갔는데 거긴 단지 매춘이 범람하는 인육시장임을 알았다." 인터뷰에서 라이트는 크게 웃으며 "거기서 사람들은 '만약 내 지지를 얻고 싶으면 내 방으로 들어와라. 당신이 결혼했는지 아닌지는 상관없다. 당신 아내와 이혼하라고 하지 않을 테니 단지 그냥 들어와라.'고 그에게 말했다. 많은 여자들이 그를 유혹했다. 그는 크게 놀랐다. 심각한 사항을 들고 연방 상원의원 출마를 논의하기 위해 갔지만 그들은 오로지 여자에 관해서만 얘기했다. 나는 '정신차려, 버락. 주말에 간 흑인 의원 총회에서 얻은 단 한 가지라도 있다면 내게 말해 봐. 그건 단지 동창모임이며 술과 여자가 있는 끊임없는 파티일 뿐이다. 그게 전부다. 당신은 그런 자리에 가서 심각한 주제를 제기하고 지지를 얻으려고 한 것이다.' 그는 몹시 좌절하여 돌아왔고 나는 '그가 과연 앞으로의 일을 잘 해나갈 수 있을까'라고 생각했다."고 말했다.

몇 달 후, 모즐리 브라운은 여전히 불분명한 입장을 취하고 있었고 오바마는 매년 그랬듯이 그의 고향 하와이로 크리스마스 휴가를 떠났다. 모즐리 브라운의 입후보 가능성에 크게 낙심하여 오바마는 호놀룰루 도심에서 동남쪽 해안으로 길게 뻗어진 15분 거리의 한 모래사장에서 휴식을 취했다. 이 모래사장에서 오바마는 유년 시절을 보냈고 아무 생각 없이 고등학교 시절을 지냈다. 파도타기도 하고 맥주도 마시며 그들에게 관심을 가지는 여대생인 듯한 여자들과도 어울렸던 바로 그 해변이었다. 그때처럼 오바마 뒤에 나무로 뒤덮인 오아후 섬이 있고 그 앞에는 그때처럼 태평양의 큰 파도가 부서지고 있지만 이젠 마흔한 살의 일리노이 주 상원의원이 되어 그의 미래를 응시하고 있었다.

이 순간, 오바마의 야망이 또 그를 괴롭혔다. 그는 이제까지 그가 했던 힘든 일이 허사로 돌아갈까 매우 두려웠다. 시카고 최남부의 빈민을 돕고자 계획하고 실행했던 힘든 시절과 수지도 맞지 않는 인권변호를 위해 유망한 법률가로서의 경력을 포기했던 결정들, 일리노이 주 총회에서 소수당의 어려움에 갈등했던 시절, 선거운동 기간 동안 헌신적인 아내와 귀중한 두 딸을 두고 밤낮으로 멀리 출장 다녔던 시절에 대해 그러한 희생으로 그와 세상은 무엇을 얻었나 하고 생각했다. 이번 크리스마스에 오바마의 밝은 미래가 또 한 번 파도 속에 부서지는 듯했다. 갑자기 세상에서 가장 강력한 의회에 자리를 얻으려는 그의 원대한 꿈이 단지 몽상에 지나지 않는 것처럼 보였다.

사회에 나온 후 항상 자신에 차 있던 오바마는 처음으로 깊은 두려움을 느꼈다. 그는 자신의 정치 인생이 "장대한 꿈을 가진 또 하나의 재능 있는 흑인이 꺼져 가다가 대중에서 사라졌다."식의 스토리로 막을 내릴까 무서웠다. 더욱 두려운 것은 "이 이야기가 오바마 아버지의 이루지 못한 꿈과 너무 비슷하다."라는 것이었다.

그러나 오바마는 곧 미셸과 함께 바닷가에서 물장구치며 놀고 있는 어린 두 딸을 바라보았다. 그들은 매우 즐겁고 행복해 보였다. 오바마는 그의 꿈을 다시 한 번 생각하고 그가 의원이나 시장이 될 운명이 아닌 것 같아 다시 심사숙고하기로 했다. 오바마는 "나는 자라면서 한 번도 정치가가 될 것이라고 생각해 본 적이 없다. 이것은 나의 지방단체 조직 과정에서 생긴, 결과물로 얻어진, 부수적으로 발생한 것일 뿐이다. 만약 일이 잘 안 된다 하더라도 괜찮다. 아이들이 있고 나는 정치와 사적인 야망이 전부가 아니라고 되새기면 된다. 거기에는 더 큰 문제들이 있는 것이다."라고 말했다.

원대한 정치적 꿈은 일어난 적이 없다고 다짐해야겠다고 마음먹고 있을 때 오바마는 야망에 다시 불을 지피는 전화 한 통을 받았다. 그때 그는 아직 하와이에 있었는데 전화 내용은 모즐리 브라운이 상원의원 출마를 포기하고 대신 다른 곳의 회장직을 찾는다는 것이었다. 오바마는 즉시 그가 무엇을 해야 하는지 깨닫고는 데이비드 액슬로드에게 전화를 걸었다.

제12장

참모
12

데이비드는 전성기였다. 그는 무도회에서 최고 주인공이었다. 모든 사람들이 그를 원했고 모든 사람들이 그에게 관심을 가졌다.
　 – 컨설턴트 데이비드 액슬로드에 관하여 어느 일리노이 정치 로비스트가

일리노이에서 유권자들이 투표를 하기 약 2년 전, 그리고 오바마가 연방 상원의원에 출마하기로 최종 결정을 내리기 수개월 전, 연방 상원의원이 되기 위한 버락 오바마의 선거운동 중 가장 중요한 사건이 일어났다. 굉장한 존경을 받고 있던 정치 컨설턴트인 데이비드 액슬로드와 연방 상원의원 자리에 눈독을 들이던 정치 초년생인 백만장자 블래어 헐과의 너무나 이상한 회담이 열린 것이다.

액슬로드는 헐과 토론을 한 후에 오바마의 선거운동을 돕기로 했고, 그로 인해 오바마의 경선을 위한 힘이 재정비되었으며 무명이었던 상태에서 벗어나 그는 즉시 강력한 후보로 부상했다. 마케팅 전문가인 액슬로드가 없었다면 오바마가 민주당 예비선거에서 이길 수 없었을지도 모른다. 그리고 오바마가 승리를 했다 하더라도 워싱턴에 들어가기도 전에 전국적 스타가 되며 놀라운 방법으로 승리하지는 못했을 것이다. 오바마에게는 성공을 위한 숨겨진 재능이 있었다. 그러나 그 재능을 현재의 모습으로 단련하고 주물러 오바마를 일리노이 유권자들에게 널리

12장 참모 | 203

알린 사람은 광고 에이전트이자 코치인 액슬로드였다. 오바마는 2003년과 2004년 선거운동 기간과 그 이후에도 액슬로드에게 굉장히 많이 의지했다. 오바마가 잠시 짬을 내어 전화를 하고 있을 때는 액슬로드와 논의하기 위한 통화가 대부분이었다. 액슬로드는 그의 살인적 정치 활동으로 '액스(Ax; 도끼)'라고 불렸다. 오바마는 액슬로드의 조언과 지혜를 구하기 위해 밤낮으로 시간에 관계없이, 하루에 세 번 또 네 번 그에게 전화를 걸었다.

액슬로드는 일리노이에서 개인 컨설턴트로 여러 번의 선거운동을 치러내면서 유명해졌다. 그는 전직 《시카고 트리뷴》의 기자였는데, 일리노이에서 의원직에 출마하는 민주당 의원들을 위한 연설과 대중매체를 담당하는 탁월한 컨설턴트로 이름을 날렸다. 그의 특기는 후보의 장점만을 강조한 텔레비전 광고를 제작하는 것이었는데 정치광고 분야에선 아무도 그를 능가하지 못했다. 뉴욕 토박이인 액슬로드는 쉰 살에 가까운 나이에 키가 큰 사람이다. 그는 숱이 많고 조금 하얗게 센 콧수염을 갖고 있었고 머리는 약간 벗겨졌으며 자세는 구부정하여 밑으로 처져 있는 눈이 더욱 슬퍼 보였다. 그는 날카로운 유머 감각을 지니고 있었다. 그러나 날카롭게 재치 있는 말을 건네면서도 자신은 거의 웃지 않았다.

《시카고 트리뷴》에 선거운동에 대한 기사를 다룰 때마다, 나는 시카고 도심 한복판에 높게 서있는 콘도미니엄에서 아내 수잔과 함께 살고 있는 액슬로드와 한두 번은 아침식사를 했다. 액슬로드는 그의 아내를 대학 시절 농구경기 때 만났다. 그들과의 만남은 '기삿거리와 기자'와의 관계로 상호 유익한 만남이었다. 나는 경선에 대한 그의 생각을 취재하고자 노력한 반면 그는 나를 이용해 그의 후보에 대한 메시지를 전하여 영향력 있는 《시카고 트리뷴》에 좋은 기사가 실리도록 애썼다.

덥수룩한 모습의 액슬로드는 어김없이 미팅 시간 20분 정도 후에 도착했다. 그는 보통 야구모자를 눌러쓰고 구겨진 운동복을 입었는데 일하는 동안 그 옷을 갈아입지 않았다. 한 아침식사에서, 그는 손바닥으로 눈을 심하게 누르고 비비면서 그가 요즘 잠을 잘 못자는 수면장애를 겪고 있다고 말해 주었다. 그래서 나는 액슬로드의 무서울 정도로 빈틈 없는 정치적 계산이 일하는 동안은 물론 잠자는 동안에도 계속되고 있다고 생각했다. 그의 칠칠맞은 식습관은 그를 잘 알고 있는 사람들 사이에선 농담거리가 되고 있다. 오바마는 그의 식습관을 가장 잘 아는 사람이다.

2004년 오바마의 상원 예비선거 동안, 나는 액슬로드와 아침식사를 했는데 그는 처음부터 끝까지 그의 의뢰인, 즉 오바마의 잠정적 스타파워에 관하여 열렬하게 이야기했다. 그러나 그가 오바마의 미덕에 대하여 찬양을 계속할 때, 나는 더욱 끝없이 이어지는 이 긴 시간 동안 그의 오믈렛에 있던 노란 치즈의 끈적한 실이 콧수염에서 그의 접시에까지 어떻게 끊어지지 않고 이어지는지, 또 그가 어떻게 그것을 알아채지 못하는지에 정신이 팔렸다.

액슬로드는 시카고 시장 리처드 M. 데일리, 일리노이 주 민주당 대변인 램 에마뉴엘(Rahm Emanuel), 코네티컷 주 상원의원 크리스토퍼 도드(Christopher Dodd) 외 민주당의 많은 사람을 위해, 미국 전역에 걸친 대중매체에 대한 전략을 다루었다. 처음으로 그는 2004년 존 에드워즈(John Edwards) 연방 상원의원의 대통령 선거운동을 위한 미디어 책임자를 맡았지만 에드워즈의 고문과 언쟁을 벌인 후 그 일을 그만두었다. 액슬로드는 그 선거운동에 대하여 깊이 말하기를 원치 않았는데, "이유가 어찌됐건, 존 에드워즈는 자신의 일을 매듭지어야 한다. 그 후 보는 유권자들과의 일을 매듭지어야만 한다."고 말했다.

시카고 거리의 마구잡이식 정치에서 잔뼈가 굵은 액슬로드는 대도시의 인종들 틈에서 그 특기를 발전시켰다. 그는 특히 약간의 백인 지지가 필수적인 광역구에서 출마하는 흑인 후보자들을 돕는 데 능수능란했는데 클리블랜드 시장 마이클 화이트(Michael White)와 매사추세츠 주지사 드벌 패트릭(Deval Patrick) 등이 그들이었다. 그는 후보자 인생에서 가장 감동적인 이야기를 활용하여 대중이 기억할 수 있도록 선거광고를 만드는 특별한 재능이 있었다. 예술적인 재능도 있었지만 액슬로드는 또한 부정적이고 급소를 찌르는 선거운동도 마다하지 않았다. 그와 선거운동에서 맞붙은 적이 있는 공화당 전략가 에드 롤링스(Ed Rollins)는 '다시는 맞붙어 싸우고 싶지 않은 사람'의 명단에 액슬로드의 이름을 맨 위에 올려놓았다.

액슬로드는 아홉 살 때 처음 정치와 관련된 일을 했다. 한 조숙한 친구가 뉴욕에서 로버트 케네디의 연방 상원 선거운동 선전물을 그에게 건넨 것이 시초였다. 그는 겸연쩍게 웃으며 "난 무작정 나가서 그 일을 하고 싶었다. 그래서 거기로 가서 자원봉사자로 일했다. 난 별난 아이였다."고 말했다. 그의 어머니는 신문기자 출신으로 뉴욕의 한 광고회사에 소속된 포커스 그룹(focus group ; 여론 반응 조사를 위해 표적 시장에서 추출한 소수의 소비자 그룹)을 운영했다. 러시아 이민자인 그의 아버지는 심리학자였는데 그의 영향으로 액슬로드는 스포츠광이 되었다. 그는 악명 높은 반(反)유태인 운동을 극복하고 전국 야구 명예의 전당에 입성한 위대한 타자 행크 그린버그(Hank Greenberg)의 아마추어 팀 동료였으며, 훌륭한 야구선수였다. 야구 장학금으로 롱아일랜드 대학(Long Island University)에 입학한 그의 아버지는 미술과 철학을 공부하고 후에 심리학으로 전공을 바꾸었다. 그의 부모님은 액슬로드가 어렸을 적에 이혼했다. 그들은 모두 정치에 관심이 많았고 '전형적인 뉴욕

좌파'였다. 이러한 부모님의 정치 철학은 오늘날 액슬로드에게 여전히 남아 있다. 그는 불같은 성격의 좌익 이상주의자이자 달변가, 높은 연봉을 받는 전략가이다. 그는 항상 선의를 위하여 정치를 이용해야 한다고 설득력 있게 말했기 때문에, 그가 실제로는 이런 생각을 믿지 않는다는 것을 상상할 수 없을 정도였다.

반면에 액슬로드의 가장 오랜 의뢰인 중의 한 사람은 데일리 시장인데 그는 미국 전체에서도 대적할 수 없는 막강한 도당집단(미국 특유의 정당기구로 의원에 선출되어 있지 않은 정당 소속자의 집단)의 도움으로 시카고 지역에 군림해 왔다. 데일리의 정치 조직이 시청에 만연한 불법 취업의 배후세력으로 연방 부정부패 조사회의 감시를 받게 되자, 액슬로드는 서명이 들어간 논평과 텔레비전 광고로 데일리 시장을 옹호했다. 그는 이것은 도덕적 모순이라며 데일리의 전반적인 업적은 그가 진정으로 사랑하는 도시를 위해 화합과 개발을 이룬 것이라고 설명했다.

액슬로드는 가족 내에서 두 번의 비극을 겪었다. 그래서 나는 항상 그가 우울해 보인다고 느꼈는지도 모른다. 그의 아버지는 액슬로드가 대학 재학 중 자살했다. 그리고 세 명의 자녀 중 하나뿐인 딸은 간질병을 앓는 장애인이 되었다.

여러 해 동안 액슬로드는 그 아버지의 죽음을 인정하지 않았다. 내가 그 주제를 꺼낼 때마다 그는 교묘하게 피했고 난 더 이상 묻지 않았다. 그러나 2006년, 액슬로드는 마침내 체념하고 그것을 받아들였다. 그는 《시카고 트리뷴》에 그의 아버지가 앓아왔던 만성적 우울증에 대해 감동적인 칼럼을 기고했다. "아버지는 자신의 걱정이나 근심 등을 나에게 말하지 않았고 다른 어떤 사람과도 나누지 않았다고 확신한다. 장례식에서 그의 환자들 중 몇몇이 나에게 아버지가 자신들을 살렸다고 말했다. 하지만 아버지는 자기 자신을 위해서는 어떤 도움도 청하지 않았다. 우울증은 성격 장애나 자제심 부족이 아니라 하나의 질병이다. 나도 알고 있다. 내가 가장 사랑하고 존경한 사람이 자살했다고 입 밖에 내는 데 30년 이상이 걸렸다."

액슬로드는 시카고 대학에서 정치학을 공부하기 위해 시카고로 돌아왔고 그 학교를 졸업했다. 《시카고 트리뷴》에서 경찰, 법정, 살인 등 밤에 일어나는 사건 사고를 취재하는 자신을 보며 그는 자신이 어머니의 직업을 따르고 있다는 것을 깨달았다. 그는 정치담당 기자가 되었는데 시카고 시장 제인 번을 맡아서 1979년 선거운동에 대한 기사를 쓰게 되었다. 액슬로드의 보도는 번에게 대역전의 승리를 안겨 주고 첫 여성 시장이 되게 한 원동력이 되었다. 하지만 그녀가 선거에서 승리한 후, 액슬로드는 기자의 의무에 충실하기 위하여 그녀가 어긴 선거 규정을 일일이 기록했고, 결국 그녀의 이미지를 개혁가에서 문제 많은 정치인으로 바꿔 버렸다. 액슬로드는 거짓말이 난무하는 세계에서, 전달자 역할을 하는 대중매체가 어떻게 작동하고 있는지 너무 잘 알고 있었다. 미디어는 하루아침에 후보를 의원이 되게 할 수도 있고 또 그 다음날 그 의원직에서 물러나게 할 수도 있다. 정치가들을 올려놨다 내려놨다 할 수 있는 것이다.

신문들의 방향이 '사명감'에서 벗어나 '기업화'하고 있는 것을 절실히 느끼고 액슬로드는 1984년 《시카고 트리뷴》에서 사퇴했다. 그는 향수에 젖어 《시카고 트리뷴》에 있을 당시 기자생활에 대해 말했다. "그때는 사명감을 갖고 보도하는 것이, 일의 전부였다. 그때는 정말 일하는 것이 신이 났다."고 그는 회상했다. 해롤드 워싱턴의 역사적 시장 출마를 다루기 위해 액슬로드는 사명감을 갖고 최선을 다했다. 그 당시 시카고는 인종에 대한 적대감이 팽배했다. 액슬로드는 워싱턴의 경력이 큰 장애물에 부딪히자 사명감을 접고 《시카고 트리뷴》에서 사퇴했다. 그는 그의 앞에 줄 선 경력이 많은 기자들과 편집인들과는 상당히 다른 생각을 갖고 있었다.

신문사를 떠나자마자, 액슬로드는 헌신성과 성실함으로 액슬로드에 영감을 준 대변인 폴 사이먼의 연방 상원 선거운동을 성공적으로 이끌기 위해, 홍보담당자들을 고용했다. 그는 직원들을 재정비한 후, 그 안경 끼고 나비 넥타이를 맨, 인기 있는 민주당 의원, 즉 폴 사이먼의 선거운동을 공동 관리하게 되었다. 20대의 나이에 액슬로드는 신문기자에서 하루아침에 주요 연방 상원 선거운동을 감독하는 사람이 된 것이다. 사이먼의 선거운동에서 액슬로드는 또 다른 젊은 시카고 전략가와 영원한 우정관계를 맺었다. 그는 건방지고, 활기차며, 추진력이 좋은 램 에마뉴엘이다. 램은 빌 클린턴의 백악관 최고 보좌관이 되었고 연방 상원에서 민주당을 이끌게 되었다. 거침없는 에마뉴엘은 2005년 민주당이 하원을 차지하는 데 큰 몫을 했다.

액슬로드가 정치 컨설턴트를 위해 신문사를 그만 두었을 때, 그는 대중매체와의 연락망과 시카고 문화에서 정치와 신문들이 어떻게 깊이 뒤엉켜 있는지에 대한 정보와 이러한 정보를 대중매체 컨설팅 사업에 어떻게 유리하게 사용해야 하는지에 대한 정보들을 미리 정리했다. 그의 컨설팅 사업은 20년이 지난 지금도 번창하고 있고 그의 최고 고객은 지금 물론 오바마다. 액슬로드와 블래어 헐 사이의 회의는 2002년에 이루어졌는데 라스베가스(Las Vegas)의 직업 도박사였고 월 스트리트(Wall Street)에서 증권 거래로 어마어마한 재산을 모은 헐은 그의 개인사를 액슬로드에게 대략 설명해 주기 위해 그 자리를 마련하게 되었다.

헐은 연방 상원의원 자리를 차지하기 위해 수천만 달러를 쓸 용의가 있었고 그는 액슬로드가 그 선거운동에 참여해 주길 바랐다. 액슬로드는 작건 크건 간에 후보가 지니고 있는 재능을 찾아내고 분석하여 메시지로 정성 들여 만들고 그 메시지가 호소력 있는 광고가 되게 잘 다듬는 것으로 유명했다. 하지만 전직 《시카고 트리뷴》기자였던 만큼 그는 값으로 따질 수 없는 비밀스런 내부 관계를 이용해, 시카고의 상류 대중매체와 거래를 제의했다. 그는 시카고 지역에 있는 막강한 《시카고 트리뷴》의 기자들은 물론, 어떠한 정치 기자나 신문 편집장들도 거의 부르지 않았고, 즉시 기자회견도 열지 않았다. 액슬로드는 시카고와 기타 도시 전역에 있던 기자들을 하나하나 발굴해 냈다. (사실은 나도 그렇게 발굴된 기자였다.) 그는 원래 《시카고 트리뷴》을 그만둘 때, 《시카고 트리뷴》 편집장 앤 마리 리핀스키(Ann Marie Lipinski)와 편집위원회 편집장 브루스 돌드(Bruce Dold)와 편하게 이름만 부르는 막역한 사이였다. 그는 연례 행사로 12월 연휴 파티를 열었고 거기에 거의 비슷한 수의 기자들과 정치인들이 참석했다. 그래서 2004년 연방 상원의원 경선 출마를 심각하게 고려 중이던 후보들 모두는 그들이 고용할 대중매체 조언자 중 가장 첫 번째로 액슬로드를 꼽았다. 영향력 있는 일리노이 정치 로비스트 중 한 명은 "데이비드 액슬로드는 전성기였다. 그는 연회장에서 최고 주인공이었다. 모든 사람들이 그를 원했고 모든 사람들이 그에게 관심을 가졌다."며 그때를 회상했다.

고문 자리에 앉아, 액슬로드는 직원을 선출할 때 굉장한 입김을 넣는 위치에 있게 되었다. 어느 누구도 액슬로드보다 더 날카롭게 주 전체나 시카고 도심 지역의 인구통계 및 정치적 상황에 대해 파악하지 못했다. 그는 정치적 지형과 그곳에 살고 있는 사람들에 대해 잘 알고 있었다. 후보들은 액슬로드의 지휘 아래 명철하고 철저한 정치 마인드로 무장되었고 그 때문에 치열한 경쟁에서 유리한 고지를 차지하게 되었다.

인정사정없는 가혹한 정치 선거운동에서 쉴 새 없이 공격을 가하는 액슬로드와 같은 사람에게 헐은 선택된 고용주였다. 헐은 수십억 달러에 달하는 엄청난 재산으로 즉각 전국적인 관심거리가 되었을 뿐 아니라 선거운동 기금을 위해서 무제한적인 자금을 제공했기에 떠돌이 정치 일꾼들에게도 매우 중요한 인물이었다. 헐은 의원직을 차지하기 위해서라면 수천만 달러도 쓸 수 있다고 약속했다. 그리고 무엇보다도, 그는 정치의 신참내기였으므로 그의 직원들은 기자에게 무슨 이야기를 해야 하는지부터 얼마나 자주 텔레비전 광고를 해야 하는지에 이르기까지 거의 모든 분야에서 마음대로 그를 휘둘렀다. 예를 들어 그의 선거운동 책임자는 연봉으로 15만 달러를 요구했는데 그것은 연방의원 선거운동 책임자가 받는 최상의 금액이었다. 헐은 터무니없이 많은 돈을 쏟아내는 은행 금고였다. 액슬로드는 "그는 모든 사람들의 식권이었다."라고 비유했다.

액슬로드는 한때 헐처럼 처음으로 후보에 출마하는 재력이 풍부한 사람과 계약을 맺은 경험이 있었다. 1992년 알 호펠드(Al Hofeld)가 일리노이의 연방 상원의원 앨런 딕슨(Alan Dixon)을 겨냥하여 민주당 후보로 출마했다가 낙선했을 때, 그 백만장자 변호사 호펠드의 상임 고문이 바로 액슬로드였다. 그래서 2004년 연방 상원의원 경선이 시작되었을 때, 액슬로드는 헐을 맨 처음 눈여겨보았다. 액슬로드가 기억하기로는 그는 헐과 2002년 상반기에 두 번 이상 만난 적이 있었다. 헐은 액슬로드에게 이미 워싱턴에 기반을 둔 대중매체 컨설턴트로 유명한 애니타 던(Anita Dunn)을 고용했다고 했다. 그러나 액슬로드의 말을 인용하면, 헐은 만약 그가 자기를 도와주면 던이 받는 연봉의 두 배를 지급하겠다고 약속했다고 한다. 액슬로드는 "내가 버락 오바마를 위해 예비선거와 본선거 모두에서 일하고 벌 수 있는 것보다 헐의 예비선거 단 한 번을 통해 훨씬 많은 돈을 벌 수 있었다."라고 했다.

여전히 괴팍스런 헐 때문에 액슬로드와 헐과의 회동은 한 번도 제대로 이루어진 적이 없었다. 가장 중요한 사실은, 액슬로드는 그 회동을 통해 헐의 성격에 대해 이상한 점을 발견했으며, 정치적 재능이 턱없이 부족하다는 점을 감지한 것이었다. 대화 도중, 액슬로드는 헐의 과거 결함들이 그에게 불리하게 작용할지도 모른다는 우려를 나타내었지만 헐은 알아듣지 못했다. 그 후 몇 번 더 계속된 회동에서, 액슬로드는 향후 그의 최후 고용주인 버락 오바마에게 승리의 결정타를 안겨 준 헐의 더럽고 지극히 사적인 과거사를 알게 되었다.

민주당 내 여러 그룹 내에서는 헐의 이혼 문제가 굉장히 지저분했고, 그 내용이 무엇인지는 알려지지 않았지만 그의 전 부인이 그에 대해 소송을 걸었다는 소문이 파다했다. 그리고 헐이 과거 알코올 중독에 걸린 적이 있다는 소문도 정계에 퍼져 있었다. 이러한 갖가지 소문을 듣고, 액슬로드는 헐의 입후보에 복잡한 문제가 있다고 생각했다. 만약 이러한 소문이 사실이라면 헐은 불길에 휩싸이는 것이며, 특히 이러한 사실을 무마할 홍보가 완벽하게 이루어지지 않는다면 그것은 자살 행위였다.

그래서 액슬로드는 그 소문에 대해 단호하게 자세히 물었다. 그는 자신이 헐과 계약하게 된다면 어떤 소용돌이를 견뎌내야 하는지 정확히 알고 싶었고 헐이 사실로 드러난 이 소문들에 어떻게 대처해서 대중 속으로 다시 스며들 수 있는지 알고 싶었다. 액슬로드가 자신의 팀에 참가하는 것이 중요하다는 것을 깨닫고 헐은 이러한 문제들을 그에게 털어놓기로 마음먹었다. 헐은 그가 과거에 실제로 마약을 한 적이 있었고 알코올 중독으로 재활치료를 받았으며 전 부인이 신체적, 정신적 학대를 당했다고 자신을 소송했다고 시인했다.

그러나 놀랍게도 액슬로드가 전 부인의 학대 소송에 대해 더 자세히 파고들자, 헐이 답변했는데 그 직후 두 사람 관계는 끝나 버렸다. 액슬로드는 헐에게 "알다시피 난 이런 것들을 들었다. 그것들이 사실인지 아닌지 모르겠지만 난 그것의 사실 여부를 알아야 한다."고 설명했고 그 백만장자는 액슬로드가 나중에 표현한 바로 '얼음같이 차가운' 얼굴로 그를 쳐다보며 "그것에 대한 서류가 없다."라고 단순히 말했다.

액슬로드는 "그래서 난 '이건 내가 진정으로 원하는 대답이 결코 아니다.'라고 생각했다. 그는 냉정한 사람이다. 그래서 마침내 난 그가 이러한 문제를 가지고 예비선거에서 결코 이길 수 없다는 결론을 내렸다. 난 그에게 이 문제에 대해서 오랫동안, 그리고 심사숙고하라고 조언했다. 왜냐하면 이런 문제는 항상 불거져 나오기 때문이었다. 이것은 내가 그와의 대화 도중 알아낸 것이어서 어떤 면에서는 내가 그 정보를 독점하고 있는 것같이 느껴져 너무 이상했다. 모든 문제를 알고 있었지만 그를 상대로 이것을 이용할 수는 없었다."라고 회상했다.그럼에도 불구하고 만약 액슬로드가 2004년 연방 상원 경선에서 어떤 일을 하고자 한다면, 그는 그를 고용할 또 다른 민주당 의원을 찾아야만 했다.

2002년 하와이로 정기 휴가를 떠나기 두 달 정도 전, 오바마는 수백 명의 반전주의자들을 상대로 미국의 이라크 침공을 명백히 반대하는 연설을 했는데, 이것은 오늘날 최고의 연설로 꼽히고 있다. 미국의 군사 작전이 몇 달 후에 있을 예정이었지만 그것에 반대하는 분위기가 특히 연방의회 민주당 내 진보파 사이에서 조성되고 있었다. 여전히 9·11 테러리스트의 공격이 있은 지 1년밖에 지나지 않았기 때문에 유권자들 사이에서 부시 대통령의 지지율이 매우 높게 나타났다. 투표 결과, 대부분의 미국 시민들은 만약 미국이 국제 외교 정책상 이라크를 공격하기로 결정을 내리면 그를 지지할 것이 분명했다.

여전히 연방 상원의원 입후보를 발표하지 않은 상태에서 몇 달 동안 오바마는 그의 가장 강한 두 지지 기반인 시카고의 이른바 호숫가의 진보주의자들과 흑인들의 지지를 얻을 방법을 조용히 연구하고 있었다. 시카고 도심의 반전(反戰) 모임의 리더는 베틸루 샐츠먼으로 그녀는 오바마를 10년 넘게 지지해 오던 시카고 호숫가의 상류층 사람들 중의 하나였는데, 강경파 진보주의자였다. 이 당시 일흔 살 초반이었던 샐츠먼은 키가 매우 작은 여자로 시카고 지역의 건축업자 필립 클루츠닉(Philip Klutznick)의 딸이었다. 필립 클루츠닉은 프랭클린 델라노 루스벨트(Franklin Delano Roosevelt)와 존 F. 케네디, 지미 카터(Jimmy Carter) 행정부에서 높은 직위에 있었던 사람이었다.

클루츠닉의 딸로서 샐츠먼은 정치적 활동에 자연스레 뛰어들게 되었다. 그녀는 케네디에 패배한 1962년 민주당 대통령 후보로 일리노이 상원의원 아들라이 스티븐슨의 연설에 감동받아, 1968년 시카고에서 열린 민주당 전당대회에서 베트남 전쟁을 반대하는 대통령 후보인 유진 매카시(Eugene McCarthy)를 위해 일했다. 하지만 그녀의 가장 큰 정치적 활동은 4년 동안 시카고에 기반을 둔 폴 사이먼 연방 상원의원을 위해 일한 것이었다. 사이먼을 위해 일하고 있는 동안, 샐츠먼은 사이먼의 중요한 정치 전략가들과 친밀한 관계를 유지했는데 그 중의 한 사람이 그 당시 사이먼의 첫 번째 연방 상원 선거운동을 공동 관리하던 액슬로드였다. 이 두 사람은 거의 매일 전화 통화를 하여 정치적 소문들과 시카고 불스(Chicago Bulls) 농구팀에 관한 이야기를 나누었다. 2002년까지, 샐츠먼은 그녀 자신의 재산뿐만 아니라 정치인을 지원하는 큰손들의 막대한 자금을 관리하는 시카고의 중요한 자금공급책이었다.

오바마가 하버드 대학을 졸업하고 인권 변호 관련 일을 하기 위해 시카고로 왔을 때인 1992년 그녀는 오바마를 처음 만났다. 샐츠먼은 빌 클린턴의 선거운동을 위해 자원봉사하고 있었고, 오바마가 클린턴의 시카고 선거운동 본부에 잠시 들렀을 당시 그녀는 유권자 단체를 모으고 있었다. 샐츠먼은 그를 보자마자 오바마의 절제된 외모에 넋을 잃었다. 그녀는 "그가 사무실로 들어왔다. 그는 말을 잘했을 뿐만 아니라 표현하는 방법이 매우 훌륭했다. 그는 한 번도 출마를 해본 적이 없었지만 능숙한 정치인이 갖고 있는 모든 면을 갖추고 있었다."라고 말했다.

샐츠먼과 오바마는 오랜 기간 정치적 우정을 나누었고 그녀는 오바마가 일리노이 주의원에 출마했을 때 많은 도움을 주었다. 내가 샐츠먼과 오바마에 관하여 인터뷰했을 때, 그녀가 그에게서 일반 정치인들과는 다른 점을 느꼈음을 확신했다. 아들라이 스티븐슨의 연설에 감동받은 것을 언급하자, 샐츠먼은 오바마로부터도 그와 같은, 아니 그보다 더한 감동을 받았다고 말했다. 그녀는 오바마에 대해 "그가 말할 때, 그건 마치 마술 같았다."고 말했고 실제로도 마술에 홀린 듯 보였다.

그래서 샐츠먼이 2002년 10월말, 반전 모임을 위한 연설자들을 모집하고 있을 때, 그녀는 오바마가 떠올랐다. 오바마와 대화하면서 그녀는 그가 이라크 침공을 지지하지 않는다는 것을 알았고 그녀는 그 모임에 참가해 달라고 오바마에게 전화를 걸었다. 아직 연방 상원 출마를 발표하지 않고 있었던 오바마는 즉시 회답을 하지는 않았지만 샐츠먼에게 곰곰이 생각해 보겠다고 했다. 그것은 잠정적 상원의원으로서 내릴 중대한 결정 중의 하나였다. 그가 이라크 전쟁이라는 가능성에 대해 대중의 편을 들 것인가? 오바마는 그 당시 그의 정치 고문이었던 쇼몬에게 상의했고 쇼몬은 만약 샐츠먼이 오바마에게 연설을 하라고 부탁한다면 거절할 수 없을 것이라며 이 문제가 그렇게 간단한 일이 아니라고 말했다. 게다가 오바마는 그의 연방 상원 선거운동 팀에 액슬로드를 끌어들이려 노력하고 있었다. 만약 오바마가 그녀에게 액슬로드를 그의 선거운동에 참여하게 해달라고 부탁하려면 그녀를 실망시켜서는 안 되었다.

그래서 오바마는 연설을 수락했다. 그러나 쇼몬은 오바마에게 "무슨 말을 하든지 거기에는 정치적 파장이 내재되어 있다."며 조심하라고 경고했다.

쇼몬의 말대로 오바마의 정치적 미래를 내다볼 때, 이번 결정의 중요성이 과소 평가되어서는 안 되는 일이었다. 특히 다음과 같은 사항을 고려할 때 더욱 중요한 것이었다. "오바마는 연방 민주당 의원들의 도움을 받고자 정치적 계산하에 임박한 전쟁에 반대하는 결정을 내렸다. 같은 시기에, 연방 상원의원들은 비슷한 정치적 계산으로 부시 대통령에게 이라크 침공 권한을 부여할지 심사숙고하고 있다. 대통령 출마 야망이 있는 힐러리 클린턴(Hillary Clinton), 존 케리, 존 에드워즈 의원 등은 오바마와 반대 의견을 갖고 있다." 몇 년이 지나자, 정치에 반대하는 정치적 계산은 맞아 떨어졌고 그로 인해 오바마는 그가 상상할 수도 없을 정도로 민주당 내에서 급부상했다. 한편 부시에게 이라크 침공 권한을 부여한 세 명의 의원들은 정치 경력에 커다란 타격을 받았다.

오바마는 그 모임이 열리기 이틀 전 샐스먼에게 전화를 걸어 그가 참가할 것이라고 말했고 집에 가서 하루 만에 직접 그 연설문을 작성했다. 오바마는 즉흥 연설에 대한 소질이 있었으므로 많은 연설에서 연설문을 거의 사용하지 않았다. 그러나 그때는 연설에서 단어 선택이 매우 중요하다는 쇼몬의 강력한 충고를 받아들였다. 그는 "나는 이것이 중요한 문제에 대한 중요한 연설문이라는 것을 알고 있었다. 그래서 오해의 소지가 발생하지 않도록 조심했다. 나는 이 문제에 대하여 진심으로 느끼고 있는 것을 정확히 표현하고자 했다. 다행히 내가 그 이라크 침공에 대하여 진심으로 믿고 있던 것을 정확하게 말했기 때문에 오해의 소지에서 벗어났다."고 했다. 인터뷰에서 오바마가 이 사실을 나에게 말했을 때 흥미로운 사실을 발견했다. 이 연설문을 잘 분석해 보면, 오바마는 정치를 불신한다는 논리로 이 연설을 했다는 것을 알 수 있다. 이 것은 대부분의 정치인들이 최소한 공개적으로는 인정하기 싫은 부분이 다. 오바마는 명확하게는 아니었지만 이 점을 피력했다.

비록 주로 평화주의자들이 참가한 그룹을 위해 이 연설을 했지만, 오 바마는 "자신은 모든 경우에 대하여 전쟁을 반대하는 것은 아니다."라 고 말하며 연설문을 시작했다. 이 방법은 오바마가 연방 상원 선거운동 중 많이 사용하던 방법으로 그는 항상 청중의 견해와는 완전히 일치하 지 않는 의견을 제시하며 연설을 시작했다. 제3자의 입장에서 보면, 이 것은 굉장한 감동력이 있다. 왜냐하면 처음엔 청중을 선동하지 않는 것 처럼 보이지만 결국에는 그가 믿는 것을 확신시켜 주기 때문이다.

연설을 하는 동안 내내, 오바마는 이라크 무력 침공에 반대하는 이론 적 설명을 하는 사이 사이에 "나는 모든 전쟁을 반대하는 것은 아니다." 라는 후렴절을 사용했다.

내가 반대하는 것은 바보 같은 전쟁이다. 내가 반대하는 것은 무분별한 전쟁이다. 내가 반대하는 것은 우리 목구멍에 그들의 이론적 협의 사항 을 억지로 밀어 넣으며 국민의 희생과 고난의 대가는 개의치도 않는 이 행정부의 리처드 펄(Richard Perle), 폴 월포위츠(Paul Wolfowitz), 다른 탁상공론자들, 예비군 관리자들이 세운 냉소적 계획이다. 내가 반대하 는 것은 우리로 하여금 불안함, 가난 그리고 어려운 가계, 즉 대공황 이 후 가장 최악의 달을 겪은 증권 시장 및 기업 스캔들로부터 빠져 나오 지 못하게 하는 칼 로브(Karl Rove)처럼 보수를 목적으로 하는 정치인 들의 어리석은 기획이다. 그게 바로 내가 반대하는 것이다. 바보 같은 전쟁, 무모한 전쟁, 이유 없이 감정에 근거한 전쟁, 원리 없이 정치에 근 거한 전쟁을 내가 반대하는 것이다.

2007년까지 그는 연설에서 어느 정도 미래를 예언했다. 오바마는 미국의 점령이 "막연히 길어지고, 막대한 비용이 들며, 예측불허의 결과를 초래할 수 있다."고 경고했다. 그는 국제 사회의 적극적 지지가 없는 침공은 중동의 상황을 더욱 악화시킬 수 있으며 아랍 세계를 자극하고 알 카에다(Al-Queda) 무장 세력을 강화시켜 결국 최악의 사태를 일으킬 수 있다고 확신한다고 연설했다.

　　미래를 예언한 또 다른 시나리오는 다음과 같은 것이었다. 쇼문은 오바마가 무슨 주장을 하든 그 속에 정치적 파장이 숨어 있다고 예언했다. 오바마에게 이러한 파장은 긍정적이었다. 이제까지 오바마는 이라크 전쟁이 혼란을 초래하고 수 천 명의 미군과 이라크군이 사망할 것이라고 현실에서 도출한 예언적 내용으로 논리를 전개했다. 실제로 그러한 일이 발생하기 전 오바마는 연설을 통해 강력하게, 공개적으로 이라크 전쟁을 반대했다. 전쟁이 길어질수록 국민 대다수는 점점 이러한 방향으로 움직일 것이고 결과적으로 연방의회에서 대통령에게 침공 권한을 부여해 준 민주당과 공화당의 정치 자금력을 극도로 악화시킬 것이다. 전쟁이 일어나기 전, 이 연설로 오바마는 2004년 연방 상원 경선에서 유일하게, 2008년 대통령 후보 경쟁에서 민주당 최고의원으로 유일하게, 전쟁에 강력히 반대하는 후보가 되었다. 2006년 중반, 보스턴에서의 기조연설과 상원의원으로서 수많은 주옥같은 연설을 한 후, 오바마는 나에게 이것이 그가 썼던 연설문 중 최고이며 가장 용기가 필요했던 연설이라 가장 애착이 간다고 말했다.

　　그것은 내가 가장 자랑스럽게 여기는 연설이다. 가장 하기 어려웠던 연설이었다. 왜냐하면 연설에서 미국 연방 상원과 정치인들을 이해하기 어렵다고 공표할 예정이었기 때문이다. 부시 대통령은 65퍼센트의 지지를 받고 있었다. 사람들은 이것이 첫 번째 전쟁인 걸프전처럼 끝나게 될지 아닌지 알 수 없었고 갑자기 모든 사람들이 돌아와 환호하고 있었다. 내가 연설을 할 때조차, 그 당시 내가 알고 있었던 것은 이 전쟁이 엄청나게 성공적이어야 하며 재빨리 끝내야 한다는 군사적인 측면이었다. 나는 미군이 재빨리 그곳을 강타해야 한다는 것을 믿어 의심치 않았다. 그것은 잘 짜인 연설문이었다. 나는 특히 첫 부분이 마음에 든다. 왜냐하면 거긴 음조(音調)가 있다. 다시 말하면 여느 전형적인 반전(反戰) 연설문과는 다른 것이었다.

2003년 후반, 오바마는 시아파와 수니파 사이의 종교 분쟁을 정확히 예언했다. 시아파와 수니파는 미국이 이라크 침공으로 마침내 점령한 이슬람교 종파다. 그리고 그는 만약 그가 그 당시 상원의원이었다면 부시 대통령에 이라크 침공 권한을 부여하는 의결 사항에 반대 투표를 했을 것이라고 말했다. 왜냐하면 그는 미국이 종교 분쟁을 부추기고 가까운 장래에 중동을 수렁으로 빠뜨릴 것이라는 두려움이 있었기 때문이다. 이 연설을 한 후, 그는 마침내 2004년 연방 상원 선거를 시작했고 정당하게 후보로서 가장 먼저, 가장 크게 소리 높여 전쟁에 대해 자신의 의견을 제시했다. 그리고 2008년 대통령 후보 경선을 시작했을 때, 그는 오랜 이라크 전쟁에서 발생한 미군의 유혈 참사에 지친 유권자들에게 자신의 큰 매력으로 이러한 예측을 활용했다.

그러한 전쟁 의결 사항에 찬성 투표를 한 민주당 의원들이 결국 그들의 선택에 대한 쓰라린 정치적 대가를 치르게 된 것처럼, 오바마도 이라크 전쟁에 대해 강력히 반대 입장을 표명함으로써 좋은 대가를 얻게 되었다. 아마 여기에 정치인들이 배워야 할 교훈이 있는 듯하다. 오바마가 말한 대로, 가끔은 자신이 진심으로 믿는 것을 말하는 것이 장기적으로 유익할 수 있다.

　모즐리 브라운이 연방 상원 경선을 포기하여, 오바마는 그의 입후보를 자유롭고 분명하게 발표할 수 있었다. 그리하여 2003년 1월 21일, 시카고 도심에 있는 한 호텔에서 게리 치코에 이어 두 번째로 입후보를 선언했다. 그의 발표는 압도적이지는 않았지만 진지한 반응을 얻었다. 그는 함께 카드 놀이를 즐기는 일리노이 상원의원팀, 일리노이 잭슨 주니어 외 12명의 정평 있는 민주당 의원 단체를 소집하여 공화당 현직 의원 피터 피츠제럴드에 대해 "상원의원 자리를 차지하고 그 이후로 일리노이 주민들을 배반했다."며 설득력 있게 공격했다.

　그때 이미, 액슬로드는 오바마를 정식으로 돕고 있었다. 그 경선은 오바마, 하인스, 헐 그리고 치코 등 네 명 사이의 무한 경쟁으로 가시화되고 있었다. 이 무렵, 치코는 어델스타인을 해고했고 액슬로드는 여전히 그의 여러 선택 사항들을 저울질하고 있었다. 헐은 과거 이혼 문제와 알코올 중독 문제가 있었는데 액슬로드는 이것으로 헐이 결국 입후보 자격이 박탈될 것이라고 생각했다. 액슬로드는 하인스를 도운 적이 있었지만 그는 시카고 남서부 지역의 하인스의 가족 중심 정치 활동에는 결코 적응하지 못했다. 반면 그와 오바마의 우정은 몇 년을 거슬러 올라갔다. 뿐만 아니라, 그 일리노이 주 검사관은 그의 단체를 가족이 운영하기를 원하여 그의 선거운동 담당자로 동생인 매트(Matt)를 고용했다.

　그러한 점 때문에 액슬로드는 오바마를 선택했고 공교롭게도 그는 과거 상원 경선을 염두에 두고 언젠가는 시카고 시장 출마를 하겠다며 벼르고 있던 오바마에게 조언을 한 적이 있었다. 아무튼 오바마의 열성팬인 베틸루 샐츠먼의 끈질긴 설득으로, 액슬로드는 오바마의 정치 기반인 흑인 유권자들과 진보주의 유권자들을 결합하고 거기서 더 나아가 경선에서 승리하기 위한 오바마의 선거에 더욱 전념하게 되었다. 액슬로드는 또한 오바마와 지역단체 활동가, 하버드 로스쿨학술지 편집장, 주의원으로서의 그의 경력이 중요한 유권자, 즉 승인권을 손에 쥐고 있는 신문사 편집장들에게 좋은 작용을 할 것이라는 것을 알고 있었다. 오바마에게서 액슬로드는 자연적인 재능, 엄청난 추진력을 느꼈고 특히 힐의 개인 문제들이 불거진 것을 틈타 승리할 수 있다는 확신을 갖고 있었다.

액슬로드는 "나의 동참은 신념의 도약이었다. 버락은 선거운동 초반 동안 후보로서의 총명함을 보여 주었다. 그러나 거기에는 상상할 수 없는 고난의 시간이 있었다. 그의 연설들은 매우 이론적이고 지적이며 아주 길었다. 하지만 난 버락 오바마를 워싱턴으로 가게 돕는 것이 내 인생에서 가장 위대한 업적을 이루는 것이라고 생각했다."고 말했다.

후보로서 오바마의 결점을 극복하기 위해, 액슬로드는 다음과 같은 두 가지를 했다. 그는 오바마에게 단지 정책보다는 사람들과 그들의 이야기에 대하여 좀 더 생각해 보라고 권유하고 오바마의 가장 가까운 참모인 미셸 오바마에게도 그의 조언이 매우 중요하다는 것을 강조했다. 또 그는 오바마에게 그 전에 만났던 사람들 혹은 경선 동안 만날 사람들을 떠올려 그들의 인생사를 현실에 반영하고 그의 연설에 좀 더 휴머니즘을 부여하라고 말했다.

액슬로드는 "고전적 의미에서, 그는 그가 만난 사람들의 보호 속에서 성장했고 그들의 일상적인 문제와 염려들을 내면화하고, 무엇이 완전한 것인지를 깨달았다고 생각했다. 그는 항상 그것을 생각하여 시간이 갈수록 훨씬 더 나은 후보가 되었다. 그의 학습 성과는 뛰어났다. 하버드 대학을 졸업한 후 그는 더 나은 후보가 되었다."고 말했다.

이 성숙 과정은 많은 훌륭한 정치가들이 겪은 과정과 다르지 않다. 언급했듯이, 존 F. 케네디는 서툰 연설가였고 그의 정치 경력 초반에는 가장 환영받지 못한 사람이었다. 그러나 선거운동 기간 중 주위 참모들의 조언과 스스로 얻은 관찰력으로, 케네디는 연설을 잘하는 위대한 대통령 중 한 명이 되었고 이 분야에서 최고의 자리를 차지하는 정치인이 되었다. 미셸의 영향에 대해 말하자면, 오바마는 다른 그 누구도 아니며 액슬로드조차도 아닌 그녀의 조언에 가장 귀를 기울인다. 그는 "그녀는 나와 공모자이다."라고 말했다.

제13장

선거의 요소

버락은 흑인이다!

– 미셸 오바마

2003년 1월 민주당이 일리노이 주의회의 주도권을 장악하게 되자 오바마는 연방의회의 후보로 출마하기에 더할 나위 없이 좋은 기회를 맞게 되었다. 오바바와 평소 긴밀한 관계를 유지하고 있던 주 상원의장인 에밀 존스 주니어의 지원으로 오바마의 지위는 일개 평의원에서 촉망받는 의원으로 급상승했다. 오바마는 존스에게 자신의 연방의원 입후보가 존스 자신의 정치적 역량 증대에도 도움을 가져다줄 수 있다며 자신의 입후보를 지지해 달라고 호소했다. 오바마는 존스에게 "알다시피 당신의 권력은 대단하다. 당신의 도움이라면 누구라도 연방의원이 될 수 있다."라고 말했고 이에 대해 존스는 "좋은 생각이다. 누구 생각나는 사람이 있는가?"라고 오바마에게 물었다. 오바마는 바로 자기 자신이라고 대답했다.

실제로 2003년부터 2004년까지 존스는 주의회에서 상당히 많은 중요한 법안을 그에게 제시해 주었고 이로 인하여 오바마는 상원에서 잘 활동할 수 있었다. 이러한 밀접한 관계 덕에 오마마는 의회가 곤란한 문제에 당면했을 때 중립적 입장에 있거나 조용히 자리를 지킬 수 있었다. 그러나 무엇보다 중요한 것은, 그러한 관계로 인하여 오바마는 전국적인 선거운동을 효과적으로 운영하는 데 중요한 전략적 도움을 받을 수 있었다. 존스가 계획해 놓은 의회 스케줄에 따라서 오바마는 더 이상 공화당의 지도권에 휘둘리지 않았다. 그것은 의회에서 표결을 하고 회의 스케줄을 행사하는 데 있어서 더 이상 오바마가 힘없는 의원이 아니라는 것을 의미한다. 만약 오바마가 선거운동을 시작하고, 토론에 참석하거나 자금 마련 행사를 열고자 한다면, 이제 오바마는 존스에게 그 기간 동안 중요한 표결 회의 스케줄을 짜지 말아달라고 말할 수 있게 된 것이다.

존스의 후원 결과, 의회에서 2년 이상 오바마는 거의 800여 개의 법안을 상정했고 새로운 민주당 주지사 로드 블라고예비치(Rod Blagojevich)는 그 중 208개 법안을 승인하여 법률화했다. 오바마는 이러한 많은 법안으로 연방의회 선거운동을 도와줄 주요 민주당 지지 유권자들 – 노조연합 – 의 지지를 이끌어 낼 수 있었다. 예를 들면 오바마는 부시 행정부에서 제정한 잔업근무 제한을 금지하는 법안을 후원했고 가난한 근로자를 위한 근로 소득 공제를 확대하는 법안을 후원했다. 오바마의 정치 경력을 더욱 향상시키는 것 외에도, 이 많은 법안은 사회에서 가장 연약한 사람들, 즉 어린이, 노인, 가난한 사람 등을 돕기 위하여 민주당 정책에 대한 정치력 확대에 그가 얼마나 헌신하고 있는지를 말해 준다. 오바마는 "다수당에 속한다는 것은 정말 중요하다. 내가 성취하고자 원하는 것들과 내가 갖고 있는 억눌린 생각들을 성취할 수 있기 때문이다. 다수당에 속한다는 것은 나에게 자신감을 주었다. 이것이 내가 하고 싶은 정치 중의 하나이고 내가 정치를 하는 이유 중 하나이다. 이것은 입법과 관련하여 내가 무엇을 할 수 있는지를 알았기 때문에 왜 정치가 중요한지를 깨닫게 해 주었다."고 말했다.

2003년 초반, 연방 상원의원 자리를 위한 일리노이 주 민주당 내 경선은 거의 마무리가 되었고 놀랍게도 강력한 후보자가 없었다. 그래서 오바마는 더욱 그가 이길 수 있다는 생각을 하게 되었다. 몇 달 후 경선은 2004년 3월로 결정되었는데, 오바마 외에 일곱 명의 경쟁자가 나서게 되었으며, 이 가운데 다섯 명은 주니어(Junior) 상원의원 자리를 노리는 것 같아 보였다. 민주당 딕 더빈(Dick Durbin)은 시니어(Senior) 상원의원직에 있었다.

예상되는 첫 번째 주자는 댄 하인스였는데 그는 일리노이 주 검사관으로 일리노이 주 선거에 참여하여 승리한 유일한 후보였다. 그것은 유권자들은 그에게 투표하지 않았다 해도 최소한 그의 이름을 투표용지에서 한 번이라도 봤다는 것을 의미한다. 1999년 처음 당선되었을 때 그는 일리노이 주 역사상 가장 나이 어린 검사관이었고 대부분 그의 측근들은 그를 실제보다 더 연륜 있고 정치적으로 경험이 많은 사람으로 인식했다. 비록 30대 후반이었지만 하인스는 관자놀이 부분에 흰머리가 있었고 심각한 얼굴을 하고 있어서 더욱 성숙한 느낌이 들었다. 그는 그 분야에서 상당한 정치적 경력이 있는 듯했다. 그의 아버지인 토머스 하인스(Thomas Hynes)는 일리노이 주 상원의원장을 역임했고 여전히 시카고 남서부 지역에 있는 한 구역에서 큰 정치적 영향력을 행사하고 있었다.

시카고 지역에서는 아일랜드 출신 정치가 데일리가 가장 유력했고 일리노이 주 하원의원 대변인 마이클 매디건(Michael Madigan)이 그 지역에서 두 번째로 유력했다. 그리고 논란이 있었지만 하인스가 세 번째로 유력한 후보였다. 그 다음을 잇는 연방 상원의원 출마자는 블래어 헐로 그는 선거운동으로 3,000만 달러를 쓰겠다고 공약한 증권 거래인이었다. 그 밖에는 데일리 시장의 전 최고 참모이자 시카고 교육위원장을 역임한 게리 치코, 쿡 카운티 재무국의 마리아 파파스(Maria Pappas)가 있었다. 그리고 그 경선에 출마하는 다른 두 명으로는 의료보험 컨설턴트인 조이스 워싱턴(Joyce Washington)과 자유분방한 발언으로 유명한 라디오 진행자인 낸시 스키너(Nancy Skinner)가 있었는데 이들은 선거 방해자 같은 인상을 주었다.

2003년 초반 댄 쇼몬은 시카고 중심의 상업 구역에 있는 방 두 개짜리 작은 사무실에서 오바마의 선거운동 운영을 총괄했다. 그러나 쇼몬은 이듬해에 있을 연방의원 선거운동에는 참여하고 싶어 하지 않았다. 기진맥진한 그는 오바마에게 직무를 시작하는 것을 도울 수는 있지만 장기간 선거운동을 관리할 사람을 봄까지는 찾아야 할 것이라고 말했다. 쇼몬은 자기가 오바마의 승리를 믿지 않는 것은 아니지만 더 이상 또 다른 힘든 선거운동에 관여하고 싶지 않다고 설명했다. 오바마는 그의 인생에서 이토록 중요한 시점에 쇼몬이 어떻게 그를 저버릴 수 있는지 이해할 수 없다며 화를 냈다. 쇼몬은 오바마에게 "이 연방의원은 당신 것이지 나의 것이 아니다. 내 인생 방향은 다르다."고 대답했다. 그러나 오바마는 여전히 배신당한 기분이 들었다. 이 두 사람은 이후 몇 달 동안 그리고 몇 년 동안 자주 대화했지만 이전의 밀접했던 관계로 회복되지 않았다. 어렸을 때부터 특별한 사람으로 여겨진 오바마였지만 혼자 남겨지는 것에는 익숙하지 못했다.

오바마의 선거운동 활동이 곧 물러날 선거운동 책임자 때문에 정체되고 있던 반면, 베틸루 샐츠먼은 열심히 일을 하고 있었다. 그녀는 자금 모금 담당자들을 모으고 액슬로드에게 그의 수중에 떠오르는 샛별인 오바마가 있다며 진심을 다해 열심히 그를 설득했다. 액슬로드는 미소를 지으며 "그녀가 마술같이 그 일을 해냈다."로 말했다. 그래서 액슬로드는 전적으로 오바마의 선거운동에 참여하게 되었고 그는 다이렉트 메일(direct mail; 집이나 가정에 직접 발송되는 우편물) 운영을 위해 피트 지안그레코(Pete Giangreco)를 불러들였다. 지안그레코는 에번스턴 (Evanston) 외곽에 위치한 전략 그룹(Strategy Group)의 선임 파트너였고 미국 전체에서 가장 유능한 정치 우편 전문가 가운데 하나이다. 이 선거기간 중에 그는 존 에드워즈의 대통령 선거운동을 겨냥한 우편물을 다루었다. 또한 그는 2002년 로드 블라고예비치의 주지사 선거전을 성공적으로 이끈 중요한 참모였고 일리노이 주 전체 선거운동에 정통했다. 그리하여 액슬로드와 지안그레코의 도움을 등에 업고, 오바마는 일리노이 주에서 대중매체와 다이렉트 메일에 대한 최고 능력자와 함께 일하게 되었다. 그들이 워싱턴에 위치한 최고의 여론 조사가인 폴 할스테드(Paul Harsted)와 협력하자마자, 오바마는 갑자기 가공할 만한 후보자가 되었다. 이제 그에게 필요한 것은 직원들이었다.

첫 번째 전임 고용인은 네이트 타마린(Nate Tamarin)으로 그는 지안그레코의 전략 그룹에서 추천한 시카고의 한 노동조합 연합 활동가의 아들로 서른 살 정도된 사람이었다. 오바마가 시카고의 성 패트릭의 날 (St. Patrick's day) 기념 정기 퍼레이드에 참가하기 이틀 전인 3월, 타마린은 선거운동 부책임자로 선거운동에 합류하게 되었다. 정치인들은 시카고 도심에서 열리는 퍼레이드는 절대 놓치지 않는다. 그것은 많은 관중들과 텔레비전 카메라 앞에서 우쭐대며 앉아 있을 수 있는, 준비된 기회였다. 선거운동의 강세를 가장 잘 나타내 주는 면은 종종 퍼레이드에서 차나 풍선 등에 후보들이 어디 앉아 있는지를 보면 알 수 있다. 그 차나 풍선에서 가장 앞쪽에 앉은 사람이 가장 권위가 있는 후보이거나 현직 정치인이다. 타마린은 그가 막 합류한 선거운동이 과연 어떤 것인지 궁금해 했을 수도 있다. 하인스가 여섯 명 중 맨 처음이었으며 오바마가 맨 마지막이었기 때문이다.

봄이 지나도록, 오바마 팀에는 여전히 전임 책임자가 없었고 액슬로드는 어찌할 바를 모르고 이리저리 방법을 찾고 있었다. 그는 백인이 우세한 지역에서 흑인 후보를 위해 뛸 유능하고 경험 많은 사람이 필요했다. 그는 새롭게 흑인 시장이 선출된 지역이자 다양한 민족과 문화가 공존하는 뉴저지(New Jersey), 저지(Jersey) 시의 선거전 전략을 참고하고 따르기로 했다. 그 흑인 후보의 선거운동 책임자는 짐 컬리(Jim Cauley)로 그는 놀랍게도 미국에서 단일 인종 지역 가운데 하나인 켄터키(Kentucky)의 애팔래치안(Appalachian) 구역 출신이었다.

액슬로드는 컬리와 함께 일한 적이 있었는데 이 둘은 마틴 오말리(Martin O'Malley) 볼티모어(Baltimore) 시장 선거운동을 성공적으로 이끌었다. 액슬로드는 컬리가 도시 지역에서의 선거전에 어떤 비결이 있을 것이라고 생각했다. 컬리는 당시 30대 중반이었지만 경험이 많은 정치 일꾼이었다. 그는 오말리의 선거운동과 두 번의 주의원 선거운동에 참여했고 민주당 연방의원 선거운동 위원회(Democratic Congressional Camoaign Committee; DCCC)를 위해 일한 적이 있었다. 그 당시 컬리는 DCCC에서 안정적인 일을 하고 있었지만 매일매일 사무실에서 일하며 따분해 하고 있었고 그 결과 선거운동에 대한 사기가 저하되었다. 그래서 액슬로드는 컬리를 불렀다. 하지만 대부분의 사람들이 그랬던 것처럼 컬리도 버락 오바마란 이름에 대하여 회의적으로 반응했다.

그러나 그는 오바마가 그의 첫 번째 주의원 선거에서 50만 달러의 자금을 모았다는 것을 알고 깊은 인상을 받았다. 그뿐만 아니라 컬리는 액슬로드를 최고 선수로 생각했기 때문에 그가 오바마를 보증한다면 쳐다볼 가치가 있다고 생각했다. 액슬로드는 "그냥 시카고로 와서 오바마를 만나라. 그리고 내가 보고 있는 것이 보이는지 알아보아라. 만약 그것이 보이지 않는다면 수고할 필요가 없다."라고 말했다. 그래서 컬리는 시카고로 날아와 그곳에서 유명한 미시간 애버뉴(Michigan Avenue)에서 오바마와 점심을 먹게 되었다. 컬리는 6월의 시카고가 무척 인상 깊었다. 하지만 그는 액슬로드가 오바마에게서 보았다는 것을 보지 못했다. 컬리는 "그들은 방이 두 개인 작은 사무실에서 일하고 있었다. 솔직히 말하면 그것은 연방의회 선거운동이 아니라 주의회 선거운동같이 보였다. 그러나 영향력 있는 많은 사람들이 나에게 그 일을 하라고 말했고 나는 그들의 의견을 존중하여 하겠다고 대답했다."고 말했다. 여전히 컬리는 약간의 의구심을 갖고 오바마의 선거운동에 동참했다. 공인회계사이며 수년 동안 켄터키 민주당 정치에 관여해 온 컬리의 아버지조차, 컬리가 버락 오바마란 이름의 후보자 일에 왜 관여를 하고 있는지 궁금해 했다. 컬리의 아버지는 그에게 "이 사람에 대해 정말로 곰곰이 생각해 본 적이 있니?"라고 물었을 정도였다.

컬리는 오바마의 선거운동 책임자로서 다른 사람들이 기대하고 있는 사람과는 정반대였다. 약간 머리가 벗겨지고 배가 나온 그는 켄터키식 가정교육이 몸에 밴 사람이었다. 그의 말씨는 굵고, 남부 사투리가 있었으며 꾸밈없고 직선적이었다. 그의 직선적인 성격, 정치 문제에 대한 무관심과 세부 사항에 대한 주의는 오바마의 크고 철학적인 비전과 대립되었다. 컬리는 로즈 장학생(Rhodes Scholar)이 되기를 요구받지 않았고, 그는 그의 역할이 무엇인지 알고 있었다. 그는 오바마를 도와서 자금을 모으고 직원들과 자원봉사자들을 고용하고 정비하여 선거일에 오바마의 유권자들을 모으면 되는 것이었다. 컬리는 "누군가는 시간에 맞춰 기차를 운행해야 하며 돈이 들어오는 것을 확인해야 한다. 그 누군가가 바로 나다."라고 했다.

그가 공식적으로 선거운동 여정에 참여하자 오바마는 그의 두 핵심 유권자들, 즉 흑인들과 진보주의자들을 집결시킬 계획을 세웠다. 주요 진보주의자들 중에서 오바마는 시카고 북부지역의 호반을 대표하는 잔 샤코프스키 대변인의 지지를 확보했다. 그녀는 연방 상원의원 출마를 고려했으나 포기하고 그 대신 오바마를 지지하기로 결정했다. 또한 미국에서 가장 잘 알려진 흑인 지도자 제시 잭슨 시니어(Jesse Jackson Sr.) 목사가 공식적으로 오바마의 선거운동을 지지하게 되었다. 잭슨은 하이드 파크에 본부를 둔 레인보우/푸시(Rainbow/PUSH) 단체장이었고 수년 동안 오바마의 비공식적 고문이었다. 다음은 미셸이 시카고 흑인 네트워크에서 오바마가 환심을 살 수 있게 도운 한 예이다. 미셸은 시카고 남부 지역에서 자라는 동안 잭슨의 딸인 재클린(Jacqueline)과 친구였다. 청소년으로서 미셸은 어린 제시 주니어를 돌봐 주기도 했다.

턱없이 부족한 지지를 만회하기 위해 오바마는 흑인 지역에 가장 적극적인 노력을 기울였다. 흑인 지역구는 민주당으로서는 가장 중요한 유권자 지역이다. 왜냐하면 흑인 유권자의 75퍼센트는 민주당을 지지하는 반면 백인 유권자의 민주당 지지율은 45퍼센트에 그치기 때문이다. 일리노이에서 대략 민주당 예비선거 유권자 다섯 명 중 한 명은 흑인이며 오바마가 승리하기 위해서는 선거일에 많은 수의 흑인 유권자가 필요했다. 그리고 흑인의원 총회에서 일부 의원들의 들쑥날쑥한 관계와 바비 러시와의 선거전 때문에 생긴 나쁜 감정을 고려해 볼 때, 오바마에 대한 흑인의 지지는 결코 보증되지 않았다. 실제로 오바마에 대한 러시의 앙심은 전보다 더 심해졌고 러시는 흑인 사이에서 오바마의 이미지를 흐리게 하기 위해 그가 할 수 있는 모든 일을 했다. 러시는 심지어 블래어 헐의 선거운동에 공동 책임자가 되기로 했다. 그뿐만 아니라 연방 상원 선거전에서 오바마의 경쟁자들은 러시 선거전에서 수면

위로 오른 인종 문제를 서슴없이 지적하기로 했다. 이로써 여러 전문가들은 "오바마가 널리 퍼져 있는 흑인 유권자의 지지를 얻을 정도로 충분한 흑인인가?" 하는 질문을 다시 하게 되었다.

《시카고 선 타임스》의 시사 해설가인 로라 워싱턴(Laura Washington)은 이렇게 말했다. "정치인으로서 오바마의 자질은 치명적인 약점을 가지고 있다. 그는 너무 영리하고 너무 내성적이며 일반 흑인들한테는 너무 상류층 같은 면이 있다. 이것은 엉클 리렌드(Uncle Leland)의 문제이다. 그는 말하길 소득이 낮은 노동계층의 흑인들은 오바마가 서민층을 대변하기에 충분하지 않다고 생각한다. 그것은 문화적 현상인 반(反)지성주의의 발로이며 백인 권력구조와 밀접하게 관련이 있는 사람들에 대한 불신의 결과다. 흑인 민족주의자들 중 일부는 '버락은 완전한 흑인이 아니다. 그는 혼혈이며 하이드 파크에서 살고 있고 백인 급진주의자들과 친하므로 믿을 수 없는 사람이다. 그리고 거기에 흑인 기구 민주당이 있다. 그들은 서로 살고자 발버둥 치며 먼저 위로 오르고자 싸울 것이다. 그들은 오바마가 제일 먼저 위에 오르는 걸 원치 않는다.'고 쑥덕거렸다."

연방 상원의원 선거운동 초반에 일반 흑인들과의 유대관계를 확립하고자 적극적인 노력을 했지만, 오바마는 여전히 그들의 지지를 얻거나 혹은 최소한 표를 얻기에는 조금 부족해 보였다. 그는 열심히 노력했다. 흑인들을 상대로 연설할 때, 그는 남부 억양을 사용했고 그의 산문체 연설문 사이에 적절히 흑인 단어인 '얄(y'all)'을 집어넣고 다양한 흑인 자유토론회를 열었다. 그의 문장 운율은 빨라졌다가 느려지고 또 다시 빨라지는 리듬으로 급격히 변했다. 그는 점점 크게 말하고 다시 크게 이야기할 때까지 느린 리듬으로 말했고 그가 지방단체 활동가로 시카고 최남부 지역에 있을 때 만났던 많은 흑인 목사들의 말을 인용하기도 했다. 이런 방법은 어떤 때는 호응을 얻었고 어떤 때는 강요하듯이 보였다.

오바마는 그의 연설이 이렇게 변했다고 설명했다. "내 연설에는 청중들로부터 느낄 수 있는 혹은 어느 청중이라도 느낄 수 있는 특별한 리듬이 있다. 모든 흑인 청중들은 다른 방법으로 반응한다. 그들은 단지 조용히 앉아 있지 않을 것이다. 나는 목사가 아니고 마틴 루터 킹인 척할 수도 없고 그러기도 원치 않는다. 마틴 루터 킹은 시적으로 연설했고 나는 산문적으로 연설한다. 그러나 자신의 청중과 연대하기 위해서는 서로 다른 연설 패턴이 필요하다." 오바마의 측근들은 정통 영어를 구사하던 그의 억양과 말투가 변한 것이 청중을 무시한다고 보이는 것은 아닌지 걱정했다. 오바마의 선거운동 사진작가 데이비드 캐츠(David Katz)는 "그러한 문제가 언급되었지만 대부분의 경우, 그도 어쩔 수 없었을 것이다."라고 말했다.

종종 오바마는 흑인이라는 배경에 너무 열중하곤 했다. 하지만 누구도 그가 흑인 지역에서 끊임없이 선거운동을 했기 때문이라는 것을 부인하지 못했다. 2003년 초반부터 그는 거의 매주 일요일 아침 시카고의 흑인 교회에서 연설했다. 그리고 그 모임 앞에 나서기 전에는 항상 예절을 지키기 위해 노력했고 목사 설교단 옆에 조용히 앉아 있었다. 그리고 항상 자신의 목사인 제러마이어 라이트의 설교를 언급했다. 오바마는 주의원으로서 그와 그가 왜 입후보했는지를 청중에 널리 알리기 위하여 그의 경력과 감동적인 웅변을 활용했다. 그리고 연설이 끝날 즈음에는 그는 항상 청중 대부분의 지지를 이끌어 냈다.

흑인 청중에 대한 오바마의 메시지는 다른 민주당 지지자들에 대한 것과 다르지 않았다. 비록 그 연설에서는 흑인들에게 맞는 단어를 사용했지만 내용은 여느 연설과 마찬가지로 선한 인간성에 대한 희망이 주제였다. 그는 끊임없이 기독교 신념과 시카고 남부 지역에 있는 그의 교회인 삼위일체 연합교회에 대해 언급하며 의원들이나 다른 의사결정자들은 흑인 교회의 가르침을 가장 중요한 지침으로 여겨야 한다고 제안했다. 이러한 흑인을 대상으로 한 연설들에서, 오바마는 한 걸음 더 나아갔다. 그는 자신의 정치적 권력을 일반적 흑인운동이 앞으로 갖게 될 힘으로 연결했다. 2003년 11월 시카고 오스틴(Austin) 지역의 마스 힐 침례교회(Mars Hill Baptist Church)에서 모든 흑인 청중들에게 오바마는 "나는 인종에 근거한 선거운동을 하고 있지 않다. 나는 흑인 사회에 뿌리를 두고 있지만 그것에 제한을 두고 있지 않다. 나는 모든 곳에서 선거운동을 하고 있다. 이제까지 우리가 이뤄 놓은 것을 토대로, 만약 우리가 그것을 계속 유지할 수 있다면 그리고 만약 우리 사회가 다시 일어난다면, 우리는 다시 기회를 잡을 수 있다. 나는 우리가 이길 수 있다고 확신한다. 이 선거운동은 진실, 정직, 내가 교회에서 배운 가치에 기반을 둔 선거운동이다."라고 선언했다.

오바마가 단지 흑인 유권자의 표를 얻기 위한 것에 '제한'을 두지 않고 있다고 주장하는 것은 아무리 강조해도 지나침이 없다. 이러한 감상은 흑인들의 가슴에 파고들었다. 피부 색깔에 '제한' 되지 않고, 평등한 기회가 주어지는, 백인 세상으로부터의 완전히 해방되고자 하는 희망을 나타낸 것이다. 이러한 운동에 자신도 동참하기 위해, 오바마는 자신에게 투표하는 것은 모든 흑인들의 자유를 위해 투표하는 것이며 억압받지 않으려는 흑인들을 위한 투표라고 연설했다.

2004년 1월, 시카고 남부 지역 교외에 위치한 선거운동 사무실 개업식에서, 그는 눈앞의 실망에 연연하지 말고, 흑인 투쟁이라는 고통스러운 생각 때문에 미래에 다가올 가능성에 대한 비전을 포기하지 말라며 흑인 지지자들이 대부분이었던 청중들에게 호소했다. 그가 언급한 미래의 가능성이란 물론 그의 연방 상원의원 선출을 의미했다. 그는 연설문에서 이렇게 말했다.

우리는 단지 우리사회의 젊은이들이 더 높은 교육을 갈망하지 않는다고 짐작하고 있다. 우리는 그들이 학교를 그만 두어도 놀라지 않는다. 우리는 자동적으로 전국 읽기 점수에서 그들의 점수가 2~3등급 낮을 것이라고 짐작한다. 그것은 단지 우리가 예상하고 있는 것이다. 우리는 흑인 청년들이 대학이 아닌 교도소에 더 많이 있다는 것에 별로 놀라지 않는다. 우리는 스물한 살에서 스물네 살의 흑인 젊은이 가운데 50퍼센트가 학교에 가지 않고 직장도 없다는 것에 별로 놀라지 않는다. 그리고 정부에 관해서, 우리는 단지 권력가와 특별한 이익단체들을 위해 게임이 정해졌다고 짐작한다. 우리에게 이 선거운동의 핵심은 용납할 수 없는 것을 더 이상 받아들이지 않고, 빗장을 열고, 새로운 기준을 마련하고, 우리 사회와 우리 정책에서 가능한 것이 무엇인지를 다르게 생각하기 위한 것이다.

이 희망찬 연설과는 달리, 흑인들에게 가장 설득력 있는 논쟁은 그의 감동적인 언어가 아니라 그의 정치적 경력이었다. 오바마는 일리노이 주 상원의원으로 재직하는 동안 구체적으로 수많은 법안을 통과시켜 법률화했는데 이 법안 중 상당수는 흑인들을 위한 것이었다. 오바마는 종종 "나는 그것에 대해 단지 말만 하지는 않는다. 나는 그 길을 걸어온 것뿐이다."라고 연설문에서 반복하여 말하곤 했다. 흑인 청중들 앞에서 오바마는 그가 직접 제안하고 주의회까지 통과하게 한, 흑인 사회에 도움이 되는 모든 법률을 설명했다. 예를 들면 유색인종 차별 관행을 막기 위해 경찰은 잡힌 사람의 인종을 법으로 반드시 기록해야 하는 법안이 있고, 《시카고 트리뷴》의 조사 결과에 따르면 일리노이 주에서 사형 선고를 받은 열두 명 이상의 무고한 사람들 중 모두가 흑인이었다는 점을 감안하여 정부기관에서 범인의 자백을 받을 경우 반드시 비디오를 찍도록 한 법안, 많은 가난한 어린이들이 더욱 많은 보험 혜택을 받을 수 있도록 하는 법안 등이 그것이었다. 마스 힐과 같은 교회에 다니는 흑인들은 이것을 들을 때 오바마의 말에 찬성하여 고개를 끄덕였고, 오바마가 백인의 도구라고 의심하던 생각들도 곧 사라졌다.

흑인 정체성이 부족하다는 주장에 대해 오바마에게 용기를 북돋아준 또 하나의 요인은 바로 그의 아내 미셸이었다. 오바마는 시카고 남부 지역 출신의 흑인 여성과 결혼했다. 그의 주의원 선거운동 때 사무 책임자였던 신시아 밀러(Cynthia Miller)는 오바마가 흑인인가에 대한 질문은 그녀의 흑인 친구들과 아는 사람 사이에서도 있었는데, 그들은 신시아에게 오바마가 흑인 여성과 결혼했는지 백인 여성과 결혼했는지를 끊임없이 물었다고 했다. 밀러는 "그것은 내가 받은 첫 번째 질문이었고 나는 그런 질문을 상당히 많이 받았다."고 말했다. 그녀가 오바마는 흑인 여성과 결혼했다고 대답하면 그에 대한 조심성이 수그러들었고 흑인 여성과 결혼했다는 사실로 오바마는 흑인 사회에서 정당성을 얻은 듯 보였다.

미셸은 오바마가 흑인 자격이 부족하다는 의견에 대하여 오바마를 적극적으로 방어했다. 연방 상원의원 경선 동안 시카고 공영 텔레비전의 오바마 심층 분석 방송에서, 사회자가 오바마는 백인 상류층의 용병으로서 그들에 의해 뽑힌 사람이라고 말하자 미셸은 말 그대로 자리에서 벌떡 일어나 "버락은 흑인이다."며 눈을 부릅뜨고 단호하게 말했다. 나와의 인터뷰에서 그녀는 그런 감정을 더욱 되새기며 왜 그녀가 그렇게 감정적으로 반응했는지에 대해 설명했다. 그녀는 학문적인 성공을 이룬 흑인들과 흑인 문화 내의 일반적 통념을 따르지 않는 흑인들은 종종 배척당할 수 있다고 말하며 그녀도 자라면서 그런 비슷한 문제를 경험한 적이 있다고 했다. 그래서 그녀의 남편이 완전한 흑인이 아니라는 비난은 그녀의 말초신경을 자극했다. 그녀는 다음과 같이 말했다.

전체 문제에 따르는 분노와 좌절은 그 사회 내에서의 도전에 대한 좌절과 같은 것이고 나도 역시 그것을 겪었다. 여기 시카고 남부 지역에 내가 있고, 내가 해야 한다고 생각하는 것들을 하고 있다. 그러나 프린스턴이나 하버드는 특별한 것이다. 우리는 특정한 영어를 사용하고 또래들에게 따돌림을 당하지 않기 위해 스스로 그런 영어를 감추어 버린다. 그런 환경에서 우린 자라났다. 우리 오빠도 그런 것을 경험했고 우리가 어딜 가든 그런 문제를 겪었다. 우리 자신의 사회에서 살아남기 위해 우리의 지성을 감추어야 하는 좌절감이 있다. 그리고 다행히도 나는 이런 것들을 믿지 않는 가족 사이에서 자랐다. 부모님 모두 이런 것을 믿지 않고 이런 것을 조장하지도 않으며 오히려 용기와 지적 대화를 강조했다. 그래서 내가 겪은 것들로부터 교훈을 얻었다. 그래서 버락이 겪고 있는 어떤 것, 즉 그가 흑인이 아니라는 것은 나에게 문젯거리도 아니었다. 관심조차도 없다. 그러나 중요한 것은 여전히 지성 있는 사람이나 인종을 우리 흑인 사회의 특정 사람들 사이에 억지로 밀어 넣는 좌절감이 있다는 것이다. 그리고 그 좌절감은 바로 내가 자라면서 겪어야 했던 바로 그 문제를 다시 상기하게 해 준다는 것이다.

제14장

진짜 거래

나는 어른이 되어서도 이와 같은 목표를 추구해 왔는데 그 목표란 더욱 공정한, 더욱 인정 많은, 다양한 사람들 사이에서 더욱 이해심 많은 미국을 건설하는 것이다.

– 버락 오바마

나는 2003년 11월 추운 가을 아침 연방 상원의원 경선에서 오바마를 처음으로 만났다. 당시에 나는 민주당 내 후보 지명을 위한 경쟁자들을 기사로 다루기로 하고 상위권 후보자인 오바마, 댄 하인스, 게리 치코, 블래어 헐의 분석을 보고하기로 했다. 이때 오바마는 커뮤니케이션 책임자로 팸 스미스(Pam Smith)와 계약했다. 성격이 좋고 항상 웃음을 짓고 있는 스미스는 40대의 나이에 시카고 지역의 대외 홍보 컨설턴트로 활동했지만, 이런 큰 정치에는 다소 경험이 부족했으며 높은 지위의 연방 상원의원 후보를 위한 대변인으로서 수행해야 하는 위압적인 업무에 다소 위축될 수도 있었다. 그녀는 이 선거운동의 중요성을 인지하고 있었고, 오바마는 시카고 지역 유권자들에 대한 간판으로 흑인 여성을 고용해야 하는 중요성을 이해하고 있었다.

그러나 그녀는 오바마를 위한 대변인 역할을 하는 것이 아니라 단지 메시지를 전달하는 역할만을 했다. 그래서 몇 년 전 쇼몬에게 말했던 것처럼 오바마는 대부분 스스로 대중매체를 상대했다. 그는 그의 메시지, 특히 《시카고 트리뷴》 같은 강력한 지역매체를 통해서 그의 이미지를 관리하고자 했다. 나는 스미스에게 시카고 대학에서 오바마가 가르치고 있는 헌법학 강의 중 하나를 청강하고 싶다고 했고, 그 주에 한 강의에 들어가 처음부터 끝까지 청강할 수 있게 되었다.

스미스에게서 받은 강의실 번호를 찾아 오전 8시 50분에 도착했는데, 수업 시작 10분 전임에도 불구하고 학생들은 물론 오바마도 없었다. 나는 몇 번을 스미스에게, 스미스는 오바마에게 전화한 후 마침내 그의 강의가 복도 끝에 있는 강의실에서 열리고 있다는 것을 알아냈다. 정치 선거운동, 특히 선거운동 초반은 대부분의 경우 잘 안 돌아가는 기계 같다. 그것은 대학을 막 졸업한 젊은이들이 아무렇게나 만든 신생회사와도 같다. 그래서 이런 혼란, 특히 아침 9시에 일어난 이런 혼란은 매우 짜증스러웠지만 그리 놀랍지는 않았다.

내가 놀란 것은 이런 혼란에 대처하는 오바마의 자세였다. 그는 내게 사과를 하고 그가 스미스에게 강의실 번호를 잘못 가르쳐 주었다고 했다. 그는 자신의 잘못이라는 것을 강조했다. 그는 "팸을 탓하지 말아 달라. 그건 내 실수다."라고 말했다. 나는 이런 이상한 점이 오히려 신선하게 느껴졌다. 오바마는 그의 참모들이 잘못했다고 쉽게 말할 수 있었지만 스스로 비난을 감수하는 쪽을 선택했다. 정치인들은 실수를 인정하지 않는 것으로 유명하다. 그의 강의실에서 한 의자에 앉아 나는 그가 정직한 것인지, 순진한 것인지 아니면 몇 년 전 가졌던 그의 첫인상을 바꾸려 노력하는지 어떤지 생각했다. 그때 그는 하와이에서 휴가를 즐기느라 참석하지 못한 중요한 일리노이 주 상원의원 투표에 대하여 아픈 아이 때문이었다며 변명한 적이 있었다.

파란색 셔츠를 입고 파란색 타이를 맨 오바마는 5분이 지난 후 성큼 강의실로 들어왔고 이상하게도 나의 존재를 의식하지 않았다. 그래서 나는 얼마나 많은 《시카고 트리뷴》 기자들이 이 강의실에서 청강을 했나 하고 생각할 정도였다. 오바마가 겨울 외투와 남색 양복 윗도리를 벗자 나는 그를 2년 전 기자회견에서 보고 기억했던 것보다 훨씬 말랐다고 생각했다. 그는 천천히 강의실을 돌아다니며 넥타이를 느슨하게 했고 셔츠의 소매를 걷어 올리며 강의를 시작했다. 그가 너무 천천히 밝은 파란색 셔츠의 소매를 걷어 올렸기 때문에 그러한 움직임에 시선을 고정하지 않을 수 없었다. 오바마는 가장 절묘한 방법으로 사람들의 시선을 자신에게 집중시키는 방법을 잘 알고 있었다. 그것은 절제되었지만 그에게는 분명한 자신감이 있었다.

나는 오바마로부터 가장 오른쪽에 앉아 있는 두 명의 흑인 여학생을 보았는데 그들은 노트북 컴퓨터 화면 너머로 오바마를 응시하고 있었다. 그 중 한 명은 분명히 넋을 잃고 있었고 다른 한 명은 약간 매혹되어 있었다. 비록 교수와 사랑에 빠져 있지는 않았지만, 그들은 강의의 주제보다는 오바마의 겉모습에 더 열중하는 듯 보였다. 오바마는 그날 배워야 할 주제들, 즉 인권과 투표권과 관련된 실제 사례들을 분명하고 꼼꼼히 훑어갔다. 그는 일부 학생들에게 질문했지만 결코 무안을 주지는 않았다. 시카고 대학은 엘리트 대학이고 학생들 또한 매우 총명하며 똑똑했다. 그들은 과제를 읽고 최소한 강의에 대한 준비를 한 듯 보였다. 강의가 끝날 즈음, 그 두 흑인 여학생은 오바마에게 다가갔다. 강렬한 시선을 보냈던 한 여학생은 과제에 대해 일반적인 질문을 한 뒤 오바마 앞에서 초조해 하며 안절부절 했다. 오바마는 무관심하게 팔짱을 꼈고 그로 인해 그 여학생은 더 초조해 했다. 나는 웃었다. 만약 오바마가 어떤 종류의 텔레비전 프로그램이나 많은 유권자들의 관심을 끌 선거운동을 한다면, 대학 교육을 받은 흑인 여성의 표가 어디로 갈지 분명하게 보였다.

학생들이 모두 강의실을 뜨자, 오바마는 나에게 다가와 악수를 청했다. 그의 악수는 내가 다른 정치인에게서 기대한 힘 있고 강한 악수가 아니었다. 그는 강의 도중 내 이름을 몇 번 부르려고 했으나 과제를 읽었는지 확실치가 않아 그냥 부르지 않았다고 농담했다. 나는 약간 웃으며 향후 5개월 동안 《시카고 트리뷴》에 민주당 후보들의 선거운동을 다룰 기사를 쓸 것이라고 설명했다. 그리고 커피 한잔 하면서 그 경선에 대해 이야기하자고 제안했다. 그는 "좋은 생각이다."라고 말했고 우리는 복도로 걸어 나왔다. '오바마, 민주당 연방 상원의원'이라고 쓰인 파란색과 흰색이 어우러진 배지(badge)를 책가방에 단 한 학생이 지나갔다. 그 배지는 나에게 그다지 인상적이지 않았다. 그는 대학에서 강의를 하고 있고 이 대학에서 얼마 떨어지지 않은 하이드 파크에 살고 있었기 때문에 많은 수의 대학생들이 그를 지지하고 있었다.

복도 끝에 이르자 외부로 통하는 출입문이 나타났다. 오바마는 나를 향해 "그럼 좋은 하루 보내세요."라고 했고 나는 황당해서 그 자리에 서 있었다. 내가 "같이 커피 한잔 하는 것 아니었나요?"라고 묻자 그는 "그럴 것이다."라고 대답하며 멀리 사라졌다. 나는 어리둥절했지만 나중에 오바마는 그 스스로 일정을 짜는 것에 익숙한 사람이라는 것을 알았다. 그날 《시카고 트리뷴》 기자와 커피 한잔을 기울이는 것은 그의 계획에 없었던 일이었다. 그는 내가 강의실에 올 것이라는 것을 그 전 날 알았지만 그는 완전한 준비 없이는 그러한 만남을 갖지 않는 사람이었다.

나는 오바마가 시카고 남부 지역의 흑인 참전용사들을 위한 연설자중 하나로 연설하고 있을 때 다시 그를 만났다. 그 모임은 야외에서 있었고 오바마는 늦게 도착했다. 나는 직원들을 동반하지 않고 직접 운전하여 온 오바마를 보고 놀랐다. 대부분의 정치인들은, 특히 고위 관리

후보들은 장소를 옮길 때 운전기사를 이용하고 적어도 한 명의 측근을 대동한다. 나중에 내가 체로키 지프 뒤에 있던 오바마에게로 다가가자, 그는 나와 커피 한잔 하겠다고 한 것을 희미하게 기억해 냈다. 그러나 한 흑인이 그의 차를 멈추고 오바마를 격려하기 위해 연방 상원의원 경선이 어떻게 되어가는지를 묻자, 오바마는 "잘되고 있다."고 그에게 대답하며 재빨리 나를 가리키고 "이렇게 지금 《시카고 트리뷴》 기자와 함께 있다."고 했다. 내가 서서히, 그리고 확실히 그에게 도움이 되고 있었다.

오바마의 후보로서의 상품성은 나에게 흥미를 주었지만 정치판에 새로 들어온 백만장자 블레어 헐만큼은 아니었다. 증권 거래인으로서 수십억 달러를 가진 그의 경력은 관심을 끌기에 충분했다. 하지만 그는 라스베가스의 한 도박장에서 블랙잭으로 2만 5,000달러의 판돈을 딴 후 성공적으로 증권 거래 회사를 차려 증권 거래업을 하게 되었다고 했다. 그 뿐만 아니라 알코올 중독, 전 아내와의 문제 등 개인 신상에 대한 소문이 퍼져 나갔고, 이러한 문제들로 액슬로드는 그의 선거운동 참여를 포기하게 되었다. 헐은 오래 전에 선거운동 기구를 마련해 놓았는데, 이 기구는 작은 기업처럼 조직이 잘 짜여 있었다. 지적인 목소리를 가진 비서가 전화응대를 했고 응접실에는 최신 잡지들이 놓여 있었다. 그의 선거운동은 미시간 애버뉴 북쪽의 유명한 쇼핑가 매그니피센트 마일(Magnificent Mile)에서 도보 거리에 위치하고, 복잡한 시카고 도심의 약간 북쪽에 있는 고전적 모양의 건물에서 이루어졌다. 나는 그 응접실에서 헐의 이름이 새겨진 간판이나 배지 또는 스티커를 세어 보았는데 24개 이상이나 되었다. 헐은 자신의 이름에 대한 인지도가 전혀 없는 상태에서 경선에 뛰어들었고 그 선거운동 중 가장 먼저 한 것이 그의 이름을 상표화하는 것이었다. 그는 이미 일리노이 주 전역에 걸쳐 텔레비전 광고를 하고 있었다. 어떠한 특별 이익단체의 신세를 지지 않고 워싱턴을 겨냥하는 문외한으로서, 헐은 워싱턴 정가 엘리트 층의 거물들을 제치고 미국의 의료보험 위기를 해결하려고 했다. 실제로 그의 의료보험 계획은 전국민의 의료보험 가입이었다. 그를 돕는 사람들은 매우 능수능란하며 전문적이었고 헐은 그들과 방송에 제한 없는 금전적 후원을 했다.

나는 헐 선거운동 본부에 전화를 걸어, 농담을 잘하며 평범한 대변인이자 헐의 기자담당 서기관인 짐 오코너(Jim O'conner)라는 사람과 만나자며 연락을 취했다. 나는 헐을 만나기를 원했고 오코너는 승락했다. 하지만 만난 지 몇 주가 지나도 그 회동은 이루어지지 않았다. 오코너는 왜 우리가 만나지 못하는지 계속 변명을 해 댔다. 나중에 나는 헐의 보좌관들이 기자회견을 대비해 몇 달 동안 정치 초년생인 그를 준비시키고 있었다는 것을 알았다.

마침내 11월 말, 오코너, 헐 그리고 나는 점심을 같이 할 수 있었고 헐은 상당히 우호적으로 나를 대했다. 나는 그에게 그의 광고가 아주 잘 만들어졌으며 그 당시 연방 상원의원 경선이 곧 있을 것이라는 것을 알지 못하는 유권자들에게 큰 영향을 줄 것으로 보인다고 말했다. 그러나 나는 한 동료가 헐에 대해 내게 지적한 점을 떠올렸다. 그것은 "블래어 헐의 광고는 매우 훌륭하다. 하지만 비록 내가 그 광고를 수십 번을 보았어도 나중에 그가 어떻게 생겼는지 기억할 수가 없었다."라는 점이었다. 실제로 헐은 얼굴이 평범했고 성격도 특징이 없었다. 그의 존재는 눈에 띄지 않았고 곧 잊혀졌다. 안경을 끼고 흰머리가 있는 헐은 점심식사 내내 미소를 띠고 있었고 작성된 연설문의 내용을 외우고 있는 듯 보였다. 그러나 나는 정치 초년생은 이런 것이라고 생각했다.

나는 또 며칠 후인 12월 8일 월요일 오후 6시에 그의 사무실로부터 기대하지 않았던 전화 한 통을 받았다. 제이슨 어크스(Jason Erkes)라는 사람이 곧 헐의 선거운동에 관한 중요한 발표가 있을 것이라고 말했다. 어크스가 다시 전화를 걸어 자신은 헐의 선거운동 부대변인이며 발표할 자료가 있다고 설명했다. "토요일 저녁 시카고의 토니 골드 코스트(Tony Gold Coast) 부근에 있는 헐의 집 차고에서 젊은 여인이 죽은 채 발견되었다. 아직 그 여자의 신원이 밝혀지지 않았지만 헐의 전 여자 친구의 친한 친구임에 틀림없다. 이 두 여자는 헐이 이사 간 후 이 집에서 살고 있었다. 경찰이 이 사건을 조사 중에 있지만 살인 사건은 아니라고 보고 있다."라는 내용이었다.

나중에 경찰은 차고 안에 있던 그 여자가 고장 난 수영장 히터에서 새어 나온 이산화탄소에 질식사 했다며 이 사건을 마감했다. 그 수영장은 그 차고 위에 있었고 그 여자는 그 차고에서 독가스를 마시고 쓰러져 빠져 나오지 못했던 것이다.

이 사건은 신문지상에 단 하루 동안 기사화되었다. 그러나 예비선거 4개월 전, 블래어 헐의 이상하고 뒤엉킨 개인적인 생활사가 이 사건을 계기로 연방 상원의원 경선에서 이미 화제가 되고 있었다.

헐의 이야기가 터져 나오기 전 주에, 나는 《시카고 트리뷴》에 연방 상원의원 경선에 대한 서문을 작성하고 있었다. 여기서 댄 하인스를 첫 번째 주자로, 그 다음은 블래어 헐, 게리 치코 그리고 막 경선에 참가한 또 다른 후보인 쿡 카운티의 재무관 마리아 파파스를 다뤘다. 그녀는 설명하기 가장 어려운 후보였다. 그녀는 인지도가 높은 별난 사람이었지만 경선에 너무 늦게 참가하여 사람들은 그녀가 정말 진지하게 경선을 고려하는지 아니면 단지 다른 후보를 위한 허수아비 후보인지 궁금해 했다. 나는 그녀와 전화 통화를 한 적이 있는데 그녀와 대화를 나눈 후 더욱 어리둥절해졌다. 그녀는 기이한 성격으로 유명했는데 나와 담소를 나누면서 그녀는 자전거를 타고 인근 지역을 돌아볼 수 있다는 것을 강조했다. 그런 후 그녀는 같이 자전거를 타자며 나를 초대했다. 나는 "지금은 12월이고 이 선거운동은 겨울 내내 이어지고 있다. 일요일 자전거 타기는 다음으로 미루겠다."고 말했다. 처음엔 블래어 헐 그리고 그의 집에서 죽은 젊은 여자, 지금은 12월 시카고에서 함께 자전거를 타자며 고집 부리는 이상한 여인이 있었다. 이번 경선에는 내가 예견했던 것보다 더 많은 인물들이 등장하고 있었다.

《시카고 트리뷴》기사에서 나는 오바마가 시카고의 중요한 선거 구역인 북부 해안의 급진주의자들과 흑인들을 모으고 있다고 언급했다. 이어서 나는 오바마가 흑인 사회에서, 최소한 지금까지는 거의 독점적으로 선거운동을 하고 있다고 기사를 썼다. 나는 한 번도 그와 마주앉아 이야기를 해본 적이 없었기 때문에 오바마의 선거운동에 대하여 제한된 정보만 있었다. 그러므로 이렇게 쓸 수밖에 없었다. 스미스는 나에게 매주 일요일 아침은 흑인 교회에서 보낸다고 말해 주었고 나는 어느 일요일 그를 관찰하기 위해 몇 군데의 교회를 방문했다. 하지만 이런 기사가 나가자, 스미스는 나에게 전화를 걸어 오바마는 흑인 사회보다는 다른 곳에서 더 많은 선거운동을 하며 오바마가 그의 선거운동에 대한 오보에 관하여 개인적으로 나를 만나고 싶어 한다고 했다. 그리고 그날 오후 바로 만날 수 있는지 물어보았다.

오바마의 선거운동 본부는 시카고 도심의 그랜트 파크(Grant Park) 맞은 편 미시간 애버뉴 남쪽에 있는 하얀 질그릇 토기로 지어진 건물의 위층에 자리 잡고 있었다. 나는 그의 개인 사무실로 들어섰고 두 가지에 시선을 고정시켰다. 하나는 어수선한 방이었고 다른 하나는 헤비급

권투선수 무하마드 알리(Muhammad Ali)의 사진을 틀에 넣은 커다란 포스터였다. 이 눈에 띄는 사진은 상대편 선수 소니 리스턴(Sonny Liston)을 때려눕힌 직후 승리를 만끽하는 듯한 이글거리는 눈빛과 오른 주먹을 불끈 쥔 권투선수의 모습을 캔버스에 담고 있었다. 그 유명한 알리의 모습은 그가 책상에 앉아 있을 때 머리 위쪽에 위치하고 있었다. 오바마는 그 그림을 거리의 상인으로부터 샀다고 설명했다. 이것은 선거운동에서 약자가 미소를 띠며 상대방을 부숴 버린다는 것을 은유적으로 표현한 것인가? 나는 웃으며 물었고 그는 미소로 대답했다.

나는 오바마의 책상 앞에 자리를 잡았고 스미스는 내 옆으로 의자를 가져와 앉았다. 나는 오바마가 그의 선거운동에 대해 잘못 기사화했다고 비난할 것이라고 생각하고 마음의 준비를 하고 있었다. 오바마는 대신, "지체 말고 그냥 그렇게 기사를 쓰십시오. 뭐든지 물어 보십시오."라고 말했다. 그것은 엄한 꾸지람이 아니라 인물 소개를 하는 인터뷰였다. 오바마는 확실히 이제서야 《시카고 트리뷴》과 이야기할 준비가 되었고 그런 목적으로 나를 불렀다. 웬일인지 다시 한 번 의사가 잘못 전해진 것이었다. 난 이런 광범위한 토론에 대해서는 완전한 준비를 하지 못했지만 그 후보가 내 앞에 있었기 때문에 그냥 토론을 그대로 진행시켜 나갔다. 30분이 지나도록, 나는 겨우 세 가지 질문만 던졌다. 그는 미리 완벽히 준비했기 때문에 그가 중요하다고 생각하는 주제, 즉 그 자신에 대해서 끝없이 이야기했다. 그는 그의 문장 하나하나를 계산하면서 조용히, 천천히 이야기했다.

실제로 이런 일대일 인터뷰에서 그의 낮은 톤의 목소리와 격의 없는 대화는 연단에서 그가 말하는 형식과는 완전히 달랐다. 개인적인 대화에서 그의 목소리는 아주 낮은 바리톤으로 매우 분명했으며 어떤 경우에는 너무 조용하게 들리기도 했다. 오바마는 시간이 지나면서 수많은 기자들과 인터뷰를 해왔기 때문에, 나는 그날 오바마의 지성과 유창한 웅변술, 헌신적인 이상주의에 깊은 감명을 받았다. 그는 자신이 정치에 입문한 것을 사회 변화의 한 부분으로 생각했다. 그는 진실로 정치인이 아니라 마음이 따뜻한 행동주의자라고 주장했다. 나는 토론하는 동안 여러 가지 그의 인생 경험이 풀어져 나오는 것을 느꼈다. – 하와이에서 행복하고 운이 좋았던 청소년, 듣는 훈련을 한 모험적인 지방 단체 활동가, 하버드 법대에서 경쟁적인 지식인들을 제치고 편집장을 역임한 하버드 법대 졸업자, 시카고의 비열한 정치세계에서 살아남기 위해 노력하는 주의원, 그리고 헌신적인 남편이자 아버지.

나는 정치는 광범위한 목표와 염려들의 연장이자 진행이라고 생각한다. 나는 대학에 다닐 때 이 나라의 사회적 변화를 일으키는 데 조금이라도 기여하고 싶다고 생각했다. 그 사회적 변화 중 일부는 내 가족에게서 배운 가치관에 기본을 둔 것이었고 일부는 미국에서 흑인으로서의 나의 신분에 기본 바탕을 둔 것이다. 그리고 또 다른 일부는 내가 해외에 살면서 배운 것들이며 빈부의 격차가 너무도 극심해서 불의를 참지 못하는 저개발국가에 가족이 있는 것을 통해 배운 것들이다. 그러나 대학 시절에는 그것들을 어떻게 실현해야 하는지 알지 못했다. 그리고 대학 시절 나는 솔직히 정치인들에 대해서는 냉소적이었다. 그래서 다른 정치인의 선거운동에 참여하지 않고 그 반대로 지방 단체를 조직하는 일을 시작하게 된 것이다. 나는 인권운동과 그 인권운동이 평범한 사람을 굉장한 리더로 만드는 것에 많은 영감을 얻었다. 나는 영원한 개혁은 밑에서 위로 향한 것이지 위에서 아래로 가는 것이 아닌 것에 충격을 받았다. 난 성인이 되어 줄곧 이러한 한 가지 목표를 추구했고 이 목표로 공정한, 더욱 인정 많은, 다양한 사람들 사이에서 더욱 이해심이 많은 미국을 건설할 수 있다.

나는 기자로서의 기지를 발휘하여 오바마에게 확실한 대답을 할 수 없을 것 같은 어려운 질문을 던졌다. 그 당시 시카고는 지금 밀레니엄 파크(Millennium Park)라고 불리는 엄청난 규모의 공원을 짓고 있었는데 그 공원은 미시간 애버뉴 남쪽 맞은편에 있던 오바마의 창문에서 바로 볼 수 있는 거리에 있었다. 그 계획은 벌써 완공 목표일을 훨씬 넘기고 있었고 이미 예산을 수십억 달러나 초과하고 있었다. 나는 오바마에게 데일리 시장과의 관계가 어떤지 물었고 그는 좋지만 친한 관계는 아니라고 대답했다. 그래서 나는 오바마에게 이 공원 계획에 대한 생각을 물었다. 이 공원을 짓는 데 드는 수십억 달러를 빈약한 교육 체제를 위해 쓰는 것이 더 현명했었는지 혹은 그의 선거구의 가난한 지역에 대한 경제 개발을 위해 쓰는 것이 더 좋았는지 그의 생각을 알고 싶었다. "그런 공적 자금을 여행자나 상류층을 위한 공원에 사용하는 것이 사회 변화에 무슨 이득이 되는가?"라고 질문하자 오바마는 주춤했고 나는 그가 도심 개발이 필요하고 특히 관광 도시로서 그러한 투자가 필요하다며 정치적 대답을 할 것으로 예상하고 준비하고 있었다.

하지만 그 대신, 오바마는 앞으로 몸을 숙이며 "그것에 내가 무슨 대답을 하길 바라십니까? 만약 내가 진심으로 생각하는 것을 당신에게 말한다면, 난 지금 당신 앞에서 정치적 자살을 하는 것과 같습니다."라고 대답했다. 나는 그의 솔직함에 새로운 기분이 들었다. 그러나 그의 대답은 다른 것을 의미하기도 했다. 비록 그가 양심적인 행동주의자라고 해도 그는 파격적이지 않다. 오히려 사회단체 활동가이며 충실한 사회개혁주의자임에도 불구하고, 연방 상원의원 후보자로서 그는 기존의 정치 질서 내에서 일하고 있는 세련된 직업 정치인이었다. 그리고 진정한 대답을 얻고자 더 깊이 질문하자, 그는 실제로 공원은 시카고 도시의 명성을 높여 줄 것이며 그도 총체적 경제 개발의 중요성을 알고 있지만 공적 자금이 경제적으로 어려움을 겪고 있는 도심 지역의 문제에 쓰이는 것도 중요하다고 생각한다며 정치적으로 정확한 대답을 했다.

인터뷰에서 오바마는 그가 존경하는 사람들로 마하트마 간디, 애이브러햄 링컨 그리고 마틴 루터 킹 주니어 세 명을 꼽았다. "이 사람들은 엄청난 개혁을 이루었고 역사적으로 어려운 순간을 겪으며 교훈을 남겼다."라고 그는 말했다. (만약 오바마가 외국과 전쟁이 도처에서 벌어지고 있는 이 어려운 시기에 대통령이 된다면 이런 범주에 속할지도 모른다. 대통령 후보자로서, 그는 정책뿐만 아니라 전투적 정치 분위기를 개혁하고자 하는 도덕적 지도자가 되고 싶다고 말했다.)

대화하는 도중, 오바마는 여러 가지 주제를 강조했는데 나는 그 후 수 개월 혹은 수 년 동안, 백악관에 취임하기 위한 전국순회 연설에서, 주 상원의원으로서 시청에서 있었던 회의에서, 연방 상원의원 후보자로서 그의 지지 연설에서 그 주제를 계속해서 들을 수 있었다. 비록 그가 청소년 시기를 부모 없이 보냈고 종종 그도 자신을 '고아'라고 생각하기도 했지만, 그는 많은 행운으로 축복받았으며 사회에 보답할 의무감을 느끼게 되었다고 말했다. 그의 헌신적 어머니와 할머니, 대학 교수들뿐만 아니라 그의 친구들은 그가 자괴감에서 빠져 나오도록 항상 그의 곁에서 이끌어 주었다. 그리고 너무 많은 흑인 청소년들이 자신처럼 그렇게 운이 좋지 않다는 것도 알게 되었다.

나는 흑인 청소년들이 사회에 나가서 겪는 어려움을 볼 때 나와 상관이 있다고 느껴진다. 그것이 무엇을 의미하는지 알고 있다. 나의 회고록에서, 나는 마약에도 손을 댔고 거칠게 행동했다고 밝혔다. 내가 책에 이것에 대해 분명히 밝힌 것은 명확한 목표가 없어 파괴적 행동을 하는 청소년들, 특히 이런 흑인 청소년들과 대화하기를 원하기 때문이었다. 그러나 나는 그것을 끄집어내어 다시 인생의 초점을 맞출 방법이 있다는 것을 알리고 싶다. 나의 경우, 나 자신보다 더 큰 무엇이, 나를 묶어버리는 것이 있었다. 나의 경우 나 자신보다 더 큰 것은 공평하고 공정한 사회를 만들기 위해 노력하는 것이었다. 이런 이유로 난 마약을 한 범죄인에서 의원이 될 수 있었다.

나는 만약 시카고의 저소득층 지역에서 성장했었더라면 오늘날 당연히 교도소에 있을 것이라고 생각했고 그런 나쁜 길에 쉽게 빠져 들었을 것이라고 나 자신에게 말한다. 이것이 내가 항상 유념하는 것이며 이것이 항상 나에게 동기부여를 한다. 나에게 가장 큰 동기를 부여하는 것은 모든 아이들에게 내가 어떻게 희망과 기회를 주었나 생각하는 것이다. 나는 다섯 살과 두 살 난 내 딸들을 볼 때 슬퍼하며 울게 된다. 왜냐하면 이렇게 총명하고 아름다운 어린아이들이 기회를 얻지 못할 것을 알기 때문이다. 미국에서 우리 아이들과 같은 흑인이면서 부유한 아이들은 인생을 살아가며 좋은 기회를 얻지 못한다.

더 큰 이상에 자신을 결부시킨다는 오바마의 신념은 그의 대중 연설에 항상 나타나는 주제이다. 대통령 후보 임명을 위한 선거운동 첫 달 동안, 그는 정치, 교육, 경제에 종사하는 각계각층의 모든 청중들에게 단지 물질적 소유를 추구하는 데 인생을 낭비하지 말고 대의를 위하여 일을 하라고 권고했다. 이것은 제2차 세계대전 후 그의 어머니가 추구한 자유주의와 인본주의라는 교훈을 따른 것이었다. 그의 메시지는 설교 같았는데 특히 결국 백만장자 대통령 후보가 될 하버드 법대 졸업생이 하는 설교 같았다. 그러나 보수주의자들조차 그런 가난한 사람들을 돕자는 전제에는 반박하기 어려웠다. 첫 만남을 가지는 동안, 오바마에게서는 어떠한 진실성과 편안함이 넘쳐 나왔고 이것은 단지 인사만 하기에도 불편해 보였던 블래어 헐이라는 상대편과는 정반대였다.

2003년 여름과 가을에, 데이비드 액슬로드는 워싱턴 대중매체 관계자들과 일리노이 주의 기자들에게 오바마를 선전하기 위하여 그의 이력서의 모든 면을 살펴보기 시작했다. 그는 워싱턴에 있는 정치 신문들이 오바마를 잠재적인 준비된 스타로 추천하도록 기삿거리를 관리했다. 이것은 대중매체에서 그 후보자를 치켜세울 수 있을 뿐 아니라, 그 경선의 강력한 후보자로서 오바마의 가능성을 잠재적 자금 모금 관계자들에게 제시하는 데 상당한 도움이 되었다. 이 덕분에 오바마는 총 3,000만 달러의 기금을 마련했고 여전히 선거운동 마지막 달까지 쓸 200만 달러가 수중에 있다. 이것은 헐의 수천만 달러의 기금과 비교하면 아무것도 아니지만, 2~3주간 텔레비전 선거광고를 하여 오바마가 영향력 있는 정치 내부자들에게 중요한 후보자라는 점을 제시하기에는 충분한 자금이었다.

또한 2003년 가을, 대부분의 전문적 선거운동이 그렇듯이, 오바마의 고문들은 여러 포커스 그룹들을 초청하여 그들 후보들의 장점과 단점을 알아내기로 했다. 포커스 그룹은 과학적 체험과는 동떨어져 있었지만 유권자들이 생각하는 것에 대해서는 예의 주시하고 있었다. 이러한 그룹에서는 사람들의 생각을 가늠하는 척도를 만들어 후보자들의 텔레비전 보도를 재검토했다. 오바마의 컨설턴트들은 군것질을 하고 다이어트 캔 음료를 마시며 옆방에서 지켜보았다. 그 회의에서 정치 후보자로서 그리고 희망찬 메시지를 전달하는 사람으로서 오바마의 자신감은 잘 나타나고 있는 것으로 드러났다. 오바마의 선거운동팀은 이것이 신의 계시라고 생각했다.

오바마의 참모들은 오바마의 독특한 이력의 다양한 부분이 각기 다른 인구통계학적 그룹에 호소하고 있다는 것을 알아냈다. 백인 유권자들에게 오바마의 경력을 설명할 때, 그들은 단지 '최초의《하버드 로 리뷰》흑인 편집장'이란 단어만 언급하면 되었고 그 유권자들은 갑자기 멋진 초상화에 그려진 흑인 이미지를 갖게 되었다. 액슬로드는 "이것은 두 가지 단계에 적용되었다. 어떤 사람들은 장벽을 깨는 것이 매우 중요하다고 생각한다. 그런 사람들에게《하버드 로 리뷰》편집장은 그 자체로 매우 중요한 자격증이다."라고 말했다. 그러나 흑인 유권자들은 하버드 법대에 긍정적 반응을 나타낸 것이 아니라 오바마의 지방단체 조직 경험과 인종 차별방지법, 그리고 가난한 아이들을 위한 의료보험 혜택 확대 등 그가 성공적으로 후원한 법안들에 더욱 긍정적 반응을 나타내었다.

그러나 오바마의 선거운동 전략가들은 그가 텔레비전에서 더욱 엄청나게 진가를 발휘할 수 있다는 것을 알았다. 실제로 오바마는 놀라울 정도로 텔레비전 카메라를 잘 받는 면이 있었다. 그의 선거운동 책임자 짐 컬리는 오바마에게 잠재적 스타성이 있다는 액슬로드의 예견을 믿지 않았었다. 아마도 그 이유는 액슬로드가 베틸루 샐츠먼 때문에 오바마에 정신이 팔려 있다고 보았기 때문이었다. 그러나 이 두 사람과 다른 사람들은 남성이냐 여성이냐에 따라 오바마를 보는 견해가 크게 달랐다. 도시 근교의 백인 여성들은 오바마를 샐츠먼이 인용한 것처럼 '마술적'인 용어로 받아들였다. 오바마는 잘 생겼을 뿐만 아니라 특히 여성들이 좋아하는 텔레비전에서 매력적으로 비쳐졌다. 그의 성격처럼 얼굴에는 정직함이 배어 있었고 남을 불편하게 하지 않는 후덕한 온화함이 있었다. 게다가 오바마의 성격을 만든 사람들은 그의 어머니로부터, 그의 할머니, 또 그의 여동생, 성인이 되어서는 그의 아내 등 강한 여성들이었다.

컬리는 콧소리가 섞인 켄터키 억양으로 이렇게 말했다. "나는 포커스 그룹에 주목했다. 사회자는 (시카고 북부 지역의 진보주의자인) 서른다섯 살에서 쉰다섯 살 그리고 쉰다섯 살 이상 되는 여성유권자들과 토론했다. 그는 노년 그룹에 '각각의 후보를 보면 누가 생각납니까?' 하고 물었다. 한 여성은 댄 하인스를 보고 '댄 퀘일(Dan Quayle; 아버지 부시 밑에서 부통령을 지낸 인물)'이 생각난다고 했고 힐을 보면 '이집트 미라(이집트 힐 지역에서 발견된 미라)'가 생각난다고 했고 오바마를 보고는 흑인 차별을 정면으로 반대하는 영화에 출연한 배우 '시드니 포이티어'가 생각난다고 했다. 그 순간, 나는 '젠장, 이건 실제 상황이군!'이라고 생각했다."

제15장

문제아 헐

상원의원이 되면 좋아보이지 않나요?
– 민주당 연방 상원 후보 블래어 헐

2004년의 연방 상원 경선으로 댄 하인스는 세간의 주목을 받는 정치적 경쟁에서 첫 번째 주자로 선택되는 것이 얼마나 힘든 일인지 알게되었다. 어떤 일이 뜻대로 되지 않게 되면, 최고의 위치와 후보로서의장점은 갑자기 의문스러워진다. 이 선거운동에서 하인스의 길을 방해하는 몇 가지가 있었다.

주요 민주당 유권자인 노동조합과 그의 막강한 아버지가 오랫동안유대관계를 맺은 덕택으로, 하인스는 노동자의 지지를 더욱 많이 그리고 더욱 폭넓게 받을 것으로 기대되었다. 실제로 그는 일리노이 주에있는 거의 모든 노동조합의 지지를 얻었다. 이 노동조합은 총 70만 명의 노동자를 대표하는 그룹들로 이루어져 있었다. 그러나 하인스는 일리노이 주 검사관이었고 오로지 해야 할 책임은 청구서의 납부 금액을삭감하는 것이었다. 2003년 한 해 동안 버락 오바마는 입법부에서 노동단체들을 위하여 열심히 일했다. 그리고 상원의장 에밀 존스 주니어와의 절친한 우정 덕분에, 그는 노동자 이권에 도움을 주는 법안들을 성공적으로 통과시켰다. 존스는 오바마에게 상원의회 내 의료위원회 의장직을 수행하도록 했고 거기서 오바마는 '서비스 노조 국제연맹(Service Employees International Union; SEIU)'과 긴밀한 업무관계를 맺었다. '서비스 노조 국제연맹'에는 일리노이 주에만 10만 명 이상의 회원이 있으며 수만 명의 간호원과 기타 의료 관련 종사자들을 대표하고 있다. 그래서 오바마가 하인스로부터 SEIU의 지지를 가져가자, 하인스는 큰 타격을 입었다. SEIU는 대부분의 백인 노동조합과는 달리, 더 젊고 더 인종적으로 다양한 조합이었다. 1990년대에, SEIU는 폰뱅킹을 운영하고 승인된 정치 후보자들을 돕기 위하여 수많은 자원봉사자를 모집하는 등, 효과적인 대중적 정치 구조를 세워나가기 시작했다.

2003년 12월 춥고 지루한 토요일 아침, 오바마는 시카고 맥코믹 플레이스 컨벤션 센터(McCormick Place Convention Center)에서 열광적인 SEIU 회원을 상대로 정기 모임을 갖고 연설했다. 그는 보라색 SEIU 재킷을 입고 미국에서의 조합 움직임에 대하여 열정적으로 연설했다. 토요일 이른 아침임에도 불구하고 수천 명이 연방상원 경선에서 어떻게 하면 승리할 수 있는지에 관한 오바마의 연설을 듣기 위해 모였다. 그러나 물론 오바마는 그들의 도움이 필요했다. 그는 "나는 혼자서는 할 수 없다."며 그들에게 말했다.

SEIU 회장인 톰 밸러노프(Tom Balanoff)는 오바마에 대한 지지를 설명하면서 "버락은 우리 회원들에게 굉장히 중요한 문제들에 대해 앞장서 왔다. 그는 우리가 파업하는 동안, 또는 그러한 어려움에 처해 있을 때 우리를 위해 싸워 주었다."고 말했다. 스프링필드에서, 오바마는 실제로 SEIU의 이익을 위해 힘써 주었다. 그는 근로자들을 위한 어린이 보호시설 혜택을 늘리는 데 도움을 주었고, 전 국민의 의료보험 혜택을 열렬히 지지하는 사람이었다. 그는 또한 다른 법안들과 더불어, 이른바 병원 평가 보고서 법이라고 불리는 법안을 선도했는데 이 법안은 병원이 인터넷에 직원 등급과 사망률을 올리게 의무화하고 있다. SEIU의 지지를 얻은 후, 오바마는 시카고 교사 조합, 미국 주총연맹, 구와 시의 근로자 단체로부터 지지를 연이어 얻어냈다. 이로써 오바마는 선거운동의 탄력을 받았고 하인스는 반대로 탄력을 잃게 되었다.

하인스는 쿡 카운티 행정위원회 흑인 회장인 존 스트로저(John Stroger)뿐만 아니라 전국적인 노동조합 그룹인 미국 노동 총연맹 산별조합 회의(American Federation of Labor and Congress of Industrial Organizations; AFL-CIO)의 열렬한 지지를 얻어 오바마를 반격했다. 그러나 결국 스트로저의 지지는 의미 없는 행동으로 드러났다. 스트로저조차도 하인스에 대한 지지가 단지 그의 오랜 정치 친구였던 하인스의 아버지 토머스 때문이었다고 시인했다. 하인스의 참모들은 이것은 흑인 유권자들 사이에서 오바마의 취약점을 나타낸 것이라고 반박했다.

그러나 내가 하인스의 선거운동 기간 동안 그의 방을 둘러 본 결과, 그곳에 있던 사람들의 움직임에 열정이 부족하다는 것을 분명히 느낄 수 있었다. 그곳에 참석했던 24명의 흑인들은 스트로저의 정치적 처신 때문에 온 것이지 하인스에 대하여 좋은 감정이 있어서 온 것이 아니었다. 나는 만약 오바마가 선거일에 논쟁을 한다면, 이 흑인들 중 최소한 반이 결국 오바마에게 표를 던질 것이라고 짐작했다. 실제로 역사적으로 볼 때, 만약 투표자 명단에 경쟁력 있는 흑인 후보가 있다면, 백인 후보들이 경선에서 얼마나 많이 구두로 흑인 사회에 지지를 호소했느냐와 상관없이 모든 흑인들은 개별 투표소에서 압도적으로 그 흑인 후보자를 지지할 것이다.

하인스는 또한 다른 문제들이 있었다. 그 하나는, 다른 민주당 대통령 후보자들처럼, 그는 부시 대통령에게 이라크 침공 권한을 부여하는 것을 지지했다. 경선에서 첫 번째 토론 중, 오바마는 예비선거 과정에서 그가 믿었던 것이 민주당의 아킬레스건화한 점을 이용했다. 즉 오바마는 임박한 이라크 전쟁에 대한 그의 지지에 대하여 압박하고 하인스가 그러한 지지에 대해 흔들리는 것처럼 보일 때 그는 입법적 경험이 없다고 비틀었다. 오바마는 강의하듯이 "의회는 결정하기 어려운 판정으로 가득하다. 행정 직무와는 달리, 의회는 결정하기 어려운 판정을 요구한다."라고 했다. 하인스는 토론인단으로부터 내가 《시카고 트리뷴》에 썼던 이야기 중, 그와 사업을 했던 한 기부자로부터 하인스가 받은 의심스러운 선거운동 기부금 기사에 관한 질문 공세를 받았다. 그 기부자는 그의 직원에게 하인스 선거자금으로 수천 달러를 주게 시켰고 그런 다음 그 직원들의 돈을 회사 자금으로 상환했다. 연방 선거관리위원회는 나중에 이런 일을 불법으로 간주했다.

하인스를 둘러싼 논쟁거리 속에서, 그 라디오 토론이 끝날 때쯤, 나는 그를 찾았다. 그러나 그는 토론 후 기자들과 갖는 질의응답 시간을 회피해 버렸다. 공직자로서 후보자가 억지로 기자들을 피하고 있다는 느낌은 결코 좋은 조짐이 아니었다.

2003년 12월까지 여론 조사 결과, 일리노이 민주당의 많은 의원들은 대부분 '미결정' 상태에 있는 것으로 나타났다. 누구에게 투표할 것인지 묻는 질문에 응답자의 20퍼센트가 하인스에게 투표할 것이라고 말하여 1등을 차지했고, 막대한 텔레비전 선거운동의 영향으로 블래어 헐이 하인스의 뒤를 추격했다. 게리 치코는 상당한 현금을 모금했지만 그가 모은 많은 자금을 거의 써 버렸고 한 자릿수의 지지율로 고전을 면치 못하여 오히려 낙선 후보자처럼 되어 버렸다. 시카고에서 높은 인지도를 가지고 수년 동안 정치를 했던 마리아 파파스는 두 자릿수의 지지율을 기록했지만 이렇다 할 선거운동 활동이 없었다. 여전히 잘 알려지지 않은 오바마는 10퍼센트 정도의 지지를 확보했지만 그는 이제껏 열심히 일해 왔던 두 가지 토대, 즉 진보주의자들과 흑인이라는 토대가 있었고 액슬로드는 이 사람들에게 감사해야 한다고 계속 강조했다.

한편 계속 뜨는 이야기는 헐에 관한 것이었다. 몇 번의 여론 조사 결과, 무명에서 하인스의 뒤를 바짝 쫓는 헐의 득세는 하인스를 긴장하게 했고 다른 후보들에게도 긴장을 안겨 주었다. 대부분의 선거운동 전략가들은 그들의 후보에 대한 지지율이 30퍼센트가 되도록 노력한다. 많은 경쟁자들 때문에, 지지율 30퍼센트를 얻는 첫 후보는 추월하기 어려워진다. 시간이 갈수록, 오직 세 명의 후보자들이 유리한 고지에 들 것으로 보였는데 이들은 하인스, 헐 그리고 오바마였다.

그러나 헐의 급상승은 하인스와 그의 참모들을 점점 공황상태로 몰아넣었다. 헐은 일리노이 주 남부 지역과 교외 지역의 유권자들의 지지를 얻었다. 그 지역의 삶은 도시의 삶보다 느리다. 그래서 그의 텔레비전 광고는 대중의식을 장악했다. 시카고에서, 그의 광고는 도심의 현란함 속에서는 효력을 발휘하지 못하는 것 같았다. 그러나 비록 헐이 도시에서 직접 유세를 하지는 않았음에도, 그의 이름과 메시지는 점점 주목을 끌고 있었다. 하인스는 이런 유권자들을 노리고 있었다. 오바마는 시카고 주변의 흑인, 호반의 진보주의자들, 그리고 대학생들의 표를 확보할 것이다. 하인스는 승리를 위해서는, 교외 지역 유권자들을 그의 편으로 끌어 들여야만 한다.

헐의 초기 움직임에 타격을 주어야 한다고 믿고, 2003년 후반, 3월로 예정된 예비선거 몇 개월 전, 하인스는 남부 지역을 겨냥한 텔레비전 광고에 수십만 달러를 쏟아 부었다. 그러나 불행하게도 그 지역 유권자들은 경선에 적극적이지 않았고 하인스의 광고 선거운동은 거의 영향을 미치지 못했다. 결과적으로 그는 선거운동 자금 중 상당한 금액을

헛되이 써버린 결과가 되었다. 나는 헐에게 주목했다.

　나는 《시카고 트리뷴》 정치기자인 릭 피어슨(Rick Pearson)으로부터 헐의 개략적인 과거사를 좀 더 깊이 알아볼 필요가 있다는 말을 들은 적이 있었다. 그는 과거 엄청난 재력가에서 지금은 자신의 재산을 선거 운동 지원에 사용하며 정계에 진출한 후보자로, 정치 경력은 평범했지만, 그는 여전히 가장 특이한 정치 경력을 지니고 있었다. '백만장자 개정안'이라 불리는 연방 선거운동법은, 선거에서 많은 개인 재산을 갖고 있어 기부금 없이 선거운동을 치를 수 있는 후보자와 그렇지 못한 후보자가 동등하게 경쟁할 수 있도록 하기 위해 제정된 법안이었다. 이 법안으로 후보 개인에게 직접 제공되는 정치 자금의 상한선이 높아짐으로써, 후보자들은 연방정부에서 정해 놓은 기부금 제한을 초과하여 선거자금을 모금할 수 있게 되었다.

　일리노이 주 선거에서, 이 법안으로 오바마는 훨씬 유리한 입장에 놓이게 되었는데 그 이유는 그가 프리츠커와 같은 부유한 호숫가의 기부자들에게 많이 의지하고 있었기 때문이었다. 프리츠커 재벌 각 그룹은 오바마에게 새로 최대기부금 한도인 1만 2,000달러를 기부했다. 한편 하인스는 주로 노동조합과 정치행동 위원회로부터 기금을 모집했는데, 이들은 친구나 친지들로부터 최대기부금을 모금하지 못했다.

　매우 날카로운 수학적 사고방식을 가진 헐은 직업적인 블랙잭(blackjack) 도박사였고 나중 월 스트리트에서 증권 거래인으로 대성공을 거두었다. 동업자의 권유로, 그는 증권회사를 5억 달러 이상에 팔고 새로운 직업을 찾고 있다가 일리노이 정치에 눈을 돌리게 되었다. 그러나 내가 관심을 갖는 것은 그의 과거사가 아니라 현재 그의 선거운동이었다. 며칠 동안 하인스의 선거운동 과정을 따라다니면서 나는, 후보로서의 헐과 그가 던지는 메시지에 굉장한 인위성이 있는 것을 보고 놀랐다. 나는 시카고에서 오랫동안 정계에 관련이 있던 사람과 점심식사를 했는데 그도 액슬로드처럼, 헐과 인터뷰를 했고 헐이 제의한 일을 거절했다고 말해 주었다.

액슬로드가 헐이 말한 단 한 구절로 경악했던 것처럼, 이 사람도 그와 비슷한 이야기를 해 주었다. 그가 헐에게 "왜 의원이 되려고 하나?"라고 묻자, 헐은 "상원의원이 되면 좋아 보이지 않나요?"라고 대답했다. 이 사람은 "단지 남들이 보기에 좋은 자리라는 이유로 출마하는 사람을 위해 어떻게 일할 수 있겠는가?"라며 너무 놀라워했다. 게다가 참모들과 회의하는 동안에도, 헐은 대의정치의 유효성에 대해서도 의구심을 나타냈다. 참모들은 "대중 앞에서는 그런 말을 절대 말하지 말라. 연방 상원에 출마하는 것이니까."라며 헐에게 주의를 주었다.

나는 그의 선거 운동에 대해 더 깊은 정보를 얻지 못했다. 헐은 선거 기간 중 미국에서 가장 효과적인 정치조직을 건설하기 위하여 막대한 자금을 쏟아 부었다. 그는 민주당 대통령 후보자들 가운데 가장 많은 직원을 거느렸고 가장 많은 급여를 지불하고 있었다. 또한 그는 높은 연봉을 주고, 정계에서 경험이 많은 몇몇 컨설턴트를 고용했다. 그러나 이러한 것들은 결국은 파멸의 원인이 되었다. 그의 참모들은 농담하기를, 자신들은 '노아의 방주'에서 선거운동을 하는 것 같다고 했다. 왜냐하면 한 가지 일에 두 명씩 짝이 이루어져 있었기 때문이다. 두 명의 여론 조사원, 두 명의 커뮤니케이션 책임자, 두 명의 선거운동 책임자 등이 그 한 예이다. 이러한 점은 전략회의를 할 때 의견 충돌이 너무 자주, 너무 많이 일어날 수 있다는 것을 의미한다.

그의 선거운동 책임자는 한 달에 2만 달러를 받았고 그의 정책 책임자는 1만 5,000달러를 받았다. 또 2003년 마지막 석 달 동안, 28명의 컨설턴트에게 급여를 지불했다. 선거운동 기간 동안에 4만 달러짜리 커다란 레저용 차를 몰고 시카고를 돌아다녔다. 듀페이지 카운티 교외에서 후보자들의 합동선거운동이 진행될 때, 나는 오바마를 따라다녔는데 나는 그때 옆에 빨간색, 흰색, 파란색으로 '상원의원으로 헐을'이라는 글이 붙어 있는 그 레저용 차량을 발견했다. 오바마는 "저게 뭐지?"라며 궁금해 했다. "말썽장이 헐이지."라고 나는 그 차량에 대한 헐의 선거 별명을 이용하며 설명했다. "내가 어떻게 저것과 경쟁할 수 있겠나?"라고 오바마는 수사적으로 말했다.

후보자들은 컨설턴트를 고용하여 자신의 특정 이미지를 만들고 광고하기 때문에, 모든 선거운동들은 어느 정도 대중을 현혹한다. 헐의 능숙한 이미지 메이커들은 많은 연봉을 받고 일리노이 유권자들에게 워싱턴의 독립투사로서 헐의 비전과 메시지를 전하여 마음이 동요되도록 힘썼다. 하지만 그러한 대중매체 공세가 너무 현란하여 오히려 헐의 이름을 보면, 회사 건물 이름 또는 할리우드에서 만드는 대규모 영화를 연상케 했다. 헐은 선거운동 중 그의 방대하고 상세한 경제, 의료 계획을 선전하기 위한 텔레비전 광고 비용으로 일주일에 수십만 달러를 쏟아 부었다. 헐의 광고판은 말 그대로 일리노이 주 곳곳에 세워졌다.《워싱턴 포스트》야후(Yahoo) 이메일 섹션에 있는 다양한 광고들처럼 각 웹사이트들은 헐의 광고들로 꾸며져 인터넷 사용자들조차 헐의 안경 쓴 얼굴을 피할 수 없었다.

대중매체 공세가 너무 지나치게 퍼부어지는 걸 본 헐 자신도 이런 방법으로 선거운동을 펼칠 가치가 있는지 의문스러워했다. 그는 나에게 "나중에는 사람들이 내 얼굴에 싫증나지 않을까?"라고 물었다. 이전에 선거활동도 하지 않았고 정치적 기반도 없었던 그는 대중 앞에 나설 때 지지자들에게 자원봉사자 역할과 바람잡이 노릇을 하라고 일당 50달러를 지불했다. (공교롭게도 미셸 오바마의 먼 친척 중 한 명도 이런 일을 한 사람 중 하나였다.) 헐이 행사에서 등장하면, 그들은 줄을 서서 "헐을 뽑자."며 외쳤다. 그러나 헐은 미국 연방 상원의원 선거전 역사상 가장 연단 연설을 못하는 사람 중의 하나였다. 그는 대사를 건너뛰고 즉흥적 생각을 거의 제대로 전달하지 못했다. 그러나 그의 지지자들은 그러한 말실수 직후에도 광적으로 그를 환호했다. 이런 연극 같은 면들 때문에 그의 선거운동은 나에게 더욱 인위적으로 느껴졌고, 투표자의 입장에서 볼 때 그와 같은 선거운동이 민주주의에서 계속 되풀이 되고 있는 것에 싫증이 났다. 내가 《시카고 트리뷴》에 쓴 대로 그것은 영화 〈트루먼쇼The Truman Show〉와 〈후보자The Candidate〉를 섞어 놓은 것 같았다.

그럼에도 불구하고, 헐의 광고는 효력이 있었다. 하인스의 단발성 텔레비전 광고가 효과가 없자, 하인스의 참모들은 전보다 더 헐에 대해 우려했다. 하인스의 선거운동 대변인인 크리스 매더(Chris Mather)는 헐의 기세를 늦출 목적으로 나와 다른 기자들에게 전화를 했다. 그러나 그런 격렬한 로비로 나는 오히려 하인스에 대한 반감을 갖게 되었다. 누가 보아도 알 수 있는 하인스의 헐에 대한 두려움은 오히려 헐의 신뢰성을 높이는 역할을 했다. 이 무렵 나는 하인스의 한 직원과 점심식사를 하게 되었다.

선거운동 기간 초반에 나는 매더를 만나기로 하고 하인스 사무실 근처로 장소를 정했다. 그러나 이 직원이 나를 만나길 원했고 우리는 트리뷴 타워(Tribune Tower)에서 두서너 건물 떨어진 북부 미시간 애버뉴의 한 식당에서 만났다. 내가 숯불에 구운 치킨 샌드위치를 막 먹으려할 때, 그는 헐에 대한 부정적 조사가 담긴 서류철을 건네주었다. 서류 뭉치 속에서 헐이 했던 두 번의 이혼 중, 이혼 기록의 겉표지 사본을 발견했다. 사실 헐은 세 번의 이혼 경험이 있었다. 그는 첫 번째 아내와 거의 30년 동안 결혼생활을 했고 세 명의 자녀를 두었다. 시카고로 이

사 온 후, 그는 두 번째 결혼을 한 다음 이혼했다. 나머지 이혼 기록은 봉해져 있었고 애매모호한 법원 명령만 볼 수 있었다. 나는 이 법원 명령에서 한 가지 눈에 띄는 점을 발견했다. 헐의 두 번째 아내인 브렌다 섹스턴(Brenda Sexton)은 과거 보호명령을 받은 적이 있었다.

이 일은 비밀리에 이루어졌기 때문에, 헐은 여론 조사에서 하인스와 다른 후보자들을 제치고 계속 상승세를 탔다. 헐이 후보로서 적합한지에 대해 '일요 분석란'에 게재하고자 내가 인터뷰했을 때, 그는 거의 30 퍼센트의 지지율을 기록하고 있었다. 헐을 만났던 많은 사람들처럼, 인터뷰 상대로 그를 만나는 것은 편치 않은 경험이었다. 그의 선거운동 사무실에서, 몇 명의 참모들과 헐은 긴 탁자 끝에 앉았고 나는 다른 편에 마주 앉았다. 내가 이혼에 관해 말을 꺼내자, 헐은 의자에서 꾸물거리며 팔꿈치에 몸을 기대다가 팔짱을 끼는 등 불안한 표정을 지으며 자세를 바꿨다. 그는 결혼생활, 이혼 또는 법정 명령 등은 사생활이라며 그런 사정을 이야기하는 것을 끝내 거절했다. 그가 그러한 문제들, 특히 법정 명령에 관하여 설명하는 것을 내켜 하지 않았다. 나는 인물 파일에 이를 잘 보관해야 할 것 같은 생각이 들었다. 이 의미 있는 정보는 일단 비화로 보관되었으나, 나중에 이 스토리가 공개되면서 다른 후보들에게 도움을 주게 되었다.

비밀스런 스토리는 일리노이 주 내 최대 부수를 발행하는 신문에 크게 실리게 되었다. 다른 정치 기자들과 전문가들이 먹잇감을 발견하고 뛰어들었다. 그 첫 번째 주자로는 《시카고 트리뷴》 특별 기고가 에릭 존으로 그는 헐이 유권자들에게 이혼 기록을 공개하지 않고 무엇을 숨기고 있는지에 대해 기사를 썼다. 시카고의 CBS 지부의 채널 2에서 정치 담당 기자로 있는 마이크 플래너리(Mike Flannery)는 헐이 시카고 서부 지역에 선거 사무실을 열자마자 이혼 기록에 대해 기사를 씀으로써 계속 그를 압박했다. 플래너리와 존은 시카고에서 누구보다 더 노련한 정치 기자들이었는데, 나는 이 두 명이 액슬로드의 정기 휴일 파티에 손님으로 왔었다는 것을 알았다. 헐로서는, 그것이 개인문제라고 저항할 수밖에 없었다.

하지만 헐의 이혼 이야기는 곧 드러나서 신문의 머리기사로, 뉴스의 주요 기삿거리 및 일반적인 논쟁거리가 되었다. 공영 텔레비전에서 방영된 후보들의 공개 토론에서, 헐은 그 밀봉된 이혼기록에 관한 질문에 대한 답변을 준비했지만 그 문제에 대한 이야기가 불거지자 묵묵부답으로 대응하며 머뭇거렸다. 보기 민망했지만 이 질문들은 헐이 중요한 공직을 위한 후보자였기에 맞닥뜨릴 수밖에 없는 합법적인 질문이었다. 섹스턴은 바람직하지 못한 일과 관련하여 그를 고소했나? 그리고 만약 그렇다면 유권자들은 알아야 할 권리가 있지 않나? 헐이 그러한 질문에 대답하기를 완고히 저항한다는 것은 시인한다는 것을 의미한다. 그러나 헐은 상상할 수 없을 만큼의 재력가였다. 참모들은 그녀는 이혼 소송에서 더 많은 돈을 뜯어내기 위해 그를 고소한 것이라고 대응하기로 방향을 정했다. 나의 기사가 후속 기삿거리로 이어지는 광란의 사태를 촉발하긴 했지만, 막상 이러한 구경거리를 목격하는 것은 즐겁지 않았다.

TV 토론 때, 각 분야의 기자들과 선거운동 고문들이 옆방에서 토론을 지켜보았다. 존 에드워즈의 선거운동에 동행했던 액슬로드와 지안 그레코가 시카고로 돌아와 그 토론 내내 오바마를 도와주고 조언해 주었다. 얼굴을 찡그린 액슬로드는 방을 서성거렸고 넋이 나간 지안그레코는 의자에 앉아 인내심 있게 그것을 지켜보았다. 오바마가 대중적인 자리에서 말을 할 때, 액슬로드는 서성거리는 버릇이 있었다. 만약 오바마가 말한 것이 마음에 들지 않을 때, 그의 걸음걸이는 빨라졌다. 비록 헐이 며칠 동안 이 문제를 다루었지만, 그는 수많은 상처를 입고 죽어가는 사람처럼 보였다. 액슬로드는 걷다가 잠시 멈추고 내 옆으로 다가와 "이것은 모두 당신의 책임이다."라고 말하며 기자로서의 자부심에 일격을 가했다. 하지만 나는 그런 말에 아무 상처도 받지 않았다. 대중의 관심 속에서 한 사람의 명성이 느린 동작으로 무너져 내리는 것을 보는 것에서 나는 일종의 성취감을 느꼈다. 나는 액슬로드에게 "만약 내가 하지 않았다면, 당신들이 이 혼잡한 이야기를 알아내기 위해 또 다른 방법을 강구했을 것이다. 나는 그 방에서 장전되어 있던 첫 번째 총알을 발사했을 뿐이다."라고 말했다.

이혼스토리를 잠재우기 위해, 헐의 선거운동 대변인인 제이슨 어크스는 나에게 기사화하지 않는 조건으로 비밀리에 그 이혼 기록을 검토하게 허락해 주겠다는 제의를 했다. 나는 그 기록은 연방선거와 관련된 중요한 정보이므로, 기자가 보기만 하고 대중에게 공개하지 않는 것은 안 된다며 그 제의를 거절했다. 《시카고 트리뷴》과 WLS-TV는 이혼 기록을 공개하도록 소송을 제기했다. 선거일 전 판사가 그들이 원하는 방향으로 판결할 가능성이 커가자, 헐과 섹스턴은 판사에게 기록 공개를 공동으로 신청했다.

그 기록을 30초 정도 보고 난 후, 나는 그 선거전에서 헐이 이길 가능성은 없다고 확신했다. 그 기록에 의하면 섹스턴은, 그들의 두 번째 결혼이 시들할 때, 헐이 폭력적이 되었으며 자신에게 모욕을 주고 욕설을 퍼부었다는 내용으로 헐을 고소했다. 그녀는 그가 자신을 '창녀'라고 불렀다고 비난했다. 한 사건에 관하여, 섹스턴은 그가 자신 침대 모서리의 장식 봉을 잡고 노려보며 "죽고 싶나? 죽여 버리겠다."고 말했다고 주장했다. 그녀는 폭력을 당했다고 헐을 고소했고 그는 잠시 연행되었다. 그러나 경찰은 쌍방 폭력이라며 헐에 대한 불기소를 결정했다. 헐은 섹스턴이 그를 찬 것에 대한 앙갚음으로 그녀의 정강이를 찼을 뿐이라고 말했다.

TV 토론회가 끝나고 이어지는 기자회견에서 채널 2의 플래너리 기자는 각각의 후보들에게 마약을 한 적이 있었는지 또는 마약이나 알코올 중독에 대한 치료 상담을 받은 적이 있었는지에 대해 질문했다. 헐이 코카인을 한 적이 있으며 1980년대에는 알코올 중독으로 치료 상담을 받았다고 대답하자, 그는 다시 한 번 도마 위에 올려졌다. 하인스와 치코도 대학 재학 시절 마리화나를 피운 적이 있다며 사소한 위법 행위가 있었음을 시인했고 오바마는 이미 그의 회고록에서 청소년 시절에 마약 행위를 한 적이 있다고 고백한 바 있었다. 그래서 월 스트리트의 증권 거래인 헐의 마약 복용은 그날 밤 뉴스거리가 되었다. 헐은 토론이 자신에게 불리하게 돌아가고 있다고 느끼고 갑자기 질문들을 받지 않았기 때문에, 더욱 상황을 악화시켰다. 마치 법정에서 도망치는 피고인을 쫓듯이, TV 스튜디오에서 텔레비전 카메라들이 그를 쫓아다녔다. 기자들은 그에게 소리쳐 질문했다. 헐이 폭력적인 사람이라는 비난을 무마시키기 위해 시카고로 온 그의 딸은 아버지 옆에 서서 황급히 걸어가며 "그 질문에 대답하지 마세요! 그 질문에 대답하지 마세요!"라며 소리쳤다. 그 장면은 그의 선거운동만큼이나 기상천외했다.

내가 그 토론 후 어떤 일이 발생했는지 보도하기 위하여 《시카고 트리뷴》의 사회부에 전화를 하니, 편집자들은 믿을 수 없다는 반응을 보였다. 나는 "토론 중 TV에서 본 것은 잊어버려라. 블래어 헐은 방금 그가 코카인을 복용했다는 것을 시인했다."라고 말했다. 《시카고 트리뷴》에서, 나와 내 동료들은 헐을 '찍찍이(velcro)' 후보라고 별명 지었다. 왜냐하면 모든 것들이 그에게 들러붙는 것 같았기 때문이다. 화가 난

《시카고 트리뷴》의 동료기자인 존 체이스(John Chase)는 "매일 여기 올 때마다 또 다른 블래어 헐의 이야기를 쓰지 않기로 마음먹지만, 매일 밤 또 여기 앉아 블래어 헐의 이야기를 쓰게 된다."며 마감 압력을 받으며 그 토론 기사를 마약복용 기사로 다급히 다시 고쳐 썼다.

헐이 치욕스런 수모를 겪는 동안, 유권자들은 그 선거전에서 어느 후보자를 지지해야 하는지 숙고하고 있었다. 오바마의 선거운동은 액슬로드와 지안그레코가 구사하는 간단명료한 전략으로 이미 많은 효과를 거두고 있었다. 그 간단한 전략이란 "선거 마지막 주까지 선거자금을 쓰지 말고 TV 광고도 하지 말고 기다려라. 마지막 주 유권자들이 마침내 후보자들에게 관심을 쏟으면 그때 모든 힘을 방송광고에 쏟아 붓자."라는 것이다. 이것은 보기보다 쉬운 일은 아니었다. 헐이 급부상하고 하인스의 지지율이 여전히 20퍼센트를 기록하고 있을 때, 오바마는 조금씩 나아지고 있었다. 선거 한 달 전까지도, 오바마는 여전히 전반적으로 대부분의 흑인과 민주당원들에게는 알려지지 않은 존재였다. 일부 지지자들은 매우 걱정하며 오바마에게 액슬로드의 초기 전략을 무시하고 즉시 TV 광고를 시작하라고 요구했다. 액슬로드는 "벼락은 우리도 같이 맞불을 놓아야 한다며 걱정했다."라고 말했다. 오바마는 불안감 때문에 그의 참모들과 상의했지만 결국 그들의 계획을 따르기로 했고 "우리의 힘을 비축하자."고 말했다.

액슬로드는 헐과 전에 가졌던 인터뷰를 통해 그의 복잡한 이혼문제의 내용을 알고 있었다. 그리고 헐의 이혼 문제가 대중에게 알려지면 그는 곧바로 후보로서의 생명을 잃게 될 것이라고 생각했다. 그러나 거기엔 한 가지 문제가 있었다. 헐은 급속도로 무너지자 선거전을 포기하는 문제를 심각하게 고려했다. 내가 사무실로 가고 있던 어느 날 아침, 당황한 지안그레코가 다급하게 전화 한 통화를 했는데, 그 내용은 바로 내가 걱정했던 그대로였다. 정말 내가 헐이 포기한다는 것을 들은 것이 사실인가? 이것은 이 선거전의 인종적 역학에 방해물이 끼어든 것과 같았다. 오바마는 하인스로부터 백인 유권자들과 남부 지역 유권자들을 표를 분산시키기 위하여 헐이 필요했다. 지안그레코는 "우리가 활주로를 벗어나 달리지 않았기를 바란다."며 걱정했다.

오바마가 긍정적인 태도를 견지하는 것은 선거 운동원들과 급료를 받는 컨설턴트들을 위하여 가장 중요한 일 중의 하나였다. 오바마가 스스로 알게 되겠지만, 그의 어머니는 아들에게 자신감을 심어 주기 위하여 오랫동안 노력했다. 그녀는 오바마가 아버지가 없는 데에다가 혼혈이기 때문에 자긍심이 부족하게 될까봐 걱정했다. 오바마는 짓궂게 웃으며 "그 결과 자존심이 하늘을 찔렀다."고 말했다.

정치인들이 자신을 과장하면 일을 그르칠 수도 있고, 대중매체나 동료들, 특히 유권자들의 지지를 잃을 수도 있다. 그리고 나는 상원의원 선거운동에서 오바마의 자존심을 꺾으려고 노력했던 적이 있었다. 예를 들면 2004년 1월, 《시카고 선 타임스》는 시카고 지역의 유명 정치인들에 대한 이야기를 연재한 적이 있었는데, 이 정치인들에 대해 신문은 '그것(IT Factor)'이라고 언급하면서 이렇게 말했다. "어떤 정치인들은 그것을 습득한다. 어떤 정치인들은 그것을 고용한다. 나머지 정치인들은 그것을 얻는다. 그러나 이렇게 잘 꾸민 정치인들에게는…… 언론 담당 보좌관이 필요 없다. 만일 그것을 '카리스마'라고 부르고 싶다면 그렇게 부르고, 만약 그것에 대해 냉소적이라면 '포장'이라고 불러라. 그러나 정치 후보들에게서 우리가 찾아봐야 할 것이 하나 있다면, 인정하든 안 하든 그것은 '성적 매력'이다."

그 신문에 따르면 빌 클린턴은 그 성적 욕망을 자극한 정치인들의 맨 앞에 있는 인물이었다. 그러나 시카고에서, 오바마는 '그것(IT)'을 지닌 정치인 열두 명 가운데 하나로 인정받았다. 《시카고 선 타임스》는 미소 지으며 확신에 찬 모습의 오바마 사진 밑에, "하버드 법대에서 발간되는 법률 학술지 《하버드 로 리뷰》 최초의 흑인 편집장은 영화배우 같은 미소와 다소 신비스러운 분위기를 지니고 있다. 또한 우리는 그냥 그의 이름을 부르는 것을 좋아한다. 우리는 그의 이름을 생활의 모토로 여긴다."며 길게 묘사했다.

남편의 자존심이 터무니없이 커지는 것을 막는 것이 자신의 임무라고 여기는 오직 한 사람, 미셸이 이런 호칭에 대해 어떻게 반응할지 상상할 수 있다. 오바마의 선거운동원들은 신문에 난 오바마를 보고 자지러지게 웃었다. 오바마는 타블로이드판 신문을 겨드랑이에 낀 채 선거운동 사무실로 걸어 들어와 그 신문을 펼쳐 들었다. 그는 웃으며 "봐라. 내가 '그것(IT)'을 해냈다."라며 소리쳤다. 그날 내가 그 신문에 난 이야기를 오바마의 한 참모에게 하자, 그는 "맙소사, 그에게 그 이야기를 하지 마라. 그는 함박웃음을 띠고 '내가 '그것(IT)'을 해냈다. 내가 '그것(IT)'을 얻었다.'라며 이곳을 걸어 다녔다."라고 말했다. 확실히 그는 더 이상 '그(IT)' 부서의 인원을 보강할 필요가 없었다.

제16장

작은 스크린

믿을 수 있니? 그는 TV에서 보는 것이나 실물이나
똑같이 괜찮은 사람이야!

— 젊은 여성 팬

버락 오바마에게 있어 '그것(IT)' 요소는 가장 이상한 순간에 크게 부각되었다. 그의 타고난 재능들 때문에 그는 종종 일리노이 주의회 다른 의원들의 질투의 대상이 되곤 했었는데 마찬가지로 그의 카리스마적 호소력 또한 다른 당의 선거운동 진영을 화나게 하는 요소가 되었다. 특별히 냉철한 댄 하인스와 소박한 블레어 헐의 지지자들을 감정적으로 화나게 했다. 이와 관련된 한 일화가 있다.

2004년 1월 24일 토요일 아침이었다. 아내가 아침식사를 차려 줬을 때 잠이 여전히 내 눈을 떠나지 않았다. 한 술 뜨기 전에 전화가 왔는데 시계를 보니 오전 9시가 좀 안 되었을 때였다. 이때는 가족이나 가까운 친구 사이가 아니고서는 전화하기 힘든 주말 시간대였다. 아내가 손에는 전화를 들고 뾰로통한 표정으로 왔을 때 기자의 예민한 본능으로 좋은 소식이 아님을 알 수 있었다. 아내는 "하인스 쪽 사람이에요."라고 반쯤 어처구니없다는 표정으로 투덜댔다. "그 사람들은 왜 이 시간에, 그것도 주말 아침에 전화를 하는 거예요? 이 사람들하고 좀 사이좋게 잘 지낼 수는 없나요?"라고 아내는 또박또박 얘기했다.

대부분의 기자들은 기사에 거론된 사람이 기사 내용의 잘못을 지적할 때 다소 불쾌해 한다. 오바마에 관한 내 선거운동 프로필을 특집으로 다룬 '불독(bulldog)'이라고 불리는 《시카고 트리뷴》의 첫 번째 일요일 판이 토요일 아침 신문 가판대에서 날게 돋힌 듯이 팔렸다. 기사는 내가 중요하게 여기는 오바마의 인간 됨됨이, 다시 말해 정치적 뻔뻔스러움과, 지지자들, 특히 여성에게 비치는 개인적 매력에 관한 짧은 일화로 결론을 맺었다.

오바마는 틀림없이 세인의 관심을 끌 수 있다. 최근 포럼에서 회고록 사인회를 마친 직후 오바마는 크리스티나 하인스(Christina Hynes)의 손을 잡았는데, 그녀는 그의 적들 중 하나인 일리노이 주 감사위원장 댄 하인스의 아내였다. 이렇게 악수를 한 뒤 오바마는 키스를 했는데 이는 그녀의 얼굴에 홍조를 띠게 했고 환한 미소를 짓게 했다. "오바마는 부드러운 성품을 지녔는데 가끔은 지나치게 부드럽다. 그는 아직 젊고, 우리 당은 가야 할 길이 많지만 오바마는 이번 대선에서 특별한 후보가 될 잠재력이 있다."라고 오바마 측 선거 사무장 짐 컬리가 말했다.

아니나 다를까 수화기를 들었을 때 상대방은 화가 잔뜩 난 매트 하인스(Matt Hynes)였다. 매트는 댄 하인스의 남동생으로 형의 선거운동 조직의 사무장이었다. 불신과 분노, 노골적인 의심이 뒤섞인 날카롭고 신경질적인 어조로 그는 잠깐 동안 격렬한 비판을 했다. 말의 요지는 기사가 오바마의 부드럽고 감성적인 인사에 그의 형수는 성적(性的)으로 반응했다고 암시한다는 것이었다. 이런 기사는 불공정할 뿐 아니고 모욕적이라는 것이었다.

매트 하인스의 감정적인 긴 항의를 줄여서 말하면 이렇다. "당신은 우리 형수를 벼락의 팔에 안겨 그의 매력에 무력해진 것처럼 말하고 있다. 이렇게 표현하는 건 비열한 짓이다. 정말 비열하다. 일요일판에 어떤 조치를 취해라. 그렇지 않으면 댄은 당신과 다시는 말하지 않을 것이다." 나는 그의 이 말들을 천천히 되뇌어 보았다. 진짜로 비열한 짓이었나? 내가 바로 며칠 전에 그 일을 직접 두 눈으로 보았기 때문에 그일은 확실히 사실이다. 하인스 부인이 오바마 앞에서 보여 준 반응은, 부드러운 표현을 사용했지만 내가 정확히 묘사했다고 믿는다. 약간 수줍음이 있는 그녀는 킬킬 웃으며 마치 갓 고등학교에 입학한 여학생이 졸업반 미식축구 선수의 관심에 쑥스럽게 행동하듯 어색한 반응을 보였다. 오바마 기사에 하인스의 부인을 등장시킨 것이 불공정한 행위였는가? 내가 무심코 그의 부부 사이를 갈라놓은 것인가? "이건 정말 비열한 짓이다. 당신도 알 것이다."라고 매트 하인스는 거듭 반복했다.

나는 오로지 오바마를 조명할 의도밖에 없었으나 하인스 가족들은 다른 속셈이 있었다고 굳게 믿고 있었다. 그들의 과민한 반응은 도가 지나쳤고, 하인스 집안과 데일리 집안에 대대로 내려오는 매스 미디어와 정치적 경쟁자에 대한 불신을 다시 드러냈다. 몇 주 후에 《시카고 리더》라는 또 다른 신문사의 기자가 이 일에 대해 듣고 짧은 기사를 실었다. 《시카고 리더》의 기사에 의하면 하인스의 공보담당 비서 크리스 매더는 내 기사가 "많은 여성들이 오바마로 인해 어떻게 열광하는지를 다루었다."고 말했다. 그 주간신문은 이 어처구니없는 일에 '키스와 은폐'라는 제목을 붙였다. 매더는 "댄의 아내를 이 사건에 끌어들여 다른 여성들과 같은 이유에서 그녀도 반응한다고 넌지시 암시하면서 보도한 것은 부당한 일이었다."라고 말했다.

전화 통화에서 나는 그의 형을 욕보이게 보이려고 하지 않았으며 이 일화는 단순히 오바마의 친화력을 설명하기 위한 것이었다고 매트 하인스를 진정시켜 보려고 노력했지만 헛수고였다. 토론을 하고 대화를 시도했음에도 불구하고 "댄은 당신과 다시는 말을 안 할 것이다."라는 말이 내 머리를 떠나질 않았다. 만일 그것이 사실이라면 상원의원 선거 관련 기사 취재가 조금 더 어려워질 뿐 아니라 어쩌면 아예 불가능해질지도 모르는 일이었다. 그때 쯤 선거 판세는 하인스가 선두를 달리는 국면이었다. 선거전이 막 달아 오르는 시점에 아무 악의가 없는 일로 인해 주요 정치인과의 관계가 끊어지는 것은 난처한 일이었다. 그래서 나는 하인스의 남동생과 전화를 끊고 난 다음《시카고 트리뷴》의 정치부 편집장 밥 섹터(Bob Secter)의 조언을 구했다. 얼마 동안 토론을 한 결과 우리 둘은 그 사건이 오히려 오바마의 매력과 카리스마를 전하는 데 효과적이라고 생각해 이후에 나오는 일요판 신문에 후속기사를 쓰기로 했다. 그러나 하인스의 부인에 대한 언급은 삭제하고 대신 '경쟁자의 지지자'로 칭하기로 했다.

나에게 있어 그것은 기사 속의 인물을 보호하고 내 보도의 정직성을 보존하는 동시에 《시카고 트리뷴》 독자들의 흥미를 돋우는 길이었다. 섹터는 우리의 보도를 하인스의 부부관계와 무관하게 하기 위해 더 고민하는 듯했다. 섹터는 나중에 《시카고 리더》에 이렇게 말했다. "근거 없는 사건이었고 불필요한 보도로 여겨진다. 그들은 그 보도가 하인스와 부인과의 관계가 나쁜 것처럼 불필요한 인상을 주었다고 생각하는 것 같다. 부부관계에 관한 것이기 때문에 우리는 힘든 부분을 다루고 있었다. 솔직히 나는 그들의 관계에 대해서 아무 것도 모를 뿐더러 우리가 그 일을 다룰 위치에 있지도 않다. 만일 그들에 관해 우리가 처음부터 잘못 이해하고 있었다면, 그 기사 내용은 우리가 말하려고 했던 핵심 주제와 전혀 관계가 없었으므로, 하인스에게 상처를 주어서는 안 되는 일이었다."

선거운동이 거의 막바지에 이를 무렵 오바마는 비행기를 타고 미국 전역을 방문하고 있었다. 그 기간 중에 나는 오바마에 관한 그 해프닝을 언급했는데, 정작 본인은 별로 관심 없어 하는 듯했다. 오바마의 장점 중 하나는 자신에게 사소한 일로 여겨지는 것에 거의 정신을 쏟지 않는다는 것이다. 그는 사소한 일들에는 정말로 마음을 두지 않는다. 몇 달 전 어떤 장소에서 오바마가 하인스 부인과 떨어져 있을 때, 나는 그에게 경쟁자의 아내에게 가벼운 키스로 인사하는 행동은 현명하지 않다고 말했다. 그래도 그는 나의 충고를 귓등으로 듣고는 선거 유세장에서 여러 번 그녀를 봐서 서로 잘 알고 있었다고 설명했다. 그러나 하인스의 동생은 정반대의 얘기를 했다. 크리스티나 하인스는 신체적 접촉 인사로 황당해 했다고 매트 하인스는 전했다.

어찌 되었든지 간에 선거운동을 하기 위해 탑승한 비행기에서 오바마는 스스로 이 일을 간단명료하게 정리했다. "하인스 진영이 중요하지 않은 일로 논쟁하는 데 너무 많은 시간을 허비하는 것 같습니다."

틀림없이 오바마의 말은 사실이었다. 그러나 고의든 우연이든, 오바마의 매력적이면서 뻔뻔스러운 본성이 다시 상대를 교묘하게 약하게 하면서, 자신을 위해 상황을 이끌어간 또 다른 사건이 있었다.

예비선거일이 더 가까이 오자 각 후보자들의 선거운동 캠프는 자연히 더 다급해지고, 그 결과 다른 후보들에 대해 더 신랄한 비난을 했다. 자원봉사자들, 컨설턴트, 후보자들 모두 더 불안해졌고 선거 운동은 더 적극적이 되었다. 헐과 하인스는 특히 서로에 대해 더 악한 감정을 품었다. 하인스 진영은 처음부터 끝까지 약세였지만, 배후에서 헐을 공격할 때만은 예외였다. 정치계에서 실세로 있는 아버지를 둔 선두 주자로서 하인스는 로즈가든(Rose Garden) 전략을 택했는데, 이 전략은 공식적으로 때를 기다리다가 조합과 각 행정단위들이 투표하는 날에 득표한다는 전략이다. 이 전략은 치명적인 실수로 판명 났다. 하인스는 그지역 시의원 선출 대회도 국가의 행정관 선출 대회도 아닌 미국 상원의원 선거에 출마하고 있었다. 그는 사설란과 대중적 논쟁에서 과감하게 일을 밀어붙이는 데 능숙했지만, 유권자들에게 특별한 것을 제시하지 못했다. 워싱턴 주 상원의원으로서 유권자들은, 오바마의 표현을 빌면, '민주당의 인기 후보' 그 이상을 원했다.

대부분의 여론 조사에서 하인스는 20퍼센트 정도에서 머물렀고, 마지막 선거운동이 시작되었을 때 기껏해야 몇 퍼센트 올라갔다. 하인스의 안정 드라이브 전략이 선거운동에서 빗나간 것이다. 예를 들어 내가 미셸 오바마와 한두 시간 동안 인터뷰를 한 것과 반대로 하인스는 내가 그의 아내를 만나는 것을 허락하지 않았다. 심지어 오바마 키스 사건이 있기 전인데도 말이다. 내가 하인스를 그림자처럼 끈질기게 따라 다닐 때, 그는 유권자들이 떨어져 나가는 것을 염려해서 자신의 개인적인 생활에 대해 어떤 것도 얘기하고 싶어 하지 않았다. 일리노이 주 고위 민주당 의원이 이렇게 말한 적이 있다. "난 댄 하인스가 그 경선에서 승리하지 못할 것이라고 예상하고 있었다. 하인스, 오바마 이 두 사람하고 농구를 했는데, 하인스는 소극적으로 경기를 했다."

그럼에도 불구하고 하인스 진영의 선거운동이 결코 소극적이기만 한 것은 아니었는데, 그것은 헐에 대한 비평과 비난을 보면 잘 알 수 있다. 대부분 헐과 하인스는 민주당을 지지하는 유권자들, 좀 더 구체적으로 말하면 교외 지역과 주의 남쪽 지역에 거주하는 민주당원들을 목표로 했다. 이 자체로 인해 헐과 하인스 두 후보는 천적이 될 수밖에 없었다. 하인스의 대변인 크리스 매더는 나에게 헐의 수많은 정치적 약점과 부

채(負債)에 대해 이야기했다. 마찬가지로 헐의 보좌관들로부터도 하인스에 대해 똑같은 얘기를 들었다. 이 두 후보가 서로 입씨름을 하는 동안 오바마는 천천히 그리고 확실히 다른 쪽으로 발을 내딛고 있었다. 헐의 미디어 전략가 애니타 던은 "오바마 진영은 한 쪽에서 매우 현명한 선거 운동을 하고 있다."라고 인정했다. 어느 날 오후 오바마가 교외 지역 오크 파크(Oak Park)에서 진보주의 성향의 사람들에게 연설을 한 뒤, 그를 뒤따라 잡으면서 나는 헐과 하인스 사이의 치열한 격전에 대해 이야기했다. 오바마는 웃으면서 머리를 홱 숙였다. 마치 "그 두 사람이 서로를 향해 활을 쏘는 동안 난 그저 계속해서 고개를 들지 않으려고 해요."라고 말하듯이 말이다.

오바마가 헐과 하인스를 염두에 두지 않듯, 그를 화나게 하는 후보가 한 명 있었는데, 바로 게리 치코였다. 전직 교육위원장이 입후보한 것은 처음 있는 일이었는데 그는 선거 자금도 충분히 모았다. 그러나 선거운동이 궤도에 오르지 못하고 난항을 겪자 자금줄이 점점 막히게 되었다. 치코는 라틴계 유권자들의 힘을 과대평가했고, 그의 선거운동을 공동으로 운영했던 법무법인이 분열됨으로써 치명적인 타격을 입었다. 이 일로 치코는 혼란에 빠졌다. 그는 TV 출연을 하지 않았는데, 만일 출연했다 하더라도 무뚝뚝한 그의 태도 때문에 시청자들이 TV를 껐을지도 모를 일이다. 그러나 그는 특별히 복잡한 정치 문제를 간단명료하게 두 문장으로 정리하고 해석하는 탁월한 능력을 지니고 있었다. 이게 바로 오바마가 갖지 못한 능력이었다. 오바마는 길게 말하고, 달변이며 사려 깊은 의사 표현으로 청중에게 감동을 주는, 긴 인터뷰와 연설에 유능했다. 하지만 오바마는 많은 선거 연설 포럼에서 문제의 핵심을 재빠르게 집어 내는 말솜씨를 가진 치코의 그늘에 가려졌다.

어떤 포럼에 참석한 뒤, 오바마 진영의 선거사무장 짐 컬리는 오바마에게 다음과 같이 충고했다. "아시다시피 치코는 아주 똑똑했어요. 오바마 당신만의 탁월한 방식을 개발할 필요가 있어요." 오바마는 하버드 법대를 졸업할 정도로 똑똑한 사람이었으므로 논쟁과 토론에서 자신 있었다. 그러나 이번 상원의원 선거에서는 결과가 꼭 그렇지만도 않았다. 노스웨스턴 대학 주변의 자유주의 요새인, 교외 지역 에번스턴에서 있었던 포럼에서 치코는 오바마의 난해한 교육정책을 꼬집으며 그를 신랄하게 공격했다. 선거 유세에서 대부분의 민주당은 정책 문제들에 합의를 보았고, 정책에 대한 구체적인 논쟁은 뚜렷한 게 없었다. 오바마는 주로 정책에 대해 자신이 있었다. 그는 교육정책과 관련하여 민주당의 평균지지선인 부시 대통령의 "어떤 아이도 뒤처지지 않게 한다.(No Child Left Behind Law)"는 모토를 사용했다. 그런데 오바마는 조시 부시 대통령이 교육비를 뒤로 빼돌렸다는 치코의 신랄한 비평을 접하고 깜짝 놀랐다. 치코는 시카고 교육위원회 의장이면서 그 문제에 있어서 전문가였기에 논쟁에서 이길 수 있었다.

논쟁이 끝난 후 치코의 공격을 어떻게 생각하는지 오바마에게 물었을 때, 오바마는 정책 논쟁을 재론하기 시작했다. "그게 아니고"라고 하면서 난 그의 말을 중단시켰다. 그러면서 "오바마, 당신은 왜 치코 의원이 당신을 목표로 논쟁을 걸었다고 보나? 당신이 에번스턴 지역에서 지지도가 높은 후보라서?"라고 물었다. 그러자 오바마는 머뭇거리며 나에게 "다른 정치적인 의미가 있었다는 뜻인가요?"라고 반문했다. 그는 그 일에서 지적 차원의 정책만을 생각한 나머지 정치 자체를 완전히 잊고 있었다. 치코는 교육 정책을 토론하는 게 목표가 아니었고 오바마의 지지 세력권 앞마당에서 그를 끽소리 못하게 완전히 제압하고 싶었던 것이다.

오바마의 살아 있는 홍보의 핵심 포인트는 물어 볼 것도 없이 즉흥적인 선거 연설이었다. 상원의원 선거운동 내내 그는 한 번도 종이나 컴퓨터 파일의 형태로 연설을 준비한 적이 없었다. 그는 기본적인 구상만 가지고 즉흥적인 연설을 했는데, 선거운동 기간 내내 비슷한 주제들을 얘기했다. 그는 사람들이 자기를 '요 마마(Yo mama)'나 '앨라배마(Alabama)'처럼 다양하게 부른다고 이야기하면서 자신의 특별한 이름에 관한 농담으로 연설 때마다 화두를 열었다. '요 마마'나 '앨라배마' 대목에서 항상 사람들은 웃고 오바마는 이 부분을 반복했다. 그는 청중들의 웃음에 미소로 답했다. 그는 재미있게 자신의 특이한 출신 배경을 설명했다. ("우리 아버지는 아프리카 케냐 출신이고, 저의 이름은 케냐 말로 지어졌어요. 버락은 스와힐리어로 '하나님의 축복을 받은'이라는 뜻이에요. 저의 어머니는 캔사스 출신이고, 저는 그 곳의 억양을 가지고 있어요.") 그러고 나서 그는 연설의 요점을 이야기했는데, 그의 연설은 주로 공화당 지도자의 국정정책과 자신의 가치관과의 차이에 집중되었다.

그의 연설은 골격은 같았지만 청중들의 반응에 따라 계속해서 고쳐졌다. 어느 주말 최소한 여섯 번의 연설을 한 적이 있었는데, 오바마는 나에게 이렇게 말했다. "멘델(Mendell), 당신을 위해 매번 연설의 내용을 바꾸는 것이 점점 힘듭니다." 나는 그의 말을 듣고 깜짝 놀랐다. 먼저, 나는 똑같은 주제를 다른 말들로 표현하는 것 외에는 큰 차이를 느끼지 못했다. 둘째로, 전부터 정치인들을 그림자처럼 따라다녔기 때문에 똑같은 연설을 몇 번이고 매일 매일 반복하는 것에 적응이 되어 있었다. 내가 맡았던 한 정치인은 가는 곳마다 거의 토씨 하나도 틀리지 않게 똑같은 연설을 반복하기도 했는데 그런 경험이 있었으므로 나는 오바마에게 나로 인해 연설을 바꿀 이유는 없다고 말했다. 그러고 나서 잠시 생각해 본 후 그가 나의 거의 계속되는 참석을 지적인 도구로 사용하고 있었음을 깨달았다. 거듭된 연설은 메시지를 가다듬고 이미 연마된 연설 재능을 더 가다듬는 지적 훈련이었다. 비록 조금씩이지만 연설을 조금씩 바꾸는 훈련이 거듭되며 그는 대중연설자로서 점점 더 성숙해갔다. 오바마는, "나의 평상시 태도는 연습, 연습, 또 연습이다."라고 말했다. "난 잘 먹히는 것과 먹히지 않는 것, 그리고 내 연설이 너무 길 때와 너무 단조로울 때를 구분하는 데 더욱 능숙하게 되었다. 선거 캠페인 외에 내가 연설을 가장 많이 배울 수 있는 곳은 30~40명의 어린 학생들을 모아놓고 가르치면서 그들이 흥미를 잃지 않고 듣게 할 때이다. 데이비드[액슬로드]는 내 연설의 잘된 점과 잘못된 점을 지적하는 데 항상 도움을 주었다." 액슬로드는 메시지와 연설에 관해 토론하는 것은 연주자들이 함께 반복 악절을 연주하는 것과 비슷한 것이라고 설명했다.

오바마가 흑인 관중들과 하나 되는 능력은 선거 과정에서의 논쟁을 통해 엄청나게 향상되었다. 지역 활동가이자 후보로서 바비 러시와 대결한 오바마는 시카고의 흑인 교회에 참석해 흑인들이 이해하는 설교자의 스타일이나 주제의 흐름을 체득하는 데 많은 시간을 투자했다. 그래서 오바마는 흑인 관중들 앞에 설 때면 (특별히 교회에서는) 중간 중간 쉬어가는 식으로 감동과 사회 정의와 경제적 불공평에 대한 생각을 강한 어조로 전달했다.

많은 경우 외견상의 차이가 있지만 미국인들은 인간애라는 공통의 유대 관계를 맺고 있으며 따라서 미국 정부는 인본주의 정신을 정책에 반영해야 한다는 오바마의 메시지는 놀라운 정도로 일관되었다. "나는 내 형제를 지키는 자요, 나는 내 자매를 지킬 의무를 가진 사람이다."라고 오바마는 그의 굵은 목소리로 언성을 높이며 공언했다. 그런 오바마의 연설은 대부분이 세속적이고 정치적인 성격을 띠었지만, 그는 성경적 암시, 기독교의 전통, 그리고 대표적인 미국 인권 운동가인 마틴 루터 킹 주니어 목사의 명언들을 꼭 인용했다. 그는 "도덕 세계의 길은 멀지만 그것은 항상 정의의 방향으로 기운다."라는 킹 목사의 말을 선창하며 마쳤다. 그러고는 뒤이어 "그 방향이 스스로 기울어지는 것은 아닙니다. 당신의 손으로 그것을 잡아 정의의 방향으로 틀 때에만 가능한 것입니다."라고 말했다.

오바마의 1차 선거운동에 처음으로 심각한 재난이 닥쳤다. 2003년 11월 마지막 주에 두 차례에 걸쳐 일리노이 주 상원의원을 지내고 대통령 선거에 출마한 적이 있는, 안경 끼고 예의바른 폴 사이먼이 《시카고 트리뷴》에 들른 것이었다. 그를 복도에서 지나치다 잠깐 멈춰서 미국 상원의원 경선에서 특별히 누구를 선호하는지 물어봤다. 사이먼은 한두 주 안에 선언할 것이지만 지금 당장은 자신이 누구를 지지하는지 밝히지 않겠다고 말했다. 그는 씩 웃으면서 "그러나 나는 이 사람을 매우 자랑스럽게 여길 것이 분명하다."라고 덧붙였다. 오바마가, 사이먼이 좋아하는 후보인 것을 안 나는 간단히 "오바마인가?"라고 물었다. 사이먼은 "두 주만 더 기다리라."고 말하고 엘리베이터로 들어갔다.

바로 다음 주에 사이먼은 심장 혈관을 바로 잡기 위한 수술에 들어갔다가 합병증 유발로 다음날 숨을 거뒀다. 솔직했던 사이먼, 일리노이 주 중부 태생인 그는 솔직함, 정직함, 그리고 얼굴을 붉히지 않는 낙천적인 성격 때문에 일리노이 주 모든 민주당원들에게서 존경을 받았던 인물이다. 액슬로드는 사이먼의 개인적인 지지를 받는 오바마에 관한 광고를 찍을 계획을 이미 세워 놓고 있었다. 액슬로드는 진보주의자들과 일리노이 주 남부 지역 거주자들을 향해 오바마를 사이먼과 결부시키면서 오바마는 사이먼과 똑같은 특징을 지니고 있다는 이미지를 창출하려 했다. 열정적이고 자유주의적이며 의심의 여지없이 정직하고 독립적이라는 이미지가 바로 그것이다. 이 광고는 주로 시내의 시장 지역에 방영하기로 되어 있었는데, 오바마가 시카고 도심 지역 표를 모으는 데 활용할 목적을 가지고 있었기 때문에 중요한 광고였다. 그러므로 사이먼의 죽음은 오바마 진영에게는 큰 타격이었다.

처음에 액슬로드는 어떻게 일을 진행해야 할지 몰랐다. 그래서 모험을 했다. 사이먼을 주제로 하여 사이먼의 성장한 딸이 나와 오바마를 그녀의 아버지와 비교하는 광고를 만들었다. 그 광고에서 실라 사이먼 (Sheila Simon)은 그녀의 아버지가 정치와 사회에 적용해 온 가치들을 거론하며 오바마가 그 전통을 이어갈 적격의 사람이라고 말했다. 아버지 사이먼의 이미지를 배경에 깐 상태에서 그녀는 말한다, "50년 동안 아버지 폴 사이먼은 정직, 원칙, 그리고 발언권이 가장 많이 필요한 사람들을 위해 싸우겠다는 약속을 지켰습니다. 버락 오바마는 우리 아버지랑 조금도 다를 게 없이 똑같은 사람입니다."

이 광고는 좀 위험했다 왜냐하면 오바마의 정치적 성공을 위해 사이먼의 죽음을 이용한다는 오해를 불러일으킬 수 있었기 때문이었다. 실제로 샘플 집단 사람들을 대상으로 그 광고를 보여 주었더니 한 여성이 매우 부정적으로 반응했다. 그러나 액슬로드는 그 광고가 민주당 유권자들과 헌신적인 자유주의 성향의 시민들로부터 호응을 얻을 것이라고 강력하게 믿었다. 그의 직관을 믿고 그 광고를 방영한 결과 일리노이 주 남부 지역에서 오바마에 대해 들어 보지도 못한 많은 유권자들이 그에 대한 긍정적 반응을 나타내는 큰 성과를 거두었다. 실제로 그들은 오바마를 소개할 때 "폴 사이먼의 후계자가 온다."라고 표현했다.

그 마지막 3주 동안 오바마 진영은 액슬로드가 제작한 다른 훌륭한 텔레비전 광고들을 몇 차례에 걸쳐 계속 방영했다. 첫 광고는 투표자들에게 오바마의 인생을 보여 주면서 그의 후보로서의 자격과 그의 삶을 형상화한 것이었다. 액슬로드의 가장 큰 천부적 능력은 후보의 인생에서 가장 매력적인 부분을 뽑아내어 그것을 부각시키는 인기 비디오를 만들어 내는 것이다. 액슬로드는 백인들에게는 오바마의 하버드의 이력이, 흑인들에게는 그의 지역사회 조직 경험이 주요 관심의 포인트라는 것을 알아차리고 그 두 가지가 광고에 두드러지게 나타나도록 광고를 제작했다. 오바마가 텔레비전에서 보여 준 카리스마와 법률계의 경력으로 인해 호소력 있는 광고가 제작될 수 있었다.

주제는 "우리는 할 수 있다."였다. 누가 이 말을 해석하느냐에 따라 이 문장은 다른 호소력을 갖는다. 그렇다. 오바마와 같은 이상과 경력을 가진 정치가라면 충분히 다양한 사람들의 변화를 가져오고 삶을 바꿔 놓을 수 있을 것이다. 그리고 흑인이 국회에서 상원의원 자리를 얻을 수 있을 것이다. 우리 곧, 모든 사람이 변화를 가져 올 수 있다. 액슬로드는 《하버드 로 리뷰》에서 오바마가 편집장을 지냄으로써 인종 차별 장벽을 허문 기록(이 사실에 대해 백인들이 호응했다)과 스프링필드에서 오바마가 통과시킨 법안을 사용해 그 광고의 메시지를 더 강하게 부각시켰다.

그 법안이 오바마가 겨냥하고 있는 주요 유권자들에게 어필했다. 여성들을 위해서는 보험회사들이 정기적인 유방 촬영 사진을 찍을 수 있는 비용을 대는 내용을, 자유주의자들, 흑인들, 빈곤층을 위해서는 자녀들을 위해 건강보험을 확대하자는 제안을, 가난한 사람들을 위해서는 세금을 줄여야 한다는 호소를, 또 사형제도를 개혁하자는 등의 메시지가 던져졌다. "이래도 우리가 워싱턴을 변화시킬 수 없단 말입니까? 저는 버락 오바마의 이름으로 '우리는 할 수 있다.'는 것을 알리기 위해 미국 상원의원에 출마했습니다."라고 오바마는 절절한 목소리로 카메라 앞에서 주장했다.

오바마는 처음 "우리는 할 수 있다."라는 주제를 보았을 때, 아무런 감동도 느끼지 못했다. 실제로 그는 이 아이디어에 끌리지 않았었다. 오바마는 이 문장의 어조에 깔린 의미를 이해했지만, "우리는 할 수 있다."라는 문장이 내포하는 진지함을 염두에 두면서도 의도적으로 단순히 반복되는 그 문구를 다소 진부하다고 생각했다. 그는 무엇이든 깊이 생각하는 경향이 있었다. 그러나 액슬로드는 이 아이디어가 내포하는 진지함과 단순함을 강하게 느끼고 그 아이디어를 고수했다. 따라서 오바마는 그가 가장 신뢰하는 보좌관 미셸에게 가서 그녀의 생각은 어떤지 물었다. 그녀는 그에게 좋은 아이디어라고 하면서 그 생각은 아프리카계 미국인 사회에 강한 인상을 줄 것이기 때문에 그 아이디어를 이용해야 한다고 말해 주었다. 오바마는 그의 아내가 남부 지역 흑인들의 문화와 정서를 이해하고 있다는 것을 알았기 때문에 그녀의 판단을 따르기로 했다. 이런 모습은 정치 후보자로서 한결 성숙한 모습이었다.

선거운동 초기에 그는 이 아이디어를 놓고 액슬로드와 언쟁을 했다. "버락, 당신은 매우 지적이지만, 그로부터 비롯되는 함정 가운데 하나는 당신이 옳다고 믿는 것을 너무 고집하는 점이다." 액슬로드의 남부 지역 광고는 오바마의 법률가로서의 경험과 공화당과 협력적인 이미지를 담고 있었다. 바비 러시가 물러난 이후 오바마는 자신의 이성과 논리를 뛰어넘는 지혜를 갖고 있는 베테랑 전문가들이 있다는 것을 알게 되었다. 특별히 아내만 계획에 동의한다면 액슬로드 같은 베테랑 정치인의 안내를 따르는 것이 지혜로운 일일 것이다.

다른 상업광고도 유권자의 다른 계층을 향해 똑같은 슬로건 "우리는 할 수 있다."를 담았다. 여론 조사 전문가들은 도시 지역 유권자들은 행정 공무원들을 변화시킬 후보자에게 기울어지는 반면에 지방에 거주하는 사람들은 더 보수적이고 정치에 덜 실망하고 있기 때문에 후보자들의 정치 경험에 주목하는 경향이 있다는 것을 알아냈다. 그래서 액슬로드가 제작한 도심 지역용 광고는 오바마의 법률가로서의 경험과 공화당과 손잡고 함께 일할 수 있는 그의 장점을 담았다. 오바마는 양쪽 정당 모두와 협력할 수 있다는 해설과 함께, 지하실과 푸른 들판을 배경으로 청바지 차림의 농부와 나란히 걸어가는 오바마의 이미지가 배경에 펼쳐졌다. 격식을 차리지 않은 베이지색 양복을 입은 오바마는 소도시 행정청사 앞에 서서 다음과 같은 질문을 했다. "만약 사무실에 있는 사람들이 서로간의 관계가 아닌, 문제 해결에 시간을 투자한다면 어떨까요?" 또 다른 광고는 보호주의 성향이 짙은 지방을 목표로 했다. 오바마는 상거래 무역법을 강화하고 해외인력을 고용하는 회사들을 위한 세금 우대 조치를 없애겠다고 약속하면서 조합원들과 악수하는 그의 모습을 보여 주었다. 뒤이어 미국에서 일자리를 창출하는 기업에게 세제 혜택을 주겠다고 단호히 말했다.

액슬로드가 만든 회심의 광고에서는 사이먼과 해롤드 워싱턴 두 사람이 활동했던 시대가 등장하며 이 둘의 정치적 뜻을 모아서 펼치는 인물은 오바마라고 강조하였다. "역사를 돌아볼 때 희망이 냉소주의를 꺾은 때가 있었는데, 그때는 국민의 힘이 물질(돈)과 기계에 대해서 승리한 때였다."라고 굵은 목소리의 내레이터(narrator)가 사이먼과 워싱턴의 이미지를 읊었다. 그러고 나서 오바마를 "이 시대와 이 지역을 위한 사람"《시카고 선 타임스》, "용기 있고 원칙적이며 효과적인 지도력이 있고, 확실히 검증된 경력을 지닌 사람"《시카고 트리뷴》이라고 말하는 언론의 다양한 지지가 인용되었다.

경선을 3주 앞둔 시점에서 최고의 지지율을 얻게 된 것은 오바마가 선거운동 중 열심히 노력한 덕도 있지만 그에 못지않게 중요한 것이 바로 액슬로드가 제작한 텔레비전 광고 캠페인이었다. 헐의 이혼 경력이 시카고 지역에서 대중적으로 인식됨에 따라 그때 오바마 광고가 TV 모니터에 나타났다. 유권자들 사이에 오바마의 광고가 큰 영향력을 미치고 있는지를 안다는 것은 어려운 일이었다. 하지만 선거운동 팀의 내부 여론조사에 의하면 오바마가 헐의 사퇴로 인한 빈자리를 채우면서 높은 지지율을 얻고 있다고 분석했다. 헐의 대변인 제이슨 어크스는 "오바마의 인기가 불붙기 시작했다."라고 말했다.

큰 선거의 마지막 2주가 늘 그렇듯이 《시카고 트리뷴》은 기자 한 명이 후보 한 명씩 맡는 식으로 선거에 관한 취재를 보강했다. 헐은 계속해서 기삿거리로 등장했고, 편집장 밥 섹터는 내가 헐에 대한 기사를 자제하길 원했다. 《시카고 트리뷴》이 헐의 기록을 요청하는 소송을 제기했기 때문에 "우리에게는 블레어 헐의 기사에 관한 권한이 없다."고 섹터는 나에게 설명했다. 하지만 섹터에게 오바마 담당은 나라고 말했다. 선거가 끝나가고 있다는 걸 알 수 있었다. 오바마가 막 선두가 되었고 아마도 이번 선거에서 승리할 것이 분명해졌다. 만약 내가 앞으로 6개월 이상 총선에서 민주당 공천자들을 계속 맡아서 기사를 쓴다면, 이 마지막 2주 동안이 민주당 후보와 실질적 관계를 형성하는 데 매우 중요한 시기일 수 있다.

오바마가 승리한 후 더 많은 보좌관들이 영입되었고 그와 나 사이엔 더 많은 장애물들이 놓여졌다. 당시는 장벽이 없으므로 보좌진들의 장벽을 통과하여 접근하기 쉬웠다. 시간이 지나 8월이 되었을 때 그는 나의 예기치 않은 방문과 동행에 더 익숙해졌고, 나 또한 접근하기가 더 쉬워졌다. "헐의 기사는 끝이다. 선거일 저녁 기사는 아마도 오바마가 중심이 될 것이다."라고 나는 섹터에게 말했다. 편집장은 나의 말에 완전히 동의하지 않았다. "어째서 오바마가 승리할 것이라고 확신하는

가?"라고 섹터가 물었다. 그래서 나는 여론조사에서 압도적으로 오바마가 선두에 있으며 오바마가 대중 앞에 섰을 때 우리는 대중들의 환호와 지지자들의 얼굴에 배어 있는 순수한 애정을 보았다고 말했다. "야구 경기를 볼 때 한 쪽 팀으로 승리의 분위기나 힘이 기우는 것을 느끼는 것과 마찬가지다."라고 덧붙였다. 섹터는 흥분을 가라앉히고 차분해졌다. 나는 온종일 오바마의 행동반경에 있으면서 몇 주 동안 계속해서 그를 따라다녔다. 참으로 별난 여행이었다.

선거 일주일 전 오바마는 흑인 교회를 방문하고 백인들과 라틴계의 행사에 참여하는 등 인종과 문화의 차이를 넘어 적극적으로 활동했다.

남부 지역의 흑인 거주 지역에서 아침식사를 한 후, 오바마, 운전사, 나 등 오바마의 일행은 매년 성 패트릭의 날 기념 퍼레이드가 열리는 시카고 시내로 발걸음을 옮겼다. 이 행사는 주로 백인들의 축제로 당선이 유력한 후보들, 특히 당선되길 원하는 사람들은 결코 빠지거나 무시해서는 안 되는 행사였다. 1년 전에 오바마가 거의 망할 뻔했던 곳이 바로 이 퍼레이드였다. 실제로 한 달 전까지만 해도 오바마는 자신의 특이한 이름과 정치적 메시지를 유권자들에게 알리기 위해 분주히 뛰는 무명에 가까운 일리노이 주 의원에 지나지 않았다. 이제 그는 이력에서 가장 큰 선거이자 인생에서 가장 중요한 순간을 72시간 앞두고 있었다. 그런데 갑자기 그가 무명 상태에서 벗어나면서 오랫동안 품었던 원대한 목표를 이루는 순간에 거의 도달한 것처럼 보였다. 아직은 확실하지 않았지만 일리노이 주 역사상 가장 기이한 선거운동 시즌 중 한 단계가 지난 후 신문과 선거운동 여론 조사기관들은 오바마가 많은 민주당 후보자들 가운데 3등에서 1등으로 올라섰다고 분석했다.

오바마의 운전기사는 선거운동 전용으로 임대한 검정색 SUV(Sport

Utility Vehicle)를 시카고 다운타운 시내에 있는 그랜트 파크 안에 줄지어 서 있는, 잎이 다 떨어진 나무들 아래에 세웠다. 이 공원은 시에서 관리하는 곳으로 루프(Loop) 상업 지역과 미시간 호 사이에 시야가 확 트인 넓고 경치 좋은 곳에 자리 잡고 있었다. 시카고의 길고 긴 겨울 회색 구름이 점차 걷히면서 오바마는 정오의 밝은 햇살을 즐겼다. 그는 몇 달 동안 선거운동으로 하루에 14시간의 강행군으로 가뜩이나 마른 몸매에 해진 짙은 회색 울 코트를 걸친 상태였다. 오바마는 해진 코트 주머니에 항상 가지고 다니는 래이 밴(Ray Ban) 선글라스를 꺼내 조금 옆을 응시하고 있는 향한 얼굴 위에 천천히 올려놓았다.

그때 20대 정도의 백인 여자 세 명이 오바마를 알아보고는 멀리 퍼레이드 군중들로부터 뛰어왔다. 강한 시카고 악센트를 봐서는 백인들이 많이 사는 지역에서 온 것이 분명했다.

"어바~마 씨! 어바~마 씨!" 한 여성이 오바마의 옆으로 달려오면서 시카고의 독특한 콧소리 발음으로 '어바~마' 라고 그를 불렀다. "어바~마 씨와 사진을 찍을 수 있을까요?" 그녀는 졸라댔다. "제발요. 우린 모두 당신을 텔레비전에서 봤어요. 모두 당신을 찍을 거예요!" 오바마는 그들의 요청에 별 반응을 보이지 않은 채 내 쪽을 돌아보았다.

오바마가 양팔을 두 여자의 허리에 느슨히 낀 채 씩 웃는 모습으로 사진을 찍었을 때 나는 이 장면이 중요한 순간이라고 생각했다. 아마도 이들은 그동안 시카고 시에서 흑인 후보에게 거의 표를 준 적이 없던 지역 주민일 것이다. 인종적으로나 민족적으로 가장 양극화가 심한 대도시 가운데 하나인 이곳에 비록 21세기라 하지만 흑인으로서 아직은 도전하기 어려운 지역에서 이 여자들이 다가왔다.

인종이 다른데도 여자들이 오바마를 어떻게 알게 되었는지가 궁금했다. 자기 일 하느라 바쁘고 연애하고 팝 문화에 깊이 잠겨 있는 20대는 선거일에 투표권 행사를 가장 기대하기 힘든 연령이다. 그 당시 민주당에 속한 거의 대부분의 백인들은 이상한 발음의 이름을 가진 이 변호사에 대해 들어 보지도 못했다. 두 달밖에 남지 않은 그 시점에서 흑인도 아니었고 호숫가의 자유주의자들도 아닌 이 여인들은 오바마의 지지 기반이 아니었을 뿐더러 오바마는 민주당 지지 흑인들의 10분의 3도 채 되지 않는 지지를 받고 있는 상태였다. 게다가 그는 일리노이 주지사라든지 시카고 시장 같은 중서부 주의 지역 일을 하기 위해서가 아니라 미국 상원의원이 되기 위해 출마하고 있었던 것이었다. 광고가 나간 후 3일 후에 이 백인 여성들이 오바마가 마치 새로 떠오르는 가수인 것처럼 달려와 투표를 약속할 정도로 액슬로드의 광고가 진짜 대중의 인식에 깊이 박히는 효과가 있었단 말인가?

사진을 찍고 팔을 푼 후, 한 젊은 여성이 다른 여성에게 돌아서며 말했다. "믿을 수 있니? TV 모니터에서 볼 때나 실물로 보는 거나 똑같이 괜찮은 사람이야!"

건장한 흑인이었던 오바마의 운전사 마이크 시그내이터(Mike Signator)는 나를 힐끗 보고 눈썹을 올리며 미소를 지었다. 오바마도 혼자 미소를 짓고 있었다. 이제 마침내 그의 TV 광고가 선거 판도를 완전히 바꿔 놓았다는 증거가 나타난 것이다. "만일 당신이 저 세 명의 백인 여성들의 표를 얻는다면 당신은 진짜 뭔가 이루게 될 것이다."라고 나는 말했다.

오바마는 회심의 미소를 띠었다. "다음 화요일 우리 표가 어디서 오는지 기다려 보시라." 그가 말했다. "기다려 보시라."

제17장

승리의 순간

실제로 변화가 느껴진다. 우리 세대 사람들은
이런 일을 겪어 본 적이 없다.
— 30대의 오바마 투표자

데이비드 액슬로드의 TV 광고 덕에 선거의 마지막 3주 동안 버락 오
바마는 대중에게 잘 알려졌다. 블래어 헐의 불명예스런 몰락과는 대조
적으로 액슬로드가 돈을 움켜쥐고 있다가 막판에 TV 광고에 쏟아 붓는
다는 그의 일관된 전략이 절묘하게 효과를 발휘하기 시작했다. 물론 액
슬로드는 헐의 꼴사나운 과거를 잘 알고 있었으므로 이와 같이 세간의
이목을 끄는 경쟁에서 그것이 영원히 감춰질 수 없다고 확신했다. 그동
안 댄 하인스는 광고를 여러 차례 방송했지만 수준이 형편없었기 때문
에 광고전에서 패배했다. 변두리 지역의 여성들에게 호소하기 위해 만
든 광고에서 하인스는 부엌에서 앞치마를 두르고 서서 이른바 '비상 저
축금' 이라 부르는 계란을 흔들며 냄비에 깨 넣는다. 이것은 평민들을
위한 퇴직 연금에 무관심한 공화당을 꼬집는 것이었다. (선거운동 광고
담당자들에게 전하는 글: 절대로 후보자에게 앞치마를 입히지 마십시오.) 다른
광고에서 하인스는 그의 아내와 함께 다시 나왔지만 미국 상원의원 선
거전에서 그 광고도 별 효과가 없었다.

오바마의 광고가 화제를 일으킴에 따라 전체 판세가 오바마 쪽으로 기울어졌고 더 이상 막을 수 없어 보였다. 여론 조사에서도 그의 인기가 계속 치솟고 있었다. 일리노이 주 전체를 사로잡고 나아가 미국 전역으로 퍼진 오바마 신드롬이 시작되는 순간이었다. 이 열풍으로 오바마는 미국 상원의원이 되고, 결국에는 2008년 대통령 선거 후보자가 되었다.

오바마의 민주당 예비선거 경쟁자들은 모임을 갖고 마지막 몇 주 동안 오바마를 공격할 방안을 궁리했지만 아무 대안도 만들어 내지 못했다. 하인스는 헐을 어떻게 탈락시킬까 하는 데에만 집중했고, 오바마의 기세에 어떻게 대응해야 하는지에 대해서는 뾰족한 해법을 찾아내지 못했다. 헐의 선거팀은 오바마를 대적하는 대책팀을 구성했으나 특별한 대책을 강구하지 못했다. 오바마는 중고등학교 시절과 대학교 시절에 코카인을 가까이 한 적이 있는데 이 사건은 이미 10년 전에 발행된 책에서 오바마 스스로가 고백했기 때문에 그에게 더 이상 별 영향을 주지 않았다. 민주당 성향의 많은 여성들을 오바마로부터 멀어지게 하기 위해서 상대 후보 중 하나는, 오바마의 낙태 법안에 대해 현재 그의 유권자들이 어떻게 생각하는가를 기사로 써달라고 나한테 요청했다. 스프링필드에서 낙태 권리를 주장하는 사람들을 인터뷰해 본 결과 그들은 단호하게 오바마를 지지하며 그는 낙태 합법화를 옹호하는 사람이라고 했다.

헐의 여론 조사자 중 한 명인 마크 블루멘털(Mark Blumenthal)은 "더 이상 갈 곳도 없고, 더 이상 문제 삼을 꼬투리도 없다."라고 말했다. "오바마가 최고다. 오바마는 '난 변화를 추진하며, 경험을 가지고 있다.'고 말했다. 선거운동 마지막 주에 우리는 그의 성품을 깊이 있게 살펴볼 수 없었다. 그 사람은 민주당 유권자 대중들의 중심에 서 있었다. 따라서 어느 누구도 그를 폄하하는 새로운 기사를 만들어 낼 수 없었다."

혹인으로서 오바마는 어떤 점에서 갑옷과 같은 방패막을 가지고 있는 셈이었다. 그가 빠르게 아프리카계 미국인 사회의 상징적 자존심으로 등장하게 됨에 따라 어느 후보도 오바마를 맹렬히 공격함으로써 중요한 혹인 투표 지역을 포기하고 싶어 하지 않았다. 오바마가 단상에 올라갈 때 전과는 아주 다른 대우를 받았다. 오바마가 시카고 맥코믹 플레이스 컨벤션 센터를 지나 행사장으로 걸어 들어갈 때 "저 사람이 버락 오바마야."라고 한 혹인 남자가 환한 미소를 지으며 친구에게 속삭였다. "그를 보라. – 그는 혹인이다. 더 이상 인종주의자를 쳐다보고 싶지 않다."라고 헐의 공보 담당 수석 비서 제이슨 어크스가 말했다. 또한 헐의 거부감 말고도 다른 일이 있었는데 – 헐의 선거운동 공동책임자 바비 러시는 오바마는 혹인 지역에서 표를 얻을 수 없다고 선거운동 초기에 헐의 진영에 장담했다. 그래서 그는 오바마를 공격하는 전략을 전혀 세우지 않았다. 실제로 적대감은 하인스에 있었다. "만약 우리가 이번 선거에서 이기지 못하고 이길 수 없는 것처럼 판단되면 하인스가 승리하지 못하도록 우리가 할 수 있는 것은 전부 다 할 것이다."라고 어크스는 말했다.

오바마의 때 묻지 않은 순수한 이미지에 손상을 줄지도 모르는 유일한 사건이 마지막 TV 토론에서 일어났다. 확실한 선두주자인 오바마는 처음부터 긴장한 나머지 개막발언을 자신 있게 하지 못했다. 토론의 자료를 보강하고 준비하기 위해 액슬로드와 피트 지안그레코는 존 에드워드 대통령 후보 선거운동과 다른 고객의 업무를 진행하다가 시카고로 돌아왔다. 그들은 다른 후보들이 오바마를 겨냥해 공격할 것을 예상했는데 그건 사실이었다. 오바마는 곧 자기에게 일어날지도 모르는 일들에 대해 생각하고 있었다. 하인스는 한 예로 오바마가 전 공화당 주지사 행정체계에서 주의 지출을 억제하는 데 거의 한 일이 없었다고 심한 비난을 쏟아 부었고 결국에는 주의 재정이 엉망이 된 것에 일부 책임이 있다고 몰아붙였다. 하인스는 토론에서 오바마에 대해 이렇게 말했다. "그는 조용히 있었고 아무 것도 하지 않았다." 그러나 지안그레코는 성격상 오바마가 적수에게 먼저 쏘아붙이는 공격을 제대로 준비하지 못한 반면, 공격을 받을 때는 아주 잘 맞받아쳤다고 했다. 확실히 오바마는 하인스가 그 당시 주 회계감사위원이었고 각각의 예산안들에 서명을 해 준 사람이었던 것을 언급하면서 실리적이면서 효과적으로 상대를 역습했다.

오바마는 자신의 이미지에 거의 손상을 입지 않고 토론을 끝냈다. 어느 점으로 보아도 승리는 그의 것이었다.

2004년 3월 10일 시카고의 회색빛 겨울 하늘은 멋진 도시의 스카이라인을 황량하게 보이게 하고 있었다. 나는 모닝커피를 마시면서 수동변속기가 달린 새턴(Saturn) 차로 시카고 시내의 트리뷴 타워로 가기 위해 아이젠하워 고속도로를 달리고 있었는데, 그때 오바마에게서 전화가 왔다. 후보자가 기자에게 전화하는 것은 거의 드문 일인데, 이런 걸 보면 그는 자기 의사대로 선거운동을 전개했고, 뿐만 아니라 적은 돈을 들여서 선거운동을 해 왔다고 볼 수 있었다. 순간적으로 즉시 나는 그가 전화를 건 이유를 알아챘다. 처음으로 오바마가 《시카고 트리뷴》의 상원의원 경선에 관한 일일요약 기사를 이끌었다. 《시카고 트리뷴》은 경선의 정책 이슈에 관한 기사를 주간으로 다루고 있었지만, 대부분의 매체들로부터 관심을 이끌어낸 헐의 결혼생활 뉴스는 계속 다루고 있었다. 이 기사들은 오바마를 전면에 올려놓고, 부정적으로 다루었다. 희한한 일이 일어났다.

경쟁 선거운동 진영이, 선거광고로 의심받을 만한, 납세자들의 세금이 들어간 것 같은 '입법부 업데이트'라는 제목이 붙은 오바마 전단지를 보내왔다. 전단지는 2월 초에 시카고 남부 지역 그의 지역구 내의 모든 가정으로 발송되었다. 선거에 뛰어든 선출직 공직자들이 세금을 써 가며 그런 인쇄물들을 배포하지 못하게 하는, 윤리법이 시행되기 바로 며칠 전에, 그 전단지가 각 가정의 편지함에 배달된 것이다. 여기에 아이러니가 있다. 오바마는 그 윤리법에 서명했으며 그 사실을 자신의 정직함과 입법적 업적으로 선전하고 있었다. 따라서 법이 발효되기 직전에 주 예산을 들여 자신의 업적을 기록한 홍보물을 배포함으로써 그는 자신이 자랑하는 바로 그 법을 명백히 위반하고 있었다.

동료 존 체이스와 내가 같이 쓴 《시카고 트리뷴》기사는 이렇게 시작되었다. "주 상원의원 버락 오바마가 자신을 개혁주의자라고 주장하고 있지만 지난 달 초 그 민주당 상원의원 후보자는 1만 7,191달러의 세금을 들여서 선거운동 전단지 형태를 띠고 선거홍보물 분위기가 나는 우편물을 발송했다. 세금으로 만든 그런 홍보물을 사전선거 홍보를 위해 배포하지 못하도록 금지하는 개정안이 발효되기 직전에 이 홍보물이 배달되었는데 오바마가 자신이 통과시켰다고 자랑하는 이 법의 일부 개정안이 곧 시행될 예정이다"

상원의원 경선에서 오바마의 주요 경쟁자들이 부당하게 선거운동 자금을 모으고(하인스) 배우자 학대 혐의 진술(힐)이 나온 것을 고려해 볼 때, 이 사건은 거의 경범죄로도 취급되지 않았다. 이것은 오바마에게 약간의 오점을 남겨 주었지만, 그로 인해 큰 상처를 입지는 않았다.

그런 전화를 받은 대부분의 기자들처럼 나는 재빨리 내 기사를 방어해야 한다는 것을 알아차렸다. 이것은 그렇게 어려운 일이 아니었다. 왜냐하면 그 기사를 쓴 것이 세기의 중죄도 아니었고 기사 자체는 싸구려 저널리즘 구도와 달리 짜임새 있고 논리적이었기 때문이다. 오바마는 숨쉴 새도 없이 "여보세요, 오늘 기사 말인데요."로 입을 열었다. "어, 제 생각엔 머리기사에서 제가요, 제가 생각하기엔 제가 선두주자라고 하는 것 같은데요." 그가 말을 더듬고 자신감이 덜한 어조로 볼때, 그는 나와의 통화가 편치 않은 것처럼 보였다. 그러나 그는 그 자신을 변호해야 한다고 느끼는 것 같았다. "알다시피, 데이브 기자님." 그는 계속했다. "오늘 기사 말입니다. 우리는 불법적인 일을 한 적이 없거든요. 오늘 기사는 우리가 불법을 저질렀다고 시사하고 있습니다."라고 말했다. 나는 이 기사가 결코 불법을 암시하지 않는다고 설명했고, '법정신'을 어긴 것처럼 보이는 것만을 얘기했다. 그러고 나서 내 주장에 대한 그의 방어적 의사 표현을 기다렸다

놀랍게도 오바마는 정치가들에게서 거의 찾아 볼 수 없는 모습을 보였는데, 겸손하고 솔직하게 그는 자기 주장에서 물러나 나와 같은 결론을 맺었다. 오바마는 "그래요. 기자님 말이 맞네요. 기자님과 나만 아는 얘기인데 그런 우편물을 발송한 것 때문에 직원들을 호되게 야단쳤어요. 오래 전에 없어졌어야 하는 방법입니다."라고 말했다.

이렇게 그 문제는 누그러진 것 같았다. 내가 오바마의 주요 선거운동 자문위원과 나중에 담소를 나눌 때까지는 말이다. 액슬로드는 자기 당후보자는 잘못된 일을 한 적이 없다고 하면서 내 기사가 허위조작 땜질 기사라고 전화로 몰아붙였다. 내가 오바마에게 했던 것과 똑같은 답변을 하면서 결코 불법을 암시하지 않았고 오바마가 양심 윤리법을 위반했다고만 했다. 그러나 액슬로드는 완전히 달랐다. 그는 그 우편물은 어떤 식으로든 선거운동 인쇄물과 비슷하지도 않았고 스프링필드에서 오바마가 한 일들을 그의 유권자들에게 알리려는 목적으로 오바마 의원 사무실에서 엄격히 배포되었다고 강력하게 주장했다. 어떤 법도 어

기지 않았기 때문에 신문 기사가 오보라고 거듭 말했다.

내가 액슬로드에게 그날 오전에 했던 오바마와의 통화 내용을 말하자, 그는 너무 놀랐다.

"오바마 의원이 그랬어요? 정말 그렇게 얘기했어요?"

"네, 어때요? 정직한 사람과 함께 일하는 것 같네요."

"알고 있습니다." 액슬로드는 말했다. "그게 진짜 문제예요."

1차 선거운동이 끝나고 오바마의 승리가 확실하게 되자 오바마는 자연스럽게 본선을 구상하며 어떻게 하면 선거운동 조직을 강화할 수 있을까 생각하기 시작했다. 그는 이제 민주당 후보자가 될 것이고, 그 중앙당의 자금을 활용할 수 있게 될 것이다. 문제는 이 자금을 얼마만큼 쓸 것인가 하는 것이었다. 조직화된 정치 구조로부터 최대한 자유롭게 일하려고 노력하는 사람으로서, 그는 그의 메시지, 매체, 정책을 관리하는 데 있어 자치권을 유지하길 원했다. 우선 오바마는 액슬로드, 짐 컬리, 피트 지안그레코와 같은 박식한 전문 참모들과 주류 정치 경험이 많은 스태프들을 기용했다.

그러나 대부분 오바마의 메시지와 소신이 선거운동의 주된 무기였다. 또한 그에게는 그를 믿는 많은 자원봉사자들이 있었다. 봉사자들의 많은 숫자가 시카고 대학과 오바마에 대해 전해 듣거나 그의 연설을 들어 본 시카고 지역에 소재한 대학의 학생들이었다. "우리에게는 구세주 스타일의 사람들이 가까운 곳에 많이 있다." 선거운동본부 사무장 컬리는 어느 날 조심스레 말했다. "가끔은 구세주 타입의 그들과 뭘 하고 있는지 모를 때가 있다." 나는 이 말에 거의 박장대소를 했다. 오바마도 구세주 타입이 아닌가?

어떻든지 오바마는 여전히 그의 1차 선거운동을 돌아보며 승리는 권력자들이 바란다고 해서 오는 게 아니라 매우 조직적으로 일하는 사람에게 찾아온다고 말했다. 그는 내부 직원들의 비위를 맞추고 수백만 달러 정도의 선거 자금을 모으며 강력한 인맥을 가진 참모를 기용하는 등 확실히 체계적으로 선거운동을 했다. 그는 일리노이 주 상원의원장 에밀 존스의 지지를 확보했다. 또한 시장 리처드 데일리를 후원했던 똑같은 재정 기부자들을 여러 명 끌어들였다. 조합, 법정 변호사, 그리고 소위 전문가들이 재정적으로 그를 후원했고 지지자들이 도움을 주었다. 물론 미셸은 시청에서 일하면서 자기 남편을 거물 아프리카계 미국인 비즈니스 지도자들 네트워크에 소개하는 데 힘썼다. 그러나 오바마는 거의 시카고의 전설적 조직 정치의 비주류였다. 그는 정치 운영에서 핵심인물이 아니었으며 그 혼자였다.

따라서 오바마는 가을 선거 내내 자유롭고 독립적이길 원했다. 그는 아프리카계 미국인 교회들을 방문하는 중간에 선거운동 차량인 SUV에 앉아 있을 때, "나는 이 선거운동이 워싱턴에 의해 주도되는 걸 원치 않는다."라고 말했다. 말은 쉬워도 실천하긴 어려울 것이라고 난 혼자 생각했다. 아마도 오바마는 그의 입후보자로서의 권한에 대해 몰랐던 것 같다. 일리노이 주는 민주당 성향이 짙었다. 그래서 그는 남북전쟁 이래로 세 번째이며 상원의 유일한 흑인의원으로 당선될 수 있는 절호의 기회가 주어졌다. 이렇게 되면 그는 오랫동안 워싱턴에 있었던 모든 흑인 국회의원들보다 위로 도약하게 될 것이다.

마지막 주에 오바마에 대한 열광은 최고조에 달했다. 아프리카계 미국인들은 특히 열성적으로 그의 입후보 활동에 가담했다. 사설 여론조사에 의하면 텔레비전 광고가 공중파에서 히트를 친 후 일주일 사이에 오바마는 흑인 유권자들의 지지가 15퍼센트에서 거의 50퍼센트까지 올라갔다고 한다. 헐의 여론 조사원 블루멘털은 "이건 급상승이다. 그런데 계속 올라가고 있다."라고 했다. 흑인들 사이에 이러한 열기는 오바마가 방문하는 거의 모든 아프리카계 미국인 유권자들 속에서 감지되었다. 일요일 아침 교회 의자에 말없이 앉아 있으면서 단상에 나가 자신을 소개하도록 하는 대신에, 오히려 그는 그가 갈 수 있는 모든 곳에 얼굴을 내밀었다.

시내 중심가에 있는 최신 유행의 나이트클럽에서 젊은 흑인 전문직 종사자들이 모임을 주최하여 양껏 선거 자금을 모아 주었다. 오바마는 나이트클럽에서 많은 사람들을 지나 뒤에까지 가는 데 30분 정도 걸렸는데, 그곳에서도 연설을 했다. 모임의 주최자가 환호하는 사람들에게 "세계에 내보내야 하는 가장 훌륭하고 명석한 지도자"로 오바마를 소개할 때는, 야망에 차고 자기 확신이 가득한 그조차 이 찬양성 발언에 놀랐다. 그가 군중을 지나 뒤로 가서 대기 중인 SUV를 탈 수 있도록 건장한 체구의 사람들이 도와주었다. 마침내 다시 차에 올라탔을 때 과도한 호의에 몸 둘 바를 몰라 했다.

예비선거가 가까워지자 오바마는 공공장소 어디를 가든지 들뜬 표정을 지었다. 그는 활기 넘치는 조합원들, 교사들, 진보주의자들 그리고 흑인들의 열기가 가득한 곳에서 "나는 흥분해 있습니다."라고 소리쳤다. 그러나 개인적으로 오바마가 야망을 키워갈 때와 미국 상원의원이 기정사실화 되고 있는 상황은 양상이 달랐다. 그 상황은 그를 집어삼키고 있었다.

어느 것이 더 나쁜 것일까? 간절히 원했던 직업을 얻었지만 비례해서 행복한 생활을 대체해 버리는 것, 사랑하는 아내와 자녀들로부터 멀어지는 것, 그리고 친한 친구와 보내는 시간을 박탈당하는 것일까 그렇지 않으면 직업을 포기하고 편안한 삶을 즐기는 것일까? 오바마는 진심으로 그의 아내와 어린 두 딸을 사랑했다. 그리고 미국 상원의원 - 인기 있는 한 사람으로서 - 이 된다는 것은 그가 예상했던 것 이상으로 가족들과 멀어지게 되는 것임을 점점 더 확실하게 알게 되었다. 오바마 자신의 개인적 목적지를 향한 변함없는 신념은 역설적인 결과로 이어졌다. - 열정적으로 무엇인가 위해 노력하지만 그 다음에 그의 삶에 미치는 나쁜 결과를 혐오하게 되었다. "야망은 버락의 몰락을 가져오는 측면도 있었지만 그의 훌륭한 특징이기도 하다."라고 그의 전 보좌관 댄 쇼몬은 말했다.

이런 내적 갈등은 그의 가까운 친구 발레리 자렛이 그의 선거운동 자원봉사자들과 스태프들을 위해 준비한 피크닉에서 그녀의 눈에 띄었다. 피크닉 내내 오바마의 얼굴은 경직되고 불안한 표정이었다. - 잘나가는 공인이 되었으면서도. 자렛은 이를 알아채고 얼마 후 점심식사 때 그의 안색이 좋지 않았던 것에 대해서 물었다. "당신은 원하던 대로 되고 있어요. 곧 미국 상원의원이 될 것이고 다음 차례에는 어떻게 될지 누가 알겠어요? 그런데 왜 얼굴빛이 안 좋은 건가요?" 그는 그녀와 인사를 한 후 계속 고개를 숙이고 있다가 자렛의 말을 듣자마자 깜짝 놀라 고개를 들었다. 대답을 하려고 얼굴을 쳐들었을 때 눈물이 그의 볼을 따라 흘러 내렸다. "나는 진심으로 어린 두 딸들을 보고 싶어 할 거예요." 그가 말했다.

투표일 밤은 오바마를 제외하고 대부분의 그의 지지자들에게는 열광적인 순간이었다. 매우 논리 정연하면서 분명하게 그는 자신이 민주당 미국 상원의원 당선자가 될 몇 가지 근거들을 제시했다. 당선 파티가 프리츠커 집안 소유의 시카고 하얏트 레전시(Chicago Hyatt Regency) 호텔에서 열렸다. 홀을 꽉 채운 200명 정도의 손님들이 TV를 통해 선거 결과를 지켜보고 있을 때 오바마는 그가 함께 수정한 준비한 연설 노트를 다시 보면서, 그리고 그를 껴안고 악수하는 이들에게 인사하면서, 왔다 갔다 하고 있었다. 오바마는 하와이 사람들의 차분하고 냉정한 모습을 보였다. "그는 실제로 꽤 흥분했다."고 그의 아내 미셸이 어리둥절한 표정의 《시카고 트리뷴》 칼럼니스트 에릭 존에게 말했다. "기본적으로 그는 차분한 사람입니다. 버튼을 누르는 데도 시간이 많이 걸린다. 그는 믿을 수 없을 정도로 아주 저혈압이다".

액슬로드는 경선 결과를 모니터링하면서 쿡 카운티 선거관리위원회에 있었다. 선거일 밤 어떤 식으로든 승리를 위해 집중하는 마키아벨리적 참모의 본능은 액슬로드의 전투적 본능으로 바뀌고 있었다. 그는 개표수를 보면서 지금 진행되고 있는 역사적 현실에 대해 생각하기 시작했다. 한 흑인이 주 전체에 걸친 미국 상원위원 선거전을 치르고 있으나 아직 당선된 것이 아니다. 그는 백인들이 많은 도시 지역과 흑인들을 접하기 거의 어려운 교외 지역에서 압도적으로 승리했다.

오바마 지지 폭은 그의 주요 전략가들마저 놀라게 했다. "가장 놀랍고 감사한 일은 그 숫자들이 예비선거 밤에 나온 결과라는 것이다. 그리고 그 숫자들은 시카고의 노스웨스트 사이드 지역 표다."라고 액슬로드는 말했다. "그리고 유색인종 지역에서 얻은 표다. 알다시피 인종문제가 들쑥날쑥 거론될 때 나는 시카고 정치를 겪었다. 해롤드 워싱턴이 노스웨스트 사이드에 있는 성 파스카일(St. Pasquale) 교회에 방문했을 때 노골적으로 야유를 받고 가시적인 증오를 받았을 때도 나는 그 주변에 있었다. 그날 밤, 경선 투표일에 사람들의 지지표 숫자가 컴퓨터 스크린에 뜨는 것을 보면서 당신이 감격했듯이 나도 그랬다. 그 숫자들은 우리가 일리노이 주 정치에서 루비콘 강을 건넜다는 것을 의미한다. 아프리카계 미국인 후보자이지만 인종을 넘어서 모두에게 호소력을 지닌 사람이 그 강을 건넌 것이다. 비로소 사람들은 인종을 뛰어넘기 시작했다."라고 액슬로드가 말했다.

나는 다음 날짜 신문에 그의 승리에 관한 기사를 쓰기 위해 오바마의 축하 파티장을 빠져나와 《시카고 트리뷴》 사옥으로 돌아왔다. 내가 시카고에 온 지도 얼마 되지 않았고 인종대결은 더 최근에 생긴 일이었지만 나 또한 득표수에 놀랐다. 최종적인 집계 결과 오바마가 53퍼센트, 하인스가 24퍼센트, 헐이 약 10퍼센트의 지지를 받았다. 이 수치들은 컬리, 지안그레코나 액슬로드가 추측했던 예상치보다도 높았다. 지안그레코는 만약 오바마가 흑인들 사이에서 80퍼센트 그리고 대졸자들 중 절반을 얻는다면 민주당 표를 35퍼센트 얻어 압승할 수 있다고 처음에 예측했다. 이런 예측은 초기 목표였다. 투표 패턴에 관한 지안그레코의 분석 결과 오바마는 모든 것이 완벽히 진행되면 30퍼센트대 초반에서 40퍼센트대 후반의 득표를 할 것으로 예상되었다. 50퍼센트를 깨는 것은 거의 가망이 없어 보였다. 그러나 결국에는 오바마가 95퍼센트 이상의 흑인 표를 얻었고, 심지어 대학을 졸업하지 않은 백인들이 많이 살고 있는 도시에서도 승리했다.

나는 "오바마가 승리하다."라는 제목의 기사를 쓰려고 책상에 앉자마자, 투표소에서 투표자들을 직접 인터뷰한 기자들로부터 받은 다양한 자료들을 훑어보았다. 전체적으로 주제는 하나였다. 하인스 진영에서 표밭이라고 본, 백인들이 많이 사는 노스웨스트 사이드 지역의 한 투표자는 버락 오바마에 대해 "신선한 공기를 마시는 것과 같다."고 표현했다. 그러나 오바마에게는 그 여성 유권자가 딱 집어 말할 수 없는 독특한 장점이 있었다. 결국 그녀는 이렇게 말하면서 정리했다. "그 사람은 그의 능력을 알고 있다. 난 지금까지의 정치에 진저리가 났다."

이 사람은 여론 조사원들과 전략가들을 놀라게 한 투표자들 중 한 사람이었다. 오바마는 흑인 후보자들의 진부한 스타일을 완전히 파괴했다. 일리노이 주는 흑인을 공직자로 선출하는 역사를 갖고 있는 게 분명하지만, 대개 이것은 순전히 자유주의자들과 대학생 유권자들과 아프리카계 미국인들의 도움으로 이루어졌다. 블루멘털의 선거결과 분석에 의하면 대학교육을 받은 백인들을 그의 표본 집단에서 빼더라도 오바마가 거의 30퍼센트의 백인 표를 얻은 것으로 나타났다. 그가 전문직 직장인들이 거주하는 시카고 전 지역의 표를 휩쓸었을 뿐만 아니라 시카고 지역 밖에선 선거운동 활동을 거의 하지 않았음에도 불구하고 그 지역들의 민주당 표의 25퍼센트를 획득했다.

처음부터 오바마에게 기울어졌던 사람들은 절정의 순간에 다 같이 결집하여 움직였다. 그들은 오바마가 새로운 시대의 정치가를 대표하는 인물이며, 그의 언어는 날카롭지 않으면서 도 희망과 정직함을 훌륭하게 전달한다고 모두 떠들었다. 작년에 미국 빈곤법 센터(National Poverty Law Center)의 모임에서 오바마를 만나 순간적으로 그의 지지자가 되었던 레슬리 코벳(Leslie Corbett)이라는 여인은 다음과 같이 말했다. "실제로 변화가 느껴진다. 우리 세대 사람들은 이런 일을 겪어본 적이 없다" 시카고에서 온 스물여섯 살의 데보라 랜디스(Deborah Landis)는 오바마를 1년 전에 볼 기회가 있었는데 그녀는 오바마의 분위기에 사로잡혔다고 말했다. "그를 처음 만났을 때 그에게 표를 던지기 위해 그날 저녁 당장 투표 신청을 했다."

다시 당선 축하 파티에 왔을 때 오바마는 그의 가족들인 미셸, 사샤, 말리아, 하와이에서 온 그의 매형 크레이그 로빈슨, 누이 마야 소에토로 응에게 둘러싸여 무대 주변을 느릿느릿 걸어 다녔다. 자랑스러운 얼굴을 한 제시 잭슨 목사는 오바마를 지지한다고 선언했다. "오늘 저녁 틀림없이 마틴 루터 킹 목사님과 앞서 가신 우리의 선조들이 우리를 보고 미소를 지으실 것이다." 오바마는 자기 자신이 아니라 다른 사람들이 이 승리의 주역이라고 말했다. 그는 선거 활동 기간 내내 인용했던 민주당의 이념을 되풀이했는데, 자신은 사회에서 가장 약자들의 환경을 개선하기 위해 폭넓은 사회 변화를 실행할 사명을 가지고 있다고 했다. "우리 당이 가장 왕성하게 활동할 때 우리 당의 이념은 기회를 확대시켜 소외된 이들을 보듬어 안는 것이고 의사표현을 못하는 이들에게 발언권을, 힘없는 사람들에게 힘을 주는 것이며 우리 사회의 주변에 있는 이들을 사회 안으로 데려와 그들에게 아메리칸 드림을 주는 것이다."라고 오바마는 말했다.

그가 말하는 동안 기쁨이 넘치는 사람들 사이에 노래가 시작되었는데, 서로 부르고 화답하는 형식의 노래를 이용했다. 이 노래의 가사는 호텔 무도회장을 두르고 있는 희고 푸른색의 깃발에 적혀 있었다. "우리는 할 수 있다! 우리는 할 수 있다!"

제18장

중앙을 향한 돌진

당신은 내가 중도노선을 향해 가는 것을 보지 못할 것입니다. 왜냐하
면 나는 미국인의 사고방식의 주류가 되고자 내 소신을 던져버리지 않
았기 때문입니다.

－ 버락 오바마

버락 오바마가 인정하든 안 하든 그와 그의 "우리는 할 수 있다." 선
거운동 구호가 곧 워싱턴에 있는 주류의 한복판으로 곧장 향하게 되고
주류는 그를 받아들이게 될 것이었다. 오바마의 선거운동과 데이비드
액슬로드가 진행하고 있는 스타 만들기 홍보로 인해 오바마의 본선은
곧 전국적 관심을 끌 것이 분명했다. 공화당 현직 의원 피터 피츠제럴드
는 재선을 포기하기로 결정했고, 일리노이 주의 공화당 유권자들은 오
바마에 맞서 출마할 사람으로 새롭고 젊은 일꾼을 지명했다. 그 사람은
바로 할리우드 출신의 잘 생기고 부유한 잭 라이언(Jack Ryan)이었다. 일
리노이 주의 여론이 민주당 색채를 띠어가고 있을 즈음, 사전 여론조사
는 오바마가 경선에서 확실히 유리한 상황임을 보여 주고 있었지만, 대
조적인 정치 이데올로기에 바탕을 둔 두 명의 매력적이고 TV 화면발이
좋은 두 후보자들은 곧 호각세를 이룰 것 같았다. 라이언은 열렬한 자본
주의자였던 반면 오바마는 열렬한 큰 정부 자유주의자였다.

'떠오르는 스타, 오바마' 라는 말은 이제 일리노이 주를 넘어 특히 주요 로펌(law firm), 정당 의원들, 로비 기관들과 같이 영향력 있는 워싱턴 정치 조직들로 빠르게 퍼져나갔다. 이들은 모두, 보기 드물고 열정적이며 카리스마가 넘치고 적극적인 아프리카계 미국인 민주당 의원에 대해서 듣고 있었는데, 믿기 어려웠지만 이 사람은 인종 차별의 벽을 넘어 투표에서 승리했다. 《뉴요커 The New Yorker》에서 기자들을 일리노이 주로 파견해 오바마에 관한 상세한 기사를 쓰도록 했다. 그에 관한 기사들은 대개 그에 대해 칭찬 일색이었으며 전국에 걸쳐 자유주의자들에게 그를 소개하는 데 기여했다. 《뉴 리퍼블릭 The New Republic》은 오바마를 표지에 싣고 그의 지위 상승에서 비롯되는 파장과 그 상승의 배후에 깔린 인종적 문제를 분석한 기사를 실었다. 이 내용들은 저작권을 허가받은 공식 출판물들로 앞으로 다가올 일들의 전조이기도 했다.

오바마는 겸손한 유명 정치인이라는 명성이 널리 알려지자 예비선거 승리 몇 주도 안 되어 선거운동 자금 마련을 위해 워싱턴으로 가고 있었다. 액슬로드, 짐 컬리, 영향력 있는 시카고 지지자들, 자금 모금자들 모두 오바마가 민주당의 실세들을 만나는 것을 돕기 위해 그들이 알고 있는 워싱턴 D.C.의 연고와 연줄들을 동원해서 열심히 연락을 취했다. 오바마가 2002년 하원 흑인 의원 연맹에서 실망스런 주말을 보냈지만, 이 모임은 워싱턴 엘리트 층의 주요 인사들에게 자신을 소개할 수 있는 큰 기회였다. 그는 며칠 더 있으면서 인맥을 넓히고, 자유주의 그룹, 전국 노조 리더들, 로비스트, 자금 모금자들 그리고 부유한 기부자들 앞에서 연설을 했다. 인맥 관계를 가지면 가질수록 그의 하버드 경력과 논리 정연한 어조가 엘리트 층을 사로잡았다. "버락은 몇 차례 긴장하기도 했지만, 사람들로부터 호응을 얻어 결국 우레와 같은 박수를 받았다."라고 컬리는 말했다. 오바마는 자유주의자인 억만장자 조지 소로스

(George Soros)의 주목을 받았는데, 조지 소로스는 뉴욕에서 오바마를 위한 선거 기금 마련 행사를 주최했다. 상원의원 힐러리 클린턴 또한 워싱턴에 있는 자기 집으로 오바마를 초대했다.

그는 전에 줄곧 자유주의자들과 온건주의자들 그리고 현 정권 지지자들 모두에게 자기 메시지를 전하고 납득시켰다. 결국 그의 메시지는 자유주의적이기도 하고 보수주의적이기도 했다. 그의 정책적 태도는 확실히 좌파이지만, 자신의 입장을 소극적으로 표현했다. 더불어 그로 하여금 거의 보수적이 되게 하는 두 가지 방법을 취하기도 했다. 그는 자녀 양육에서 헌신적인 부모와 지역사회의 중요성을 상세하게 이야기 했다. 하지만 청중에 따라 부모와 지역사회가 꾸준히 헌신하도록 정부가 도와줄 책임이 있다는 내용의 강도를 조정했다. 연방정부의 적자를 계속 확대시킨 조지 W. 부시의 실책과 관련하여 오바마는 원천 과세 정부를 요구하며 재정긴축을 주장했다. 그리고 자유무역과 차터 스쿨(charter school; 교육위원회의 통제를 받지 않는 공립 초·중등학교)의 이점을 격찬했다. 그러나 그는 기업체들이 해외로 나가지 않도록 세금 우대를 해 줘야 하고 빈곤층을 돕기 위해 빈약한 학교 시스템을 개선시킬 수 있도록 더 많은 예산이 배정되어야 한다는 것을 강력히 주장했다. 그는 부를 창출하고 삶을 변화시키는 자유시장의 힘을 강조했다.

하지만 그는 자유주의 경제학자 폴 크루그먼(Paul Krugman)이 주장한 시장 중심 경제이론에 대해서는 보완적 의견을 갖고 있었다. "어떤 때는 시장이 무너지기도 하는데, 이때가 바로 노동법과 정부의 규제가 필수 불가결한 교정자 역할을 할 때이다." 다른 말로 하면 자본주의는 매우 훌륭한 체제이지만 실제로 결점을 가진다고 그가 말했다. 보통 사람이 이렇게 균형 잡힌 연설을 하고 논쟁을 벌이는 것은 어려울 것이다. "오바마는 보수주의자들에게 자기 자신이 보수주의자인 것처럼 보이는 몇 가지 방법을 터득하고 있다."라고 빌 클린턴의 전 선거운동 사무장 데이비드 윌헴(David Wilhelm)이 말했다. 데이비드 윌헴은 오바마의 상원의원 경선에서 정보·지식 정책을 그에게 조언했던 사람이다. "그는 공화당만을 지지하는 여기 시카고에서 벤처 사업을 하는데, 그들은 오바마를 영웅이라고 생각하고 있다. 그는 창업가 정신을 주창했다. 이 창업가 정신은 성장정책을 찬성하는 메시지를 담고 있고, 오바마는 이것을 명료하면서 조리 있게 잘 전달했다." 실제로 워싱턴 기업의 최고 경영자인 버넌 조던(Vernon Jordan)은 빌 클린턴의 친밀한 보좌관으로 오바마를 위해 자기 집에서 선거운동 기금 마련행사를 주최했을 때, 오바마는 무명의 좋은 정부 개혁가에서 부자들과 주류정치인들의 구미에 맞는 후보로 안전하게 그의 정치적 입장을 바꾸었다.

이런 온건한 태도는 오바마가 예비선거에서 사용했던 몇몇 언어들과 정반대였다. 예비선거에서 그는 자주 열정이 넘치는 자유주의자들처럼 말했었다. 그는 청산유수의 연설을 했는데, 분노에 차 있는 대중들, 무능력한 민주당 사람들의 환호가 나올 때까지 연설을 했다. 오바마는 선거운동 기간 동안 대다수 민주당원들에게 재난을 안겨 준 부시 행정부를 비판하며 경고했다. 오바마는 자신의 이런 스타일이 마음에 들지 않았다. 군중들은 그의 사려 깊은 연설에 진지하게 반응하면서 주의 깊게 학자 타입의 연설을 들었다. 그러나 오바마는 어깨를 으쓱 올리는 제스처를 보이며 이렇게 말했다. "내가 말해야 하는 것은 조지 부시 대통령이 나쁜 사람이고, 그 정부는 모두 제정신이 아니라는 것이었다." 그는 솔직히 이런 정치 패턴에 실망했고 넌더리가 났다. 아마도 청중들의 귀를 즐겁게 하려고 상대방을 깎아내리는 것은 그의 진실된 성품하고는 거리가 멀었기 때문이다. 그는 어떤 문제의 모든 측면에 귀를 기울이고, 파트너십을 끝내지 않으면서 건설적인 해결책을 제시하곤 했다. 예비선거에서 많은 사람들이 현 정부 비판이라는 먹잇감에 군침을 흘렸고 오바마는 이것을 알고 이용했다.

그러나 그는 본선 후보자였기 때문에 그의 외적인 좌파 성향은 확실히 검증된 민주당 청중들에게만 보여 주었다. 이제 그는 좀 더 중앙 중심적이면서 부드러운 접근을 시도했고 본선 선거전 내내 온건한 태도를 고수했다. 이 매력 넘치는 일리노이 자유주의자는 이제 정치와 영원한 춤을 추게 되었다. 정당의 후보자 공천이 진행되자마자, 오바마는 가을에 있을 본선에서 무소속 후보들을 영입하고 유권자들을 움직여 보려고 빌 클린턴이 '중요한 중도(vital center)' 라고 부르는 중간지대로 신중히 발걸음을 움직였다.

내가 오바마에게 중간적 입장을 취하는 시나리오를 제안했을 때, 그는 자신의 신념을 진실하게 고수해야 한다고 했다. "나는 당신이 본선에서도 예비선거에서 들었던 일관성 있는 나의 메시지를 또 듣게 될 것이라고 믿습니다. 당신은 내가 중도노선을 향해 가는 것을 보지 못할 것입니다. 왜냐하면 나는 미국인의 사고방식과 일리노이식 사고방식의 주류가 되고자 내 소신을 던져버리지 않았기 때문입니다." 그럴지라도 내가 2004년 4월 말에 《시카고 트리뷴》에 오바마가 정치적 입장을 온건하게 수정한 후 중도로 과감하게 향하고 있다고 기사를 쓸 때, 내 주장에 반박하는 이야기를 그에게서나 그의 선거운동 진영에서 들어 보지 못했다. 나의 기사는 그의 변신의 배후에 숨어 있는, 일반인들이 주목하지 않는 정치적 의도를 깊이 파고들었지만, 실제로 그 기사는 좌파주의자들의 성질을 건드리는 것보다는 오바마가 자유주의 선동자라고 의심하는 온건주의자들의 걱정을 덜어 주었다.

중도로 향하는 오바마의 움직임의 한 예로 일리노이 주 상원의원 회의에서 나온 법안을 두고 실시한 최근의 투표를 언급했는데, 그 법안의 내용은 퇴직한 법 집행관이 몰래 무기를 소지하고 다녀도 된다는 것이었다. 오바마가 거의 빠트리지 않는 이슈가 있다면 그것은 바로 총기 소지 규제였다. 그의 지역구는 갱(gang)들과 범죄로 인해 경제적으로 침체된 행정구역들이 많았다. 《시카고 트리뷴》의 예비선거 앙케트에서 그의 답변들을 볼 때 총기 소지 규제법의 강화와 확산에 있어 그는 가장 목소리가 큰 후보자였다. 따라서 이 분야는 다른 정책들과 달리 눈에 확연히 띄었다.

내가 그의 선거운동 본부에서 그를 인터뷰하면서 이 부분에 대해서 물었을 때, 그는 방어적으로 대답을 했다. 나는 오바마에게 내가 전에 총기에 관한 하루 수업을 들은 적이 있었는데, 그 강사는 총기를 휴대하는 사람들 가운데 걱정거리는 나이 많은 법 집행관들이라고 말했다고 이야기했다. 그 강사는 또 이런 사람들 중 일부는 오랫동안 살인무기를 소지해 왔기 때문에 다루는 법 또한 잘 안다고 자부심을 갖고 있는 것이 더 문제라고 걱정했다. 이런 자부심이 때로는 총기를 잘못 간수하게 해서 비극적 사고로 이어지게 된다는 것이었다. 게다가 많은 사람들이 나이가 들어 은퇴하거나 더 이상 임무에 배속되지 않았기 때문에 목표물 사격과 정규 연습을 계속해서 하지 못했다. 내가 이런 사실을 오바마에게 이야기했을 때, 그의 표정은 굳어졌다. "잠깐, 그 투표에서 놀라운 점은 없다. 나는 계속해서 공식적으로 무기 소지 및 휴대를 반대하는 입장이고, 앞으로도 그럴 것이다. 퇴직 경찰관이 현직에 있을 때 직무의 결과로 공격을 받기 쉽다는 것은 예외적인 상황에서 발생할 수 있는 아주 예외적인 일이다. 그들은 총기 사용법을 잘 훈련받았다." 라고 그는 말했다.

몇 주가 지나서 또 다른 이론이, 별 특색 없는 투표에서 제기되었다. 오바마는 경찰 조합의 지지선언을 얻기 위해 공화당 경쟁자와 겨루고 있었다. 결국에는 오바마가 이겼는데, 조합 승인에 관한 기자회견 내내 그는 그의 과거 입법 경력에 대해 다소 우려를 표하는 경찰관들의 주장을 지지하는 입장을 취했다. 예를 들어 오바마는 폭력 범죄에 대한 가혹한 형법은 불공평하게도 소수 민족을 대상으로 하는 것이라며 그 법을 반대해 왔다. 그러나 조합장은 기자에게 오바마가 다른 문제에 있어서는 그들과 같은 입장이었고 구체적으로 퇴직 경찰관들을 위한 무기 소지 및 휴대 결정을 언급했다고 말했다. "시카고 출신의 민주당 흑인 의원이 경찰 조합의 승인을 얻는 것이 얼마나 중요한지 말할 필요가 없다. 주의 남부 지방에서 그 승인은 많은 것을 시사한다. 오바마는 총기 신봉자가 아니라, 그를 인정하는 경찰 조합의 열렬한 지지자이다."라고 오바마 측 보좌관이 말했다.

이 기간 동안 오바마는 워싱턴 정가에서 첫걸음을 뗐을 뿐 아니라, 워싱턴 시스템은 일리노이에서의 그의 활동에 적용하기 시작했다. 그가 임의로 활용할 수 있는 많은 자원을 활용하고 자신 앞에서 정책 논쟁을 시키는 방식으로 경험 있는 사람들을 당원으로 끌어 들였고, 이전과 다르게 수준급의 이력서들이 그의 책상에 놓여졌다. 그는 워싱턴 출신의 30대 선거 캠페인 베테랑들을 세 명 기용했다. 어맨더 퍼치스(Amanda Fuchs)를 정책 기획국장으로, 대럴 톰슨(Darrel Thompson)을 수석 보좌관으로, 로버트 깁스를 공보 담당 수석 비서로 임명했다. 퍼치스는 노동 조합에 소속되어 여러 명의 민주당 후보들을 위해 일했었고, 제럴딘 페라로(Geraldine Ferraro)의 불운한 1998년 뉴욕 주 상원의원 선거운동에 대한 상대 진영 조사자로 가장 많이 이름이 알려져 있었다. 톰슨은 5년 동안 국회의사당 소수계 지도자 리처드 게파트의 보좌관으로 있었다. 깁스는 상당수의 상원의원 선거 캠프에서 일했고, 존 케리 대선 후보 진영 내부의 세력 다툼이 있을 때 존 케리 진영의 수석 대변인으로 최근에 선거운동에서 손을 떼었다.

이 세 명의 신임 보좌관들 중에서 깁스가 가장 빠르게 영향력을 확보했다. 근면함과 개인적인 매력 그리고 예리한 정치적 본능 덕에 그는 오바마의 최고 보좌 그룹에 포함되었으며 이너서클 집단 내에서 목소리를 내게 되었는데, 오직 액슬로드의 통제만 받았다. "로버트는 대단한 팀에 들어와, 그곳을 빈틈없이 완전히 다 채웠다."라고 오바마의 친한 친구이자 재정 관련 위원장인 발레리 자렛이 말했다. 시카고 차이나타운 지역에서 있었던 성급히 준비된 선거운동 행사에서 처음으로 깁스를 만났다. 이 행사는 일리노이 경선에 관한 프로필을 기획한 CNN 보도팀의 취재를 위해 급하게 기획된 것처럼 보였다. 지난 몇 달 동안 나는 매일같이 오바마를 뒤쫓아 다녔다. 이는 그와 《시카고 트리뷴》 사이에 완충지대가 거의 없었다는 뜻이기도 하다. 오바마가 선거운동 담당기자들에게 자기 이름을 알리고 그들과 관계를 맺기 원했던 예비선거에서 내가 그에게 가깝게 접근하는 것은 쉬웠다. 그러나 이제 그는 본선 주자가 되었고 최고의 인기를 누리고 있으며, 선거 전략상으로도 그를 대중들에게 소개하는 데 보다는 실수를 피하는 데 주안점이 두어졌다. 매 시간 기자가 함께 있게 되면 매체에 말실수가 전달될 기회만 늘어나게 마련이기 때문이다.

오바마는 나의 접근을 어렵게 만들긴 했지만, 보다 조직적인 선거운동을 위해 효과적인 스케줄 관리를 시작했다. 효율적인 일일 스케줄과 시스템은 예비선거 과정에서는 오히려 오바마의 결점이 될 수 있었다. 그는 스케줄이 연달아 있는 것을 신경 쓰지 않았기 때문에 그와 그의 운전기사는 때때로 자기들 마음대로 모임과 회의에서 빠져 나왔다. 그렇게 해서 여러 번 오바마는 간신히 운동을 할 수 있었다. 예비선거에서 세인트루이스(St. Louis)에서 일리노이 주 구역인 메트로 이스트 (Metro East)로 가는 선거운동 여행 중에 오바마 자신이 대형 운반차를 피자 가게로 몰고 갔었다. 왜냐하면 점심 식사가 스케줄상에 없었기 때문이었다. 거기서 오바마는 25달러를 내고 피자를 샀고, 나중에 그의 수행원들에게 5달러씩 받았다. 말할 필요도 없이 그는 그의 수행원들을 먹이는 것을 전혀 걱정하지 않게 되었다. 그런 역할은 위임되어야 하는 것이다. 게다가 예비선거에서 쟁점 토론을 하는 어느 날, 댄 쇼몬은 오바마에게 일리노이 주 남부에 있는 감옥에서 아침 연설을 하도록 스케줄을 짜 주어서 그는 저녁 토론 시간을 맞추기 위해 부랴부랴 서둘러 다시 시카고로 가야 했다. (쇼몬은 여전히 남부 지역 선거운동을 도와주고 있다.) 오바마는 황급히 텔레비전 스튜디오로 달려 들어가서 방송 몇분 전에 자기 자리에 앉았고, 너무 피곤한 나머지 토론이 진행되는 어느 순간에는 잠깐 졸기도 했다.

그날 아침 차이나타운에서 내가 오바마를 수행하는 깁스와 퍼치스를 보았을 때, 나는 현 정권을 맹렬히 비난한 오바마의 말을 기억해 냈다. 그의 선거운동 내용이 워싱턴으로 그대로 전해지지 않는다는 것은 다행스런 일이었다. 오바마는 깁스의 어깨에 손을 올리고 신임 보좌관 깁스를 우리 사이에 세우면서 나에게 소개했다. "이 사람은 내가 당신이 만났으면 하는 사람입니다."라고 오바마가 말했다. 이보다 더 확실한 상징적 표현이 없었다. 나와 오바마 사이에 벽이 생겼다. 문제를 느낄 때 직접 나의 핸드폰으로 전화를 하던 오바마는 사라졌다. 반대로 이제 내가 깁스에게 전화를 걸고 깁스가 오바마에게 전화를 해서, 그가 초안을 잡은 답변에 대해 물어 보았다.

30대 중반의 깁스는 국회의원 보좌관실에서 인턴으로 있던 대학 시절 첫 정치 관련 일을 했고 그 이후 수많은 선거운동을 통해서 잔뼈가 굵은 사람이었다. 붉은 빛의 금발 머리 아래 유행하는 얇은 테 안경을 낀 깁스는 얼핏 보면 모든 면에서 앨라배마(Alabama)에서 온 도서관 사서의 아들로 보였다. 하지만 그의 학자 같은 외모는 그의 강한 경쟁의식과는 거리가 멀었다. 그는 다정하게 팔을 잡으며 따뜻한 미소로 전문직의 지인에게 인사하곤 했는데 이걸로 봐서 그는 분명히 남부 지역의 분위기를 풍겼다. "별 일 없으시죠?"라고 남부 지역의 약한 악센트로 물어 보았다. 그러나 여러 가지 면에서 깁스는 오바마의 부드럽고 조용한 태도에 강하고 거친 면을 더하는 걸로 봐서 오바마와 반대되는 사람이었다.

깁스는 오바마가 품고 있는 고상하고 장기적인 야망을 지닌 정치가에게 없어서는 안 되는 보좌관이었다. 그는 오바마에게 고용된 안전요원 같은 사람으로 기사 보도를 불공정하게 하는 기자들 상대뿐만 아니라 연설 내용과 전략적 수단에 대해 브레인스토밍(brainstorming)도 할 수 있는, 예리한 실용주의자로 훈련된 사람이었다. 또한 그는 오바마가 개인적 대결을 피하는 데 비해 그것을 즐기는 냉혹한 정치 요원이었다. "로버트는 골목대장이다. 공보담당 수석 비서 책상에 절대로 있어서는 안 되는 사안들이 로버트의 책상 위에 있다. 하지만 십중팔구 그의 직감적 본능이 맞는다. 하지만 열 번째는 별로다."라고 오바마의 전 보좌관이 말했다. 아주 명석하게도 깁스는 간결한 말의 중요성을 이해하고 있었으며, 그가 지지하는 후보자에게 유리하도록 기자들을 잘 다루었다. 오바마와 깁스는 두 가지 공통점이 있었는데, 둘 다 강한 야망과 경쟁심의 소유자였다. 노스캐롤라이나 주립대학(North Carolina State University) 재학 시절 미식축구 선수였던 깁스는 광적으로 스포츠를 좋아했고, 흥미진진한 스포츠 리그전을 즐겼다. 심지어 그는 선거운동 중에도 바(bar)에서 저녁 늦게 비디오 골프 경기를 볼 정도였다. 마치 그 골프 경기들에 목숨을 건 사람처럼 말이다. "간단명료하다. 로버트는 백악관 공보 담당 수석 보좌관이 되고 싶어 한다."라고 컬리가 말했다.

깁스는 오바마 진영에서 상관을 지적할 때 두려움을 모르는 보좌관들 중 한 명이었다. 오바마의 연설이 공부벌레 같은 사람들을 대상으로 목적 없이 진행되거나 기자회견의 답변이 연설 메시지와 관련이 없을 때, 깁스는 그의 상관에게 언어를 자제해서 사용하는 것이 중요하다고 거리낌 없이 가르쳤다. 오바마가 상원의원으로 선출된 후, 어느 날 그는 상원의원실로 깁스를 불러 물어 보았다. "깁스, 탄자니아의 대통령이 누구죠?" 많은 보좌관들은 대부분이 이 질문의 답을 몰랐기 때문에 머뭇거리며 말끝을 흐렸다. 그런데 깁스의 대답은 "내가 그건 알아서 뭐해요?"였다. 이런 반응에 오바마는 웃지 않을 수 없었다. 깁스는 정치계에서 가장 안 좋은 날들, 다시 말해 존 케리의 대통령 선거운동 때 있었던 불명예스러웠던 순간들을 다시 하나하나 짚어 보곤 했다. 민주당 공천을 위해 필라델피아(Philadelphia)에서 선거운동을 하는 동안 케리는 필리치즈 스테이크 샌드위치를 건네받았다. 그는 빵 위에 치즈 위즈를 얹어 녹이는 대신, 스위스 치즈로도 할 수 있는지를 물었다. 전통적 노동자 계층의 고향집 같은 분위기를 내는 이미지 대신에 명문가 출신의 엘리트 이미지로 바뀜으로써 케리는 타격을 입었고 그 결과 유권자들의 지지율이 떨어졌다. 그리고 깁스는 매체의 부정적 보도를 순화하기 위해 전화하는데 그날의 남은 시간을 다 보냈다. 케리가 농산물 전람회가 열리는 동안에 선거 유세 운동을 할 때, 깁스는 따라 다니는 보좌관들에게 핸드폰으로 전화를 걸어 언성을 높여 말했다. "의원님께 핫도그 하나 사 드려요. 지금 당장!"

깁스는 워싱턴에 있을 때 평범한 회의실에서 오바마와 잠깐 동안 인터뷰를 했다. 깁스는 처음 오바마를 만났을 때 많이 놀랐다고 했는데,

그 이유는 버락 오바마가 편안해 보였기 때문이라고 했다. 이것은 거의 모든 사람들이 오바마를 만날 때 첫 번째로 느끼게 되는 것이다. 비록 이기긴 못했지만 텍사스에서 상원의원 경선을 치른 아프리카계 미국인 론 컬크(Ron Kirk)의 선거운동에 참여했던 경험은 깁스가 오바마를 홍보할 때 큰 도움이 되었다. 오바마는 가을선거에서 어렵지 않게 도시 지역의 시카고 유권자들의 표를 얻을 것이라 예상했다. 그리고 깁스는 오바마가 보수적인 남부 시골 지역에서 당선되기 위해 넘어야할 장애물들을 잘 아는것 같았다. "나는 버락에게 텍사스는 컬크 같은 흑인 민주당 의원을 뽑는 길 외에 다른 선택이 없다고 말했다. 그때 경험은 아주 유익했다. 왜냐하면 그 선거운동의 초점이 전체적으로 인종문제였기 때문이다."라고 깁스는 말했다.

나와 거리를 두는 것은 오바마에게 어려운 변화는 아니었다. 그가 전에 나의 출현을 좋아했던 것도 아니었기 때문이다. 우리는 선거유세 운동 내내 자녀 양육하기, 스포츠, 재즈 음악, 야망과 같은 일상적인 공통의 관심사에 관한 즐거우면서 사적인 담소를 나누었다. 그러나 나는 항상 그가 독립적인 편이라 느꼈다. 아마도 그는 개인적으로 자유롭게 움직이는 자신의 모습이 결과적으로 그를 유명 인사가 되게 했다는 것을 깨달았기 때문에 가능한 한 오래 동안 개인적 자유를 누리려고 애썼다. 사실 지난 1월 처음으로 꼬박 하루 그를 쫓아다닐 때, 그가 나의 접근을 싫어하는 것을 느낄 수 있었다. 그때까지 오바마는 계속해서 선거운동에만 전념해 왔다. 나를 핑계 삼아, 컬리는 마침내 그로 하여금 상원의원과 같은 고위직 후보들처럼 임대한 SUV를 타고 다니도록 밀어붙였다. "당신도 알겠지만, 차를 타고 다니면 항상 주차할 곳 찾느라 느려지죠."라고 오바마는 인정했다. 그렇다고 해서 우리가 수행자들을 많이 데리고 다니는 것은 아니었다. 수행자라고 해봤자 세 명이었다. 다른 민주당 후보들과 동행한 한 외곽 지역 포럼에서 처음으로 오후에 쉴 때 오바마는 SUV에서 내려 헐의 큰 RV(Recreational Vehicle), 정확히 말해 차에 있는 헐을 주의 깊게 보았다. 헐은 적어도 여섯 명의 사람들에 둘러싸인 채 차에서 내려 걸어왔다. "그가 그 차를 어떻게 다루는지 모르겠다."라고 오바마는 헐과 그의 수행원들에 대해 이야기했다. "나는 수행원들에 의존하는 사람이 아니다. 오히려 단독 활동을 더 많이 한다."

만약 오바마가 상원의원이 된다면, 수행원들과 함께 다니는 것과 기자들이 쫓아다니는 것에 익숙해질 필요가 있다. 그의 친구 발레리 자렛은 법학과 심리학 두 분야에서 학위를 가지고 있는데 계속해서 오바마를 정신 분석했다. 그녀와 미셸은 끝없이 그가 왜 그렇게 행동을 하는지 그들이 생각하는 바에 대해 의견을 나누었다. 전체적인 초상에 덧칠하는 식으로 그들이 오바마에 관해 생각하는 전체적인 모습에 그들이 관찰한 것을 하나씩 더해 갔다. 자렛과의 인터뷰에서 나는 아이일 때 아버지로부터 버림받은 게 그가 대중적 관심을 갈구하는 데 영향을 주었다고 생각하는지를 물었다. "물론이다. 부모님이 자녀를 버리는 것은 자녀로 하여금 특별히 인정받고 싶은 마음이 들게 한다. 오바마의 경우가 바로 한 단면을 보여 주고 있다고 생각한다. 거절 또한 아이들이 받아들이기 힘든 것이다. 너무 힘들고 어려운 것이라 어려서 그런 경험이 있는 사람은 오로지 인정받기 위해 삶을 살기도 한다."라고 그녀는 말했다. 그러나 그가 관심을 얻기 위해 노력하는 것은 그에게 질식할 것처럼 숨 막히는 일처럼 보인다고 내가 그녀에게 대꾸했다. 그는 그의 말과 연결된 많은 사람들의 에너지를 먹고 살지만, 추종자들 때문에 그또한 인내심을 잃어버릴 수도 있고, 또한 그를 알아보는 사람들은 그의 개인적인 공간을 침범하기도 한다. 그녀는 나의 말에 동의하면서 이것은 아마도 그의 성품 중 가장 실망스러운 면일 것이라 했다. "그는 너무 복잡한 사람이다. 빈틈이 없을 정도이다. 어느 누구도 당신의 미국 상원의원 출마를 막지 못한다면 그것에 대해서 불평하는 것을 멈추어야 할 것이다. 그런 것과 비슷하다."라고 자렛은 대답했다.

이런 인터뷰는 몇 달 뒤에 있었다. 선거운동 초반에 오바마는 내가 자리를 함께하는 것을 이따금씩 불편해 했으므로 나는 당황했다.《시카고 트리뷴》은 그의 입후보에 열정적 지지자였다. 그는 자기에 관한 나의 기사 보도가 공정하다고 믿으려면 어떻게 되어야 하는지 다양한 경우들을 나에게 말해 주었다. 그렇다면 뭐가 문제인가? 예정대로 주 전역을 방문하는 선거운동 마지막 주말에 이 질문이 내 머릿속에 떠올랐다. 시카고에서 몇 차례의 아침 행사가 끝난 뒤 미드웨이 공항(Midway Airport)에 도착했을 때, 오바마는 악수하면서 이렇게 말했다. "데이비드 기자가 내 주위에 있어서 좋았어요. 다음에 또 뵙죠." 나는 황당했다. 어떤 보좌관이 나도 전세 여객기 편에 탑승한다는 것을 확인시켜 주었다. 오바마는 이걸 몰랐다는 말인가? 나는 서둘러서 오바마의 스케줄을 관리하는 보좌관들 중 한 사람인 피터 코피(Peter Coffey)에게 가서 무슨 일이 있는지 물었다. 설명했듯이 내 일은 모든 여정에서 오바마에 대해 글을 쓰는 것이다. 코피는 오바마와 상의했고, 몇 분 뒤에 오바마는 머리를 흔들면서 어깨를 으쓱했다. 코피는 걸어 나오면서 내가 따라 갈 자유가 있다고 했다. 우리가 비행기 좌석에 편안히 나란히 앉아 있자, 오바마는 다소 빈정대는 투로 물었다. "아직도 성에 차지 않나요?" 나는 그의 일이 선거운동을 하는 것처럼, 마찬가지로 내 일은 선거운동을 하는 그를 관찰하는 것이라고 설명했다. 오바마는 "그래요."라고 하면서 고개를 끄덕였다. 그는 이제 현실을 이해했지만, 기분이 좋아 보이진 않았다. 그는 그의 일상적으로 예의바른 모습 뒤에 실제를 감추려고 노력했지만 오바마의 변덕스러운 기질이 시나브로 나타났다.

몇 주가 지나서야 비로소 나는 오바마가 나의 동행에 그렇게 거부감을 표한 이유를 개인적 사생활이 아닌 다른 것에서 알아냈다. 오바마는 남 몰래 흡연을 하는 사람 중 한 사람이었다. 그래서 그는 기자 앞에서 담배에 불을 붙이고 싶지 않았다. 어떤 정치가들은 매체 앞이나 공공장소에서 편안하게 흡연을 하는 반면 이런 습관이 자신의 공적인 이미지에 안 좋게 영향을 미친다고 생각하는 정치가들도 있다. 오바마는 후자로 거의 강박관념에 사로 잡혀 있을 정도였다. 오바마에 대한 공적인 초상은 현재 거의 성자 같은 특별한 정치가로 그려지고 있다. 그렇기 때문에 그의 흡연 사실이 이런 초상을 손상시킬 수 있을 것이다. 그러므로 오바마는 자신의 흡연 습관을 감추려고 멀리 거리를 두고 다녔다. "오바마는 개인적으로 당신을 좋아한다. 하지만 담배를 피고 싶어 한다. 그런데 당신이 함께 있을 때 아예 피지 못하든지 몰래 피든지 해야 한다."라고 코피가 몇 주가 지나서 나에게 말해 주었다.

오바마가 흡연을 하는 것은 전혀 놀라운 사실이 아니었다. 그의 아내가 인터뷰에서 그들이 처음으로 점심식사를 했을 때 오바마가 담배를 입에 물고 있었다고 했기 때문이다. 게다가 그는 《내 아버지로부터의 꿈》에 대학 기숙사에서 담배 피우던 것을 적었다. 그러나 대부분의 흡연가들처럼 그는 가끔씩 담배 냄새를 맡았다. 어느 날 아침 담배 연기가 내가 타고 있는 선거운동을 위한 SUV 안에 아직 자욱했다. 운전기사에게 담배를 피웠냐고 물었더니 아니라고 대답했고 오바마가 그랬다고 짐작했다. 그러나 내가 이런 상황에서 어떻게 해야 되나? 그때 그의 흡연 사실은 그다지 중요하지 않았다. 총선에 출마한 그에 관해 개인적 성품을 장황하게 쓰는 글에서 언급할 것이라 생각했다. 어린 시절 버림받은 것 때문에 그는 성인이 되어서 보편적인 호의를 구하지만 대중적 시선을 얻는 것이 좋은 것만은 아니라는 점을 천천히 알아가고 있었다.

아마도 가장 안 좋은 점은 유명 인사들의 유혹을 받는 것이었다. 오바마는 현재 단지 정치적 행사뿐 아니라 공적으로 출판 사인회 요청을 꾸준히 받았다. 그의 '그것(IT)' 요소가 결혼생활에 문제가 되었다. 미셸 오바마는 자기 남편의 매력적인 부분을 찾는 여성들에게 익숙해져 있었지만, 항상 그의 정절(貞節)에 자신이 있었다. 이혼한 댄 쇼몬이 오바마의 친구가 되는 것은 어려울 수 있다고 했다. 왜냐하면 오바마가 여성들의 모든 관심을 다 뺏어가기 때문이라고 했다. "당신이라도 데이트하고 싶은 사람 주변에 그가 있기를 바라지 않을 것이다. 그 사람은 이 세상에서 가장 나쁜 윙맨(wingman)이다."라고 쇼몬은 말했다. "모든 여성들은 그와 연애하고 싶어 한다." 미셸은 자신을 향한 오바마의 헌신을 알기 때문에 다른 여자들이 자기 남편에게 보이는 관심들을 보통은 무시해 버렸다. 하지만 그가 지역의 명사가 됨에 따라 남편과 관련된 일들에 신경이 쓰이기 시작했다.

한 친구가 헬스클럽에서 두 여자가 오바마에 대해 얘기 나누는 것을 우연히 들었다고 그녀에게 와서 얘기해 주었다. "내려가서 버락 오바마가 운동하는 것 좀 봅시다." 한 여자가 다른 여자에게 흥분해서 말했다. 여자들이 자기들이 해야 하는 운동은 하지 않은 채 남의 남편이 뛰는 것을 보겠다고 하는 것은 불쾌하지 않을 수 없다. 나는 이런 사태와 미셸이 극복하고 있는 방법에 대해 자렛에게 말했다. 자렛은 딱 잘라 말했다. "만약 그가 일을 복잡하게 하면 미셸이 그를 떠날 걸 알고 있다. 알다시피 먼저 그를 죽이고 그 다음에 떠날 것이다. 내 생각엔 오바마에게는 미묘한 두려움이 있다. 그것은 좋은 것이다."라고 자렛은 웃으면서 이야기했다.

제19장

라이언의 이혼 기록

버락이 이 선거전에서 유력한 후보라는 것을 사람들에게
인식시키는 것은 어렵지 않다고 생각했다.
- 오바마의 상대 후보가 섹스 스캔들에 연루된 후, 로버트 깁스

오바마의 경선은 당시 승리가 가장 유력했던 블래어 헐의 불미스런
이혼소송 기록이 공개되면서 큰 전환점을 마련했다. 하지만 정말 어려
웠던 것은 헐이 처음에 당내 경선에서 압도적인 우세를 보였다는 것이
었다. 헐은 월 스트리트에서 증권회사를 설립하여 억만장자가 될 만큼
천부적인 계산 능력이 있었지만 만약 그가 조금이라도 수치심이나 반
성의 자세가 있었다면 초기부터 정치에는 입문도 하지 않았을 것이며
대중들 앞에서 그런 수모를 겪지도 않았을 것이다. 데이비드 액슬로드
는 개인적으로 헐에게 그의 이혼 사실이 충격적 파문을 일으킬 소지가
있다고 건의했지만 헐은 대수롭지 않게 흘려버렸다.

헐이 없었다면 선거가 어떻게 진행되었을지 알 수 없다. 그렇게 되었
다면 액슬로드는 오바마와 계약하고 선거운동을 도왔을까? 댄 하인즈
는 헐을 끊임없이 경계하지 않고 그보다 더 많은 기금을 모금하고 더
나은 선거운동을 이끌어나갈 수 있었을까? 오바마는 헐로 인해 야기된
백만장자 개정안(개인 재산이 풍부해 정치자금 기부 없이도 선거전을 치를 수

있는 백만장자 후보와 그렇지 못한 후보들이 선거에서 공정한 경쟁을 할 수 있도록 후보 개인에게 직접 제공되는 정치자금인 이른바 '하드머니hardmoney'의 상한을 높이는 것을 내용으로 하고 있음) 없이 선거자금을 모금하여 텔레비전 광고로 200만 달러를 사용할 수 있었을까? 헐의 영향은 예비선거가 끝날 때까지 계속됐다. 오바마에게 헐은 끊임없이 배달되는 정치적 선물과도 같았다. 비록 헐이 경선 및 시카고 정치권에서 사라졌다 해도 그의 불미스런 이혼 사실은 오바마에 유리하게 작용하여 본선에서 공화당이 매우 불리하게 될 정도로 큰 후유증을 낳았다.

오바마의 공화당 상대 후보인 잭 라이언에게는 헐과 같이 공개되지 않은 이혼 서류철이 있었다. 그리고 《시카고 트리뷴》과 WLS-TV가 대중이 궁금해 하는 헐의 이혼 서류를 공개하라는 소송을 제기하기로 결정했을 때, 그들은 연방 상원의원 선거전에서 다른 모든 후보자들을 살펴보고 라이언이 전 부인인 할리우드 여배우 제리 라이언(Jeri Ryan)과 헤어지는 과정에서 공개되지 않은 기록이 일부 있다는 것을 밝혀냈다. 그래서 공평성에 근거하여, 대중매체들은 라이언의 기록도 모두 공개하라고 소송했다. 라이언의 변호사들은 예비선거에서는 그 기록들을 사적인 것으로 묻어 두는 것에 성공했지만 영원히 그 기록을 공개하지 않을 강력한 법률상의 근거가 없었다. 라이언은 그 서류에 아홉 살된 아들과 관련된 민감한 정보가 들어 있다고 주장하면서 개인적으로 창피당할 만한 정보는 없다고 밝혔다. 그는 단지 그의 아들을 보호하기 위하여 그 기록을 공개하고 싶지 않다고 말했다. 공화당과 내부 관계자들은 이러한 그의 입장을 의심스럽게 바라보았다.

라이언은 매력적인 할리우드 여배우와 결혼했고 그 자신도 무대의 주인공으로 캐스팅되었을 만큼 인물이 좋았다. 그는 사각턱에 키가 크고, 날씬했으며 아이비리그에서 교육받았고 말도 잘하는 사람이었다.

그는 투자은행에서 일하여 부자가 되었고, 시카고 도심의 사립 고등학교에서 몇 년 동안 교직생활을 하기도 했다. 또한 잭 켐프(Jack Kemp; 1996년 대선의 공화당 부통령 후보)처럼 열정적인 보수 성향을 띠었으며 기업의 입장을 대변하기도 했다. 여러 측면에서, 그는 시카고 남부 지역 출신의 민주당 오바마보다 더욱 유력한 후보였으며, 그의 선거 전략은 오바마를 극좌파로 만드는 것이었다. 오바마와 함께 법안을 공동 발의하기도 한 일리노이 주의회의 공화당원으로서 그는 오바마에게 '마오쩌둥의 왼팔'이라는 별명을 붙였다.

나와 가진 인터뷰에서 오바마와 친한 일리노이 주상원의 또 다른 공화당원인 커크 딜라드는 공화당에 대한 충성과 오바마와의 친분 사이에서 신중하게 행동해야만 했다. 딜라드는 오바마가 "범죄에는 관대하고 사회주의적 경계선에 놓여 있는" 사람이라고 비판했는데 인터뷰를 끝낼 때는 오바마에 대해 "진정으로 훌륭한 사람"이라고 평가해 주었다. 할리우드와 일리노이 정치계에는 라이언과 제리 라이언이 이혼하게 된 배경을 둘러싼 갖가지 소문이 떠돌았다. 이러한 소문들은 라이언이 일부 공화당원들에게 그의 성적(性的) 취향이 정상적인 경계를 약간 벗어날 수도 있다는 것을 털어놓은 후 더욱 심해졌다. 일리노이 공화당 여성 위원장인 주디 바 토핀카(Judy Baar Topinka)는 단호하게 라이언에게 이혼 기록을 내놓으라고 추궁했다. 하지만 그는 이혼 기록에는 그의 후보 자격을 박탈할 만한 어떠한 내용도 들어 있지 않다고 안심시켰다.

공개되지 않은 이혼 기록 외에도 라이언 선거운동 진영에는 처음부터 불길한 징조들이 나타나기 시작했다. 라이언은 오바마가 공적인 자리에서 실수하는 장면을 포착하기 위하여 현장 취재요원에게 비디오 카메라를 들고 따라다니게 했다. 유튜브닷컴(YouTube.com)과 같이 비디오를 올릴 수 있는 웹사이트의 등장으로, 이러한 전략은 오늘날 필수적인 선거운동 방법 중 하나가 되었다. 한 후보가 아침에 실수로 어떤 것을 말하면 오후에 인터넷에 그것에 대한 비디오가 올라왔다. 그러나 현장 취재요원이 상대 후보에 접근하는 데는 물리적인 한계가 있었다. 그런데 라이언의 젊은 직원이 의욕이 지나친 나머지 선을 넘고 말았다. 그는 오바마가 대중 앞에서 연설하는 것을 비디오로 녹화하는 것은 물론이고 오바마가 어디로 가든지, 복도, 화장실 그리고 도로변에서 그의 자동차까지 쫓아다니며 모든 행동 하나하나를 비디오에 담았다. 오바마는 매일매일 그를 취재하는 주요 대중매체의 기자들을 달가워하지 않았기 때문에, 지나치게 밀착 취재하는 젊은 공화당원에 대해 민감하게 반응했다.

오바마는 더 이상 참지 못하고 이 문제를 스프링필드에서 의회 회기 중에 제기했다. 오바마는 주의회 기자실에 걸어 들어가서 자기를 따라 들어온 공화당 취재요원을 기자들에게 소개했다. "나의 스토커(stalker)를 소개합니다". 하지만 현장 취재요원은 그래도 녹화를 멈추지 않았는데, 다음날 모든 신문에는 오바마에게 잠시도 틈을 주지 않고 정보 수집에 열을 올리는, 라이언 선거운동원 스토커에 관한 기사가 실렸다. 그것이 계산된 것인지 아니면 즉흥적이었는지 모르지만, 오바마의 행동은 재치 있는 대응으로 받아들여졌고, 여론은 라이언에게 불리하게 돌아갔다. 이러한 여론에 쫓겨, 라이언의 대변인은 마침내 오바마에 대한 사과문을 발표했고 현장 취재요원은 해고되었다. 이 이야기는 꽤 흥미롭고 독특한 뉴스거리였기 때문에 며칠 동안 대중의 관심을 끌었다. 선거운동 초기 샅바싸움 단계에서 돌출한 첫 번째 뉴스는 라이언에게 큰 타격이 되었다.

오바마는 시카고 도심 지역의 상황이 괜찮다고 보고 활동 방향을 온건한 유권자들과 공화당 강세 지역을 공략하는 데로 전환했다. 6월 중순, 그는 선거운동을 위하여 남부지역으로 향했다. 오바마가 이쪽을 공략하고 있던 중에, 라이언의 변호인단이 항소를 포기하여 마침내 캘리포니아 법원은 그의 이혼 기록을 공개하도록 결정했다. 라이언과 그의 직원들은 어떤 방법으로 이혼 기록을 발표하면 좋은 것인지 전전긍긍하며 하루를 보냈는데, 그들은 현장 취재요원 사건처럼 최악의 수를 둠으로써 일을 그르치고 말았다. 라이언은 저녁 6시에 이혼기록을 공개하기 위한 기자회견을 열겠다고 기자들에게 전화로 연락했다. 그러나 누군가가 텔레비전 방송국에서 그의 이혼 기록 공개 기자회견을 저녁 뉴스 시간대에 생중계하려 한 다는 것을 알아냈다. 시민들의 관심이 폭발하자 기자들의 취재 열기는 뜨거워졌다.

이러한 대중매체들이 군침을 흘리며 기다리는 데는 이유가 있었다. 그 기록들은 헐의 기록보다 훨씬 더 사람들의 관음증을 자극하고 있었다. 기록에는 TV 드라마 시리즈인 〈스타 트랙: 보이저 Star Trek: Voyager〉를 통하여 유명세를 탄 제리 라이언이 남편을 고소했는데, 그 내용은 그 남편은 그녀의 의지와는 반대로 뉴욕과 파리에 있는 퍼블릭 섹스 클럽에 그녀를 데리고 가서 낯선 사람들 앞에서 그와 성관계를 갖도록 강요했다고 했다. 그 기록에는 파리에 있는 한 클럽에서, 그의 아내는 "사람들이 이곳저곳에서 성관계를 갖고 있었고 나는 울었다. 나는 몸 상태가 좋지 않았다. 피고소인은(남편) 나에게 무척 화를 내면서 자기 앞에서 우는 것은 밥맛 떨어지는 일이라고 말했다. 나는 그 사건을 잊을 수가 없었고 그 이후로는 그에 대한 매력을 잃고 말았다. 나는 그에게 더 이상 결혼생활을 지탱할 수 있을지 모르겠다고 말했다."고 비난했다. 제리 라이언은 뉴욕에 갔던 장소들 중 한 곳에 대해 "감옥과 채찍, 그리고 천장에 여러 가지 장치들이 달려 있는 이상한 클럽에서…… 피고소인

(남편)은 다른 커플들이 보고 있는 앞에서 그와 성관계를 갖기를 원했고 나는 거절했다. 피고소인(남편)은 그에게 성적인 행동을 하라고 강요했으며 특히 특정인들에게 그것을 보고 있으라고 했다. 나는 매우 화가 났다."고 묘사했다.

이러한 불미스러운 내용들이 모두 드러나자, 오바마는 시카고에서 가능한 한 멀리 있기로 했다. 그렇게 하기로 한 이유는 라이언의 무용담이 스스로 타올랐다가 스스로 수그러들게 하기 위해서였다. 이틀 동안 남부 지역에서 바쁘게 선거운동을 하는 중에, 오바마는 어느 저녁 일리노이 최남부 도시인 카번데일(Carbondale)에 있는 서던 일리노이 대학(Southern Illinois University)에 갔다. 그리고는 50달러짜리 접시로 기금을 마련하는 행사에 참여하여 연설을 했다. 9시쯤 라이언의 기록에 대한 첫 번째 뉴스가 로버트 깁스의 블랙베리 단말기를 통해 떴다. 그 이야기를 읽자마자, 오바마의 한 젊은 직원은 자기 후보에게 굴러들어온 행운을 만끽하며 박장대소했다. 그는 "굉장하다."고 말했다. 연설을 마친 오바마는 사인을 받으려는 사람들과 행운을 빌어주는 사람들에 둘러싸였다. 깁스는 그 틈을 비집고 들어가 오바마를 한쪽으로 끌어당긴 다음 긴급 소식을 전했다. 오바마는 주의 깊게 듣고는 제스처가 다른 의미로 해석되지 않게 주의를 기울였다. 몇 분 후, 나는 오바마에게 그 소식에 대한 반응을 물었다. 그는 깁스와 상의한 후 "선거운동 기간 내내 나는 일리노이 주민을 어떻게 도울 것인지를 생각하고 또 생각했다. 이 시점에 내가 라이언의 기자회견에 대해 언급하는 것은 적절치 않다고 생각한다."라는 입장을 밝혔다.

이어 오바마는 일리노이 주의 수많은 기자들이 자신의 반응을 듣기 위해 휴대폰으로 보낸 엄청난 양의 메시지를 확인했다. 이에 대해 그는 라이언의 이혼 기록이 무엇이든 자신이 관여할 바가 아니라며, 라이언과 관련된 논평을 거절한다는 입장을 정리했다. 깁스는 오바마에게 어떤 대중매체들에게도 응답 전화를 하지 말라고 충고했다. AP통신사는 이미 하루 종일 노코멘트에 대한 기사를 실었다. 하지만 오바마는 솔직하게 《시카고 선 타임스》의 데이브 맥키니 기자에게 전화하고 싶다. 그는 좋은 사람으로 내가 유명하지 않았을 때 나한테 잘 해주었다."고 말했다. 깁스는 그렇게 하라고 하면서도 라이언 문제에 대해 어떤 입장도 표명하지 말라고 다시 한 번 환기시켰다. 우리가 주차장에 서서 떠날 준비를 할 때, 오바마는 괴상하게 전개된 이 사건 내용에 대해 고개를 흔들었다. 그는 "헐의 기록보다 더 심각하다. 더욱 수치스러운 내용이다. 라이언이 무슨 생각으로 이번 선거전에 뛰어들었는지 모르겠다."고 말했다.

잭 라이언은 제리 라이언의 진술에 대해, 2000년에 아들의 양육권을 둘러싼 부부간의 싸움에서 제기된 허위주장이라며 모든 혐의들을 인정하지 않았다. 그러나 정치적인 후유증은 엄청났다. 《시카고 트리뷴》은 다음날 아침 "라이언 파일은 폭탄: 전 부인이 공화당 후보가 자신을 섹스클럽에 데리고 갔다고 고소하다."라는 제목으로 그 이야기를 제1면에 실었다. 며칠 동안 시카고의 텔레비전 방송국들은 그 이야기를 앞다투어 전했다. 일리노이의 공화당 의원인 레이 라후드(Ray LaHood)는 라이언에게 이번 선거전에서 물러나라고 요구했다. 깁스는 사적으로 "나는 버락이 이번 선거전에서 대세를 장악했다는 것을 사람들에게 확신시키는 것이 쉬워졌다고 생각한다."고 말했다. 심지어 늦은 밤 방송하는 코미디언들조차 이 이야기를 소재로 삼았다. 제이 레노는 자지러지게 웃으며 "잭 라이언, 선거전을 달구려고 한다는 이야기는 들었지만 이것은 너무 한다!"고 말했다.

오바마는 그 다음날 다시 일리노이 주 각처를 다니며 선거운동을 했고 라이언의 이야기에 말려들지 않도록 매우 조심했다. 놀랍게도 이 일리노이 선거전은 또다시 한 사람의 탐욕스러운 결혼생활을 해부하는 국면으로 바뀌었다. 기자들은 끝없이 펼쳐지는 라이언의 무용담에 대하여 오바마에게 계속해서 질문을 해댔고, 오바마 또한 충실하게 인터뷰하는 과정에서 도덕적 개념을 표현하며 덫에 걸리지 않도록 했다. 피오리아(Peoria) 시에서 그는 수많은 기자들에게 "나는 서커스 같은 이러한 상황을 지켜보는 것을 즐기지 않는다. 나는 결과물로 '일리노이 유권자들이 워싱턴으로 나를 보내어 그들의 일자리에 대한 희망을 높이고, 자녀들이 대학에 진학할 기대를 높이며 건강보험료가 저렴해져 건강하게 생활하게 되기'를 원할 뿐이다."고 말했다. 오바마가 이런 진흙탕을 피해가고자 노력하면 할수록 기자들은 계속해서 틈새를 파고들었다. 오바마는 피오리아에서 라이언 문제에 대한 논평을 거듭 거절하면서 기자들 사이를 겨우 빠져나왔는데, 한 라디오 방송국의 여기자가 주차장에 대기하고 있던 그의 SUV 차량에까지 쫓아와서 오바마에게 목청껏 "당신은 성적 숭배가 한 사람의 성격을 말해 준다고 생각합니까? 의원님, 성적 숭배가 그 사람의 성격을 말해 준다고 생각하십니까? 의원님, 의원님!" 하며 소리쳤다. 그 기자가 마이크를 오바마의 어깨와 얼굴에 들이댔음에도 불구하고, 오바마는 가까스로 태연함을 잃지 않고 계속 걸었다.

일리노이 주에서 길고 긴 이틀간의 선거운동은 시카고 네이비 피어(Navy Pier)에 있는 어린이 박물관에서 열린 저녁 기금 모금으로 막을 내렸는데, 그 행사에는 오랜 기간 오바마를 후원했던 시카고의 많은 지지자들이 참석했다. 라이언 문제에 대해 오바마에게 질문하고자 시카고의 기자들이 그를 기다리고 있는 가운데, 데이비드 액슬로드는 이 행사에 잠시 들러, 오바마의 선거 상대자에게 있었던 소동에서 오바마가 걸려들지 않도록 다시 환기했다.

그러나 네이비 피어에서, 피곤한 오바마는 한계에 다다랐다. 그 전날 밤, 선거운동팀은 거의 새벽 2시가 되어서야 호텔에 도착했고 다음날 첫 행사는 일곱 시간 뒤인 오전 9시에 열렸다. 이틀에 걸친 지친 일정 끝에 오바마는 몇 번의 노코멘트 작전을 벗어나, "우리 모두는 스스로, 그리고 선거에서 어떻게 처신해야 하는지에 대한 책임을 져야 한다."고 말했다. 이러한 현명치 못한 발언을 접하고 액슬로드는 걱정했다. 오바마는 뒤이어 궁극적으로 유권자들은 이번 선거에서 자신들에게 중요한 문제들에 대하여 결정할 것이라고 말했다.

그러나 한 기자가 오바마에게 만약 라이언이 이번 선거전에서 물러나면 더욱 강력한 상대인 전 일리노이 주지사 짐 에드거(Jim Edgar)가 출마할 수도 있는데 이를 우려하느냐고 묻자, 오바마는 놀랍게도 향후 그의 선거 전략에 대해 솔직하게 밝혔다. 그는 "20개월 전 내가 처음 선거를 시작했을 때, 모든 사람들이 만만치 않은 상대처럼 보였다. 그리고 나보다 더 재력이 많고, 더 인지도가 높고, 더 경력이 많고, 더 많은 지원 단체들을 가진 사람들이 선거전에 많이 나온다며 주위 사람들이 나더러 출마하지 말라고 말렸다. 하지만 그 말을 따랐다면 우리는 2월에 벌써 텐트를 걷었을 것이다. 나는 이번 선거운동으로 우리가 보여준 것과 앞으로 우리가 계속해서 보여 줄 것은, 우리가 말한 메시지를 지키며 일리노이 유권자들에게 중요한 문제들에 대해 논의하는 것이다. 그러면 우리는 잘 해나갈 수 있다."고 말했다.

액슬로드는 점점 더 빨리 걸었다. 그의 후보자가 정말로 단지 '메시지를 지키며'라고 말했나? 하고 생각했다. 실제로 오바마가 '메시지'를 지킬 것이라는 계획에 대해 몇 번이고 되풀이했을 때, 액슬로드는 걷던 걸음을 잠시 멈추고 주춤거리며, 마치 어떤 사람으로부터 배를 세게 맞은 것처럼 아래를 내려다보았다. 그의 스타 고객은 지금 어쩔 줄 모르며 여러 개의 공을 손으로 돌리며 저글링을 하고 있는 것 같다.

결국 모든 후보자들은 각자의 메시지를 지켜야 하지만, 그들은 자신이 메시지를 지킬 것이라는 것을 세상에 발표하지는 않는다. 마침내 다른 질문에 대하여 엉뚱한 대답을 한 후, 피곤에 지친 오바마는 그가 이도저도 아닌 모호한 입장에 대한 쓸데없는 이야기를 했다는 것을 깨닫고 갑작스레 기자회견을 마쳤다. 깁스는 나의 놀란 표정을 보고는 천천히 걸으며 "오바마는 너무 지쳤다. 이틀간 너무나 긴 여행을 했다."고 말했다. 정말로 힘든 선거운동 일정이었다. 오바마는 이틀 연속 말하고 자세를 관리하며, 정치활동을 한 이래 처음으로 거의 졸도 직전상태에까지 갔다. 그러나 정신적, 육체적 지구력은 성공적인 연방 상원의원 후보자들에게는 중요한 요소이며, 피곤이라는 것은 오바마가 정치를 계속하려면 인생의 한 부분이 될 수밖에 없는 것이다.

2007년 5월 대통령 출마선언을 앞두고, 잠이 부족한 오바마는, 캔사스 폭풍으로 인한 실제 사망자수가 단지 열두 명에 불과했는데도, 실수로 사망자수를 1만 명이라고 말했다. 이것으로 그의 훈련부족과 지구력을 의심하는 이야기가 각종 뉴스를 장식했다. 어떠한 인간도 오바마처럼 단련이 되기는 어렵지만, 그의 지구력은 의심스러울만 했다. 네이비 피어에서 열렸던 형편없는 기자회견으로 그는 피곤에 약할 뿐만 아니라 아직도 정치 게임을 배우는 초년생이라는 것을 드러냈다. 그의 미래에는 더 길고, 더 지루한 선거운동들이 기다리고 있다. 그러므로 오바마가 만약 그 자신의 야망과 꿈을 이루고자 한다면 지금보다 더 높은 수준으로 자신의 지구력을 높여야만 한다.

공개적인 조롱과 대중적 수치심 속에서도, 잭 라이언의 팀은 계속 선거전을 치를 것을 고집했다. 그러나 그것은 무리였다. 라이언은 많은 공화당 유권자들뿐만 아니라 일리노이의 공화당 조직들에서도 신임을 잃었다. 가장 중요한 것은 일리노이 주 공화당 여성 의원장인 토핀카가 배신감을 느낀 것이었는데, 라이언은 전에 그녀에게 그 기록에는 어떠한 노골적인 내용도 없다며 그녀에게 거짓말을 했기 때문이었다. 몇 주후, 라이언은 일리노이 공화당 최고위층으로부터 압력을 받고 입후보를 포기했고, 향후 진로도 정하지 못한 채로 공화당을 떠났다.

그로부터 몇 달 후, 모교인 다트머스 대학(Dartmouth College)의 교지와의 인터뷰에서 라이언은 이혼 기록이 결코 공개되지 않을 것으로 믿었으며 자신은 대중매체의 희생양이라고 말했다. 그는 자신의 이혼 기록들은 공개되지 않았어야 했다며 끝까지 자신을 변호했다. 그는 민주당 대통령 후보인 존 케리도 공개되지 않은 이혼 기록을 갖고 있으며 어떠한 대중매체도 그것을 공개하라고 소송한 적이 없다는 점을 지적했다. 라이언은 그 인터뷰에서 "누구도 자신의 봉인된 이혼 기록을 넘긴 예가 없었다. 명백히 미국 역사상 누구보다 높은 기준이 나에게 적용되었다. 그러나 나의 배경 때문에 높은 기준을 적용받은 것인지 아닌지 나는 알 수 없다. 정말로 《시카고 트리뷴》이 무엇 때문에 그런 소송을 하게 되었는지 모르겠다. 그들은 그것이 당연하다고 했지만 만약 그렇다면, 왜 나한테만 그것이 적용된 것인가?"라고 불만을 털어놓았다.

일리노이 공화당 의원들이 후보 없이 우왕좌왕하고 있을 때, 오바마는 다른 방향으로 궤도를 바꾸고 앞으로 나아갔다. 선거기금 모금은 폭발적으로 늘어나고 떠오르는 스타로서 그를 둘러싼 자질구레한 소문들이 시시각각 커져 가고 있었다. 일거리도 늘어났다. 액슬로드, 컬리 그리고 빠르게 증가하고 있는 영향력 있는 지지자들로 구성된 그의 조직망은 다음 달 보스턴에서 열리는 민주당 전당대회에서 후보자인 오바마가 중요한 연설을 하는 자리를 차지하기 위하여, 당 고위 간부들에게 로비활동을 했다. 민주당은 참신한 새로운 소수계층을 대변하는 목소리를 찾고 있었으므로 오바마는 완벽하게 그 자리에 꼭 들어맞았다. 오바마팀의 노력 중 가장 중요한 대목은 '가장 중요한 시간대'를 배정받는 것이었다. 전국적 TV 방송망들이 생방송으로 이 대회를 중계하는 날의 저녁시간을 배정받아야 한다는 뜻이다. 이번 기회에 전국 무대에 폭넓게 노출된다면 오바마는 전국적인 명성을 얻게 될 것이며 기금 모금 규모도 크게 늘릴 수 있게 될 것이었다.

당시 민주당 대통령 후보로 예상되는 케리는 시카고 정치 행사 때 두 번 오바마를 만난 적이 있었는데 오바마는 두 번 모두 깊은 인상을 심어 주었다. 특히 시카고의 서부 지역에 인접해 있는 작은 기업체에 함께 갔을 때 케리는 부드럽고 온화한 오바마의 대중적 스타일에 좋은 인상을 받았다. 그 기업체의 직원들에 둘러싸인 두 사람은 등받이가 없는 의자에 서로 나란히 앉아 의료보험, 자유무역 그리고 다른 문제들에 대한 질문을 받고 대답했다.

오바마는 내가 법학개론 강의실에서 그를 만났을 때 입었던 것과 비슷한 연한 파란색 정장 셔츠를 입고 넥타이를 매고 있었는데, 차분하고 논리정연하게, 그리고 '주목을 받는' 방법으로 소매 끝을 접어 올려가며 첫 번째 질문에 대답했다. 그는 느슨하게 무선 마이크를 잡고 너무나 편안하게 그 방을 걸어 다니며 질문들에 대답했다. 그와는 반대로, 케리는 긴장하고 불안해 보였으며 그의 답변들은 오바마의 상냥하며 기분 좋은 목소리와 비교해 볼 때 명령조로 들렸다. 대통령 후보자는 연방 상원의원 후보자를 보면 알 수 있다. 오바마의 선거운동 부책임자인 네이트 타마린은 "버락은 그 행사를 아주 잘 치러냈다. 우리는 케리가 경외감을 갖고 그를 쳐다보는 것을 볼 수 있었다."고 말했다.

그런데 케리와 전국 민주당 간부들은 오바마에게 화요일 저녁 기조 연설을 제안했다. 얼핏 보면 이것은 대단한 일이었다. 오바마는 일리노이 주에서 온 주 상원의원이었다. 현재 그는 적수가 없으며 일리노이 주 공화당 의원들도 포기한 것 같은 상황을 고려해 보면 오바마가 민주당의 재건 이후, 세 번째 흑인 연방 상원의원으로 선출될 가능성이 거의 확실해 보였다. 그러나 과거 기조연설은 바바라 조던(Barbara Jordan), 마리오 쿠오모(Mario Cuomo), 제시 잭슨 그리고 빌 클린턴과 같은 사람들이 했었다. 쿠오모는 오바마가 오랫동안 존경하던 연설가였다. 오바마의 조언자들은 이러한 전통을 따르는 것을 영광으로 생각했지만 전반적으로는 달가워하지 않았다. 왜냐하면 주요한 방송국들이 화요일 저녁의 행사를 생중계 하지 않았기 때문이었다. 컬리는 "우리는 월요일 저녁 9시와 11시 사이의 시간대를 원했고 최소한 화요일 그 시간대는 피하길 원했다. 우리는 만약 그들이 진정으로 우리를 자랑하고 싶으면 우리를 가장 중요한 시간대에 배정해 줄 것이라고 생각했다. 화요일이 지날 무렵, 버락은 그들이 그리고 싶은 꽃의 힘(히피족 사상의 중심인 사랑과 평화라는 슬로건)이라는 그림에 꼭 들어맞는다고 생각했다. 모든 면에서 우리는 천재처럼 보였다. 그러나 그 당시에 우리는 정말로 화가 머리끝까지 났다."고 말했다.

그러나 중요한 시간대에서 밀려난 영향으로, 오바마는 연설의 내용에 대하여 협상하게 되었다. 테네시(Tennessee) 주의 전 상원의원인 해롤드 포드(Harold Ford)가 2000년 기조연설을 했을 때 대부분의 평론가들은 그 기조연설이 너무 평범하다고 했다. 오바마처럼, 포드는 젊고 카리스마가 있으며 장래가 촉망되는 혼혈의 아프리카계 미국인이었다.

오바마는 민주당 전국 위원회가 포드의 연설 문서를 작성했다는 이야기를 듣고 같은 결과를 초래할까 걱정했다. 그는 자신이 스스로 마음속에서 우러나는 연설을 하고 싶었다. 또한 오바마는 놀랍게도 다른 사람이 쓴 연설문을 낭독하는 것에 익숙지 않았다. 그는 단순히 미리 준비된 원고를 잘 읽지 못했고, 때때로 그런 원고에 대하여 무료하고 따분하게 느꼈다. 자신이 직접 원고를 쓰거나 순간 생각나는 것을 곧바로 말할 때 오바마는 더욱 진실성 있고 확신 있게 연설했다. 이런 이유로 오바마의 조언자들은 그 기조연설의 초안 작성을 그에게 맡겼다. 깁스는 앤 리처즈(Ann Richards), 쿠오모, 조던 및 다른 사람들이 과거에 했던 기조연설문을 그에게 넘겨주었다.

오바마는 다소 빨리 그 연설문에 대한 감을 잡았다. 그는 선거운동 과정 중 호텔방에서 그리고 뒤이어 주 의회가 개정 중에 있는 동안에는 스프링필드의 호텔방에서 보통의 필기체로 연설문을 작성했다. 그런 다음 그는 하이드 파크에 있는 자신의 집에서 손으로 작성한 연설문을 컴퓨터에 저장했다. 그가 《내 아버지로부터의 꿈》을 집필할 때처럼, 그는 대부분 저녁 9시부터 새벽 1시 사이에 원고를 썼다. 오바마는 올빼미 식으로 일했는데, 이 시간은 그가 오랫동안 소중히 여기는 혼자만의 시간으로 TV에서 그날의 중요한 경기를 시청하거나, 친구들에게 이메일을 보내고, 글을 쓰거나 생각할 수 있는 시간이었다. 대체로 외아들처럼 자랐기 때문에, 오바마는 이 시간을 자신만의 시간으로 음미하는 내성적인 면을 가지고 있었다.

하지만 바쁜 선거운동 일정 가운데서, 이러한 시간들은 점점 줄어들고 있었다. 하이드 파크에 있는 자신들의 타운하우스에서, 미셸은 오바마가 집필하고 생각하는 장소를 '구멍'이라고 불렀다. 왜냐하면 그녀의 남편은 두 아이를 잠재우고 난 후, 부엌 끝의 작은 방으로 사라지곤 했기 때문이었다. 그 구멍은 일반적인 사무실보다 두 배 정도의 크기였는데, 침실과 거실에서 떨어져 복도 끝에 위치하고 있었다. 왼쪽

구석에는 짙은 색의 나무 책상이 있었고, 그 옆에는 초라한 하얀 의자와 테이블처럼 생긴 의자가 있었다. 오바마는 나에게 이 방을 보여 주었는데 다소 작은 느낌이 들었다. 집에서 정리정돈을 안 하고 칠칠치 못하게 지내는 개인적 습관이 있다고 들었기 때문에 나는 "뒤죽박죽 쌓여 있는 물건 더미는 어디 있지요?"라고 물었다. 그는 "글쎄요. 그냥 이방 여기저기에 서류들과 책들이 잔뜩 쌓여 있다고 보시면 돼요."라고 대답했다.

연설문은 빨리 완성됐다. 오바마는 "이 연설문을 쓰는 것은 그다지 어려운 일이 아니었다. 상당히 쉽게 완성했다. 그 당시 나는 2년 동안 이런 것들에 대해 생각을 해 왔다. 선거운동을 하면서 나를 움직이는 것은 무엇인지에 대하여 생각할 기회를 가졌으며 필요 없는 것을 걸러 내고 정제할 기회를 가졌다. 이것은 조립을 하는 과정이 아니라 추출하는 과정에 더 가까웠다."고 말했다. 새벽 4시경에 오바마는 깁스, 액슬로드, 지안그레코 그리고 다른 몇 사람들에게 이메일로 연설문의 대략적 초안들을 보냈다. 아침 9시에, 오바마는 사람들에게 전화하여 그 초안에 대해 어떻게 생각하는지 확인했다. 몇 사람들은 새 초안을 아직 읽어보지도 못했다. 바로 오바마가 오래 전부터 기다려왔던 기회로, 희망과 더 큰 사회를 위하여 단결하자는 메시지를 전할 순간이 다가왔다.

제20장

연설

우리는 미국 사람들이 우리들의 두 도시에 대한 이야기를 듣게 만들어
야 한다. 우리는 반드시 그들에게 모든 사람들을 위한 빛나고 통합된
하나의 도시를 건설해야 한다고 설득해야만 한다.

　　　－ 마리오 쿠오모의 1984년 민주당 전당대회 기조연설문 중에서

우리는 남부와 남서부 지역의 관심사와 북부와 북동부 지역의 관심사
가 같지 않다고 들었다. 그들은 서로에 대항하여 싸우고 있다. 그들은
이 나라를 분열시키고 있으며, 고립되어 정부가 우리를 돕지 않을 것
이라고 생각하며, 혼자 남았다고 느낀다. 우리는 잊혀졌다고 느끼고
있다. 하지만 사실은 우리는 그들의 퍼즐에서 떨어져 나온 한 조각이
아니다. 우리는 한 국가이다. 우리는 미합중국이다.

　　　－ 앤 리처즈의 1988년 민주당 전당대회 기조연설문 중에서

학자들은 우리나라를 빨간 주들과 파란 주들로 토막 내어 나누기를 원
한다. 빨간 주들은 공화당이며 파란 주들은 민주당이다. 그러나 나는
그들에게 전해 줄 한 가지 소식이 있다. 우리는 파란 주들 안에서 경이
로운 하나님을 모시고 있고 빨간 주들 안에서 연방 기관들이 우리의
도서관을 마음대로 뒤지는 것을 좋아하지 않는다. 우리는 파란 주들
안에서 소년 야구 리그를 지도하고 있고 빨간 주들 안에 동성애를 하
는 친구들이 있다. 이라크 전쟁에 반대하는 애국자도 있고 이라크 전
쟁을 지지하는 애국자도 있다. 우리는 한 사람들이며, 우리 모두는 성
조기 앞에서 충성을 맹세했다. 우리 모두는 미 합중국을 지켜야 한다.

　　　－ 버락 오바마의 2004년 민주당 전당대회 기조연설문 중에서

오바마의 참모들이 2004년 6월 민주당 전당대회에서 오바마를 텔레비전 생중계 네트워크 앞에 세우는 것은 실패했지만, 기조연설을 따냄으로써, 오바마의 연설은 역사상 중요한 위치에 남게 되었다. 이 연설은 그가 민주당이 미래에 본보기로 내놓기를 원하는 사람이라는 것을 미디어엘리트(media elite)에 광고하는 의미가 있었다. 오바마가 보스턴에 도착하자, 그는 유명 인사처럼 환영받았다. 정치 전문가들과 전국의 언론인들은 주말이 되면 오바마가 중요한 스타인지 아니면 허우대만 멀쩡한 쓸모없는 사람인지 알게 될 것이라며 거만하게 말했다.

전당대회는 보스턴의 플리트 센터 경기장에서 열렸으며, 행사들을 취재하기 위해 1만 5,000명의 기자단이 참석했다. 전당대회는 대통령 후보자들이 후보로 지명되기 위하여 당의 주요 인사들과 마지막 싸움을 벌이는 기회로 사용되어 왔다. 그러나 몇 세대 전부터는, 이러한 싸움들의 대상이 당의 주요 인사가 아닌, 가장 중요한 주의 유권자들로 바뀌었다. 그리하여, 이 전당대회는 1만 5,000명이나 되는 기자단의 프리즘을 통하여, 민주당이 그 후보를 선전하고 그들의 지침과 생각을 미국 유권자들에게 알리는 일주일간의 화려한 축제로 발전되었다. 매사추세츠의 상원의원인 존 케리는 후보로 지명을 받았으며, 그의 전당대회에서의 주제는 베트남 참전 용사의 서약을 좀 더 넓혀 미국을 "대내적으로는 더욱 강하게, 대외적으로는 더욱 존경 받게" 만들자고 하는 것이었다.

오바마의 참석 일정에 대한 세부사항은 처음부터 불확실한 것들 투성이었다. 일리노이 주요 의원들과 주지사인 로드 블라고예비치가 의회 개정기간부터 전당대회 주간까지 이어진 극도의 예산안 분쟁으로 꼼짝 못하고 있었기 때문에 오바마는 보스턴과 스프링필드 사이를 날아 다녀야 했다. 그러나 의회에서 늦은 밤까지 이어진 회의 끝에 그 예산안은 해결이 되었고 오바마는 자정을 넘어 일요일 아침 보스턴 호텔에 도착했다. 아드레날린이 과도하게 분비되어 오바마와 참모들은 하룻밤 새 호텔에서 걸을 때 서로 부딪치기도 했고, 너무 흥분하여 잠을 이루지 못하고 긴장된 하루를 보냈다. 열광적인 전당대회 주간이 바로 시작될 준비가 되었다.

오바마는 몇 시간 후, NBC에서 일요일 아침에 방영되는 가장 영향력 있는 프로그램인 〈기자와의 만남〉에 출연하기로 되어 있었다. 데이비드 액슬로드, 로버트 깁스 그리고 다른 조언자들은 기조연설보다는 이 방송 출연을 준비하는 데 더 많은 시간을 보냈다. 그 프로그램의 사회자인 팀 러서트(Tim Russert)는 워싱턴에서 가장 엄격한 질문을 하는 사람 중 하나로 유명했다. 그는 막강한 연구팀을 거느리고 있었고, 그의 프로그램에 나온 초대 손님들이 과거에 했던 말 중에서 초대 손님들에게 불리하게 작용할 말을 끄집어내어, 그들이 그 말을 설명하며 쩔쩔매게 만들었다. 깁스는 러서트의 프로그램 제작자와 어떤 종류의 질문을 하여야 인터뷰에서 정당한 게임이 될지에 대하여 협의했다. 깁스는 오바마는 아직 주 상원의원으로서, 그는 자신의 상관을 힘들게 할 어떠한 복잡한 해외 정책에 관한 질문들에 대해서는 자세한 답변을 피하고, 현 시점에서 해외 문제들보다는 국내와 일리노이 주에서 일어나는 문제들에 더욱 정통함을 강조하기로 했다.

〈기자와의 만남〉이 시작되기 몇 분 전, 나는 경기장의 대기실에 있는 오바마와 그의 팀들을 발견했다. 그에게 엄청난 한 주가 남아 있음에도 불구하고, 오바마에게는 특유의 침착함과 자신감이 흘러나왔다. 기분이 어떠냐고 물었더니 그는 단지 "피곤하다."며 대답했다. 실제로 그는 매일 피곤한 기색이 역력했다. 눈꺼풀은 무거워 보였고, 눈 아래는 두툼하게 부풀어 올랐다. 그가 쇼에 출연하기 위해 사라진 후, 액슬로드와 깁스는 텔레비전 모니터 근처에 있던 두 의자에 나란히 앉았다. 러서트는 먼저 오바마에게 연설에서 무엇을 성취하기를 원하는지 물어보았다. 오바마는 러서트에게 "그 연설로 우리가 국내에서는 더욱 강하고 해외에서는 더욱 존경받는 국가가 된다는 낙천적인 미래상을 세울 수 있다면, 그리고 존 케리가 그러한 메시지를 갖고 그런 방향으로 우리를 이끌고 갈 힘을 모은다면 우리는 성공했다고 생각한다."고 말했다. 깁스와 액슬로드는 서로를 쳐다보고 미소를 지었다. 이것은 당 간부들이 그들의 후보들과 연설자들을 위해 준비한 메시지와 일치하는 것이었다. 오바마는 바로 첫 질문에서 그들이 생각하는 것을 완벽하게 말했다.

그러나 곧이어 오바마는 어떠한 속임수가 준비되어 있는 것을 알아차렸다. 러서트는 월간 잡지인 《애틀랜틱 Atlantic》의 다음 호에 오바마가 때때로 케리는 후보로서 꼭 필요한 매력이나 활력이 없다고 말했다며 다시 한 번 오바마가 한 말을 짚었다. 러서트는 "도대체 그것이 무슨 뜻인가?"라고 물었다. 이때 액슬로드는 의자에서 일어나 방안을 걸어 다니기 시작했다. 그 잡지는 아직 판매대에 올라오지 않았고, 오바마와 그의 팀은 그가 전에 민주당 후보 지명자를 비하하는 발언을 했었는지 전혀 알 수가 없었다. 그러나 오바마는 훌륭하게 강력한 어조로 그 질문에 잘 대답했다.

오바마는 "그것은 당신도 알다시피 이것은 선거운동 초반인 몇 달 전에 했던 인터뷰였다. 그 당시에는 당원의 한 사람으로서 존 케리에 대한 지식이 전혀 없었다. 그리고 이번 대회는 우리가 몇 달 전부터 가지고 있었던 존 케리에 대한 인상들을 통합하는 자리로 그는 앞으로 노동자 계급의 가족들을 위해 싸우고, 우리를 국제적으로 이끌 힘을 가진 사람이다. 그는 군인으로, 검사로, 부 주지사로, 20년간 연방 의회 의원으로서의 경험을 지닌 사람으로, 어떠한 후보보다 준비가 잘 된 사람이며 이 나라를 우리 모두가 희망하는 장래성 있는 나라로 이끌어갈 수 있는 사람이라고 믿고 있다."고 대답했다. 오바마는 그 질문에 능숙하게 답변했을 뿐만 아니라 케리의 이력에 대하여 유리한 점을 말하여 사회자가 의도한 바를 피했다. 액슬로드와 깁스 모두는 안도의 한숨을 내쉬었고 액슬로드는 다시 자리에 앉았다.사회자의 질문들은 대답하기 쉽지 않았다.

나중에 러서트는 갑자기 1996년 시카고에서 민주당 전당대회가 열렸을 당시에 있었던 《클리블랜드 플레인 딜러Cleveland Plain Dealer》신문기사 이야기를 끄집어냈다. 한 기사에서 오바마는 자금력을 가진 사람들이 정치에 불필요한 참견을 한다고 불평했다. 오바마는 한 신문에 "시카고 시민들은 이번 달 시카고에서 열린 전당대회에서 민주당이 현금을 조달하는 것을 지켜보는 것에 지쳤다. 이 대회를 팔기 위해 내놓은 것인가? 거기에는 한 접시에 1만 달러 하는 저녁식사를 제공한다. 일반 유권자들이 이것을 본다면, 그들은 즉시 이 행사에서 쫓겨나거나 참여할 수 없다고 느낄 것이다. 그들은 한 끼에 1만 달러짜리 아침식사를 먹을 수가 없다. 그들은 거기 참여하는 사람들은 그들이 상상조차 할 수 없는 것들에 접근하고 이용할 수 있다는 것을 안다."고 말했다.

깁스와 액슬로드는 다시 한 번 서로를 쳐다보았다. 깁스는 "도대체 저것은 어디에서 나온 말이지?"라며 말했고 허점을 찔린 게 분명해 보였다. 액슬로드는 어깨를 들썩이며 고개를 저었다. 러서트는 그런 다음 오바마에게 "이번 대회에서 150명의 기부자들이 40만 달러를 기부했다. 이것은 당신의 기준으로 보면, 시카고 대회 때보다 못한 금액인데 그것에 대해 감정이 상하는가? 그리고 일반 유권자들에게 보내는 메시지는 무엇인가?" 깁스는 고개를 푹 숙이며 "하느님 맙소사."라고 말했다.

그러나 다시 한 번 오바마는 침착하게 그 어려운 질문을 잘 처리했다. 그는 "알다시피 정책과 돈은 이 나라의 공화당, 민주당 모두에게 문젯거리이다. 그리고 나는 이점을 전혀 의심치 않는다. 비록 그렇더라도 내가 자랑스럽게 여기는 것 중의 하나는 존 케리의 이력을 볼 때, 이 사람이 국민과 국가에 최고라고 여기는 것을 위하여 지속적으로 투표를 했다는 것이다. 대회가 이것을 바꿀 수 있다고 생각지 않는다. 나는 민주당 의원으로서 우리가 현재 소외되었다고 느끼는 사람들에게 정치에 참여하라고 더욱 더 격려할수록 우리는 더욱 강해진다고 생각한다. 우리 민주당의 장점들 중 하나는 보통사람들, 즉 생계를 걱정하고 자녀들을 대학에 보내고 공과금을 내기 위해 노력하는 그러한 평범한 사람들과 더욱 친밀하다는 것이다."라고 말하며 어려운 질문에 대하여 다시 한 번 성공적으로 대답했다.

그 인터뷰를 끝낼 무렵, 액슬로드와 깁스는 의자에서 벌떡 일어났다. 깁스는 활짝 미소를 지었고 액슬로드는 안심한 듯 보였다. 그들의 발군의 후보는 워싱턴 기자를 상대로 한 중요한 첫 번째 신고식을 무사히 치러냈다. 액슬로드는 "이것은 오바마에 대하여 'NBA에 온 것을 환영한다.' 는 순간이었다."고 말하며 오바마를 찾으러 문을 나섰다. 러서트와의 방송에 대하여 다음날 NBC 뉴스앵커인 톰 브로커(Tom Brokaw)는 오바마의 인터뷰를 "매우 강한 출현"이라고 언급했다. 오바마는 보스턴에서 중요한 첫 시험을 통과했고, 그것은 대성공이었다.

그러나 다음날, 그는 유명 인사들에 대하여 대중매체들이 얼마나 변덕스러운지를 배우게 되었다. 대중매체들의 흥미 위주 보도 가운데서 빛나는 그의 대응 성과에도 불구하고, 《시카고 선 타임스》는 《애틀랜틱》 월간지에 난 오바마의 케리에 대한 언급을 자세히 다루었다. 타블로이드판 신문은 지면 전체를 "정력!"이라는 큰 머리기사로 장식했다. 이러한 움직임은 이제 막 대중매체의 아첨을 받기 시작한 오바마를 어리둥절하게 만들었다. 그는 나에게 "내가 몇 달 전에 한 말을 지금 인쇄하는 게 좋은 기사이며 좋은 보도인가?"라고 물었다. 오바마는 그가 과거나 현재에 한 모든 말들이 확성기를 통해 울려 퍼지고 있다는 것을 알았다.

그 날 이후 며칠 동안 오바마는 대중매체들과의 고단한 인터뷰에서부터, 기금 마련 행사, 각계각층의 영향력 있는 사람들과 아침식사, 점심식사, 저녁식사를 하며 분주한 시간을 보냈다. 전당대회에서 유명 인사는 자연적으로 모여드는 대중매체의 규모가 얼마나 큰가에 따라서 위상이 결정된다. 밖에 설치된 커다란 기자단 텐트 근처의 경기장 복도를 통해 걸어가면 이따금 그 가운데 있는 유명한 사람을 향해 카메라와 음성 녹음기 등을 들이대고 있는 엄청난 무리의 사람들을 만나게 된다. 최소한 내가 본 바로, 좌파로 폭탄 발언을 일삼는 영화감독 마이클 무어(Michael Moore)를 둘러싼 기자단의 규모가 가장 큰 것이었다. 그러나 상원의원들과 국회의원들, 그리고 큰 도시의 시장들은 소속 기자들을 데리고 오기도 한다. 오바마가 몰고 다니는 기자단도 가장 큰 규모 중 하나였다. 그는 사인을 요구하는 사람들과 지지자들 또는 기자들이 그를 막고 서서 거의 몇 발자국도 걷지 못했다. 항상 두 명 혹은 세 명의 직원들이 오바마의 주위에 서서, 한 행사에서 다음 행사로 그를 안내했고 그를 향해 물밀 듯 쏟아지는 기자단들을 관리하기 위해 노력했다. 오바마는 그 당시 그가 이제껏 감당했던 것과는 다른 대중매체의 열렬한 각광을 받고 있었다.

경기장 1층에서, 오바마가 CBS의 〈페이스 더 네이션Face the Nation〉이라는 프로그램 세트장으로 다가가자 그 프로그램의 사회자인 밥 시퍼

(Bob Shieffer)는 그에게 진심 어린 악수를 청했다. 웃음을 띤 전문 뉴스 진행자인 그는 약간 느린 서부 말투로 "당신은 지금 록스타이다."라고 말했다. 오바마는 "아마 내 아내에게 그렇게 말하면 그녀는 그렇지 않다고 할 것이다."라며 이의를 제기했다. 오바마는 자신을 비하하는 방법으로 이렇게 이야기했는데, 항상 자신의 자존심을 세워주는 역할로 미셸을 이용했다. (이것은 그의 유명세가 더 할수록 일상적으로 하는 말이 되었는데, 아내의 감독관 같은 면을 이용하여 대중 앞에서 겸손하게 보이고 자신의 기반을 굳게 다졌다.)

오바마가 한 번에 열두 명의 기자들과 인터뷰를 하고, 연속해서 전국적으로 방송되는 프로그램에도 출연했을 때, 나는 1월의 추운 시카고 저녁을 거슬러 떠올렸다. 그때 그를 매일 따라다니며 귀찮게 한 사람은 오직 나 혼자뿐이었다. 나는 시카고에서 전문직에 종사하는 흑인들이 마련한 정치 기금 모금 행사에 대한 특별한 순간을 기억해냈다. 그때 오바마는 그 행사에 참석하기 전, 한 라디오 방송국과 인터뷰를 하기로 되어 있었다. 라디오 방송국으로부터 전화를 받자, 오바마는 나에게 그가 인터뷰하는 동안 자신의 차량에서 나가 줄 것을 부탁했다. 왜냐하면 또 다른 기자가 듣고 있다는 것 자체로, 그는 마치 거울로 된 방에 있는 것처럼 느꼈기 때문이었다. 하지만 지금 보스턴에서의 상황은, 수많은 기자들이 그의 모든 발언을 듣고 있었다. 이것이야말로 거울로 만든 방 같지 않은가!

기조연설을 하는 화요일은 더욱 난리법석이었다. 하루 종일, 오바마는 분명히 그 대회에서 가장 중요하고 없어서는 안 될 인물이었고, 열두 명 이상 되는 기자들과 사진사들은 일정 거리를 두고 그의 모든 발걸음을 쫓아다녔다. 그의 하루는 아침 6시에 시작되었는데, 아직 호텔

식당이 문을 열지 않아 참모들이 24시간 영업하는 식당에서 가져온 피망 오믈렛으로 아침식사를 했다. 그런 후 오바마는 플리트 센터로 가서 세 개나 되는 TV 방송국의 아침 프로그램에 출연하고, ABC 방송국의 〈나이트라인Nightline〉의 테드 코펠과 함께 인터뷰했다. 그런 다음 오바마는 일리노이 하원의원들과 쉐라톤(Sheraton) 호텔에서 아침식사를 했다. 여기에서 오바마의 가장 까다로운 비평가인 미셸은 그의 연설에 대하여 조용히 두 엄지를 치켜 올려 주었다. 오바마는 기자들에게 "우리는 미셸을 연습실로 데리고 왔다. 그녀의 평가는 내가 오바마 가문을 망신시키지 않으리라는 것이었다."고 말했다. 마치 운동선수가 큰 경기를 앞두고 몸을 푸는 것처럼, 그는 엄청난 자신감을 나타냈다. 그는 "나는 나 자신에게 높은 기대를 갖고 있다. 그리고 나는 보통 그 기대에 부응한다."고 말했다.

오바마의 참모들이 스케줄 표에 있는 다음 행사로 오바마를 재촉할 때, 말 많고 뚱뚱한 시카고 출신의 한 기자가 오바마가 최근 고용한 선거운동 보도 담당자인 줄리안 그린에게 "내게 오바마를 인터뷰할 시간을 언제 줄 겁니까? 언제요? 언제요?"라며 들볶았다. 조심성 있고 항상 말쑥하게 옷을 입는 30대 중반의 흑인인 그린은 지금 시간이 늦었다며 최선을 다하겠다는 말만 할 수 있을 뿐이었다. 이것은 그린이 감당할 딜레마의 전조였는데, 그는 어떻게 하면 본거지인 시카고의 대중매체를 만족시키고 동시에 굶주린 전국 기자단을 행복하게 해 줄 수 있나 고민했다. 오바마는 여전히 일리노이에서 승리해야 할 선거전을 앞두고 있었기 때문이었다. 정오가 조금 지나서, 오바마는 '환경보존 유권자 연맹(League of Conservation Voters)'이 후원하는 모임에서 간단한 연설을 했다. 그 연맹은 오바마의 민주당 경선 때 그를 위한 텔레비전 광고의 형태로 몇 십만 달러를 간접적으로 기부했고, 그 광고는 대부분 시카고의 교외에서 방영되었다. 그는 이 그룹에게 "나는 여러분들에게 감동을 주는 긴 연설은 할 수 없다. 나는 오늘 밤을 위하여 내 목소리를 아껴야 한다."라고 사과했다. 그가 연단에서 내려올 때, 수많은 기자들이 그에게 쇄도하여 인터뷰 시간을 갖자고 고집을 부렸다. 그들은 흑인들을 위한 보상에서부터 오바마의 흑인 혈통, 경기 부양을 위한 그의 계획안 등에 이르는 질문들을 서로 해대면서 끼어들었다. 그린은 이러한 혼란을 수습하고자 분주했지만 이제 겨우 초저녁이었다. 그는 힘겨워하며 "오늘 난 다섯 명의 버락이 필요하다. 모든 사람들이 그를 원하고 있다. 정신이 하나도 없다."고 말했다.

차로 플리트 센터로 재빨리 운전하고 가서, 오바마는 여섯 명의 동행 기자들의 질문에 응답하기 전 매콤한 겨자소스를 곁들인 터키치즈 샌드위치를 한입에 먹었다. 한 기자가 오바마 이전에 기조연설을 한 주요 정치 거물들에 대한 질문을 마구잡이로 해대자, 오바마는 입안 가득 샌드위치를 담고 "당신은 내가 그들과 비교되어 얼마나 괴로운지 알고 싶은 것인가요?"라고 대답했다.

일리노이 방송국과 인터뷰한 후, 오바마는 경기장 안에 있는 던킨 도넛 가게로 녹차 한 잔을 사러 참모진 몰래 슬쩍 그곳을 빠져 나왔는데 그것은 신출내기 유명인사가 저지르는 실수였다. 즉시 BET, NBC 뉴스, ABC 뉴스 그리고 각종 잡지사의 기자들이 그를 덮쳤다. 오바마는 피곤한 목을 진정시킬 녹차를 포기해야 했다. 평정을 잃지 않고, 그는 화장실을 이용하기 전 5분간 질문에 응답했다. 그는 그린에게 밖에 설치된 간이 화장실을 이용하고 싶다고 털어놨다. 왜냐하면 그가 일반 화장실에 들어가면, 모든 사람들이 악수를 청할 텐데 그곳은 악수하기에 적절한 장소가 아니라고 생각했기 때문이었다. 그러나 오바마가 간이 화장실로 다가가자 수많은 기자단들이 여전히 그를 뒤쫓았다. 그는 호소하듯이 그를 따라가는 무리들에게 "볼일을 보게 1분만이라도 그냥 내버려둘 수는 없나요?"라고 말했다. 그러나 그 무리들은 계속 그를 따라왔고 그린은 팔을 벌려 그들을 저지했다. 그린은 "여러분, 여러분, 여러분! 제발, 오바마가 화장실을 사용하게 해주십시오. 감사합니다."라고 소리쳤다. 곧 녹차를 가지고 나타난 깁스가 오바마를 확 낚아서 연설 연습을 하러 사라졌다.

오바마는 TV용 프롬프터를 사용해 본 적이 없었고, 이런 큰 규모의 대중들을 상대로 연설을 한 적도 없었다. 각주를 대표하는 5,000명의 의원들이 전당대회에 참석했다. 그래서 오바마는 그 주에 여러 번 연설을 연습했다. 짐 컬리는 연습을 지켜보면서 이 연설이 대성공을 거둘 것이라고 확신했다. 마지막으로 오바마는 예행 연습을 했고 컬리는 민주당 직원들이 눈물을 글썽이는 것을 보았다. 그 연습을 지켜본 다른 사람은 "비록 마지막이었지만, 오바마는 80퍼센트 정도만 연습했다. 그는 대중 앞에서 연설할 때까지 완전한 연설을 보이길 원하지 않았다."고 말했다.

깁스는 오바마에게 일반적으로 기조연설은 두 가지 방식이 있다고 알려주었다. 하나는 주제별 연설이며 또 하나는 내용별 연설이었다. 주제별 연설은 국가를 어떻게 하면 강화시킬 것인지에 대하여 일반적으로 광범위하고 포괄적인 생각을 나타내는 것이고, 내용별 연설은 자세한 정책적 세부사항을 세워 큰 문제들에 대하여 해결책을 제시하는 것이었다. 오바마는 즉시 주제별 접근 방식을 이용하기로 결정했다. 그는 전체적인 메시지와 국가가 궤도를 빗나가 잘못된 방향으로 가고 있다는 생각을 어떻게 전개할 것인지에 대하여 광범위하게 생각을 해왔었다. 그는 이전에 호평을 받은 두 개의 기조연설문에 기초하여 자신의 연설문을 작성했는데, 하나는 연설에 천부적 재능이 있는 민주당 마리

오 쿠오모 의원이 1984년 샌프란시스코에서 했던 '두 도시의 이야기'라는 제목의 기조연설이었고, 다른 하나는 1988년 애틀랜타(Atlanta)에서 앤 리처즈가 했던 기조연설이었다.

쿠오모는 민주당이 이끄는 국가적 희망에 대하여 국가의 부(富)가 모든 사회경제적 계층의 사람들과 모든 인종과 민족들에게 골고루 분배하길 원한다고 설명했다. 그는 이러한 희망을 공화당 대통령인 로널드 레이건 행정부하에 전개된 미국 사회에 대해 그가 느낀 것을 비교했다. 그 당시 사회는 재력과 교육에 근거하여 가진 자와 가지지 못한 자로 나뉘었고, 강한 자가 약한 자를 억누르는 사회적 다윈설로 재구성되었다. 쿠오모는 "우리는 미국 사람들이 우리의 두 도시에 대한 이야기를 듣도록 만들어야 한다. 우리는 반드시 그들이 모든 사람들을 위한 빛나고 통합된 하나의 도시를 만들도록 설득해야 한다."고 말했다. 4년 후 리처즈도 같은 내용의 연설을 했고, 레이건 행정부와 전체적인 공화당의 '분리와 정복' 정책을 강력하게 비난하며, 상호 정치적 이득이 되는 그들과는 다른 관심사와 지역들을 언급했다.

소설을 쓰기 위한 묵상에서 정치적 작문을 해야 하는 성공을 향한 길에 들어선 오바마는 이야기식의 연설문을 쓰기로 했다. 기조연설 중, 그는 일반적인 인간적 속성에 대하여 선거운동 구호를 사용하여 연설했고, 그것을 케리의 생애와 결부시켜 17분 정도의 빡빡한 연설문으로 만들었다. 2004년 그가 선거운동 중 한 연설들은 일반적인 정치적 산문과 흑인교회에서 많이 들었던 설교적인 시 그리고 과거 그가 읽었던 책들, 특히 마틴 루터 킹 주니어에 대한 책들을 섞어 놓은 것이었다. 그는 기조연설도 유세연설과 같은 형식으로 시작했는데, 먼저 그는 자신과 캔사스 출신의 어머니, 케냐 출신의 아버지 등 자신의 독특한 가계를 소개했다. 그는 미국의 위대한 점은 자신과 같은 '이상한 이름을 가진 마른 아이'에게 희망을 불어 넣어주는 독특한 능력이라고 말하며 자신의 생애를 다시 뒤돌아보며 그 연설을 마쳤다. 중간에 그는 미국의 연합적 힘과 아메리칸 드림을 꿈꾸는 기본적 개념을 강조했고, 이러한 것들을 그는 '담대한 희망'이라고 불렀다. 오바마는 이러한 구절을 그의 목사인 제러마이어 라이트의 설교에서 직접 따왔다. 그 목사는 그 구절을 마틴 루터 킹의 연설에서 가져왔다. (킹 목사는 "나는 모든 사람들은 육체적 생존을 위하여 하루 세끼의 식사를 하고, 마음을 위하여 교육과 교양을 배우며, 정신을 위하여 존엄성과 본질과 자유를 가져야 한다고 담대히 믿고 있다. 나는 이기적인 사람은 멸망하고 남을 존중하는 사람은 성공한다고 믿는다."라고 했다.) 이러한 것들은 초기 선거운동 중 가장 호평 받은 구절이었다.

예를 들어 다음 부분은 그의 유세연설 중에서 직접 발췌한 것이다. "만약 시카고 남부 지역에 글을 읽지 못하는 한 아이가 있다면, 그 아이가 나의 아이가 아니라도 그것은 나에게 문제가 된다. 만약 어딘가에 돈이 없어 조제약을 사지 못하고 그 돈으로 약을 살 것인지 아니면 집세를 낼 것인지 고민하는 노인이 있다면 그 사람이 나의 할아버지, 할머니가 아니더라도 난 내 인생이 가난하다고 생각할 것이다. 만약 아랍계 미국인 가족들이 변호사 선임을 못하고 또는 정당한 법 절차를 밟지 않고 구속된다면, 나는 그것으로 나의 인권이 침해당했다고 느낄 것이다. 이것은 기본적 믿음으로 '나는 내 동생을 지키고 나의 누이를 지키는 사람이다.'라는 기본적 믿음과 같은 것이다."

마지막 문장은 성경을 언급한 것으로 일반적으로 흑인 청중에게 강조하는 말이었다. 케리의 참모들은 이 부분을 삭제하여 수정했지만, 깁스는 이 부분이 선거운동 과정에서 확실히 인기를 끄는 방법임을 알고 다시 첨가했다.

오바마의 연설 중 첫 부분은 자신의 인생에 대한 부분을 많이 이야기했고 나중에는 연설시간을 20분 정도로 맞추기 위해 편집하기도 했다. 그는 또한 아메리칸 드림에 대한 정의와 삭제된 미국의 이례적인 본질에 대한 그의 믿음에 대하여 썼다. 결론 부분의 핵심은 선거운동 과정 중 했던 주제들과 대사들로 구성했다.

오바마와 그의 팀은 그 연설을 구성하고 정하는 등 완전한 통제권을 행사하였다. 그러나 케리의 참모들은 중요한 한 가지를 변경했다. 오바마는 미국이 빨간 주들과 파란 주들로 나뉘었다는 반복 어구를 사용한 후, 모든 국민들은 "빨간색, 파란색, 흰색 앞에서 충성을 맹세했다."고 말하며 이러한 각각의 색깔을 통합했다. 그러나 케리의 참모들은 주말에 있을 케리의 연설에 이 구절을 사용하기를 원한다고 말했다. 오바마는 그들의 요청을 처음엔 믿지 않았다. 액슬로드는 "연설문의 모든 구절들 중에서 그 구절은 버락이 가장 소중히 생각하는 구절이었다. 버락은 '그들이 나의 말을 가로채려고 한다.'고 말했고, 말 그대로 그 주 내내 그는 알 수는 없지만 어쨌든 그 구절을 말해 버릴지도 모른다고 했다. 그러나 실제로 그가 연단에 섰을 때, 그는 그 구절을 말하지 않았다. 그는 케리 진영이 그에게 큰 기회를 주었다는 것을 알고 있었고, 그래서 그렇게 가로채는 것은 아주 사소한 것이라고 생각했다."고 말했다. 결국 오바마는 자신의 구절을 "성조기 앞에 충성을 맹세했다."고 고쳤다.

오바마의 연설과 참고한 연설문 사이에는 확실히 틀린 점이 있었다. 오바마는 모든 분노를 공화당에 퍼붓는 대신 일반적인 기구나 체제에 대해 공격을 했다. 그는 언론 담당 책임자들과 나라를 자신들의 정치적 이익을 위해 분배하려는 '부정적이고 시끄러운 사람'들에 대하여 이야기했다.

그 연설이 있기 전 오바마의 지저분한 호텔방에 온 액슬로드와 깁스는 그날 밤의 성공을 위한 미적 요소를 까마득히 잊어버리고 있었다는 것을 깨달았다. 오바마에게 무엇을 입힐 것인가 하는 것이었다. 말쑥한 오바마는 보통 잘생기고 활기차게 보였고 양복이 썩 잘 어울렸다. 하지만 전체적으로 파란색의 배경막을 둔 연단 위에서 그가 어떻게 보일지는 알 수 없었다. 오바마는 어두운 색의 양복을 입고 있었고 약간 무늬가 있는 넥타이를 매고 있었다. 양복은 괜찮아 보였지만, 액슬로드가 넥타이를 자세히 들여다보자, 그 둘은 모두 넥타이를 더 괜찮은 것으로 바꿔야겠다는 필요성을 느꼈다. 오바마는 자신이 넥타이를 고르겠다고 고집했다. 그는 특별히 액슬로드의 취향을 믿지 않았다. 왜냐하면 운동복을 선호하는 취향을 가진 액슬로드는 유행과는 거리가 먼 사람이었기 때문이었다. 오바마는 미셸의 의견을 물어보았고 그녀 또한 두 사람과 같은 의견이라고 했다.

그래서 다른 넥타이를 찾기 위한 수색작업이 이루어졌다. 마침내 액슬로드는 깁스가 새로이 장만한 하늘색 줄무늬가 있는 넥타이를 발견했다. 이것이면 괜찮을 듯싶었다. 깁스는 "하지만 이것은 내 타이인데, 특별히 오늘밤 행사를 위해 새로 샀단 말이에요."하며 안 뺏기려 했다. 하지만 지금 그것은 오바마의 넥타이가 되었다.

연단 뒤에서 팀원들과 모여 있던 오바마는 그 주 내내 침착함을 잃지 않았지만 갑자기 조금 긴장감을 느꼈다. 청중들은 술렁거리며 큰 볼거리를 기대했다. 실제로 민주당은 커다란 볼거리를 갈망했다. 케리의 대중에 대한 불안감으로 일반인은 그다지 뜨거워지지 않았다. 청중들은 좀 더 카리스마 있는 사람에 굶주려 있었고, 중부 출신의 이 젊은 흑인 의원이 이번 주 그들을 깜짝 놀라게 해 줄 사람이라는 기대감을 갖고 있었다. 긴장하고 있음에도 불구하고 오바마는 엄청나게 예민한 정신력을 유지하고 있었다. 특히 이토록 짧은 시간에 흑인으로서 세 번째 연방 상원의원 후보자에서 떠들썩한 전국적 기조연설가가 된 것을 감안해 보면 그의 정신력이 대단함을 알 수 있었다. 바로 옆에는 자원봉사 선거운동 사진사인 데이비드 캐츠가 있었는데, 그는 대학을 갓 졸업한 젊은이로 그때까지 오바마를 찍기 위해 수천 번의 셔터를 눌러댔다. 캐츠가 규정 파(par)보다 낮은 점수를 칠 수 있는 재능 있는 골프 선수라는 것을 알고, 오바마는 이 젊은이를 돌아보며 "내가 나가서 이것을 퍼트(putt)로 날려 버리겠다."라고 말했다. 나중에 캐츠는 오바마가 이토록 심리적으로 압박을 받는 상황에서 그런 개인적인 방법으로 자신과 이야기할 수 있는지 너무 놀라웠다고 말했다. 캐츠는 "그것은 그가 가진 놀라운 재능 중의 하나이다. 이제 막 기조연설을 하려는 중이었고, 그 와중에 나와 관련 있는 이야기를 할 마음을 먹었던 것이다."고 말했다.

오바마는 역시 청중을 실망시키지 않았다. 그는 처음 시작 부분에서 몇 구절을 약간 더듬고, 때때로 말들을 건너뛰기도 했다. 그러나 어머니가 캔사스 출신이라고 말하자 캔사스 하원의원들이 일어나 환호했고, 오바마는 이에 자극을 받아 에너지가 충전함을 느낄 수 있었다. 그는 이렇게 특별한 청중들과 접속했다.

연설 중 가장 중요한 부분에 다다르자, 오바마는 흑인 목사가 하는 약간의 리듬을 가미했고 청중들은 완전히 광분하여 넋을 잃었다. 오바마는 "진보적인 미국도 없고 보수적인 미국도 없다. 오로지 미 합중국만이 있을 뿐이다. 흑인을 위한 미국도 없고, 백인을 위한 미국도 없으며 남미인과 동양인을 위한 미국도 없다. 오로지 미 합중국만이 있을 뿐이다. 우리는 하나의 국민이다."며 분명하고 카리스마 있는 목소리로 말했다. 인종과 나이를 불문한 민주당 의원들은 오바마의 공표에 동의

하며 머리를 끄덕였다. 어떤 사람은 울기도 했다. 많은 사람들은 환호성을 지르며 자리에서 일어나 뛰었다.

액슬로드와 깁스는 경기장 바닥에서 연설이 어떻게 보이는지 알아보기 위하여 밑으로 내려왔다. 오바마가 청중들로부터 박수갈채를 받을 때, 신문기자인 제프 그린필드(Jeff Greenfield)는 몇 줄 뒤에 있던 그 두 사람을 알아보고 "이것은 굉장한 연설이었다."고 말했다. 연단 뒤에는 그린과 캐츠가 있었다. 흑인인 그린은 끝없는 자부심이 밀려드는 것을 느꼈다. 그는 보통 아무 표정 없는 미셸을 발견했는데 그녀의 볼에 반짝거리는 눈물이 흐르고 있는 것을 보았다. 그린은 목이 메었고 등줄기가 오싹해졌다. 나중에 그린은 "연단 너머로 사람들이 어떤 반응을 하고 있었는지 보였다. 사람들이 쓰러지고 우는 것을 봤을 때, 나는 속으로 한 번도 이런 것, 이런 강력한 것을 경험해 보지 못했다고 생각했다. 알다시피 나는 이것이 무엇을 의미하는지 잘 알지 못했지만 그가 정말 우리가 바라는 사람인지 생각하지 않을 수가 없었다. 그는 정말로 우리가 찾던 그 사람이란 말인가?"라고 그 날을 회상했다.

오바마가 연설을 끝내자, 미셸은 연단으로 뛰어올라 남편의 등을 가볍게 두드렸고 이것은 연습하지 않은 상황이었다. 미셸은 오바마를 연단 뒤로 안내하며 환호하는 관중을 향해 손을 흔들었다. MSNBC의 방송국 앵커인 크리스 매튜스(Chris Matthews)는 "와! 몸서리 쳐질 정도로 훌륭한 연설이었다."고 소리쳤고 CNN의 울프 블리처(Wolf Blitzer)는 오바마가 "청중을 전기 감전시켰다."고 말했다. 심지어 전 공화당 부 대통령 지명자인 잭 켐프는 폭스뉴스(Fox News) 프로그램에 출연하여 "최고의 연설이었다."고 말했다. 연단 뒤에서 오바마는 딱딱하고 불편한 정장을 벗고 하와이에서 어린 시절부터 입던 편안한 운동복으로 갈아입었다. 오바마는 그린에게 자신도 만족한 듯 미소를 지어 보이며

"괜찮은 연설인 것 같았지?"라고 말했다.

　다음날 오바마와 참모들이 경기장에 있는 에스컬레이터를 타고 올라가는데, 한 여성이 반대편 에스컬레이터에서 내려오다가 민주당의 떠오르는 샛별인 오바마를 알아보았다. 두 사람이 서로 지나쳐 갈 때, 그녀는 오바마 쪽으로 몸을 기울이며 말했다. "당신이 대통령이 될 때까지 기다릴 수가 없어요."

제21장

일리노이로 돌아오다

그들은 모두 깜짝 놀랐다.

– 한 선거운동원이 엄청난 청중을 본 미셸과 오바마의 반응을 묘사하며

일리노이로 돌아오자마자 버락 오바마는 아직도 승리해야만 하는 선거가 남아 있다는 현실에 직면했다. 잭 라이언은 후보를 사퇴했고 공화당은 침몰하고 있었으며, 8월이 되어서도 오바마의 공화당 경쟁자가 나타나지 않았다. 이론적으로는 하늘이 내린 기회처럼 보였다. 그러나 그것은 알 수 없는 일이었다. 적이 누군지 모르는데 어떻게 선거운동을 전개해 나간단 말인가? 그래서 오바마는 참모들을 계속 압박했고, 참모들은 그를 압박했다. 오바마는 선거운동 책임자인 짐 컬리에게 "더이상 '우리는 적이 없다.'는 등의 말을 듣고 싶지 않다. 우리는 계속해서 앞으로 나아가야 한다."고 말했다.

기조연설의 경험에 만취되어 오바마에 대한 일리노이 유권자들의 동질감이 오히려 멀어질 수 있다는 의심을 잠재우기 위하여, 참모들은 오바마가 시카고에 돌아온 바로 그 다음 주말에 주 전역에서 선거운동을 시작하기로 했다. 오바마는 보스턴에서 지낸 한 주가 너무 정신이 없었기 때문에, 그 다음 주에는 선거운동을 느슨하게 하기를 원했다. 그러

나 그의 참모들은 다른 생각을 갖고 있었다. 그들은 그동안 선거운동의 속도를 너무 자주 늦추지 말라는 오바마의 요구를 들어왔다. 보스턴에서 돌아온 후 여전히 육체적으로 피곤한 상태인 오바마 진영은 닷새 동안 39개의 구와 39개의 도시를 방문했고 선거운동을 위해 하루에 무려 여덟 번이나 차를 세웠다.

오바마는 그 야단법석인 전당대회 이후 가족과 함께 지내고 싶어 했다. 그래서 그의 참모들은 레저용 차량을 빌려 선거운동 일정 동안 그가 미셸과 두 아이와 함께 지낼 수 있게 했다. 그러나 하루에 여덟 번이나 하는 행사들과, 그 행사들 사이에 하는 두 시간 정도의 운전으로 그의 가족들은 어지러움 속에 어디에 있어야 하는지 알 수 없었다. 오바마는 선거 차량이 시카고에서 멀어지자 한숨을 쉬면서 "이번은 내 가족과 함께 레저용 차량을 타고 여유롭게 하기로 계획한 여행이었다. 하지만 바탄 반도의 죽음의 행군(태평양 전쟁 때 일본군에 포로로 잡힌 미군의 행군)이 되어 버렸다. 나는 나의 직원들에게 너무 공격적으로 되지 말라고 말하고 싶다. 그래서 나는 어떻게 하면 공격적인 것과 게으른 것 사이에서 균형을 이룰 수 있는지 고민 중이다. 그러나 우리에게는 해야 할 선거운동이 있기 때문에 현실로 돌아와야 한다."라고 말했다.

현실은 오바마에게 유리하게 변했다. 그의 명성은 일리노이를 넘어서 워싱턴 정계에까지 확산되어 유명해졌다. 열렬한 환호를 받은 기조연설 후, 오바마는 전국 민주당 내에서 가장 유명해졌으며, 없어서는 안 될 사람 중 한 명으로 급부상했다. 《내 아버지로부터의 꿈》을 발행한 출판사는 급히 8만 5,000권의 재판을 추가로 발행하였고 그 책은 베스트셀러의 목록에 오르기 시작했다. 선거운동 일정이 시작될 때 나는 오바마와 이야기했는데, 그는 그가 새로 나타난 스타라는 상황을 매우 불편해 했다. 그는 상당히 설득력 있게 일리노이 선거전에서 이기고 싶을 뿐이고, 성공한 연방 상원의원이 될 수 있는 데만 집중하고 싶다고 하였다. 그는 "신문에 어떤 문제가 실렸든 그것에 관한 논평으로 정치적인 시시비비에 오르내리고 싶지 않다. 내가 해야 할 일은 상원의원으로서 훌륭하게 일을 잘 해내어 유권자들의 바람직한 대변인이 되는 것과 좋은 남편과 아버지가 되는 것 사이에서 균형을 이루는 것이다. 그것만 해도 지금 너무 바쁘다."고 말했다.

이러한 생각은 그가 직면한 모든 임무에 열중하는 데 도움이 될 것이라고 난 생각했다. 그러나 그것은 아주 순진한 생각이었다. 알라딘의 램프에서, 심부름꾼 지니가 램프에서 나온 후엔 도저히 도로 집어넣을 방도가 없었다. 여기 관심을 끄는 젊은 스타 상원의원이 워싱턴의 야수들을 향해 나아가고 있다. 사방팔방에서 그에게 큰 기대를 걸고 있었는데, 특히 흑인 사회, 진보주의자들, 온건주의자들, 민주당 기금 모금자들, 대중매체, 선거운동 자원봉사자들, 그의 참모들(로버트 깁스와 같은)은 자신들의 높은 야망을 오바마가 이루어줄 것으로 믿었다. 줄리안 그린이 보스턴에서 다섯 명의 벼락이 필요했지만, 선거운동에서는 매일 최소한 그만큼의 벼락이 필요했다. 데이비드 액슬로드는 "최근 몇 달 동안, 두 번이나 벼락은 마치 대포에서 발사된 것 같았다."고 말했다.

일리노이 주 전체에 걸친 선거 유세는 하룻밤 사이에 오바마가 얻은 인기를 입증해 주었다. 보스턴을 휩쓸고 지나간 오바마의 열기 같은 뜨거운 열기가 일리노이를 강타했다. 오바마는 가는 곳마다, 집회를 연 광장 어디에서든, 엄청나게 많은 군중으로부터 환영을 받았다. 그는 공공연히 당면 목표인 상원의원 선거전에서 승리할 것이라고 이야기하면서, 숨 막힐 듯 조여 오는 전국적인 관심을 무시하려고 노력했다. 청중으로 꽉 찬 대학 극장 안에 설치된 중앙무대에서 연설하건, 혹은 시청 옆 지저분한 장소에 주차된 청동색 시보레(Chevrolet) S10 픽업트럭

위에서 연설하건, 오바마는 이젠 능숙한 솜씨로 자신의 메시지에 몰두했다.

집회마다 그는 전국대회 기조연설에서 일리노이 주민들의 목소리를 반영하려고 노력했다고 말했다. 무엇보다 그는 미국의 씁쓸한 당파적 정치 문화에 대하여 더욱 회유적으로 접근하려고 노력했다고도 말했다. 그는 "화요일에 한 그 연설은 확실히 좋은 평가를 받았다. 그러나 내가 거기에 간 이유는 여러분들, 일리노이 유권자들 때문이었다. 사람들은 내가 다른 지역 출신이며 나의 피부색이 다른 것을 신경 쓰지 않았다."며 케와니(Kewanee)의 아름다운 공원에 모인 500명 정도되는 그룹을 향해 미소 지으며 말했다. 그는 기자들에 대하여 개인적 겸손과 공공 서비스의 내용을 담은 선거운동 대본에 충실하려고 노력했다. 오바마는 "이런 것도 재미있다. 하지만 모두 덧없는 것이다. 나는 이것을 어떻게 끝까지 해내가야 할지 모르겠다. 하지만 모든 일은 처음엔 다 신기하다. 하지만 이 신기함은 차츰 없어지며 지금과 같은 순백색이 계속 남아 있지는 않을 것 같다."며 디캘브(DeKalb)와 마렝고(Marengo)에 선거 유세차 들렀을 때 말했다.

어렸을 때 자신을 버린 아버지와, 머나먼 대륙을 여행하느라 그를 조부모에게 맡긴 어머니를 둔 오바마의 인생은 분명히 대중의 관심을 끌었다. 청중들과 감정적, 지적으로 교감하는 것보다 더 크게 그에게 자양분이 되는 것은 없었다. 하나님을 깊이 숭배하는 일리노이 청중에게, 그는 하나님을 자주 언급하면서 "신의 축복이 모두에게 내리길 바란다."며 그의 선거 연설을 마무리했다. 그러나 이번의 유세에서는 연설을 마무리할 때 청중들이 그의 주장을 수긍하며 환호하자, 오바마는 자신도 모르게 "여러분 사랑합니다. 사랑합니다."라고 외쳤다. 그런 다음, 그는 당당한 모습으로 무대 뒤로 걸어 내려갔고, 동시에 그에게 쏟아진 스타 이미지에 걸맞은 유행하는 컨트리 음악이 계속해서 흘러나왔다. 단지 오바마만 변하고 있는 것이 아니었다. 그의 청중들도 역시 변하고 있었다. 오바마에 대한 그들의 갈구는 쉽게 채워지지 않았다. 그의 이름을 "요 마마" 혹은 "앨라배마"라고 잘못 발음하며 연설 첫 도입부분을 재미있게 하려는 시도는 이제 적당한 웃음이 아니라 아우성 같은 웃음을 불러일으켰다. 예순일곱 살의 노인인 데이비드 브람슨(David Bramson)은 "난 정치적 이유가 아니라 사람을 보고 투표한다. 이 사람은 나를 흥분시킨다."고 말했다. 그는 조지 W. 부시와 오바마중 하나를 대통령으로 선출하기 위해 다시 한 번 투표하고 싶다고 말했다. 그는 "오바마는 정말로 사람들의 기운을 돋운다. 내가 본 사람 중에 그는 대중을 양극화시키지 않는 첫 민주당 의원이다. 이 사람이야 말로 진짜다. 다른 사람들은 다 가짜다."라고 말했다. 피킨(Pekin)에서 온 한 여성은 "만약 당신이 꿈이 있다면, 오바마를 선출하라."고 적힌 팻말을 높이 들었다.

일리노이 시니어(Senior) 상원의원인 리처드 더빈(Richard Durbin)이 선거 유세를 하는 며칠 동안 오바마와 동행했는데, 그는 기조연설 전 오바마를 보스턴 청중들에게 소개한 사람이기도 했다. 더빈은 마르지 않는 에너지를 가지고 선거 유세를 하는 정치인이었다. 진보적 민주당 의원인 그는 부시 대통령이 이라크를 침공할 수 있도록 권한을 부여하는 투표에 반대한 극소수의 상원의원 중 한 사람으로, 더빈은 그의 정치 인생 동안 지칠 줄 모르고 끊임없이 선거 유세를 해왔다. 오바마는 "단지 더빈을 보고 있는 것만으로 많은 것을 배웠다. 그는 확고하다."고 말했다. 지칠 줄 모르는 더빈은 아마도 전형적인 A형 기질을 가진 것 같았다. 키가 작고, 약간 하얗게 센 머리를 전통적으로 자른 그는 거의 유명인사와는 반대의 이미지를 갖고 있었다. 그는 국방색 바지를 입고 단추가 있는 체크 무늬 셔츠를 입은 웃는 얼굴의 옆집 아저씨 같은 이미지, 잔디를 깎을 때 눈이 마주치면 항상 손을 들어 반겨줄 것 같은 이미지를 갖고 있었다. 외모는 평범했고 성격은 인정 많은 아저씨 같아서, 출퇴근 시간에 혼잡한 시카고 도심을 걸어 다녀도 아무도 그를 알아보는 사람이 없을 정도였다.

선거 유세 동안 스프링필드에서 열렸던 기금 모금 행사 전, 오바마는 전화통화 할 일이 많고 바빠서, 더빈에게 그 행사장에서 만나자고 말했다. 더빈은 그냥 오바마를 기다리겠다고 대답했다. 더빈은 "난 당신 없이는 어디에도 갈 수 없다. 당신과 나란히 걸어 들어가지 않으면 아무도 내가 누군지 전혀 알 수 없을 것이다."라고 대답했다. 그러나 비록 더빈이 상대적으로 일리노이와 워싱턴에서 무명일지는 몰라도, 그는 의회에서 가장 진지한 의원 중의 한 사람으로 인정받았고 그의 동료들로부터 존경을 받고 있었다. 민주당이 2006년 의회의 통솔권을 장악했을 때, 더빈은 중요한 임원으로 선출되었고 민주당 내 두 번째 순위에 올랐다.

이와 같이 대조되는 개인적 스타일로, 더빈과 오바마는 이번 선거 유세에서 정형화된 2인조 코미디 쇼처럼 일을 잘 진행해 나갔는데, 오바마는 상대를 돋보이게 하는 역할을 맡았고 더빈은 활기차게 청중 앞에서 메시지를 전했다. 더빈은 각 행사 때마다 보스턴 청중을 위하여 준비한 환상적인 연설에 대한 실제 있었던 일을 이야기하며 연설을 시작했고, (그러다가 얘기를 멈추고) 오바마에게 대신 다음 이야기를 하도록 순서를 넘겼다. 더빈은 "오바마가 이야기한다고 화내면 안 되죠. 왜냐하면 그가 그 기조연설을 훌륭히 잘해냈기 때문입니다. 그렇지 않나요, 여러분?"이라고 말하며 활짝 웃었다. 사적으로, 더빈은 자신의 나이보다 더 오래된 이런 농담을 이용했지만 그 농담은 항상 청중들의 웃음을 성공적으로 이끌어 냈다. 그리고 그들은 밤낮을 가리지 않고 계속해서 행사들을 치렀는데, 더빈은 매 회마다 완벽하게 자신의 대사를 처리했다. 반면 오바마는 침착하게 팔짱을 끼고, 냉정한 자세로 더빈 옆에 서서 웃음을 지었고, 날이 갈수록 그 웃음은 점점 지쳐가고 각자 주고받는 다음 말에 더 치중하게 되었다.

실제로는 정책에 대해 여전히 새내기인 오바마는 이번 유세에서 심각한 정치 사안들을 연설에서 자주 언급했다. 그는 워싱턴에서 평범한 사람들의 목소리를 더욱 더 많이 반영하며 당파 싸움을 없애겠다고 말했다. 그는 일리노이 주민들이 우려하는 점을 건전한 정책이 되게 이끌겠다고 약속했다. 그는 유권자들에게 그들의 이익을 위해 출마하는 것이지 자신의 이익을 위해 출마하는 것이 아님을 확신시켰다. 그는 "여러분 모두가 일상생활에서 이끌어 내는 자그마한 기적들, 그것이 바로 이 선거운동이 바라는 것이다."라고 말했다. 놀랍게도 오바마는 또한 이라크 전쟁에 반대하는 확고한 자세를 취했다. 이것은 공화당이 주도하는 나라의 정치 세계에서는 위험한 일일 수도 있었다. 그러나 그는 합리적인 어조로 그것을 끄집어내었다. 그는 청중들에게 "우리가 우리 국민을 전쟁에 보낼 때, 우리는 올바른 전쟁에 그들을 보내고 있다는 것을 확인해야 한다."고 확신에 찬 목소리로 말했다.

날이 갈수록 군중들은 더욱 더 늘어났다. 그러나 오바마의 젊은 직원들은 그것에 대비할, 또는 그들을 관리할 어떠한 대책도 가지고 있지 않았다. 링컨(Lincoln) 시의 한 알루미늄 면으로 된 카페 밖에서, 오바마는 차에서 내리자마자 몇 백 명의 지지자들에 둘러싸였다. 모든 사람들은 그와 악수하기를 원했고 그를 포옹하거나 사진을 찍으려고 했다. 더빈의 일리노이 측근 총책임자이자 전문 선거운동가인 마이크 데일리

(Mike Daly)는 점점 짜증이 나서 이렇게 준비가 안 된 행동 계획에 대해 참을 수 없게 되었다. 오바마가 군중 속으로 사라지자 그는 좌절한 듯이 "우린 통제력을 잃었다. 누군가가 그 속에 들어가 오바마를 낚아채 와야 한다."고 말했다. 땀을 흘리며 피곤해진 데일리는 엄청난 인파를 헤치고 들어가서는 오바마에 대한 우상숭배와 같은 모습을 멍하니 바라보았다. "그는 영원히 근신 처분을 받아야 해. 하지만 이것을 봐라. 이러한 것들을 생각이라도 했겠나?"하고 자문했다.

군중들과 며칠 동안 씨름한 후, 오바마는 점점 연설을 하는 데 싫증이 났다. 특히 사람들, 모든 사람들에게 싫증이 났다. 보스턴에 있을 때에도, 모든 사람들은 그를 원했다. 오바마는 그의 참모들에게 일부 여성들이 문자 그대로 그의 엉덩이를 쥐고 밀어 올렸다고 불평했다. 각 행사들은 시간에 맞춰 잘 끝났다. 왜냐하면 그는 그를 흠모하는 수백 명의 팬들에게 사인을 해주고 악수를 해야 했는데 이러한 여유 시간이 스케줄에는 없었기 때문이었다. 한편 그는 실질적으로 여행의 수단으로 이용했던 레저용 차량을 포기했다. 왜냐하면 그 차량으로는 옥수수 밭이 즐비한 시골 길을 빨리 달릴 수가 없어서 뒤처진 시간을 메울 수가 없었기 때문이었다. 그 대신 참모들이 아침에 사샤와 말리아를 그 차량에서 돌봐주고 낮에는 테마파크나 물놀이 공원으로 두 아이를 데리고 갔다가 저녁 때 호텔에 있는 부모에게 데려다 주었다.

그러나 오바마는 저녁 늦은 시간까지 자금 모금을 하고 집회에 참석했다. 가족 여행이라고 하기는 너무 심했다. 어느 날 아침, 오바마는 미셸에게 "언제 또 우리 아이들을 볼 수 있지?" 하고 물었고 미셸은 "나도 몰라요."라고 대답했다. 잠시 후, 오바마는 운전수에게 잠시 내려 《뉴욕 타임스》를 사고 싶다고 말했다. 미셸은 "왜 그게 필요한가요? 당신에 관한 기사가 있나요?"하고 물었다. 오바마는 그 질문에 약간 신경질이 난 듯 보였다. 그는 "내가 아는 바로는 없어. 당신은 내가 항상 《뉴욕 타임스》를 읽는다는 걸 알고 있잖아." 하고 말했다. 미셸은 "아, 그렇군요. 난 모든 지각을 잃어버린 것 같아요."라고 대답했다.

이러한 사적인 환경에서, 힘든 일정이 진행될수록, 오바마는 며칠 전, 몇 주 전에 그랬던 것처럼 언제나 느긋하고 유연한 정치인은 아니었다. 그의 변덕스러운 모습이 다시 재연되었다. 그는 미셸과 두 딸을 함께 데리고 다녔으나 거의 그들을 보지 못했다. 그리고 그것뿐만 아니라 수많은 사람들과 인사하며 만나는 가운데, 그는 그를 숭배하는 군중들에게서 만족감을 얻지 못하고 더욱 부담감만 느꼈다. 실질적으로 그와 군중들 사이에는 어떤 물리적 경계선은 없었다. 마침내 셋째날이 되어, 클린턴(Clinton) 시의 고등학교에서, 한 경찰관이 오바마의 젊은 직원에게 경찰이 사람들을 저지할 때 쓰는 노란색 테이프 한 뭉치를 건네주며 "가지고 있다가 쓰시오."라고 말했다. 그런 후, 그 직원들은 그 테이프를 이용하여 군중들을 차단했고, 오바마는 숨쉴 수 있는 공간을 갖게 되었다. 한 직원은 "사람들을 그로부터 약간 물러나게 할 때 그가 더 행복해 한다는 것을 알게 되었다."고 말했다. 이것에 대해 약간의 양심적 가책을 느낀 오바마는 청중들에게 사인해 주고 개개인의 사람들을 만나기 위해 오래 머물지 못하는 것에 대해 정중히 사과했다.

중요한 시기에 오바마는 그 주위에 어떤 경호원도 데리고 있지 않았다. 그의 운전수는 전직 경찰관이었지만, 이러한 군중들은 한 사람이 대적하기는 너무 많은 사람들이었고, 이 정도의 군중에 대비하려면 약 20명 정도의 경호원이 필요했다. 게다가 오바마의 지지자들은 감정적으로 흥분되어 있어서 자칫하면 잘못된 감정을 표출할 수도 있는 일이었다. 보스턴에서 나는 비록 일부 미심쩍어 보이는 사람들이 연설 후 며칠 동안 오바마를 보기 위해 나타난 것을 보았는데, 오바마를 보니 경호원이 없었다. 그래서 이번 일리노이 선거 유세 여행 중 가진 인터뷰에서 나는 그와 미셸에게 보호장치가 부족한 것에 대해 물었다. 미셸은 그 질문에 뛰어들어 말하기를, 그녀가 선거운동 직원들에게 안전요원들을 더 추가시켜 달라고 말해 왔지만 그 직원들은 그렇게 하면 오바마가 그의 미래 유권자들을 두려워하는 것 같은 모습으로 보일 수도 있기 때문에 안전요원을 더 고용할 수 없다면서 거절했다고 말했다. 기자가 그런 질문을 한 것에 대해 그녀의 우려는 더욱 정당화되었고, 오바마의 SUV 차량 안에서 그녀는 깁스를 돌아다보며 "이것은 벼락조차도 고려해 봐야 하는 질문이다. 나는 당신이 그의 안전에 신경을 쓰면서 동시에 오바마가 그가 섬기는 지역을 두려워하는 것처럼 보이지 않게 균형을 이루어내야 한다. 우리는 그 균형을 찾아야 한다."고 말했다. 그날 밤 사람들로 붐비는 야외 기금 모금 행사에서, 나는 오바마의 한 직원에게 미셸의 반응에 대해 말해 주고 내가 바른 말을 한 것인지 물어보았다. 그는 "그들은 모두 이 문제를 논의하느라고 야단법석이다."라고 말했다.

이 번잡한 여정에서 스트레스를 많이 받고 있음에도 미셸은 상냥함을 잃지 않았다. 이 여정 중 어떤 순간에는, 미셸과 오바마 사이에 긴장감이 있다는 것을 명백히 알 수 있었다. 어느 누구도 미셸보다 오바마에게 더 헌신할 수는 없었고, 어느 누구도 선거전에서 그녀보다 더 열심히, 더 빨리 오바마를 방어할 수 없었다. 그녀는 남편이 하룻밤 사이에 너무 유명해진 사실을 걱정했다. 어느날 아침, 내가 오바마의 차량에서 그녀와 인터뷰하기 위하여 기다리고 있을 때, 그녀는 나의 무릎에 정치 만화 한편을 올려놓았다. 그 만화는 미소 짓는 민주당 여성이 "딘(Dean)과 연애했고, 케리와 결혼했고, 오바마를 갈망한다."라고 적힌 팻말을 들고 있는 그림이었다. 미셸은 나를 보며 "이것이 내가 싸워야만 하는 것이다."라고 말했다. 그 동안 오바마는 아내와 함께 이런 문제들을 대수롭지 않게 넘겼다. 이런 감정적 문제는 곧 진정되긴 했지만 그 순간에는 정말 화를 냈다.

죽음의 행진 6일째에 이르러 선거운동 팀이 시카고로 다시 돌아올 때 쯤, 그 선거 유세에 참여했던 거의 모든 사람들의 여행은 이제 거의 끝났다. 유세는 황홀했지만 모두를 기진맥진하게 만드는 여행이었다. 그러나 이 일정을 가장 끝내고 싶어 하는 사람은 오바마였다. 마지막 연설을 마치고 그 유세를 도왔던 젊은 직원들과 사진 찍기 위해 포즈를 취한 후, 그는 이 유세를 계획한 책임자인 제러마이어 포스델(Jeremiah Posedel)이라는 법대생을 불렀다. 이 두 사람은 시카고 남부 지역의 작은 마을에 있는 한 거리 가운데에 멈춰 섰다. 오바마는 그의 손을 포스델의 어깨 위에 놓은 다음 그의 눈을 진지하게, 똑바로 쳐다보며 "아주 잘 했다. 그리고 당신이 해 준 많은 일들에 대해 감사한다. 하지만 나에게 다시는 이런 일을 하라고 하지 마라."고 말했다.

시카고에 머무른 채, 오바마는 시카고 남부 지역의 민주당 지지표를 다지고 공화당 유권자들을 민주당으로 돌리기 위한 유세에 전력을 기울였다. 그러나 이번 유세 과정에서, 오바마는 그의 가장 나쁜 습관인 흡연을 대중들에게 숨기려고 할 때 너무나 괴롭다는 것을 느꼈다. 선거운동을 돕는 모든 직원들이 주유소에 차를 세우면 오바마는 화장실로 가서 담배를 피우곤 했다. 오바마는 "너무 창피했다. 우리는 차를 세웠고 내가 화장실을 사용할 수 있도록 그 차에서 여덟 명이 내렸다."고 말했다. 그의 선거운동 직원들은 자신의 상사가 몰래 담배 피우는 것을 보호하기 위해 이처럼 이상한 상황을 연출했다. 그날 밤 늦게, 그 주의 한 곳을 여행하는 동안 나는 선거운동용 대형 운반차에 둘러싸인 오바마의 검정색 SUV 차량을 뒤따라가는 어느 차의 조수석에 앉아 있었다. 우리의 작은 승용차에는 기자를 돕는 책임을 진 토미 비에터(Tommy Vietor)가 타고 있었는데, 그는 젊고 헝클어진 머리를 한 동부 토박이로 노스캐롤라이나(North Carolina)의 상원의원인 존 에드워즈의 대통령 선거운동을 돕다가 그가 포기하자 오바마의 선거운동에 합류했다. 비에터는 매우 영리하고, 열심이며, 컴퓨터에 능하며, 다만 실수를 두려워하는 사람이었다. 그는 만일 그가 여기서 일을 잘하면, 나중에 오바마의 떠오르는 로켓에 한 자리를 찾을 수 있지 않을까 생각했다. 특별히 그는 대기자 책임자인 깁스의 부관 자리에 눈독을 들이고 있었다. 비에터는 각본에 나와 있는 것 외의 어떤 것도 기자에게 알릴 수가 없었다.

선거 일정이 모두 끝난 후, 자정이 가까운 시간에 우리는 호텔로 향했는데 그 호텔은 마지막 행사장에서 차로 두 시간 걸리는 거리에 있었다. 하지만 모든 방이 꽉 차 있었다. 모든 일행들이 어둠 속에서 일리노이의 평평한 시골길을 따라 운전하고 있을 때, 나는 주황색 불빛의 작은 물체가 오바마의 차량 조수석으로부터 날아와 우리 앞에 뻗은 길에 떨어지는 것을 발견했다. 그것은 우리 차 뒤로 사라지며 짧게 도로 위에서 통통 튀었다. 오바마의 잘 숨겨진 중요한 비밀과 그것이 기자에게 알려질 때 어떤 결과가 일어날지 잘 알고 있던 비에터는, 내가 그것이 오바마가 버린 담배꽁초라는 것을 알아차렸는지 알아보기 위해 즉시 내 쪽으로 고개를 돌렸다. 그러나 비에터와 나는 둘 다 아무 말도 하지 않았다. 졸리고 피곤하여 반쯤 깬 상태에서, 나는 내가 본 것이 무엇인지에 대하여 말할 힘조차 없었다. 비에터는 분명히 내가 그 담배꽁초를 보지 못했다고 생각하며 입을 다물었다. 그러나 몇 분 후, 또 다른 주황색 불빛이 날아왔고, 비에터는 아까와 같이 재빨리 내 쪽으로 근심 어린 눈길을 보내는 행동을 했다.

또 몇 분 후, 또 하나가 튕겨져 나왔다. 다시 비에터는 내 쪽으로 고개를 돌리고 오바마가 그의 차에서 담배를 버릴 때마다 더욱 더 걱정스런 눈빛으로 쳐다보았다. 나는 비에터에게 "나는 버락이 담배를 피운다는 것을 오래 부터 알고 있었다." 라고 말했다. 비에터는 "정말인가?" 하고 물었고 나는 "그렇다. 예비선거 초반부터, 내가 그의 차에 탈 때마다, 담배 연기가 자욱한 금요일 밤 술집 냄새가 난다고 느꼈다." 하고 대답했다. 그는 "십년감수했다. 내가 배신자가 아니라는 것을 버락이 알기만 하면 된다." 라고 말했다.

여름 내내, 오바마는 기자들의 접근을 제한하고 평상적인 스케줄로 바쁜 나날을 보냈고, 많은 여행을 함께 하면서 오바마와 나는 종종 솔직한 대화를 나누었다. 스프링필드에서 선거 유세를 하기 위해 잠시 머무는 동안, 그는 가끔 잡담을 하면서 민감한 사항들을 이야기했다. 그는 나에게 왜 《시카고 트리뷴》 기사에서 그를 곤혹스럽게 했는지 물었다. 나는 그가 어떤 의미로 그 질문을 했는지 당황스러웠다. 나는 내 기사가 공정했었다고 생각했다. 그러나 오바마는 몇 달 전에 실렸던 기사 중 몇 구절을 언급했다. 분명히 그 구절이 그를 괴롭혔던 것이 분명했다. 나는 그는 재능 있는 연설가이지만 그의 논쟁 실력은 의심스럽다고 기사를 썼었다. 나는 그가 기자회견에서 장황하게 말을 늘어놓으며, 가끔씩 메시지를 빙빙 돌려 말하고 다른 견해를 말할 때 철학적인 치장을 하는 경향이 있다고 말했다. 그는 또한 '메시지를 간단하게 줄여서' 전할 줄 아는 정치인이 아니었다. 즉 상대방이 충격을 받을 정도로 재빨리 한 구절로 결정타를 날리는 타입이 아니었다. 그렇지만 논쟁의 승자는 가끔 그렇게 가장 기억에 남는 결정타를 날린 후보가 된다는 점이었다. 이것은 내가 그를 최대한 배려하여 약하게 그를 비평한 것이었지만, 그는 그러한 공개적인 비평에 익숙지 않았다. 몇 년 후, 《담대한 희

망》이라는 회고록에서 그는 장황함과 '짧게 메시지를 줄이는' 점이 없
다는 것을 인정했다. 그는 긴 문장은 어떤 면에서 정치 기자들의 관심
을 끌었을지도 모르나, 기자들은 오바마에게 '문학 수업'이라는 별명
을 지어 주었다.

오바마가 그 여름 일리노이를 열광의 도가니로 몰아넣었을 때, 공화
당은 라이언 대신 누구를 내세울 것인지 쓰디쓴 내부적 싸움을 했다.
온건주의자들과 보수주의자들은 몇 년 동안 당의 진로를 놓고 언쟁을
벌였고 이러한 싸움은 대중 앞에서 추잡하게 보였다. 잠재적 후보들의
이름들이 많이 거론되었다. 심지어 고향이 시카고인 전 시카고 베어스
(Chicago Bears) 미식축구팀의 수석 코치인 마이크 디트카(Mike Ditka)
가 오바마에 도전하기 위한 후보로 떠오르기도 했다.

8월초, 온건주의자들은 마침내 공화당의 시끄러운 우익파에 굴복했
고 공화당의 중앙위원회는 보수주의 선봉인 앨런 키이스(Alan Keyes)를
후보자로 결정했다. 그 당시 메릴랜드(Maryland)에 살고 있던 키이스는
돈키호테식으로 대통령에 두 번이나 출마한 전직 토크쇼의 사회자였
다. 보기 드문 흑인 보수주의자인 키이스는 대중을 깨우며 선동하는 연
설 스타일로 유명했고, 그러한 연설은 깊은 기독교적 도덕 철학을 반영
하고 있었다. 그의 스타일은 학구적이었으나, 지나치게 물의를 빚기도
했고 심지어 기독교 우파 내에서조차 논쟁을 일으켰다. 그러나 그는 너
무 선동적이었고 상대방이 누구이든지 신랄하게 공격하는 데 전혀 말
을 아끼지 않았다. 한 공화당 의원은 오바마에게 공화당원들이 오바마
의 이미지를 무너뜨리고 민주당원들 머리 뒤에 있는 후광을 없애기 위
하여 키이스를 영입했다고 말했다. 하지만 키이스는 그런 일을 할 사람
이 아니었다.

내가 키이스를 처음 만난 것은 시카고의 정기 버드 빌리켄(Bud Billiken) 퍼레이드였고, 그 퍼레이드는 시카고 남부 지역의 흑인 사회가 주관했다. 빌리켄 퍼레이드는 미국에서 가장 큰 흑인 퍼레이드로 인정받고 있는데, 마틴 루터 킹 도로를 따라 수 킬로미터를 행진했다. 이제 오바마는 시카고 흑인들 사이에서 자부심의 상징이 되었다. 그리고 이 아름답고 화창한 저녁에, 오바마와 미셸은 그 퍼레이드의 왕과 여왕이었다. 퍼레이드에 참석한 수천 명의 사람들은 파란색과 흰색이 있는 '오바마 팻말'을 높이 들고, '오바마 스티커'를 붙이고, 그의 행렬차가 지나가자 기쁨에 들뜬 비명을 질렀다.

그들은 "오-바-마! 오-바-마!"란 슬로건으로 하이드 파크 출신 민주당 의원에게 세레나데를 불렀다. 오바마는 군중으로부터 열정적인 환호를 이끌어 내었는데 그와 그의 참모들조차 이러한 열광에 압도되었다. 그의 운전수 겸 경호원인 마이크 시그내이터는 "어느 순간, 나는 버락이 사람들 위로 올라가서 '내 아이들아, 내 아이들아, 내가 너를 자유케 하였노라.'고 말할 것 같았다. 정말 대단한 광경이었다."고 말했다.

그러나 키이스는 무리 뒤에 뒤처져서 걸어서 오고 있었다. 그리고 그는 군중들에게 환영받지 못했다. 키이스가 손을 흔들고 퍼레이드 행렬을 따라 걷자, 군중들은 그를 경멸하고 야유하며 비난했다. 한 사람은 잽싸게 그의 팔을 잡고 그에게 "메릴랜드로 어서 돌아가라."며 경고했다. 키이스는 47번가와 48번가 사이에서 군중들에게 악수를 하려고 했는데, 사나운 눈을 가진 한 여자가 그에게 달려들어 오바마 팻말을 그녀 머리 위로 들어 올리고는 키이스의 얼굴 앞에서 반복적으로 "오바마를 대통령으로, 오바마를 대통령으로!"라고 소리쳤다. 만약 흑인인 키이스가 오바마의 흑인표를 훔쳐가겠다고 생각했다면, 그는 지금 그런 생각을 버리는 것이 나을 것이다. 그는 부상당하지 않고 이 성난 군중

사이를 빠져나간 것이 행운이었다.

키이스의 허풍스런 기질은 당장 입증되었다. 퍼레이드에서, 나는 인터뷰를 하기 위해 그를 옆으로 잡아끌었다. 나의 첫 질문에 대답하면서, 굵은 금 십자가 목걸이를 목에 두른 키이스는 오바마를 겨냥했다. 그는 오바마가 흑인 '대량 학살'을 간접적으로 지원하고 있다고 비난했다. 너무 놀라서 나는 "오바마가 그것을 어떻게 하고 있습니까?" 하고 물었고, 키이스는 단호하게 힘주며 오바마가 여성들의 낙태 권리를 지지함으로써 매년 '수천 명의 흑인 갓난아이들'이 죽어가고 있다고 대답했다. 그는 "우리는 우리의 아이들이 태어나기도 전에 대량 학살을 강요받은 첫 번째 사람들이다. 그래서 낙태 권리를 지지하는 사람들은 실질적으로 제도적으로 미국 흑인의 전멸을 지원하는 것이다."라고 말했다.

그 후 몇 달 동안, 키이스의 낙태 반대 연설은 적지 않은 반향을 불러일으켰다. 어느 순간 그는 "만약 예수가 일리노이에서 투표를 한다면, 그는 오바마에 반대하여 투표를 던졌을 것이다. 왜냐하면 버락 오바마는 기독교인의 행동이라고는 상상할 수 없는 방식으로 처신했기 때문이다."라며 다시 한 번 낙태 권리를 지지하는 오바마의 태도를 언급했다.

키이스는 재능 있는 연설가로, 그를 진심으로 믿는 사람들에게 그들이 선과 악의 싸움에 가담하고 있다고 설득하는 정치적 설교를 펼칠 수 있었다. 그는 주먹을 높이 올려 손가락을 흔들며, 목사처럼 기독교 교리를 펼쳐 그를 추종하는 무리들을 개종시킬 것이다.

그럼에도 불구하고 많은 서민들은 감동을 받지 못했다. 설문조사는 오바마가 주 전체에 걸쳐 키이스를 앞지르고 있는 것으로 나타났다. 하지만 주 상원의원인 리키 헨던과 함께, 키이스는 오바마를 여전히 괴롭혔다. 어느 주말 시카고 북부 지역에서 있은 한 퍼레이드에서 키이스와 만난 오바마는 그에게 달려가 말을 붙이려고 했다. 충돌을 극도로 싫어하는 사람인 오바마는 악의적인 독설을 퍼붓고 있는 이 사람과 이성적인 토론을 할 수 있을 것이라고 생각했다. 짐 컬리는 "버락은 누구와 붙어도 승리할 수 있다고 생각한다. 그는 스킨헤드(skinhead; 인종차별주의자) 무리 속에 들어가서 그들 모두로부터 투표를 이끌어 낼 수 있다고 생각한다."고 말했다. 얼마 지나지 않아, 오바마와 키이스는 언쟁을 벌였고 오바마가 상황을 진정시키려고 키이스의 어깨에 손을 올리자 더욱 상황이 악화되었다. 다음날 신문들은 이 격론의 장면을 사진으로 크게 실었고 액슬로드는 오바마에게 "가시에 찔리지 않고 고슴도치를 껴안을 수 없다."는 가치 있는 조언을 해주었다.

오바마는 《담대한 희망》이라는 회고록에서 오바마의 기독교 신앙에 대한 키이스의 공격과 "나를 변호하게 하라."는 성경 구절을 키이스가 언급한 것을 설명했다. 오바마는 "내가 무슨 말을 할 수 있었겠는가? 그 성경 구절이 틀렸단 말인가? 나는 그와의 격론에서 일반적으로 진보적 입장으로 대답했다. 즉 우리는 다원적 사회에 살고 있기 때문에 나는 나의 종교적 견해를 다른 사람에게 강요할 수 없고, 난 일리노이 주 상원의원에서 연방 상원의원이 되기 위해 출마하는 것이지 일리노이의 목사가 되고자 하는 것은 아니라고 말했다. 그러나 이런 대답을 할 때조차, 나는 키이스 씨가 맹목적으로 내가 의심이 많고, 내 신앙이 순수하지 못하며, 내가 진정한 기독교인이 아니라고 비난할 수 있다는 것을 염두에 두었다."고 밝혔다.

그 다음부터 오바마는 그 경쟁에서 침착성을 잃지 않았고 그 고슴도치를 멀리했다. 11월은 오바마가 정치적으로 상승세를 타고 있을 때 가장 김빠지는 시기로, 그는 일리노이 의회 선거전 역사상 가장 큰 격차로 총선거에서 승리했고 마지막 개표 결과, 70퍼센트 대 29퍼센트의 큰 차이로 키이스를 무찔렀다.

아주 이상하게도 오바마의 선거 승리를 축하하는 마지막 파티는 선거운동 중 다소 흥미가 떨어진 때 열렸다. 키이스의 패배로 오바마의 성공은 보장되었고, 그날 저녁 대부분의 시선은 존 케리와 부시 대통령 사이의 대통령 선거전에 모아졌다. 케리가 그 선거전에서 지자, 오바마의 민주당 파티 참석자들은 완전히 맥이 빠졌다. 이상주의자인 액슬로드는 케리와 민주당을 위하여 자원하여 일을 도왔던 젊은 사람들이 환멸을 느끼지 않을까 걱정했다. 액슬로드는 "우리는 그들을 잃을 수 없다. 그러나 어찌 이러한 일을 겪은 후, 그들을 어떻게 다시 일에 몰두하게 할 수 있단 말인가?" 하고 물었다. 나는 오바마를 쳐다보고 짐 컬리의 표현을 빌리자면, 이러한 "세상을 구하려는" 타입의 젊은이들을 민주당의 새로이 떠오르는 별로 끌어들이면 좋겠다고 제안했지만, 액슬로드는 손을 저었다. 그러한 것들을 생각하기에는 시기상조라고 그는 주장했다.

선거일 밤 오바마의 업적은 반짝이는 별과 다름없었고, 가끔 그는 그의 정치적 성공에 수반되는 이벤트들에 대하여 싫어하는 경향이 있었다. 선거 결과가 드러나자, 그의 직원들은 여러 사람들과 5분 동안 사진 촬영 기회를 갖기 위하여 위층에 있는 호텔방으로 오바마와 미셸 그리고 두 딸을 초청했다. 오바마와 그의 가족들은 커다란 텔레비전 화면이 뒷배경으로 있는 밝은 색 소파에 앉았다. 오바마는 사진 촬영 내내 하얀 이를 드러낼 정도로 환한 미소를 지었고, 그의 딸들은 처음 몇 분간은 이런 관심을 즐기며 기뻐했으나 곧 시들해져 사진촬영이 언제 끝나는지 부모들에게 물었다. 신문사와 방송국 사진사들의 행렬 사이에서, 오바마는 그의 자리에 앉아 안절부절못했고 이런 꾸며진 분위기가 다소 불편한 듯 보였다. 딕 더빈의 농담 덕분에 계속해서 억지로 웃은 것처럼 표정을 지었지만, 오바마는 정치인으로서 이러한 포장된, 그리고 꾸민 듯한 순간을 잘 참지 못했다. 오바마가 두 딸을 포옹하고 카메라를 향해 미소 짓는 것을 보고 있던 비에터는 "그는 이런 위선적인 것을 정말 싫어한다."라고 말했다.

그날 저녁 오바마의 연설은 열정이 조금 식었다. 그는 마지막 선거운동에 전력을 다한 나머지 너무 피곤해서 승리의 연설마저도 밋밋하게 끝내 버렸다. 그는 새로운 어떤 것을 작성할 시간도 없어서 많은 가족 이야기나 개인적 사담을 길게 말하면서 힘겹게 연설을 이끌었다. 그러나 그의 최대 실수는 연설 후에 모든 사람에게 감사의 말을 전한 게 아니라 연설을 시작하면서 감사의 말을 한 것이다. 그 결과 일부 시카고 텔레비전 방송국들은 그가 연설을 하는 도중 자리를 떴다. 그러나 오바마의 조언자들은 거의 걱정하지 않았다. 오바마는 선거에서 이겼고, 이 연설은 그 결과 부수적으로 하는 연설이었기 때문이었다.

선거가 있기 전, 액슬로드는 케리의 승리는 오바마에게 보내준 신의 선물이라고 가설을 세웠다. 왜냐하면 민주당의 중심이 백악관으로 옮겨가면서, 오바마에 대한 워싱턴 대중매체의 뜨거운 관심을 피할 수 있었기 때문이다. 연공서열에서 이제 막 들어온 가장 낮은 서열의 새내기가 지나친 관심을 받는 것은 좋지 않다고 그는 생각했다. 가정하건대 관심권에서 어느 정도 벗어나야 오바마는 상대적으로 평화롭게 자신의 새로운 임무에 정착할 수 있었다. 액슬로드와 깁스는 오바마가 다음 단계로 가는 정치적 기반을 구축하기 위하여 이미 열심히 뛰고 있었다. 시카고의 정치권 관계자들은 어떻게 액슬로드와 오바마의 두뇌집단들이 이런 괴이한 선거전에서 (결국 오바마의 승리로 끝났지만) 선거운동을 기가 막히게 잘 관리했는지 놀라움을 금치 못했다. 시카고의 한 정치기획자는 액슬로드에 대해 깊은 존경심을 표하면서 "제3자로 외부에서 그들을 바라보는 것은 아름다움 그 자체였다. 마치 무대 위에 올려진 연극처럼, 액슬로드가 극본을 쓰고, 모든 배우들이 서로 완벽하게 그 연극을 진행했다."고 말했다.

아마도 선거운동 대본 중 가장 중요한 점은 선거전 내내 오바마가 전혀 상처를 입지 않고 깨끗한 경력을 유지했다는 것이었다. 선거 경쟁자들이 서로를 헐뜯는 가운데서도, 오바마는 한 번도 그런 추잡한 공개적 공격을 시도하지 않았다. 그리고 누구에게서도 큰 부정적 공격을 당한 적도 없었다. 이는 경쟁자들이 시민의식을 가지고 정치적 전쟁을 할 수 있다는 그의 슬로건인 '새로운 종류의 정치'와도 완벽하게 맞아 떨어졌다. 그러나 이것은 동시에 오바마의 강인함에 대한 의심을 불러일으켰다. 그가 향후 선거에서 모든 공격들을 어떻게 견뎌 낼 것인가? 나는 그의 지적 장황함이 토론자로서 나쁜 점이라고 약하게 비평한 것을 그가 굉장히 예민하게 받아 들였던 것을 생각하고, 그의 강인함에 대한 의심을 속으로 생각했다. 그는 키이스의 거친 공격에 지나치게 예민해져서 "이 사람이 어떻게 나에게 이런 쓰레기 같은 말을 할 수 있는지 믿을 수가 없다."고 미셸에게 말한 적이 있었다.

선거가 있던 날 밤의 파티에선 신임 상원의원이 앞으로 해나가야 할 일에 관해 얘기가 있었다. 일부 참모들은 워싱턴에서 정치활동을 해야 하는 어려움을 예상했고, 선거운동 정책 책임자인 어맨더 퍼치스는 "그는 내가 만난 사람들 중 가장 총명한 사람이다. 그러나 그의 첫해는 대단히 힘들 것이라고 생각한다. 그의 주위에는 똑똑한 사람들이 많기 때문에 많은 참모그룹을 둘 수 있다. 그는 모든 일, 특히 그의 모든 정책을 혼자서 할 수 없다는 것을 알게 될 것이다. 그리고 워싱턴의 공화당은 스프링필드의 공화당과는 달리 그가 아무리 손을 내밀어도 협력하지 않을 것이다."라고 말했다.

　오바마의 인생은 제장적인 면에서는 조금 편안해진 것 같았다. 스타덤에 오른 덕분으로 그의 첫 번째 회고록이 불티나게 팔렸고, 수지가 맞는 새로운 책을 발행할 제안을 받았으며 2004년 12월 그 계약에 서명을 했다. 어린이를 위한 미셸의 책을 포함하여, 오바마는 세 권의 책을 쓰기로 하고 거의 200만 달러를 미리 받았다. 그러한 돈을 받기로 했다는 소식을 듣고, 미셸은 초반에 내린 오바마에 대한 판단이 잘못되었다는 것을 인정했다. 미셸은 그림의 떡이라고 생각해왔지만 오바마는 현실에서 기적처럼 성공신화를 써가고 있었다. 그녀의 남편은 연방 상원의원 자리를 차지했고 평생 그의 가족을 재정적으로 안정시켜 줄 책까지 쓰게 된 것이다. 그는 잭처럼 콩나무 위를 올라가 황금알을 낳는 거위를 정말로 갖고 내려왔다. 미셸은 오바마에게 "당신이 이 모든 것을 이루었다는 것을 믿을 수가 없다."라고 말했다. 한 번도 풍족한 재력을 갖고자 노력하지 않았던 사람인 그가 이제 모든 것을 갖게 됐다. 그는 짐 컬리에게 "나는 돈을 갈망하지 않았다. 내가 원했던 것은 적당한 집과 내 두 딸을 내가 원하는 학교에 보낼 수 있는 능력이 전부였다."고 말한 적이 있었다. 이제 이러한 목표가 모두 성취된 것이다.

제22장

상원의원

좌파 사람들은 아마도 내가 폴 웰스톤(Paul Wellstone)이 되길 원할지
도 모른다. 나도 폴 웰스톤을 무척 좋아하지만 나는 폴 웰스톤이 아니
다. 나는 그가 말한 모든 것에 동의하지 않는다. 그리고 사람들이 내
사무실로 와서 하는 것 중에 하나는 나에게 계획을 제시하는 것인데 –
특히 내가 해왔던 방법에 대해 제안을 하는 것으로 – 모든 사람들은 나
에게 그들 자신의 견해를 말했다.

– 버락 오바마

비록 유명세로 인한 압박이 줄어든 것은 아니었지만, 2005년 1월 오
바마의 취임식이 있었던 주에는 그와 그의 가족은 행복한 순간을 보냈
다. 워싱턴에서 처음으로 가진 기자회견에서, 한 기자는 솔직하게 "역
사적으로 볼 때 당신의 의미는 무엇입니까?"라고 물었다. 그러나 그는
그 한 주의 대부분의 시간을 그냥 즐겁게 보냈다. 의원 선서를 한 후,
오바마, 미셸 그리고 두 딸들은 국회의사당 뜰을 한가로이 거닌 다음
국회도서관으로 향했는데, 거기에서 그는 그를 지지하는 일리노이와
워싱턴의 민주당 의원들로부터 인사를 받았다. 국회의사당을 나오자마
자, 오바마와 미셸은 손을 꼭 잡았다. 미셸은 부드럽게 입맞추며 "상원
의원님, 축하드립니다."라고 말했고 오바마도 따뜻한 미소를 띠며 "상

원의원 부인, 축하드립니다."라고 응답했다. 그 장면을 취재하기 위해 따라온 수많은 기자들을 보고, 여섯 살 난 말리아는 아빠를 쳐다보며 "아빠, 언제 대통령이 될 거예요?" 하고 물었다. 그것은 정말 순진한 질문이었지만 오바마는 그를 둘러싼 기자들을 유심히 쳐다보고는 대답을 꺼렸다.

《시카고 트리뷴》의 워싱턴 주재 기자인 제프 젤레니(Jeff Zeleny)가 그 질문에 힌트를 얻고, 한쪽 눈썹을 올리며 "상원의원님, 그 질문에 대답 안 하실 겁니까?" 하고 물었다. 오바마는 다시 그 질문을 무시했다. 과도기에 있는 오바마의 상원의원 집무실에서, 로버트 깁스는 말리아의 질문에 대한 보고를 받고 "오바마의 어린 딸이 그의 아버지가 언제 대통령이 될 것이냐고 물었다."며, 미래에 대한 예지력이 담긴 일화를 듣지 못한 기자들에게 그 내용을 유포하였다.

오바마가 국회도서관으로 들어가자, 그의 파티 참석자들이 그곳에 들어가기 위해 줄을 서서 기다리고 있었다. 일리노이와 워싱턴에 살고 있는 사람들이 오바마를 축하하기 위해 왔다. 그의 여동생 마야와 그녀의 남편도 멀리 하와이에서 그를 찾아왔으며 다른 사람들과 함께, 마티 네스빗과 발레리 자렛도 시카고에서 그를 보러 왔다. 오바마는 제시 잭슨 목사를 보고 달려왔으며, 그는 크게 포옹하며 오바마의 마른 몸을 감싸 안았다. 오바마는 그 해 선거운동 과정 동안 거의 5킬로그램이 빠졌다.

오바마는 "나는 장난감 상원의원이 아니다. 나는 가지고 놀 수 있는 상원의원이 아니다. 지금 나는 진정한 상원의원이다."라고 말했다. 각도처에서 온 사람들은 상원의원과 사진을 찍기를 청했고, 오바마는 최대한 그 요구를 들어주기 위해 노력했다. 잭슨은 카메라가 그를 향할 때마다 능수능란하게 120센티미터 되는 콘크리트 기둥 위로 웃고 있는 세 살 난 사샤를 들어올렸다. 그리고는 총명한 눈을 가진 그 아이를 팔로 감싸 안고 사진사를 향해 포즈를 취했다. 사진을 찍은 후, 잭슨은 그 콘크리트 기둥에서 한 발자국 떨어져 사샤 혼자 서있게 내버려두었다. 오바마는 세 살 난 딸이 혼자 그 기둥 위에 서 있는 것을 발견하고 딸을 구하러 달려갔다. 오바마가 잭슨에게 못마땅한 눈총을 보내자 잭슨은 그제야 어린 아이의 안전을 생각하지 못한 자신의 실수를 깨달았다.

안에는 몇 백 명의 기금 모금자들과 오바마 지지자들을 위한 파티가 열렸고, 그는 청중들에게 자신의 임무는 더 공정한 미국을 만드는 것이라고 확신시켰다. 그는 "우리는 이제 막 도약하고 있다. 우리는 모든 어린이들이 인생에서 좋은 기회를 얻을 수 있도록, 그리고 노인들이 많은 관심을 받고, 이 땅에서 다양성이 바르게 평가받을 수 있도록 열심히 일해야만 한다. 그리고 우리는 우리들의 아이들과, 여러분들의 아이들, 그리고 여러분들의 할머니, 할아버지들이 원하는 국가를 세우기 위해 노력해야 하며, 당선은 우리의 최종 목표가 아니라는 것을 여러분들께 약속한다."고 말했다. 그러나 문제는, 이 목표를 어디로 이끄느냐는 것이었다.

워싱턴에서 최고의 관심의 대상이 된 오바마는 가장 유능한 직원을 뽑기 위해 이력서를 모집했다. 깁스와 액슬로드는 그의 정치 업무, 입법관련 업무, 연설문 작성 그리고 기타 여러 사무를 집행할 총명한 사람들을 구할 수 있는 많은 연줄을 가지고 있었다. 그들은 워싱턴 지역 내의 가장 유능하다고 여겨지는 책임자 중 한 사람인 피트 루즈(Pete Rouse)가 오랫동안 사우스다코다(South Dakota) 주의 상원의원이었던 톰 대슐(Tom Daschle)을 위해 일했는데, 그가 선거전에서 패하자 일거리를 찾고 있다는 소식을 우연히 들었다. 오바마는 수십 년간 워싱턴 정계에 정통한 피트 루즈를 고용하고 자신의 상원의원 집무를 운영하게 했다.

오바마 팀의 첫 번째 임무는 상원의원으로 재직하는 처음 2년간의 계획을 세우는 것이었다. 오바마의 팀원들은 2007년과 2008년에 걸친 가장 좋은 계획을 선택하여 그에게 보고하였다. 어떤 정치인도 오바마처럼 그렇게 빨리 세간의 관심을 끈 사람은 없었다. 그의 참모들은 그가 부통령으로 뽑힐 가능성이 있거나 어쩌면 2008년 초반 대통령 출마를 할 수 있는 실낱같은 가능성이 있다고 믿었다. 하지만 당선된 이튿날 시카고 대중매체와 인터뷰에서 오바마는 2008년 대통령에 출마할 것이라는 것을 단호하게 부인했다. 그러나 역사적으로, 많은 정치인이 자신의 정치 경력에 도움이 된다면 이러한 발언을 뒤집었다.

오바마 팀에 의해 '계획'이라고 이름 붙여진 그의 하루하루가 컴퓨터에 공식적으로 기록되기 시작했고 행사가 있을 때마다 꾸준히 갱신되었다. 액슬로드, 깁스, 루즈와 오바마가 주로 기록했다. 그 '계획'은 1년을 4분기로 나누고, 첫 번째 분기는 직원을 고용하는 데 주력하고 워싱턴 정치인의 이름과 얼굴을 익히며 책을 집필하고 기금 모금을 위하여 오바마 자신의 정치행동 위원회를 만들며 대중적으로 알려진 조직들의 수를 줄이는 것으로 했다. (오바마의 표현을 빌리면, "풍선의 바람을 뺀다.") 그의 공개 활동을 줄이는 것은 가장 하기 힘든 일이었다. 오바마는 주빈으로, 매주 수백 건의 연설 초청을 받았다. 게다가 그 해는 활짝 웃는 오바마의 얼굴이 "컬러 퍼플(Color Purple)"이라는 제목과 함께 《뉴스위크》 잡지의 표지에 실리는 것으로 시작되었는데, 이 제목은 미국 주요 양당의 색깔인 빨강 – 파랑 정치에 섞이고 싶은 오바마의 갈망을 상징하는 것이었다. 다른 언론들도 오바마를 원했고 깁스는 인터뷰를 요청하는 것이 아니라 인터뷰 요청을 거절하는 것에 대부분의 시간을 보냈다.

많은 기대들과 기자회견 참석을 자제하는 과정에서 젤레니가 《시카고 트리뷴》에 워싱턴에서의 첫 해를 보내는 오바마에 대해 기사를 쓰려고 노력하는 데서 문제가 불거졌다. '계획'에서 오바마는 과도기에 가능한 한 언론 접촉을 최소화하기로 했으므로, 깁스는 오바마에게 접근하려는 젤레니를 최대한 저지했다. 깁스는 젤레니의 상사인 《시카고 트리뷴》 워싱턴 주재국의 마이크 태켓(Mike Tackett)에게 "만약 연방의원이 되는 것이 어떤지 알아보고 싶다면, 직접 출마해서 알아보라."고 말했다. 그러나 경쟁심이 심하고 지칠 줄 모르는 끈기를 가진 젤레니는 그 해 오바마가 가는 곳마다 쫓아다녀 마침내 인기 있는 연재 기사를 쓰게 되었다.

그 '계획'에서 오바마는 계속 고향인 일리노이에 충실하여 그의 유권자들이 잊혀졌다고 느끼지 않게 하기로 했다. 그는 거의 2005년 일리노이에 있는 40여 개의, 관련 공식회의를 주관했다. 대부분의 회의는 참석자들로 꽉 찼고, 지역 사회의 매스컴으로부터 긍정적 평가를 얻었다. 오바마는 또한 그 첫해에 해외 순방도 했다. 그는 대외관계 위원회에 배속되었는데, 그 위원회는 국제적 야망을 가진 정치인이 해외정책 경력을 쌓는 데에는 너무나 훌륭한 자리였다. 그는 러시아, 동유럽, 이스라엘과 이라크를 포함한 중동 지역을 방문했다. 그런 다음, 그는 2006년 기금 모금을 늘리고 의회 지배력을 높이기 위해, 전국에 걸친 민주당의 홍보를 강화하고자 전국순회를 시작했다. 그 해의 하반기는 오바마 아버지의 고향인 동아프리카를 방문하고 두 번째 회고록을 발행하기로 했다.

그가 예리한 정치적 시각으로 자세한 계획을 세웠지만, 오바마의 첫해는 그의 참모들이 예측한 대로 너무 힘든 시기였다. 처음 몇 달은 특히 더 힘들었다. 당연히 오바마는 미셸과 그의 딸들을 워싱턴에 데리고 와서 함께 살기를 원했다. 그는 긴 선거 여정을 하면서 그들이 너무나 보고 싶었고 이제는 그의 주변을 안정적으로 정리하고 싶었다. 하지만 이런 생각에는 한 가지 문제점이 있었다. 거의 모든 사람들이 그에게 가족들을 시카고에 남겨 두라고 조언했다. 미셸의 생활 – 외부 세계로 부터 오바마가 도피할 수 있는 곳 – 은 하이드 파크에 있었다. 미셸의 어머니와 그녀의 친한 친구들은 아직도 시카고 남부 지역에 살고 있었고, 비록 미셸은 선거철을 위하여 시간을 많이 줄이긴 했지만 여전히 시카고 대학 병원에서 일하고 있었다. 가족들이 워싱턴으로 이사하면 미셸은 그 지역의 지지 기반을 잃게 되고, 그녀는 완전히 오바마에만 의지하게 되어 인생의 초점을 오로지 그에게 맞추게 될 것이다. 게다가 오바마는 시청 회의를 위하여 일리노이에 매주 오게 되는데, 그렇다는 이야기는 워싱턴에 미셸과 두 딸이 또 남겨져 그들끼리 생활하게 된다는 것을 의미했다.

액슬로드는 이런 문제가 있을 것을 예상하여 이를 해결하고자 그의 친구인 하원의원 램 에마뉴엘에게 도움을 청하였다. 액슬로드는 에마뉴엘과 오바마의 저녁식사 자리를 만들었다. 에마뉴엘은 식사를 하며 자신과 아내 에이미(Amy)가 겪었던 경험을 이야기해 주었다. 그와의 만남으로 오바마는 그의 가족을 워싱턴으로 데리고 가는 것보다 시카고에 남겨 두는 것이 더 낫겠다는 확신이 들었다. 얼마 지나지 않아, 오바마는 이것이 최상의 선택임을 깨닫고 워싱턴에 아파트를 빌렸고, 의회가 개정 중인 화요일부터 목요일 밤까지 그곳에서 지내기로 했다. 대체로 그는 토요일엔 일리노이에서 바쁜 일정을 보냈고 일요일 하루는 가정에서 보냈다.

하지만 이런 계획에도 또 다른 문제가 있었다. 책을 집필하는 데 시간이 너무 많이 걸렸다. 그리고 새로운 일을 하면서 책을 쓴다는 것은 탈진을 자초하는 일이었다. 오바마는 전에도 동시에 너무 많은 일을 한 적이 있었다. 예를 들면 그는 첫 번째 회고록을 쓰면서 시카고에서 '투표 프로젝트'를 진행했다. 그의 쉴 틈 없이 꽉 찬 계획과 그에게 부여된 시간적 압력을 알고 나는 그와 인터뷰하기 전 몇 달 동안 그에게 숨 돌릴 여유를 주었다.

4월 화창한 토요일 오후에 내가 그를 만났을 때, 나는 오바마가 여유가 없고 성급하다고 느꼈다. 우리는 하이드 파크에 있는 한 멕시코 식당에서 만났다. 그의 하루는 각종 행사로 꽉 찼고, 아침 일찍 라디오 프로그램에 참석하느라 나와의 점심약속에 한 시간이나 늦게 나타났다. 그가 문을 열고 들어서자, 앞 테이블에 앉아 있던 중년으로 보이는 한 여성이 벌떡 일어나 그와 시카고 정치에 대하여 담화를 나누고자 하였다. 오바마는 그답지 않게 그 여성에게 거의 인내심을 발휘하지 못하고, 퉁명스럽게 약속시간이 늦었다고 말했다. 나중에, 그는 나에게 "나는 지금 책을 쓰고 있다. 정말 내 인생은 조금의 여유도 없다."고 말했다. 그 해 내내, 오바마는 선거 유세를 길게 연장하는 동안 정말 눈에 띄게 피곤해 보였다. 시카고 남부 지역에 있는 대학입시 준비학교의 졸업 연설문을 작성한 오바마는 학교장이 연설하는 동안 꾸벅꾸벅 졸았고, 시청에서 있은 회의에서도 거의 같은 행동을 했다. 연단 끝에 서서, 마이크를 잡은 그는 눈이 순간적으로 감기는 것을 느꼈고 청중을 향해 연설하는 동안 무릎이 후들거렸다.

오바마는 마침내 다른 사람들이 짜놓은 빡빡한 스케줄을 지키는 것을 포기했다. 그의 친구들은 이러한 힘든 시기를 통하여 오바마가 약간 달라졌다는 것을 느꼈다. 에마뉴엘은 그해 봄에 나에게 "당신이 보기에 오바마가 행복해 보입니까?"라고 물었다. 이어서 "신문에는 새로운 일을 하며 더 좋아진 것처럼 나온다."고 말했다. 오바마의 전 스프링필드 참모인 댄 쇼몬은 유명 정치인의 다소 어두운 면에 익숙해지고 있다. - 즉 과도한 업무, 없다시피한 여유 시간, 그의 생활의 많은 일들을 참모들이 결정하게 하는 것 등. 또 그는 오랜 친구인 오바마에게 "버락은 독립적인 사람이다. 그러나 그는 지나치게 통제 받고 있고, 어떤 면에서 그는 그것을 좋아할 것이다."라고 말했다.

2006년 4월 쇼몬은 나에게 "오바마는 그 자신을 위한 시간도 없고 인생도 없다. 그래서 주변 통제를 통해, 그는 그를 좋아하는 사람과 그의 시간을 빼앗는 사람들을 멀리할 것이다. 그는 포커를 칠 수도 없고, 맥주 한잔을 하거나 가족과 충분한 시간을 보낼 수도 없다. 그것이 나쁜 점이다. 아주 많이 나쁜 점이다. 그의 개인적 인생은 끝났고 나는 그가 진정으로 이것을 원했다고 생각하지 않는다."라고 말했다. 또 다른 측근은 정치적 유명세에 대한 함정에 대하여 비슷한 견해를 말했는데, 그는 "선거운동에서 당신이 알고 있는 버락, 차 안에서 시답지 않은 대화를 나눌 수 있었던 그는 이제 없다. 그는 더 이상 존재하지 않는다. 그는 어디를 가든지 자신을 보호해야 한다. 만약 그가 어딜 간다면, 거기엔 그를 기다리는 자원봉사자가 있고, 그는 무엇을 하든 어떤 말을 하든 조심해야 한다. 그는 미셸과 함께 있을 때를 제외하고 그 자신이 될 시간이 없다. 그는 항상 준비 자세로 있어야 한다."라고 했다.

그 '계획'의 또 다른 면은 그의 친구들과, 동료 의원들 특히 그를 전적으로 따르는 진보주의자들을 실망시켰다. 가능한 한 정치적으로 흠잡히지 않기 위하여, 그는 정치적 접근을 하는 데 있어서 논쟁의 여지가 있는 일을 피하며 예전보다 더욱 조심했다. 스프링필드에서, 오바마는 겁 없는 진보주의자였고 심지어 소수당을 위해 일하기까지 했다. 그러나 만약 그가 더 큰 야망을 가지고 있다면, 진보라는 속박에 너무 불편하게 맞추면 안 된다고 그의 팀은 믿었다. 이러한 계획은 뉴욕에서 상원의원 자리를 차지한 힐러리 클린턴이 따랐던 성공적인 모델과 흡사한 것이었다. 최대한 겸손하고, 논쟁의 여지를 만들지 말며, 자신의 유권자를 다시 돌아오게 하는 것이다. 의회의 한 친한 동료는 오바마가 한 법안이 "너무 논쟁의 소지가 있다."며 그것을 공동 후원하는 것을 거절하자 몹시 화가 났다. 그 의원은 오바마에게 "사람들의 80퍼센트가 좋아하는 법안을 발견하면 나에게 전화를 걸어라."고 말했다. 그 의원은 "그들은 힐러리처럼 행동한다. 그리고 정말 워싱턴 정치가 같다. 그들이 힐러리의 모델을 따르도록 놔두자."고 말했다.

'계획'의 이러한 면은 양쪽에 날이 선 검과 같았다. 더욱 전통적인 민주당 정치인이 되려면, 오바마는 진보적인 핵심 지지자들에게 따돌림을 받을 위험에 부딪혀야 한다. 실제로 그는 오늘날 가장 중요한 정치적 토론장의 하나인 인터넷 블로그에서 큰 혐오감을 불러일으켰다. 2006년 초반, 화가 난 진보주의자들은 그가 오하이오 주의 대통령 선거 투표를 반대하지 않고 부시 대통령의 국방장관으로 콘돌리자 라이스(Condoleezza Rice)를 임명하는 것에 찬성했다고 인터넷상에서 그를 채찍질했다.

이라크 전쟁 반대의 비평을 이끌어 낸 그는 워싱턴에 입성했고 전쟁을 시작한 부시의 최고 책임자 중 한 명을 중요한 내각 책임자로 앉히기 위해 투표를 하였다. 오바마는 대법원장으로 존 로버츠(John Roberts)의 지명을 반대하는 투표를 했다. 그러나 그가 로버츠의 지명에 대한 토론 종결 투표를 하고 로버츠에 찬성하는 투표를 한 다른 민주당 의원들을 옹호하자, '데일리 코스(Daily Kos)'라는 진보주의 블로그에는 그를 비방하는 글들이 올라왔다. 오바마는 화난 일부 진보주의자들을 잠재우기 위하여 길게 붙은 비난 글에 단순히 자신도 이런 비평을 인식하고 있다고 응답했다. 그러나 그는 또한 자신은 불을 지르는 좌파가 아니며, 그것은 그의 기질도 아니고 정책에 대한 그의 시민적 접근 방법도 아니라고 주장했다. 오바마는 신참 의원으로서 한 해를 마감하며 가진 나와의 인터뷰에서 다음과 같은 말을 했다.

좌파 사람들은 아마도 내가 폴 웰스톤이 되길 원할지도 모른다. 나도 폴 웰스톤을 무척 좋아하지만 나는 폴 웰스톤이 아니다. 나는 그가 말한 모든 것에 동의하지 않는다. 그리고 사람들이 내 사무실로 와서 하는 것 중에 하나는 나에게 계획을 제시하는 것인데 - 특히 내가 해왔던 방법에 대해 제안을 하는 것으로 - 모든 사람들은 나에게 그들 자신의 견해를 말했다. 그래서 사람들이 내가 오하이오 주의 투표를 반대하지 않았다고 실망했을 때, 나는 실제로 조지 부시가 선거에서 이길 것이라고 생각했다. 그것은 안전한 행동은 아니었지만, 그것은 실제로 조지 부시가 선거전에서 이길 것이라는 진실된 나의 믿음이었다.

사람들이 내가 콘돌리자 라이스를 지지하는 투표를 했다고 실망했을 때, 나는 진심으로 행정부의 가장 높은 자리에 있는 대통령은 그의 팀을 구성하는 데 있어서 존중을 받아 마땅하다고 생각했고, 우리는 해외 정책에 관한 한 콘돌리자보다 더 잘 할 수 있는 사람은 없을 것이라고 느꼈다. 그리고 나는 실제로 그녀가 잘 해나가고 있다고 생각한다. 그녀는 해외 정책에 있어서 이 행정부에 적절한 영향력을 행사했다. 그래서 나는 내가 최선이라고 생각한 대로 행동했던 것을 사람들이 본 것이라고 생각한다.

하지만 그것에 동의하지 않는 사람도 있고 내가 정치적 목적으로 그렇게 했다고 추측하는 사람도 있을 것이다. 그리고 나의 지위에 대해 좌절하는 한 가지는, 우리의 정치문화에 대하여 실망하는 것은, 그리고 내가 이러한 추측을 하는 사람들을 비난하지 않는 이유는, 내가 무엇을 하든 정치적이라는 것이며, 나의 촉각을 곤두세우고 이러한 계산을 하고 있다는 것이다. 그리고 우리는 정치에 대하여 이런 냉소주의에 푹 빠져 있었다. 그리고 내가 언급한 대로, 가끔 좋은 의미로, 사람들은 무엇을 하든지 정치적인 동기가 있어야 한다.

하지만 의회에서 분기별로 나오는 간행물에 따르면, 오바마는 2005년 당내에서 95퍼센트의 투표율을 보였고, 그보다 더 많은 투표를 한 사람은 민주당 내에서 여덟 명에 불과했다. 그의 첫해 동안 수백 번의 투표를 했고 그 중 오바마는 열두 개 정도의 법안에 대해 고민했다. 이렇게 어려운 문제에 대하여, 그는 사무실로 그의 최고 참모들을 불러 어떻게 하면 좋은지에 대하여 자유롭게 토론했다. 그의 입법 책임자인 크리스 루(Chris Lu)는 "우리는 너무 강한 성격을 지니고 있어서 이러한 문제들에 대하여 양쪽에 두 명의 사람이 필요하다. 그리고 오바마는 그 앞에서 우리가 논쟁하는 것을 무척 좋아했다."고 말했다. 루는 똑똑한 젊은 직원들 중에서 온건적인 목소리를 내는 사람들 중 하나였다.

로버트 깁스는 정치적 계산이 가장 중요하다고 생각하는 남부 출신 실용주의자로 이러한 토론에서 강한 목소리로 다른 사람들을 한쪽으로 이끌었다. 루는 오바마는 이런 어려운 투표를 꿋꿋하게 처리할 것이라는 의견을 고수했다. 방을 떠나면서 직원들은 그가 이쪽으로 투표할 것으로 생각하지만 그는 쉽게 반대 방향으로 갈 수도 있었다. 예를 들면 루와 깁스의 압도적인 논쟁으로 오바마는 군사위임법안을 반대하는 34명 의원 중 하나가 되었다. 그 법안은 '가치가 높은 구금자'를 심문할 때 군대에 특별한 심문권을 부여하는 것이었다. 이것은 헌법에 대하여 깊게 연구한 오바마의 경력에 부합하는 법안이었다.

루는 "만약 중간적 입장을 취하고 싶으면, 그 법안을 위해 투표를 하는 것이 나았다. 그러나 오바마는 그 법안이 기본적으로 구금자의 출정 영장 권리(구속 적부 심사를 위해 피구속자를 법정에 출두시키는 영장)를 빼앗는 문제가 있다고 믿었다. 법대 교수로서, 정당한 법 절차의 역할을 이해하는 사람으로서 그리고 역사적으로 출정 영장의 기원을 아는 사람으로서, 오바마는 그것에 불쾌감을 느꼈다. 그리고 아무리 로버트와 내가 우리는 무서운 세상에 살고 있다고 이야기하고, 이 투표가 어떻게 이용될 것인가, 향후 30초 광고에 악용될 수 있다고 설명해도 그는 상관하지 않았다."고 말했다.

영국의 극작가 톰 스토파드(Tom Stoppard)는 언젠가 《뉴욕 타임스》 잡지에 기자들에 대한 그의 대응방법을 다음과 같이 묘사했다. "나의 침묵은 자부심의 형태이지 겸손의 형태가 아니다. 나를 이용할 수 없게 하는 것이다." 실제로 2005년 동안 기자들이 자신을 이용하지 못하게 한 오바마의 계획은 기대한 대로 반대효과를 가져왔다. 《시카고 트리뷴》 젤레니 기자의 돌진과 텔레비전 방송국과 기타 주요한 언론들과의 인터뷰 요청을 거절함으로써, 오바마는 언론들의 끓어오르는 갈망을 더욱 부채질했다. 일부 절친한 정치적 동료들의 비난을 받는 동안, 그의 첫해를 조심스럽게 펼치고자 하는 결정은 그의 주가를 더욱 높인 훌륭한 방법으로 드러났다. 오바마는 그의 공개적 계획에 일리노이에서 할 모든 연설을 포함시켰다. 그러나 사적으로 그는 당을 위하여 기금을 조성하느라 바빴고 새로이 '희망기금'이라는 정치적 행동 위원회를 발족했다. 그 위원회는 2005년 말 거의 200만 달러의 기금을 모금하였다. 그 해 말, 《시카고 트리뷴》의 설문조사는 오바마가 일리노이 유권자 사이에서 놀랍게 72퍼센트의 지지율을 기록했다고 밝혔다.

비록 오바마가 일리노이에서 대중의 지지를 받는 몇몇 법안을 진행시켰음에도 불구하고, 입법적으로 2005년 이렇다 할 중요한 성과를 이루지 못했다. 의회에서 연공서열이 낮은 그는 모든 청중들에게 자신이 100명의 의원 중 99번째 서열이라며 이러한 서열이 그 앞에 놓인 커다란 기대를 저버리게 하고 있다고 말했다. 《시카고 선 타임스》에 일리노이 참전용사들을 위한 정부보조가 느리게 진행되고 있다는 연속 기사가 나간 후, 오바마는 이 문제에 뛰어들어 정보 보조를 평등하게 집행하라고 행정부에 압력을 가했다. 일리노이 전역에 걸쳐 각 시청을 방문하고 나서, 그는 E85 에탄올을 혼합하여 파는 주유소의 수가 증가함으로써 에탄올 제품들의 가격이 급등하고 있다는 보고를 주시하였다. 또한 그는 조류독감의 위협에 대해 처음으로 목소리를 낸 의원이 되었다.

오바마의 훌륭한 입법적 성공은 인디애나(Indiana) 주의 공화당 의원인 리처드 루거(Richard Lugar)와의 협력이었는데, 오바마는 기존의 무기 비축을 줄이는 데 미국이 좀 더 협조하고 대량살상 무기와 재료들에 대한 미 국무성의 억지력을 확충하는 법안에 대해 그에게 협조했다. 2005년 봄, 오바마는 루거와 러시아를 방문하여 핵무기 비축에 대한 실사를 했다. 2007년 1월 부시 대통령은 그 법안에 서명하여 법률화했지만, 로버트 깁스는 그 법안에 대한 오바마의 노력을 활발히 알리지 않아서, 그의 초기 임원 기간 동안 오바마에 대한 홍보활동이 크게 실패했다고 말했다. 깁스는 "그것은 매우 중요한 법안이었고 벼락이 큰 지지를 얻지 못한 것은 나의 잘못이었다."고 말했다.

일찌감치 오바마는 공화당 정책에 반대하여 강압적으로 크게 싸우지 않으려는 생각이 있었으므로 일부 의원들을 멀리했다. 그러나 오바마는 "그는 치유하는 사람이지 분열을 일으키는 사람이 아니다."라는 슬로건을 지킬 원했다. 같은 맥락으로, 루거 외에도 오바마는 다른 공화당 의원들에게 손을 뻗기도 했는데, 플로리다(Florida) 주의 의원인 멜 마르티네즈(Mel Martinez)와 함께 이민개혁법을 제안하였고, 오클라호마(Oklahoma) 주의 의원인 톰 코번(Tom Coburn)과 함께 카트리나 태풍과 관련한 정부의 계약을 면밀히 재검토하였다. 다시 한 번 오바마는 민주당 상원의원 선거 위원회를 위한 이른바 '힘의 시간(Power Hour)'라는 기금 모금 행사에서 전화로 기금을 모금하라는 요구를 거절함으로써 일부 의원들을 멀리했다. 그러나 그는 2006년 선거철에 미국 전역에서 민주당을 위해 열심히 선거운동을 하여 그것을 만회하였다.

오바마는 2005년 자부심을 가질 두 가지 중요한 사건을 겪었다. 이 중 첫 번째는 2005년 6월 서부 일리노이의 작은 인문대학인 녹스 대학(Knox College)에서 졸업 연설을 한 것이었다. 번개가 치고 어두운 하늘에서는 비가 내리기 시작했는데, 그가 인정한 것처럼 오바마는 긴장하며 의원임기 이후 처음으로 중요한 연설을 시작했다. 그 연설은 진보적인 그의 경향을 재확인하며 그가 가진 철학의 핵심을 요약했다.

노예 해방과 인권 운동에 대하여 강조하면서, 그는 미국 역사의 다양한 사건을 언급했고, 200년 동안 미국이 어떻게 지탱되고 발전해 왔는지에 대한 이론을 제시했다. 그것은 단순한 자유시장에 관한 연구가 아니었고, 미국의 노동자들에 대한 근면한 노동관도 아니고, 야심 찬 개인적 야망에 관한 것도 아닌, 미국의 성공은 '상호간의 배려' 위에 이루어졌다고 그는 선언했다. 그리고 '공공적 구제'는 이 나라가 지속적인 번영을 이루는 데 가장 중요한 요소라고 말했다. 그리고 오바마는 서로를 보살피는 가장 최선의 방법은 정부를 통해서, 즉 공립학교를 육성하고, 모든 시민들에게 의료보험을 제공하며 "돈을 벌기 위해 자신의 인생에만 초점을 맞추는 것"보다는 지역사회가 제공하는 서비스에 자신의 시간을 헌신하는 것으로 이룩할 수 있다고 덧붙였다. 오바마는 세계

경제가 미국 경제를 위협하고 있다고 말하고 미국이 이러한 위협에 지속적으로 경쟁하기 위해서는 투자를 해야 한다고 말했다.

……이것에 대하여 국민으로서 할 수 있는 일이 많지 않다고 믿는 사람이 있다. 이것에 대한 가장 좋은 생각은 모든 사람들에게 정부가 세금을 상환해 주는 것이다. 세금을 개인 몫으로 나눠 주고 사람들이 그 돈으로 보험을 들고, 퇴직 계획을 세우고, 아이를 양육하며 교육시키는 것에 사용하게끔 유도하는 것이다.

워싱턴에서, 그들은 이것을 '소유권 사회(Ownership society)' 라고 부른다. 그러나 과거에 여기에 대한 다른 이름이 있었는데 그것은 '사회적 다윈이론(Social Darwinism)' 이었다. 이 다윈이론에 의하면, 모든 남성 혹은 여성들은 스스로 살아남아야 한다. 이것은 많은 생각과 재간을 필요로 하지 않기 때문에 매력적인 생각이다. 이것으로 우리는 의료보험이나 등록금이 우리가 지불할 수 있는 것보다 더 빨리 오른다고 말할 수 있고, 이것으로 우리는 가전업체인 메이택(Maytag)의 노동자들이 일자리를 잃어 인생은 불공평하다고 말할 수 있게 되었다. 또한 이것으로 우리는 가난하게 태어난 아이에게 자수성가해야 한다고 말할 수 있게 되었다.

그러나 거기에는 한 가지 문제점이 있다. 그것은 제대로 이루어지지 않을 것이다. 그것은 우리의 역사를 무시한 것이고 정부가 조사하고 투자하여 철도를 만들고 인터넷을 가능하게 했다는 사실을 무시한 것이다. 적당한 임금과 혜택들, 그리고 공립학교들을 통해 우리 모두가 함께 번영하게 되었고 광범위한 중산계층이 생기게 되었다. 우리의 경제적 우월성은 자유시장에서 개인의 발전과 믿음에 달려 있다. 그러나 또한 우리의 경제적 우월성은 서로에 대한 배려와 모든 사람들이 한 국가에서 이해관계가 있고, 우리 모두는 하나이며 모든 사람들이 우리의 견줄 수 없는 정치적 안정에서 비롯된 기회를 가졌다는 생각에 달려 있다.

오바마는 이제껏 이런 사회적 다윈이론을 몇 번이나 연구했다. 그에게 영향을 준 옥시덴탈 대학의 로저 보에쉬 교수는 그의 연설에서 정치 이론 수업의 반향을 보았을 것이다. 사회적 다윈이론의 언급은 1984년 마리오 쿠오모의 기조연설에서도 찾아볼 수 있는데, 쿠오모는 로널드 레이건의 하향 침투적 원리가 노동계층에는 치명적이라고 비난했다. 오바마의 녹스 대학 연설은 연설문 작성 담당직원인 존 파브르(Jon Favreau)와 함께 썼는데, 파브르는 깁스가 케리 선거운동 때 그와 함께 일한 적이 있어서 고용한 젊은이였다. 연설문을 작성할 때, 파브르는 노트북 컴퓨터를 들고 오바마 앞에 앉아 그의 상사가 내뱉는 생각들을 20여 분 동안 주의 깊게 들었다. 그런 다음 파브르는 이러한 생각들을 정치적 연설문으로 조합했다. 파브르는 오바마를 이야기의 달인이며 역사 연구가라고 묘사했다. 그래서 그는 꾸준히 역사책을 찾아보고 과거와 현재를 비교하고 미래에 대한 비전을 제시했다.

그러나 연설문이 완전히 작성된 후에도 심지어 오바마는 가장자리에 자신의 생각을 적었고 연설을 하는 시간까지 그것을 이리저리 편집했다. 그리고 연설 전날 밤, 그는 가끔 마지막 초안을 작성하기 위해 새벽까지 잠을 자지 않았다. 전문적 산문작가이며 완벽주의자인 그는 정교한 생각들을 15분 내지 20분 정도의 연설문으로 만들기 위해 몇 시간 동안 원고를 다듬고 씨름했다. 파브르는 "오바마에게 말을 포기하는 것은 너무 어려운 일이다."고 말했다.

오바마의 녹스 대학 연설은 언론으로부터 거의 아무런 즉각적 관심을 받지 못했다. 왜냐하면 그 연설은 주말에 일리노이의 아주 작은 대학에서 이루어졌기 때문이었다. 오직 지방 기자들만 그 행사에 참석했다. 그러나 인터넷의 힘 덕분에, 그의 연설은 사이버 공간을 통해 급속도로 퍼져나갔고 이 새로운 예언자가 그들이 오래 전부터 마음속에 그리던 그 사람이 아닌지 모른다고 걱정하기 시작한 급진주의자들로부터 지지를 이끌어 냈다. 그러나 보수주의자들은 이 연설을 보고 비록 오바마가 참을성을 갖고 그들의 논쟁에 주의를 기울이고, 악의 없는 민주당의 목소리를 내었지만, 오바마는 그들 편이 아니라고 생각했다.

오바마의 두 번째 가장 중요한 순간은 2005년에 발생했는데, 그는 스스로 '인종간 연결다리 설계자'의 역할을 자임했고, 그의 조심스런 참모들은 그 역할에 대하여 깊이 우려했다. 공화당과 다리를 연결함으로써 결국 온건적인 유권자들을 이끌 수 있었다. 너무 직선적으로 인종에 대해 이야기하는 것은 흑인과 백인들 모두를 소원하게 만들 수 있었다. 그러나 흑인으로서 오바마는 하룻밤 사이에 미국에서 가장 저명한 흑인 정치인이 되었다는 문제를 피할 수 없다는 것을 깨달았다.

9월에, 대부분 백인인 그의 조언자들의 바람과는 반대로, 오바마는 ABC 방송국의 〈일요일 아침〉이라는 정치문제를 다루는 쇼에 출연하기로 동의했다. 그 주에 조지 스테파노폴러스(George Stephanopoulos)가 함께 출연하여 카트리나 태풍의 비극에 대해 토론하였다. 이것은 그가 의원 임기 첫 해에 주요 방송국에 출연한 두 번의 인터뷰 중 하나였다. 그 태풍으로 1,000여 명이 목숨을 잃었고 뉴올리언스(New Orleans)와 그 해안 지역은 홍수에 잠겨 수만 명이 집을 잃었다. 그 당시 루거와 여행 중이던 오바마는 텔레비전에서 지속적으로 방송되는 대부분 피난민이 흑인이며 가난한 수천 명의 사람들이 폭풍으로 집을 잃고 생활의 터전을 잃은 모습을 보고 개인적으로 큰 충격을 받았다. 부시 대통령과 지역 공무원들은 갈피를 잡지 못하고 겁을 먹었고, 일부 민주당과 흑인

지도자들이 인종차별을 외치자, 오바마는 섬세하고 논리적인 목소리로 완강하게 주장했다.

스테파노폴러스는 유명한 힙합 가수인 케인 웨스트(Kanye West)의 "조지 부시는 흑인들에게 관심이 없다."라는 노래 구절을 언급하며 그의 첫 질문을 시작했고 오바마에게 그 재난에 대한 연방정부의 성의 없어 보이는 대응이 인종차별 때문인 것은 아닌지 물었다. 오바마는 전형적으로 계산된 방법으로 응답하였고, 흑인 또는 백인 누구도 소원하지 않게 하며 그 문제의 핵심을 파고들었다. 그는 그 폭풍의 여파에 인종이 구성요소라고 인정했다. 그러나 그는 백인들을 불편하게 하는 날카롭고 성난 언어를 사용하지 않고 말했다.

나는 케인 웨스트가 흑인 사회에 존재하는 많은 분노와 고뇌를 표현했다고 생각한다. 나는 국민 전체가 이 일에 대해 부끄러움을 느껴야 한다고 생각한다. 지금 나의 결론적인 입장은 국토안전부와 이 행정부의 무능함이 인종과는 상관이 없다는 것이다. 내가 생각하는 것은 누가 계획의 책임을 맡고 있던지 뉴올리언스와 같은 곳에서의 도심 생활에 대한 현실을 파악하지 못했다는 것이다. 그곳에서의 현실은 사람들이 SUV에 생필품을 싣지도 못하고, 그 차에 100달러어치의 기름을 넣지도 못하며 소다수를 싣고 호텔로 직행하여 신용카드로 방을 얻지도 못하는 가난한 현실이었다. 하지만 다른 국민들은 이러한 일을 레이더 화면을 보고 있듯이 그냥 지켜만 보고 있는 것 같고 이것은 편파적으로 흑인들의 불행한 상황에 대해 무관심했던 일부 정부의 역사적인 사실과 관련이 있다고 생각한다.

흑인 사회에는 뉴올리언스의 9번가 지역과 시카고 서부 지역, 그리고 뉴욕의 할렘 가에 살고 있는 사람들에게서 볼 수 있는 수동적 무관심이 있는데, 이런 수동적 무관심은 적극적 악의만큼 나쁘며, 특히 더 넓은 미국 사회와 백인들이 그것을 더욱 두드러지게 하고 경계선을 긋는다고 나는 생각한다. 나는 우리에게 가장 중요한 것은 인종과 사회계층이 지속적인 역할을 하며, 사람들이 같은 기회나 같은 학교, 같은 직장에서 서로의 이익을 도모하지 않는 미국 사회에 살고 있다는 것을 인지하는 것이다. 그렇기 때문에, 이런 재앙이 닥치면, 우리 안에 곪아 있던 문제가 장막을 걷고 나오는 것이다. 흑인, 백인, 그리고 우리 모두는 텔레비전에 나오는 장면들이 이런 미국 사회를 반영하지 않도록 노력해야 한다.

오바마의 조심스런 발언은 나이 많은 흑인 지도자들이 뿜어대는 분노와 좌절의 발언과는 완전히 대조가 되는 것이다. 초대형 스타디움은 수 만 명의 태풍 피난민들의 일시적인 거주지가 되었고 그들은 며칠째 생필품 없이 오도가도 못하고 묶여 있었다. 프린스턴 대학의 코넬 웨스트(Cornel West) 교수는 (공교롭게도 그는 오바마의 영웅이었다.) "노예선에서 초대형 스타디움까지는 그리 큰 여정이 아니다."라며 신랄하게 비난했다. 제시 잭슨 목사는 뉴올리언스의 초대형 스타디움을 '커다란 노예선'에 비유했다. 잭슨은 오바마의 절친한 친구이자 지지자였기 때문에, 나는 잭슨에게 오바마와 같은 인종에 대한 다른 접근방식을 어떻게 생각하는지 물어보았다.

그 질문은 분명히 잭슨을 화나게 했다. 그는 조심스런 발언을 하는 젊은 흑인 지도자들이 흑인과 백인이 동등하게 경쟁하기 위하여 오랜 기간 싸워 쟁취한 이 땅에서 인정을 받게 될까봐 걱정된다고 말했다. (요약하자면 인종적 공정성을 위한 잭슨의 개혁 운동이 아직 끝나지 않았다는 것을 의미했다.) 그는 "모든 연설자들은 자신만의 스타일을 가지고, 그들의 시각으로 사건을 평가할 권리가 있다. 그러나 나는 I-90고속도로를 타고 뉴올리언스로 가서 수천 명의 사람들이 사람들의 팔에 안겨 죽어가고 있는 것을 보았다. 그들은 여기저기에 있는 여자들과 어린 아이들을 무더기로 버스에 채워 넣었다. 정말 그곳은 노예선과 같았고 실제로도 그러했다."고 말했다.

잭슨은 특히 보수적인 사설로 유명한 《시카고 트리뷴》에 난 오바마의 발언과 잭슨의 발언을 비교한 기사를 보고 무척 당황했다. 그 신문은 오바마가 이 문제를 전반적으로 인종문제로 보지 않고 모든 경제 계층의 사회적 공정성의 문제로 보는 반면, 잭슨은 이 비극을 인종문제로 보는 데 대하여 혹독하게 비난했다. 그 신문은 "인종차별이라는 잭슨의 비난은 단순하고 말도 안 되는 것이다. 그러나 만약 그의 발언이 정부의 비상대책을 개혁해야 한다는 여론을 조성하게 된다면 정말 위험할 수도 있다. 뉴올리언스에서 일어난 일은 인종차별이 아니라 경제적 차별에 더 가까운 것이다. 유일한 흑인 상원의원은 이것을 구별하여 선동적이지 않는 연설로 모든 국민들에게 이 문제를 시사했다."라고 했다.

그를 흥분시킨 그 기사에 대해 생각하며 잭슨은 의자에 앉아 발을 앞뒤로 움직이며 흔들었다. 그는 "오바마는 인종을 보지 않고 계층을 보았다. 나는 거기 가보았기 때문에 인종을 보았다. 거기를 갔다면 인종을 보지 않는 것은 불가능하다. 《시카고 트리뷴》 편집 위원회는 진보하고 현명한 젊은이는 계층을, 늙은이는 인종을 보았다는 입장을 고수했다. 그러나 모든 사람들이 그것을 보았다. 그것은 루이지애나 배에 탄 가난한 계층의 흑인 인종이었다."며 거의 신경질이 난 목소리로 크게 말했다.

그런 후, 잭슨은 소란스러운 인종적 과거를 겪어 보지 못한 젊은 흑인들이 그들 앞에 발생하는 인종차별을 보는 것에 대하여 면역되어 있지 않나 우려했다. 그는 또한 레이건 시대 이후로 보수적 경향이 지배적인 이 나라에서 흑인 정치인들이 인종적 불평등에 대하여 더욱 큰 목소리를 낼 수 없게 되었다고 말했다. 잭슨은 "나는 제2차 세계대전 때문에 감옥에 들어갔고 투표할 수도 없었다. 버락은 매우 섬세한 균형을 이루는 방식을 선택했지만 때때로, 근본적으로 세상을 움직이는 것은 자신의 힘이 아니다. 그것은 오늘날의 오바마를 있게 한 반대되는 움직임과 확고한 행동이다. 오바마의 발전을 가능하게 한 지난 51년, 52년간의 법들을 그들은 무너뜨리려 하고 있고 우리는 그것에 대항하여 싸워야 한다."고 말했다.

잭슨의 인종적 분노와 오바마의 회유적인 어조는 현대 인종 문제에 어떻게 접근해야 하는지에 대하여 흑인 사회에서 논란을 일으켰다. 제리 켈먼이 지적한 대로, 오바마는 이 비극에 대하여 흑인 사회가 느끼는 것보다 더욱 더 마음 깊이 느끼고 있다. 이제까지 오바마는 거의 모든 흑인들이 회피했던 문제들에 대하여 백인, 흑인 모두가 관심을 갖게 하는 정치적 재능을 발휘해 왔다. 역사적으로 흑인 공무원들은 가난한 사람들을 위한 정부 차원의 보호, 공정한 사회를 위한 공화당의 서약에 도전하는 등 이른바 흑인들을 위한 문제에 너무 치중해 왔고, 때때로 그것 때문에 백인들의 지지를 얻지 못했다. 반대로 인종차별적 분노를 표출하는 것을 억제하고 자신들의 부족함에 대해 연구하고 개혁하라고 흑인 사회에 도전을 하는 흑인 정치인들은 가끔 자신의 흑인 사회에서 배척당했다. 오바마는 이 두 가지 길을 따랐고 그럼에도 불구하고 성공했다. 그러므로 정치적인 면에서 오바마는 인종문제에 관한 한 금광을 발견한 것이나 다름없었다. 한쪽 인종의 비유를 맞추기 위하여 사람들을 나누는 것 대신, 그는 이 두 인종 사이에 놓인 가느다란 줄을 잡고 정확하게 걸어갔다. 2005년 말 내가 이런 이론을 그에게 제시하자 그는 그저 어깨를 으쓱해 보이며 다음과 같이 말했다.

나는 흑인 사회에의 중요한 핵심 가치가 다른 사회와 연결되기 위하여 어떻게 표현되어야 하는지에 대해 세대적 변화가 일어나고 있다고 생각한다. 나는 흑인 사회 대다수는 사람들이 다양한 목소리를 갖고 있다는 것을 알고, 모든 사람이 한 가지 역할을 해야만 한다고 여기지 않는다고 생각한다. 즉 잭슨 목사와 샤프튼 목사는 각양각색의 사람들을 대변하는 나 같은 사람보다 더욱 다른 역할을 갖고 있을 것이다. 나는 단지 흑인 사회를 대변하는 새로운 세대 중 가장 두드러진 사람이라고 생각한다. 그리고 실제로 나는 내 중요한 임무의 초점을 잃지 않고, 특히 흑인 사회에서 가장 중요한 이런 인종적 문제에 대하여 이야기하는 것이 전혀 불편하지 않으며, 그렇게 하는 것은 일리노이 모든 주민을 대변하는 일이라고 생각한다. 그러한 과정에서 나는 어떠한 모순도 느끼지 않았다. 모든 문제에 대하여, 그것이 인종차별에 대한 문제든, 해외정책에 관한 문제든, 사회적 문제든지 만약 내가 진심으로 이야기한다면, 만약 내가 정말로 생각하는 것을 말한다면, 일반적으로 모든 일은 올바른 결과로 나타난다.

제23장

남아프리카 공화국

인류 역사는 수많은 다양한 용기와 믿음의 행동에 의해 발전하여 왔다. 한 사람이 다른 사람들의 삶을 개선시킬 이상과 행동을 위해 불의에 대항하여 투쟁할 때마다 그 사람은 작은 희망의 물결을 만들었고, 수많은 힘과 대담함으로 서로를 넘나들었다. 이러한 작은 물결은 억압과 저항이라는 커다란 벽을 휩쓸어 버릴 수 있는 커다란 물결을 만들었다.

– 로버트 F. 케네디, 1966년 케이프타운에서 한 연설 '확신의 날' 중에서

세계의 많은 곳에서 희망이 사라진 것 같은 때 내가 희망에 대한 연설을 하고 있다. 말하자면, 다르푸르(Darfur)에서는 대량 학살이 벌어지고 이라크에서는 전쟁이 진행되고 있다.…… 그리고 나는 가끔 사람들이 실제로 역사를 통해 배울 능력이 있는지, 위로 한 단계, 그 다음 단계로 발전할 수 있는지, 또는 호황과 불황, 전쟁과 평화, 상승과 퇴보를 단순히 순환하고 있지는 않은지에 대해 궁금하다. 그리고 나는 만약 아프리카 혈통의 한 흑인이 미국의 상원의원이 되어 그 선조들의 고향으로 돌아오게 된다면, 남아공의 흑인, 백인 군중들에게 똑같은 자유와 권리를 나누라고 말할 것이라고 생각했다. 그럴 수 있다면 나는 모든 것이 변하고 역사가 발전했다고 생각한다.

– 버락 오바마, 2006년 8월 케이프타운에서 한
'보편적 안정을 통한 보편적 인간애' 라는 연설문 중에서.

아프리카에 대한 오바마의 방문은 그가 연방의원 취임 선언을 하고 난 직후인, 2005년 초반에 계획되었다. 2006년 8월로 예정된 그 여행은, 오바마의 '계획'의 궁극적 목표 중 하나였는데, '계획'은 오바마 인기를 높이고 그의 정치력을 최고조로 유지하기 위하여 2년간의 계획을 수립하고 기록하는 것이었다. '계획'에서 아프리카 방문은 오바마의 정치 참모들이 구상했는데, 그들은 직원책임자인 피트 루즈, 대 언론기획자인 데이비드 액슬로드, 그리고 커뮤니케이션 책임자인 로버트 깁스와 오바마 자신이었다. 이 '의회 방문단(Congressional delegation)', 혹은 워싱턴의 전문 용어로 CODEL은 다양한 업무를 하게 되었다. 즉 오바마 의원을 위해 진상 조사를 하며, 케냐 근교에 살고 있는 아버지 쪽 친척을 방문하고, 가장 중요하게는 대외 선전 활동을 하는 것이었다. 오바마 팀의 가장 큰 희망은 미국과 국제 사회에서 오바마의 이미지를 향상시키고, 중요한 유권자인 흑인들 사이에서 그의 지지를 굳히며, 해외 정책 경험을 늘리는 것이었다.

여러 면에서, 오바마의 방문은 다른 두 명의 상징적인 민주당 의원들의 방문을 떠올리게 했다. 유명 인사인 그 두 명은 모두 아프리카를 방문했고 미국 내 흑인 사회에서 정치적 혜택을 얻어냈다. 여전히 미국의 흑인들 사이에서 사랑을 받고 있는 클린턴 대통령은 1998년 12일에 걸친 아프리카 방문에서 열렬한 환영을 받았다. 그리고 특히 로버트 케네디 의원은 1966년 아프리카 방문에서 인종차별 정책을 강력히 비난했고 미국의 흑인들에게 분명한 메시지를 전했다. 케네디의 방문은 오바마의 경우와 비슷한 모험적인 방문이었다. 이 두 사람은 모두 젊고 카리스마를 지녔고 대통령이 되려는 야망을 품은 이상주의적 의원으로서 지구상에서 가장 소외된 대륙에 사는 절망적이고 가난한 흑인에게 손길을 뻗었다. 아프리카 흑인들에게 둘러싸인 케네디의 이미지는 신문과 텔레비전을 통해 미국에 비춰졌다. 케네디는 소웨토(Soweto; 남아공 요하네스버그 남서부 흑인 거주 구역)의 주민들에게 "발전이 있을 것이라고 믿는다. 증오와 편협한 사고는 언젠가 남아공에서 없어질 것이다. 여러분들의 자녀들은 여러분들이 가졌던 것보다 더 나은 기회를 가지게 될 것으로 믿는다."고 말했다. 또 케네디의 '희망의 물결' (실제 제목은 '확신의 날')이란 연설은 일부 로버트 F. 케네디 전기작가들에 의해 최고의 연설로 뽑혔다.

아프리카 방문은 첫 임기의 의원에게 아프리카에 대한 지식을 넓히게 하는 효과보다는, 오바마의 굉장한 스타성으로 인한 주요 언론의 폭발적 관심의 측면에서 성공적이었다. 《내 아버지로부터의 꿈》이란 회고록이 경이적인 판매고를 올린 데다가, 아버지의 아프리카 혈통을 공부하고 케냐인인 친척들을 만나보기 위해 오바마가 30대 초반 케냐를 방문한 이야기들이 그 회고록에 많이 실려 있었기 때문에, 언론들은 이번 방문에 더 특별한 매력을 느꼈다. 2006년 8월, 전국 대중매체와 각계각층의 시민들은 오바마의 인생 이야기에 매료되었고 이것은 그들의 역사를 조명해 보는 또 다른 기회가 되었다. 결과적으로 오바마와 그의 참모들은 독특한 혈통으로 인해 급격히 커지는 그의 명성을 더욱 발전시킬 기회를 갖게 되었다. 그리하여 그 방문은 언론으로부터 폭발적인 관심을 받게 되었다. 말할 필요도 없이 케냐 군중들에 둘러싸여, 미국과 국제 기자들의 취재 열기에 시달린 오바마는 '정상적인' CODEL 임무를 수행하는 데 어려움이 많았다.

이 말은 오바마의 아프리카 방문의 목표가 어떠한 이상주의에서 출발한 게 아니라는 뜻이다. 그는 의원으로 선출되기도 전에 이미 의원이 되면 아프리카 대륙을 방문하겠다는 비전을 갖고 있었다. 게다가 2004년 선거운동 과정에서 오바마는 나와 나눈 대화를 통해 수단(Sudan)에서 발생한 다르푸르 내전의 잔인성을 깊이 우려했었다. 그 대화에서 오바마는 다르푸르 내전에 대한 특별한 해결책을 제시하는 것을 주저했지만, 그는 아프리카 사람들의 분쟁이 미국의 해외정책에서 큰 관심을 받을 가치가 있다고 믿었다. 그래서 그는 2004년 7월 민주당 전당대회에서 원탁에 둘러앉은 기자들에게 자신이 선출되면 중동과 아프리카를 반드시 방문하고 싶다고 말했다. 또한 의원으로서, 오바마는 콩고 공화국(Republic of Congo)에 대한 원조를 늘리는 내용이 포함된 2006년 대 이라크 지출에 대한 개정안을 성공적으로 통과시켰다. 이것은 소수당의 새 의원으로서 이룩한 몇 안 되는 입법 성과 가운데 하나였다.

임기 중 첫 두 해 동안의 활동계획을 세우면서, 오바마와 참모들은 아프리카 방문을 변할 수 없는 확고한 계획으로 간주했다. 오바마가 임기를 시작한 겨우 몇 달 후인 2005년 3월, 깁스는 2007~2008년 전국 선거철의 그 방문 계획은 '최고로 인간적인' 대중적 이미지를 선물해 줄 것으로 오바마에게 보고했다고 말했다. 깁스는 오바마가 대통령 출마를 준비해야 한다는 뜻인지 아니면 2008년 민주당 지명자가 누가 되든 그를 위한 부통령 선택 가능성이 있다는 뜻인지에 대하여 명확히 설명하지는 않았다. 깁스가 자세히 이야기하지 않은 이유는 2005년 초반에는 의원으로서 오바마의 정치적 행운이 얼마나 오래갈 것인지 미지수였고, 오바마, 깁스 그리고 다른 참모들에 해당되는 이야기였지만, 그 당시에 벌써 2008년 대통령에 대한 야망을 갖는다는 것은 오만해 보일 수도 있었기 때문이었다. 게다가 만약 대통령 출마가 그의 최종 희망이라면, 오바마의 유명세가 2008년 백악관으로 가는 정치적 경쟁력을 가질 수 있을 정도로 충분히 강한지 측정할 방법이 없었다. 그러나 오바마의 참모들은 그의 전국적 명성을 빨리 넓히고 강화하기 위한 대담한 방법을 계획했고, 사건들이 발생할 때마다 그의 정치 경력을 위한 중대한 결정을 했으며, 그들이 세운 '계획'을 실행하고 결과를 얻기 위해 노력했다.

집스는 2005년 3월 시카고의 한 식당에서 아침식사를 하면서 나에게 "케냐는 언론들과 사람들로 인해 정말 혼잡해질 것이다. 모든 것들은 광란에 빠질 것이다."라고 말했는데, 그때는 이 방문이 있기 1년 반 전이었다. 여느 때처럼, 그의 직관은 정말 빨랐다. 15일 동안 5개국을 방문하는 일정이 세워졌는데, 대부분의 시간을 남아공과 케냐에서 보내기로 되어 있었다. 오바마는 케냐와 콩고를 방문하고, 이어서 오바마는 한 달 동안 수천 명이 죽고 수백만 명의 피난민이 발생한 유혈 충돌의 장소, 다르푸르 지역과 콩고, 지부티(Djibouti)를 간단히 방문하기로 했다. 오바마 아버지의 고향인 케냐는 물질적으로나 정서적으로 CODEL의 중심지였다.

오바마가 연방의원으로 선출된 이후, 케냐 사람들은 오바마를 그들 민족으로 인정했고, 미국 정계에서 급격하게 상승한 그는 동아프리카 국가, 특히 아버지의 출생 부족인 루오에서는 살아있는 전설이 되었다. 2004년 전당대회 연설 이후, 케냐 시장에는 오바마의 이름을 딴 맥주가 시판되었고, 케냐 시골의 한 학교는 그를 기리기 위해 학교 이름을 오바마라고 정했으며, 케냐 국립극장에서는 2006년 초반부터 《내 아버지로부터의 꿈》이라는 오바마의 회고록을 바탕으로 한 연극을 무대에 올렸다. 그리하여 오바마의 참모들은 그가 케냐에 도착하는 즉시 열광적인 군중들이 구름같이 모여들 것이라고 기대했으며, 그 기대는 어긋나지 않았다.

아프리카로 가는 도중, 나는 암스테르담의 한 공항에서 오바마와 우연히 만났다. 그는 워싱턴에서, 나는 시카고에서 남아공으로 가기 위해 환승 비행기를 타려고 잠시 공항에서 쉬고 있는 중이었다. 그는 신분을 감춰 주는 전형적인 '유니폼'을 입고 있었는데, 밝은 회색의 합성섬유로 된 재킷을 입고 시카고 화이트 삭스(White Sox) 야구 모자를 눈 위까지 눌러써서 아주 평범한 사람처럼 보였다. 인사를 주고받은 후 나는 다음 2주 동안 서로 매일 봐야 했으므로 그와 오래 이야기하지 않으려고 노력했다. 그 대신 나는 거의 대부분 비디오 장비를 맨 열두 명 정도의 기자들이 출구에서 비행기를 타기 위해 그를 기다리는 것을 발견하고는, 그에게 거리를 두는 선거운동 자세로 돌아갔다. 대중매체의 광란이 발생하기 직전이었다. 다음 2주 동안, 오바마의 모든 말과 행동들은 비디오나 오디오로 잡힐 것이 분명했다.

오바마의 아프리카 모험은 아프리카 대륙의 가장 남쪽 끝에 위치한 아름다운 도시인 케이프타운에서 시작되었다. 그는 첫날 아침을 다소 짜증스럽게 시작했다. 우리는 케이프타운 항구의 길게 뻗은 쇼핑몰에 자리 잡은 테이블 베이(Table Bay) 호텔에 묵고 있었는데, 그 호텔은 현대적이고 고급스러운 시설을 갖추고 있었다. 거기서 한 대사관 직원이 그에게 인사를 하며 일부 기자들과 다른 CODEL 회원들과 그 전날 밤에 야경을 보러 나갔다 왔느냐고 묻자, 오바마는 피곤한 모습을 하고 까칠한 목소리로 "난 이런 20대, 30대 젊은이들과 어울리지 않는다."며 짤막하게 대답했다. 그 당시 오바마는 그의 두 번째 책인 《담대한 희망》을 완성했다.

그러나 그는 1년 동안 집필을 하느라 늦은 밤까지 잠을 못자고, 낮엔 의원으로서 일을 하며, 남편, 아버지로서 가족과 주말을 보내면서 체력적으로 많이 약해졌다. 마치 끝나지 않을 것 같은 장시간의 비행 후에 (실제로 22시간) 머나먼 나라의 한 호텔에서 하룻밤을 보낸 후, 오바마는 평상적으로 아침에 생기는 짜증을 억누르려고 노력했다. 어떠한 경우에도 오바마는 술을 마시지 않았으며 여행 중 호텔 로비에서 맥주 한 잔도 하지 않았다. 하루가 끝나면, 그는 호텔방으로 사라져 스포츠 채널을 보거나 다음날 읽을 연설문을 살펴보았다.

그날 아침 일행 중의 기자들과 비디오 촬영기사들을 도와줄 사람들이 부족했다. 미국에 본부를 둔 기자단은 열두 명이나 되었는데, 몇 명의 잡지사 기자들과, 두 명의 다큐멘터리 영화제작자,《시카고 트리뷴》과《시카고 선 타임스》의 기자들 그리고 세인트루이스에 있는《포스트 디스패치 Post-Dispatch》기자들로 구성되어 있었다. 이들은 호기심과 취재 의욕이 많은 어린 사람들이었지만, 행사 일정표조차 얻기 어려웠다. 몇 명의 기자들이 이러한 상황에 대하여 공개적으로 불평했지만, 깁스는 이들을 만족시킬 방법이 없었다. 그는 그 방문이 있기 전날 밤, 의원 윤리담당자로부터 CODEL에 오직 두 명의 의원 담당 직원만 대동할 수 있다고 통보받았는데, 그 두 사람은 자신과 오바마의 해외정책 조언자인 마크 리퍼트(Mark Lippert)였다. 미리 계획할 수 없는 점 때문에 깁스를 포함한 모든 관계자들은 곧 안달이 났다.

그러나 이것은 오바마가 워싱턴에서 실제적 힘이 없다는 현실의 한 단면이었다. 민주당은 소수당인데다가 오바마는 초선이었으므로, 그의 방문이 기존의 다른 여행과 다르며, 그가 더 많은 직원들, 특히 매체를 관리하는 직원이 추가로 더 필요하다고, 공화당 정부를 설득할 영향력이 없었다. 액슬로드는 선거운동 자금으로 일을 도와줄 전문적인 대외 홍보 기업과 계약을 맺자고 제안했다. 그 방문에 동행하지 않은 액슬로드는 "그러나 변호사들이 그것을 허락하지 않을 것이다."라고 불평했다. 결국 깁스는 기자단에게 알아서 취재하라고 말했다.

그날의 첫 번째 행사는 가장 중요한 행사로 넬슨 만델라(Nelson Mandela)가 27년의 감옥생활 중 18년을 지낸 로벤(Robben) 섬에 가는 일정이었다. 이 날은 상징적인 날로, 만델라가 남아공의 악의적인 인종차별과 부당함에 대항해 싸우다가 투옥당하고 결국 승리로 이끈 지역을, 미국의 흑인 정치인이 방문하려는 순간이었다. 만약 오바마에게 운이 있다면, 이러한 이야기는 전 세계의 주요 방송망과 주요 언론사에 전해질 것이다. 이제까지 그의 의원생활에서, 오바마는 행운이 없었던 적이 없었다. 배가 케이프타운 항구로부터 멀어져 가자, 오바마는 그날의 여행 안내자인 아메드 카스라다(Ahmed Kathrada) 옆의 자리에 앉았다. 아메드 카스라다는 아파르트헤이트(Apartheid, 남아공의 인종차별정책) 시기에 아프리카 국민회의파(African National Congress) 지도자로 그의 친구인 만델라와 같은 시기에 나란히 로벤 섬에서 18년간 감옥살이를 했다. 카스라다의 외모는 저항운동가 이미지였는데 젊은 나이와는 달리 늙어 보였다. 그는 약간 키가 크고, 안경을 꼈으며, 하얀색의 나이키 운동화를 신고 자주색의 양털 재킷을 입고 있어서, 퇴임한 반 인종차별주의자라기보다는, 순진한 관광객처럼 보였다.

　아침 해가 낮은 곳에서 황금빛을 발하며 카스라다와 오바마를 비췄다. 사진기자들은 쉼 없이 그들을 찍느라 여념이 없었고 다큐멘터리 영화 제작자들도 분주히 움직였다. 카스라다가 오바마에게 감옥소에 대한 역사적 개요를 말하고 있을 때, 그들 머리 위 공중에서 털이 달린 기다란 막대 마이크가 맴돌았다. 오바마는 그 큰 마이크를 보고 처음에는 경계의 눈빛을 보였으나 곧 카스라다의 설명에 귀를 기울였다. 그 섬을 돌아본 또 다른 유명 관광객으로는 빌 클린턴과 오프라 윈프리가 있었다. 카스라다는 교도관들이 거의 1만 5,000명 정도 되는 죄수들을 사회적으로 완전히 격리하고 있어서 미국인이 달에 착륙했다는 것을 말해도 몰랐을 것이라고 오바마에게 말했다. 그 죄수들은 6개월마다 한 번씩 오직 500자 분량의 편지를 밖으로 내보낼 수 있었다. 오바마는 또한 교도소에서는 계급제도가 사람들의 피부 색깔에 의해 정해진다는 것을 알았다. 카스라다와 같이 동양계 피가 섞인 밝은 피부를 가진 죄수들은 '아시아인'이라고 불렸는데, 그들은 검은 피부를 가진 아프리카 흑인들보다는 약간 나은 취급을 받았다.

배가 정박하자, 오바마와 카스라다는 언론단과 기타 관계 당국자들과 함께 45미터 정도 떨어진 아무도 살지 않는 교도소로 향했다. 얼룩한 점 없이 깨끗한 그 시설은 전에 있던 죄수들이 그 섬에서 채석한 회색 돌로 지었는데, 지금은 약간 개조해서 박물관같이 보였다. 두 사람은 좁은 복도를 걸어 내려가서 만델라가 살던 비좁은 독방에 다다랐다. 사진사들과 기자들은 오바마가 무슨 말을 하는지 긴장한 채, 안에서 일어나는 순간을 취재하기 위하여 문밖에서 서로 밀고 당기면서 독방 안에 들어간 오바마를 연신 찍어댔다. 그들 중 극적인 장면을 잘 찍는《시카고 트리뷴》의 사진기자인 피트 소우자(Pete Souza)는 그 무리에서 살짝 빠져 나와 교도소 뜰로 갔고, 그곳에서 만델라가 사용했던 독방의 쇠창살 창문 바로 앞에 놓여 있던 회색 나무 의자 위로 올라갔다. 소우자는 나중에 설명하기를 그 교도소를 방문한 클린턴이 쇠창살 밖의 좋은 위치에서 찍힌 유명한 사진을 기억해 냈고, 오바마를 그런 이미지로 찍는 것이 제격이라고 생각했다고 말했다.

몇 명의 다른 기자들이 소우자의 행방을 찾아 좋은 사진을 찍기 위해 그를 쫓아 다녔다. 그 독방 안에 있던 한 사진기자가 그 클린턴의 사진을 오바마에게 언급하자, 그는 "아, 정말이요?"라고 대답했다. 카스라다와 이야기하며, 오바마는 이미 그가 가진 역사를 확실히 알게 되었고, 그때 갑자기 그 앞에 놓인 역사상 중요한 보도 기회를 포착했다. 소우자가 창문을 통해 그를 찍고 있었고, 오바마는 어깨를 쭉 피고 턱을 앞으로 내밀고 심각한 표정을 지었다. 그 다음날 뉴스 통신사를 통해 온 세계로 퍼진 《시카고 트리뷴》에 실린 소우자의 사진은 쇠창살 뒤의 창문을 통해 밖을 쳐다보고 있는 수심이 가득 찬 오바마의 모습이었다. 일부 다른 사진기자들도 비슷한 매력적인 이미지를 기록했다. 비록 오바마는 그런 심각한 모습으로 몇 시간 더 공개석상에 모습을 드러냈지만, 그것으로 그는 그날 하루의 임무를 마쳤다.

케이프타운에서 그는 두 번째 날 역시 능숙한 정치적 장면을 연출했는데, 그것은 과장되지 않고 더욱 사색적으로 보였다. 그는 주로 에이즈(AIDS) 감염 환자를 치료하는 지역의료센터를 방문하여 에이즈 활동가와 솔직한 대화를 나누었고 세계적으로 칭송받는 인물인 노벨 평화상 수상자 데스몬드 투투(Desmond Tutu)와 개인적인 시간을 가졌다. 2006년, 남아공은 세계에서 가장 심각한 에이즈 바이러스로 몸살을 앓았는데, 유엔에 따르면 그 나라에서 5명 중 1명인 약 500만 명이 그 바이러스에 감염되었다고 했다. 남아공의 지도자들은 과학적 증거에 반대되는 믿을 수 없는 발언을 하여 그 병이 더 퍼지게 조장하였고 그로 인해 그들은 엄청난 비난을 받았다. 예를 들어 남아공의 전직 부통령은 최근 그가 에이즈로 고통 받는 한 여성과 무방비로 성관계를 맺었다고 시인했고, 그는 엉뚱하게도 곧바로 샤워를 하면 감염의 위험을 줄일 수 있다고 주장했다.

그 의료센터는 카엘리챠(Khayelitsha)에 위치해 있었는데, 그곳은 현대화된 케이프타운과는 대조적으로 양철지붕의 오두막집들이 달동네처럼 황량하게 끝없이 펼쳐진 가난한 도시였다. 그 의료센터 밖에서, 오바마는 남아공 에이즈 위기와 그것을 어떻게 진정시킬 것인지에 대해 기자회견을 했다. 오바마는 남아공 대통령인 타보 음베키(Thabo Mbeki)와 회담을 하고자 했는데, 그 대통령은 남아공에서 에이즈의 치명적 영향에 대해 무관심한 정치인 중 한 사람이었다. 음베키는 공개적으로 HIV 감염이 에이즈로 이어지는지 아닌지를 의심했는데, 이것은 과학적 사실로 이미 온 세상 사람들이 알고 있는 것이었다. 여기서 오바마는 진퇴양난에 빠졌다. 에이즈에 대해 정부를 비난하면서도 음베키와의 면담 취소 위험을 없애는 발언 수위에 관한 고민이었다.

오바마는 당당하게 맞서는 쪽을 택했다. 그는 그 행정부가 에이즈 위기를 '부인' 했다고 비난하고, 그 질병의 확산에 대하여 "긴급히 알리고 의료진은 진실을 밝히라."고 주장했다. 그는 "이것은 서양 과학의 문제 대 아프리카 과학의 문제가 아니다. 그것은 그냥 과학이며 그들이 하는 일은 옳지 않다."고 말했다. 그런 다음, 그는 "오바마가 케냐에 도착하자마자 에이즈 질병 뒤의 아프리카 사람들 사이에서의 치욕을 없애고자 에이즈 테스트를 받을 것이다."라는 소문을 수그러지게 했다. 아프리카에서 에이즈는 주로 이성애자 사이에서 퍼졌는데, 아직도 대부분의 아프리카 사람들은 테스트를 받는 것보다 죽는 것을 택했다. 이러한 논쟁의 여지가 있는 발언 때문에, 에이즈 위기를 역설하고 설득하기 위한 음베키와의 회담이 불투명하게 보였다. 그러나 그날 아침 그가 한 연설은 하루에 남아프리카 공화국에서 수백 명의 목숨을 앗아가는 에이즈 위기에 대해 단호한 메시지를 담고 있었다. 세계 지도자 중 어느 누구도 남아공 정부의 에이즈 위기에 대한 처신을 이렇게 열심히 솔직하게 말한 사람이 없었다. 남아공의 가장 주목받는 에이즈 행동주의자인 재키 아흐매트(Zackie Achmat)는 "그것은 정치 지도자들에게 보내는 메시지로 HIV에 대한 자료를 공개할 수 있는 길을 열어주었다. 우리는 다른 모든 정치인들도 오바마처럼 정직했으면 한다."고 말했다.

그날 오후 데스몬드 투투와 가진 면담은 소박한 자리였다. 그 면담은 노란 벽돌의 상업 건물들 사이의 다소 단조롭게 지어진 2층 건물 안에 있는 투투의 사무실에서 열렸는데, 그 건물들은 마치 미국 중부의 시골에 있는 특징 없는 복합 상업 지구 안에 들어앉아 있는 것 같이 보였다. 투투는 회색 카디건(cardigan)과 회색 바지를 입고 있었다. 기자들 앞에서 간단히 포즈를 취한 다음, 그는 그 유명한 손님에 대해 아낌없는 찬사를 보냈다. 그는 오바마에게 "당신은 신뢰할 수 있는 대통령 후보자가 될 것이다."라고 말했고, 오바마는 자신의 장래에 대해 덕담을 해주는 이 세계적으로 유명한 인사에 대해 전혀 당황하는 기색 없이 "그게 전부입니까?"라고 대답했다. 투투는 농담으로 "내가 젊은 백인 의원한테도 이와 같이 잘 대해 줄 수 있을지 모르겠다."고 말했다. 오바마와 함께 웃으며, 투투는 "당신이 흑인이라 너무 기쁘다."고 덧붙였다.

한편 오바마는 그날 저녁 케이프타운으로 돌아와서 진보주의 두뇌집단이 모은 청중 앞에서 43분 정도 논란의 여지가 없는 완벽한 연설을 했다. 깁스는 기자들에게 그 연설의 복사본을 나눠 주었지만, 역시나 오바마는 거의 준비된 발언을 비껴 나갔다. 깁스는 "그는 처음 열 단어는 그대로 말했다."라며 눈을 흘겼다.

'보편적 안전을 통한 보편적 인간성'이라는 제목의 이 연설에서, 오바마는 친근한 주제인 상호 연결된 인간애를 강조했다. 그러나 여기 남아공에서 그가 말한 보편적 결속은 단지 좋은 마음을 가진 미국인 사이에서의 결속이 아니라 국경을 초월한 선의의 사람들 사이에서의 결속을 말하는 것이었다. 그는 남아공에서 반 인종차별 운동에 대하여 마하트마 간디와 마틴 루터 킹의 영향을 언급했고, 차례로 그 운동이 1970년대와 1980년대 미국에서 어떤 실천주의 움직임을 일으켰는지를 설명했다. 에이즈, 핵무기 확산, 테러 행위 그리고 환경 파괴 등과 같은 현대적 위협에 대하여 사람들은 전 세계적으로 단결해야 하며 분열되어서는 안 된다고 말했다. 그는 어떻게 그런 일들이 일어날 수 있는지 자세한 예를 들고, 미국의 지도적 역할 아래, 국가간 협조를 이끌어내는

'최우선적 전략'이 있음을 주장했다. 그는 또한 미국과 남아공이 협력하여 빈곤한 나라를 돕고 '활기찬 문명 사회'를 이루자고 제안했다. 오바마는 그날 두 번째 연설을 하며 그의 아프리카 방문이 그곳에서 인간애를 점점 발전시키는 살아있는 증거가 된 것을 느꼈다. 연설을 마치며 오바마는 자신이 가장 좋아하는 킹 목사의 '사회 정의로 점차 나아가는 도덕 세계'에 대한 구절을 인용했다.

오바마는 여전히 너무 피곤했으므로, 잘 쓰인 원고를 천천히 담담하게 읽어 나갔다. 한 잡지사 기자는 나에게 그 전에도 이렇게 피곤해 보이는 오바마를 본 적이 있느냐고 물었고, 오바마가 한 졸업식에서 연설할 때 잠이 너무 부족해서 무대에서 다리에 힘이 풀렸던 적이 있었던 것을 생각해 내고는, 본 적이 있다고 대답했다. 그러나 언제나 그랬듯이, 그는 준비된 연설을 마치고 청중들로부터 질문을 받을 때 다시 활력에 찼다. 마지막으로, 청중들, 특히 오바마의 이름을 들어 보지도 못했던 많은 사람들은 마음으로부터 우러나는 박수를 그에게 보냈다. 내가 인터뷰했던 몇 명의 참석자들은 모두 오바마의 희망찬 메시지에 완전 동의했고, 그 중 한 명은 기존의 정치적 이론과도 잘 맞는다고 지적했다. 퇴직한 대학 교수인 데이비드 휠러(David Wheeler)는 "그 연설은 매우 흥미로웠고, 그는 매우 분별력 있고 빈틈없는 사람이다. 나는 그가 매우 훌륭한 외교관이나 능력 있는 정치인이 될 것이라고 확신한다. 그는 미국을 전 세계에 도움에 되는 국가로 받아들여지게 했다."고 말했다. 또한 오바마가 제시하고 있는 메시지 중, 아프리카 뿌리를 가진 미국 출신 흑인 정치가가 전 세계를 유익하게 할 것이라는 것을 주목할 필요가 있었다.

세 번째 날이 되면서 기자들도 지치기 시작했고 그 기자단에서 가장 인내심이 있다는 사람도 신경질적이 되었다. 전날 밤 오바마가 연설을 끝내자마자, 우리는 케이프타운을 떠나 차로 두 시간 거리에 있는 프리토리아(Pretoria; 남아공 행정수도)로 갔다. 그 다음날 아침, 밤새 짧은 휴식을 마치고, 기자들은 영문도 모른 채 그날의 행사를 위해 모였다. 다음날 일어날 일을 미리 준비할 수 있길 원하던 일부 기자들을 화가 났다. 기자들이 불평을 하자, 한 직원이 나타나 우리에게 오바마는 그 날 공개적 행사 계획이 없다고 알려주었다.

깁스는 나에게 우리가 떠나기 전 이미 다음날은 휴식을 취할 것이라고 말해 주었기 때문에 나는 그 말에 화도 나지 않았고 놀라지도 않았다. 그러나 그것은 다른 사람들에게는 그렇지 않았다. 특히 그 대사관 직원의 말은 일부 신문기자들을 동요시켰는데, 대부분의 신문사 편집인들은 기사가 들어오기를 기대하고 있었기 때문이었다. 도대체 오늘은 무슨 기삿거리를 보고한단 말인가?

깁스와 부실한 준비 상황에 대한 기자들의 인내심은 한계에 다다랐다. 그러나 깁스는 기자단의 이런 분위기를 깨닫지 못했고 그 대사관 직원에게 기자단을 대하게끔 하였다. 한 다큐멘터리 영화 제작자는 깁스에 대하여 "그는 정말 멍청한 사람이다."라고 말하기까지 했다.(다큐멘터리 영화 제작자 중 한 사람은 액슬로드가 고용했고 다른 사람은 할리우드 배우인 에드워드 노턴Edward Norton의 영화사와 계약을 맺은 사람이었다.) 정확한 계획이 없는 것은 물론이고, 개인적으로 오바마를 만날 기회도 없었다. 다큐멘터리 제작자에겐 계획되지 않은 주인공의 부재 상황은 정말 초조한 순간이다.

그러나 나는 의원 선거운동 2년 전에 이미 오바마가 극도로 개인적 시간을 중요하게 생각한다는 것을 알았다. 거기엔 무슨 꿀단지라도 있단 말인가? 그리고 그가 이렇게 피곤한 상태에 있을 때는, 분명히 그의 호텔방이나 차 안에 어떤 카메라도 들이지 않을 것이며, 옆에 앉아 그의 개인적 감정을 살피는 기자들도 절대 용납하지 않을 것이 분명했다. 오바마와의 오랜 친분으로 나는 그에게 직접 접근할 수 있는 기회를 가질 수도 있었지만, 깁스가 선거운동에 끼어들면서부터 언론 활동에 대한 엄격한 통제가 이루어졌고, 나는 의원 선거운동 초반과 비교해 볼 때 오바마에 대한 나의 접근이 아주 제한되었다는 것을 깨닫게 되었다. 나는 깁스를 아무리 압박해도 소용이 없다는 것을 알았다. 실제로 선거운동 자료로 쓰기 위해 영상물을 만들도록 오바마 언론팀에 고용된 다큐멘터리 제작자들조차도 개인적으로 오바마를 만날 수 없는 것에 대해 화가 났다.

운 좋게 신문기자들은 그날 곧바로 어떤 뉴스거리들을 찾았는데, 어느 것도 오바마한테 좋은 것이 없었다. 실제, 오바마는 음베키 대통령이 자신을 만나지 않을 것임을 알았다. 이란 대표단이 자기 나라의 우라늄 농축 프로그램을 진행시키는 정상회담을 하기 위해 요하네스버그에 왔다는 것이 공식 이유였다. 미국 대사관 직원은 "음베키 대통령이 이란 대표단이 찾아 왔는데 오바마와 회담을 하는 것은 적절치 않아 보일 것이다."라고 말했다. 오바마는 나중에 에이즈 위기에 대하여 남아공 정부를 강력히 비난한 것 때문에 이런 결과가 온 것이 아닌지 의심했다. 두 번째 나쁜 소식은 대통령 결선 투표를 둘러싼 폭력 사건 때문에 콩고 방문을 취소하라는 권고를 받은 것이다. 연속적으로 일어난 이러한 일들은 비록 이번 방문에 대한 언론의 찬양에도 불구하고, 오바마는 실제로 세계 정책에 영향을 끼칠 힘이 없는 정치인이라는 것을 의미했다. 비록 그가 미국의 진보주의자들이 우상화하는 의원이었고 언론들은 성자처럼 대했지만, 그는 세계 무대에서는 중요한 선수가 아니었다. 최소한 아직은 아니었다.

하루 종일 오바마를 보지 못한 굶주린 미국 기자들을 달래기 위해, 깁스는 초저녁에 프리토리아 호텔에서 기자회견을 열어 오바마를 만날 기회를 만들어 주었다. 오바마는 검은 양복에 흰색 셔츠를 입고 도착했는데, 모여 있는 기자들이 편안한 옷차림을 한 것을 금방 눈치 챘다. 우리는 하루 종일 관광을 하러 다녔기 때문이었다. 기자들과 분위기를 맞추기 위하여, 그는 양복 윗도리를 벗어 옆에 있던 의자에 걸쳐 놓고 하얀 와이셔츠 차림을 했다. 그는 천천히 소매를 걷어 올려 더욱 캐주얼하게 보였다. 이번 방문에서 처음으로, 그는 싱싱하고 매우 활기차게 보였다. 분명히 오바마는 그날 달콤한 휴식을 취하고 간절히 원하던 체육관을 갔던 것이 분명했다. 나는 나중에 그가 운동을 한 후 곧바로 오랜 낮잠을 즐겼다는 것을 알았는데, 이 두 가지는 깁스가 기자들에게 가장 알리기 싫은 일이었다. 만일 기자들이 알면 다음날 신문 머리기사로 "오바마가 프리토리아에 도착해서 낮잠을 자고, 운동을 하다."라고 실릴 것이라고 상상했다.

오바마는 기사회견 동안 전체적으로 침착하고 유창하게 말하였다. 그럼에도 불구하고 워싱턴에서 그를 가장 공격적으로 다루었던 두 기자들이 질문할 때는 상당히 긴장했다. 그 두 명의 기자는《시카고 선 타임스》의 린 스위트(Lynn Sweet)와《시카고 트리뷴》의 제프 젤레니였다. 지독히 경쟁심이 심한 이 두 기자는 아프리카에 도착한 후 오바마의 아프리카 모험에 대하여 누가 더 재치 있는 기사를 본국으로 전송하는지 악착같이 시합을 했고, 둘 다 깁스를 속이고 기삿거리를 찾기 위해 혈안이 되어 있었다.

스위트는 깁스 앞에 성가시게 나타났고 젤레니는 저녁 늦게 술을 마시며 그와 어울렸다. 스위트는 한꺼번에 여러 목적의 취재 임무를 수행하며 끊임없이 어디로 튈지 모르는 인물이었다. 그녀는 일상적인 기사를 보고했을 뿐만 아니라, 《시카고 선 타임스》인터넷 홈페이지의 기자였으며 비디오와 사진을 본국으로 전송하는 일도 했다. 텔레비전 매체에서 훈련을 받지 않았기 때문에, 그녀는 해설을 곁들인 여행 영상 같은 느낌이 드는 영상물을 제작하여 발송했다. 게다가 그녀는 비디오 카메라를 떠받치는 불안정한 삼각대와 계속해서 씨름을 하여 보는 사람들을 즐겁게 했다. 30대 정도로 보이는 젤레니는 매일 기사를 작성하고 《시카고 트리뷴》인터넷 홈페이지를 위하여 잘 나온 비디오와 오디오를 골라 편집했다. 워싱턴의 전문 기자로 요구 방법이 다소 거친 스위트는 오바마의 인내심을 시험하였다. 오바마는 한때 그녀의 전화 인터뷰를 중간에 끊은 적이 있었다. 그리고 젤레니는 깁스에게 정보를 얻기 위해 압력을 가했는데, 언제든지 관련 질문이 떠오르면 오바마에 다가가기를 전혀 주저하지 않았다. 가끔 도도한 오바마는 젤레니의 직업적 열정에 대해 존경심을 느끼기도 했지만, 그는 개인적 시간을 갖는 것을 더 좋아했고 젤레니는 그것을 방해하는 것을 꺼리지 않았다. 이러한 긴장감 속에서 오바마의 아프리카 방문은 일반적으로 긍정적 평가를 받았고, 생중계되는 기삿거리로 채워진 두 신문사 홈페이지 댓글들은 오바마에 대한 평가가 주를 이루었다. 결국 젤레니와 스위트는 오바마에 대한 언론의 아첨꾼이었다.

　기자회견에서 오바마는 해외를 방문하는 동안, 미국을 너무 가혹하게 비난하지 않으려고 조심해 왔다고 말했다. 그러나 그는 남아공에서 "나라 밖에서는 미국에 대한 부정적 인상이 있는데, 앞으로 해결해야 할 것이다."라고 말했다. 그는 이라크를 침공한 결정에 미국은 책임을 져야 한다고 말했다. 그는 "그런 부정적인 인상은 우리가 한쪽으로 치우쳐 행동하고 있을 뿐만 아니라, 근본적으로 우리는 우리의 관심과 우려, 그리고 견해만이 오로지 중요하다고 생각한다는 것이다. 여러분들은 미국이 다른 국가들과 협력하지 않고 해외 정책을 명령하고 지시한다는 토론을 많이 접했다. 그래서 우리가 가지고 있는 합법성을 회복하기 위해서 다가오는 해에는 많은 노력을 기울여야 한다고 생각한다."고 말했다.

그는 또한 케냐 친척을 방문할 때 기자단들이 따라가는 것에 대하여 어떻게 느끼는지에 대한 질문에 대답했다. 그는 《내 아버지로부터의 꿈》이란 회고록을 집필하기 위해 조사 차원에서 14년 전에 케냐를 방문한 적이 있었는데, 그때는 혼자였다. 그러나 지금은 아니다. 그는 "나는 미국 의원으로서 거길 갈 것이다. 그러나 그 방문으로 친척들과 다시 연결되고 그 지역 사람들이 무엇을 원하는지 알아내고 어떤 일이 벌어지고 있는지 알게 될 것이다. 나의 예상은 내가 그들이 추구하는 계획과 생각들에 대해 미래에 도움을 줄 수 있다는 것이다. 그러나 무슨 일이 일어나더라도, 미국의 삶과 케냐의 삶에는 엄청난 차이가 있기 때문에 어느 정도의 불편함은 항상 있을 것이다."라며 질문의 요지를 살짝 비켜갔다. 오바마는 또한 그의 방문이 일부 케냐 정치인들, 특히 아버지가 살았던 루오 부족에 의해 정치적으로 이용되지 않을까 우려한다고 말했다. 나중에 드러난 대로, 이것은 정확한 예측이었다.

아프리카에서의 네 번째 날은 바쁘게 돌아갔다. 우리는 1976년 소웨토 반란으로 국제적 관심을 끌었던 요하네스버그 근교의 소웨토로 갔는데, 그곳은 영어 대신 아프리칸스(Afrikanns; 네덜란드어에 뿌리를 둔 남아공의 공용어)로 흑인 학생들을 교육시키라는 백인정부의 결정에 반대하여 저항운동이 일어난 곳이었다. 소웨토는 지금 흑인 중산층이 많이 사는 도시였고 저항운동과 저항운동의 희생자를 기리기 위해 많은 집들과 박물관이 들어섰다. 유명한 희생자 중 하나는 경찰이 시위하는 학생들에게 발포할 때 사망한 열세 살 난 헥터 피터슨(Hector Pieterson)이라는 소년이었다. 오바마의 안내자로 헥터의 누이 앙투아네트 (Antoinette)와 함께 한 오바마는 피터슨 박물관을 구경했는데, 그 박물 관은 대체로 그 지역에서는 무시되었지만 수많은 여행객의 발길을 끌 었다. 그 박물관을 후원하던 몇 명의 미국인 관광객들이 오바마를 알아 보고 악수를 청하며 사인을 요청했다. 반면 그 박물관의 직원들은 오바 마가 누군지 기자들에게 물어 보았다.

주위에 기자들이 맴도는 가운데, 앙투아네트는 박물관의 전시물을 따라 오바마와 함께 엄숙하게 걸었다. 그들은 반 인종차별 운동을 하는 만델라와 다른 인물들의 사진들을 응시했다. 그들이 그 중에서 가장 극 적인 순간에 이르자, 오바마는 정확히 어떻게 해야 하는지 알았다. 두 사람은 벽 크기로 인화된 상징적 사진 앞에 멈춰 섰다. 그 사진에는 앙 투아네트의 어린 남동생이 한 젊은이의 팔에 안겨 시위대를 이끄는 모 습이 담겨 있었다. 사진기자가 찍은 이 감동적인 사진은 전 세계에 공 개되어 국제 사회의 반 인종차별 움직임을 이끌어 냈다. 비록 이 사진 의 초점은 죽은 어린 10대였지만, 이 사진을 보는 사람들은 죽은 남동 생을 안고 있는 젊은이 옆을 따라 걷는 열일곱 살 난 앙투아네트에게 시선을 고정시키게 된다. 그녀는 망연자실하여 입을 크게 벌리고 오른 팔을 공중에 무기력하게 올렸다.

빌 클린턴의 "당신의 고통과 함께 한다."는 구절을 연상시키는 이 순 간, 오바마는 길고 가는 팔로 앙투아네트의 어깨를 감싸고 그의 마른 몸으로 그녀를 당겼다. 그의 허리에 팔을 두른 그녀는 더 힘껏 그를 당 겼다. 이 두 사람은 그들 뒤로 플래시 전구가 열광적으로 깜박거리는 커다란 사진 앞에 서서 한동안 움직이지 않았다. 《시카고 트리뷴》의 소 우자는 "그것은 정말 좋은 사진이었다. 정말 좋은 사진이었고 오바마도 그것을 알았다."고 말했다.

가느다란 비가 내리는 가운데, 밖에서 오바마는 학살당한 남동생을 기념하기 전 앙투아네트와 함께 서서 간단한 연설을 했다. 오바마는 가끔 미국의 인권운동 지도자들에게 경의를 표하는데, 그는 그들의 노력이 없었더라면 오늘날 자신의 성공은 없었을 것이라고 말했다. 여기 요하네스버그에서, 그는 같은 말을 했고, 그의 첫 번째 정치적 실천운동은 대학 때였는데, 그는 인종차별을 반대하고 남아공으로부터 온 미국 자금을 동결할 것을 주장했다고 설명했다. 그는 "만약 여기 몇 명의 행동주의자들이 없었다면, 나는 정치에 관여하지 않았을지도 모른다."고 말했다.

다음 도착지는 로자 파크스(Rosa Parks)에 헌정된 소웨토의 한 박물관이었다. 로자는 흑인 재봉사로 앨라배마 주 몽고메리(Montgomery)의 한 버스 안에서 백인에게 자리를 양보하라는 요구를 거절함으로써, 미국의 인권운동이 일어나게 한 장본인이었다. 오바마는 정말로 작은 도서관같이 생긴 그 박물관에서 호기심 많은 구경꾼들에게 우호의 악수를 했고, 1966년 6월, 남아공을 방문했을 때 찍은 로버트 F. 케네디의 흑백사진이 담긴 액자를 보았다. 남아공 흑인들의 물결 한가운데에서 차 지붕 위에 서 있는 케네디는 몸을 앞으로 기울여 열광하는 관중들에게 손을 뻗고 있었다. 앞으로 다가올 날에, 그것은 오바마가 해야 하는 일과 비슷한 장면이었다. 오직 그것은 그의 고향인 케냐에서 그럴 것이다. 여기 남아공에서 사람들은 그를 거의 알아보지 못했다. 그 사진을 보고, 오바마는 주체할 수가 없었다. 그는 그 사진을 훑어보고 입가에 조금 미소를 띠며 기자단에 있던 한 사람에게 "의회에 있는 내 책상은 로버트 케네디가 가지고 있던 것과 똑같다."고 말했다. 오바마가 비교를 이끌어 내려고 했는지 아닌지는 모르지만, 그런 의도가 느껴졌다.

제24장

나이로비

이곳은 그가 속한 곳이다. 그는 단지 (미국에) 일을 하러 거기 갔을
뿐이며, 그는 우리 민족이 되기 위해 돌아와야만 하며 돌아올 것이다.
- 한 케냐 여성

오바마는 다음날 나이로비에 있는 조모 케냐타(Jomo Kenyatta) 국제
공항에 도착하여 6일째 케냐 여행에 들어갔는데, 이는 정신 나갈 정도
의 강행군이었다.

남아공과 케냐의 문화적 차이는 뚜렷했다. 나이로비는 300만 명의
인구가 사는 도시이지만, 남아공으로부터 케냐의 국제공항에 도착했을
때 제일 먼저 눈에 들어오는 것은 백인들이 없다는 것이었다. 나처럼,
백인이 다가가면 수많은 케냐인들이 웃으면서 짐을 들어 주거나, 지리
를 가르쳐 주거나 혹은 택시를 불러 주는 등 도움을 주려고 즉시 적극
적으로 접근했다. 이러한 도움은 물론 금전적 대가를 바라고 하는 행동
이었다.

나이로비에서 느낀 또 다른 큰 차이점은 제복을 입은 경찰들이 도처
에 있다는 것인데, 그 경찰의 대부분은 공격용 소총을 메고 있었다. 분
위기는 서양과는 많이 달랐고, 케이프타운보다 더 가난했고 더 위험했
다. 나이로비는 케냐의 수도이고 동아프리카 모든 국가 중에서 문화,

상업, 정치적 중심지였지만, 너무 빨리 현대화되도록 압력을 받아왔다. 1960년대 케냐인들이 영국의 식민지로부터 독립을 한 후, 나이로비의 사회기반 시설은 넘쳐나게 되었고, 그 결과 일부 지역은 완전히 현대화되었으며, 서양의 기준으로 볼 때 중산층 혹은 더 나은 도시의 모습을 갖추게 되었다. 그러나 그곳을 조금만 벗어나면, 마실 수 있는 물도 없고, 실내에 배관과 전기시설도 없는 빈민가가 사방으로 뻗어 있었다. 길은 아무렇게나 구부러져 있었고, 교통신호는 길을 따라 질주하는 자동차에게 거의 도움이 되지 않았다. 포장된 인도는 거의 없었으며, 보행자들은 움직이는 차들과 너무나 가까운, 고르지 않은 빨간 진흙 길을 따라 걷고 있었다.

케냐는 민주주의 국가였지만, 여전히 철저히 부족 계급 제도로 운영되었다. 정치적 정당들은 다양한 민족의 부족으로 나뉘어 있었다. 이 부족들은 서로 심하게 경쟁하고 있었고, 그 결과로 정치적 전쟁은 경제와 지역 사회의 성장을 심하게 방해하고 있었다. 오바마의 아버지는 루오 부족으로부터 환영을 받았는데, 그 부족은 케냐 전체 인구의 13퍼센트를 차지하며 대부분 서쪽 지역에 살면서 대부분 농업에 종사하고 있었다.

공항에 도착한 후 몇 분도 안 되어 나는 어떤 범죄가 묵인되거나 권장되고 있는 장면을 보았다. 짐을 찾은 다음, 6일 후에 예정대로 출발할 수 있는지 확인하기 위해 비행기표 예약 장소로 갔다. 거기서 줄을 서서 기다리고 있을 때, 50대의 유럽 사람으로 보이는 두 명의 백인이 20대로 보이는 키가 크고 나긋나긋한 케냐 여성과 이야기를 나누는 것을 보았다. 그 남자들은 매력적인 그 젊은 여성의 엉덩이를 손으로 쥐고 허벅지를 위 아래로 더듬고는 적은 돈뭉치를 건네주었고, 그녀는 그 돈뭉치를 꽉 끼는 하얀 바지의 주머니에 쑤셔 넣었다. 그 남자들은 마치

짐승을 이리저리 훑어보고 있는 것같이 보였으나, 그녀는 전혀 불쾌해하지 않는 것처럼 보였고 나중에는 한 팔에 한 명씩 팔짱을 끼고는 어디론지 사라졌다. 확실히 이런 거래는 전 세계의 수많은 도시의 공항에서 일어날 수 있는 일이었지만, 내가 놀란 점은 그러한 일이 베레모를 쓰고 검정색 제복을 입고 손에 소총을 든 많은 경찰관들 몇 발자국 앞에서 벌어졌다는 것이었다.

오바마는 미국 정부 전용기를 타고 남아공에서 이곳으로 왔고, 행운인지 불행인지 모르겠지만, 그가 도착했을 때 이미 일부 우리 같은 기자들이 공항에 대기하고 있었다. 오바마의 직원은 그의 출입구를 비밀로 유지하길 원했지만, 케냐 정치인들은 그의 저녁 도착 시간을 기자들에게 알려주었다. 대부분의 미국 기자들은 소란이 없었으면 그가 오는 것을 알지 못했을 것이었다. 액슬로드의 촬영팀은 비디오 기계들이 보안대에서 통과되는 동안 짐이 나오는 출구에서 기다리고 있었다.

케냐의 부정부패에 대한 명성은 잘 알려져 있어서, 미국에서 다큐멘터리 촬영팀 책임자인 밥 허큘리스(Bob Hercules)는 케냐 중개인에게 이미 돈을 건네어 그들의 장비들이 세관을 잘 통과할 수 있도록 조치했다. 하지만 허큘리스는 곧 그 돈, 즉 뇌물이 그 장비가 안전하게 통과하는 데 아무런 도움이 되지 않았다는 것을 알게 되었다. (시카고의 또 다른 언론사 직원들도 장비들이 세관을 잘 통과하도록 뇌물을 주었는데, 합쳐서 그 뇌물은 미국 화폐로 1,800달러나 되었다.) 허큘리스와 그의 직원들이 그들의 장비를 건네받기 위하여 공항 직원들과 승강이하고 있을 때, 터미널 밖의 상황이 갑자기 변했다. 침묵이 저녁 어둠을 덮었고 100명의 사람들이 작은 그룹으로 나뉘어, 길을 따라 기자단이 있는 곳으로 모이기 시작했다. 그들은 이상할 정도로 조용했고, 거의 감정을 나타내지 않고, 모두가 24명의 안전요원들이 모여 있는 공항 앞의 건물을 응시하고 있었다. 나지막한 목소리로 한 사람이 "오바마가 왔다."고 말했다. 그렇다. 젊은 왕자가 아버지의 고향으로 돌아온 것이다.

잠시 후 깁스는 빌딩에서 튀어나와 재빨리 그 장면을 둘러보았고 다시 안으로 사라졌다. 그래서 나는 그 빌딩으로 향했는데, 그곳은 한 무리의 기자들과 경찰들이 모여 있었다. 나는 곧 백인이라는 것이 실제로 득이 될 수도 있다고 생각했는데, 백인이기 때문에 경찰들이 저지선을 친 그곳을 뚫고 나갈 수 있지 않을까 생각했다. 수첩과 카메라를 든 백인이 서양에서 온 뉴스기자라는 것은 자명하지 않은가. 실제로 경찰은 나를 통과시켜 주었고 또 한 명의 잡지사 기자가 언론에 대한 바리케이드를 넘었다. 깁스의 도움으로 우리는 그 건물 안의 많은 사람들을 통과하여 앞으로 나아갔다.

깁스는 나의 등위로 손을 얹고 오바마가 선별된 케냐 대중매체의 재빠른 사진 세례를 견디고 있던 작은 뒷방으로 밀어 넣었다. 그 자리에서 매체들의 충돌이 일어났고 초점을 맞추기가 힘들었다. 오바마는 케냐 외무장관이 "신문에 오바마에 대해 좋은 기사를 써달라."고 말하자 그제야 사진을 찍기 위해 자리에 앉았다. 깁스는 나중에 "버락은 그러지 않아도 된다고 말하고 싶지 않았다. 그래서 우리는 앉아서 사진을 찍었다. 앉는 것은 우리가 생각해낸 것이 아니었다."고 설명했다.

사진 세례는 2~3분 동안 계속되었다. 어떤 사람은 카메라를 갖고 있었고 어떤 사람은 그렇지 않았다. 그곳에서 구경꾼들과 기자들을 구별하기 힘들었고, 민간인들과 평범한 옷을 입은 직원들을 구별해 내기가 힘들었다. 적절한 자격이 없는 사람들은 그 방에서 물리적으로 쫓겨 나가야 했다. 나와 오바마가 데리고 온 몇 명의 다른 미국 기자들을 포함한 기자 신분을 가진 사람들만 그 방에 남게 허락되었다. 짙은 청색 양복과 밝은 파란색 셔츠를 입은 오바마는 케냐의 외무장관과 함께 의자에 앉아 있었다. 사방에서 돌아가는 카메라 앞에서, 오바마는 웃으며 편안해 보이려고 노력했지만, 나는 그의 굳은 턱을 보고 하와이 특유의 침착함을 잃고 있다는 것을 알 수 있었다. 깁스가 갑자기 카메라 세례를 끝내라고 말하자, 오바마는 모인 기자들에게 "이번 주말이 되면 내가 지켜워질 것이다."라고 말하며 긴장과 혼란스러움을 없애려 했다.

밖에는 또 다른 100여 명의 사람들이 다양한 터미널 건물로 이어지는 거리에 모여들었다. 그들은 야자수 아래, 도로변에 서 있었고 어떤 사람은 어린 딸을 어깨 위로 들어올렸다. 나는 그 건물로부터 나와 작은 길을 건너 오바마가 아버지의 고향에서, 미국 상원의원이 되어 처음으로 그리고 모습을 드러내는 것을 지켜보았다. 놀랍게도 그가 문을 통과하자, 그 군중들은 침묵에 가까운 반응을 보였다. 그들은 단순히 그냥 서 있었고 조용하고 공손하게 쳐다보았다. 옆에 정부 관리를 대동한 오바마는 빌딩 바로 옆에 주차하고 기다리고 있던 흰색 포드 익스플로러(Ford Explorer) SUV를 향해 재빨리 걸었다.

깁스는 그에게 쇼핑도 하지 말고, 질문도 받지 말며, 카메라나 모여든 군중들도 쳐다보지 말라고 일러두었다. 그러나 오바마는 그 차로 걸어가면서 사람들을 바라보지 않을 수 없었다. 오바마는 그를 둘러싼 군중을 무시하는 것은 무례하게 보일 수 있다고 생각하고 깁스의 조언을 포기하기로 했다. 게다가 능숙한 정치가로서, 그를 위하여 모인 관중을 의식하는 것은 오바마에겐 너무 당연한 일이었다. 마침내 한 사진기자가 그에게 "손을 흔들어요!" 하고 소리쳤다.

그래서 오바마는 굽은 팔을 들고 마치 자동차 앞유리에 왔다 갔다 하는 와이퍼처럼 뻣뻣하게 팔을 흔들었고, 그 모습은 마치 유명한 리처드 닉슨(Richard Nixon) 대통령이 임기를 마치고 여행을 하러 비행기에 올라타며 '안녕' 인사를 하는 모습같이 보였다. 그런 다음 오바마는 사진을 찍기 위해 억지로 미소를 짓고 그 포드 차량으로 들어갔다. 그 차가 대사관 직원과 경찰이 안내하는 열두 대의 차량호송단과 함께 속도를 내면서 사라지자 타이어 고무 타는 냄새가 났다. 그 장면은 한낱 외국 의원의 방문이라기보다는 국가원수의 방문에 더 잘 어울릴 법했다. 나는 깊은 한숨을 내쉬고 흥분을 가라앉혔다. 이곳에서는 분명히 남아공에서와 같은 한가한 분위기를 느끼지 못할 것이다. 남아공에서는 우리 일행들이 상대적으로 아무도 모르게 거리를 돌아다닐 수 있었고, 그곳에서의 행사들은 세심하게 계획된 듯 보였다.

오바마의 차는 차량 호송단의 안내로 빨리 호텔로 갔지만, 케냐 전역에 걸쳐 갈채를 받는 손님 덕분에, 교통 혼잡 시간대의 차량들은 대부분 꼼짝달싹하지 못하고 서 있었다. 나를 포함하여 기자단이 탄 버스는 몇 킬로미터 떨어지지 않은 곳에 있던 나이로비 세레나(Serena) 호텔에 도착하는 데 한 시간이 걸렸다. 모든 도로는 오바마의 자동차 행렬이 쉽게 빠져나갈 수 있도록 도심 전역에 걸쳐 통제되었고, 이로 인해 시내 교통이 마비되었다. 그날 저녁 호텔에서, 오바마가 첫 번째로 해야 할 일은 '시카고 텔레비전 방송국과 인터뷰'를 하는 것이었다. 시카고의 주요 방송국들은 각각 오바마의 케냐 방문을 취재하기 위해 기자들과 카메라 직원들을 파견했다. 《타임 Time》과 《뉴스위크 Newsweek》의 기자들을 포함한 국제 기자들이 속속 도착했다. 데이비드 액슬로드의 오랜 친구인 CBS 지부 시카고 채널 2의 마이크 플래너리가 오바마의 인터뷰 원고를 들고 찾아왔다. 플래너리와 오바마의 친분은 최소한 그의 의원 선거운동 시기에 시작되었는데, 그때 플래너리는 블래어 헐의 이혼 기록과 마약 복용을 취재하여 헐이 후보를 포기하는 데 큰 일조를 했다. 플래너리는 호텔 로비에서 깁스를 보자마자 "잘 있었나, 로버트?" 하고 물었고, 기자들에게 시달리던 깁스는 "마치 난 엉덩이차기

대회에 출전한 외다리를 가진 사람 같아."라고 대답했다.

혼란하고 복잡한 분위기를 정리하기 위하여 깁스는 호텔 지하에 있는 회의실에서 9시 15분쯤 간단한 기자회견을 열었다. 케냐의 주요 농산물 중 하나인 커피의 향긋한 내음이 호텔 식당가에서 풍겨져 나왔다. 기자들은 긴 탁자에 나란히 앉았고, 일부는 소파에, 일부는 의자에 자리를 잡았다. 깁스는 마침내 우리를 위하여 일정표를 미리 인쇄하여 나눠 주었다. 기자단에는 해외 통신사를 포함하여 여러 명의 새로운 얼굴이 눈에 띄었고, 나머지 대부분은 시카고 방송국들 직원이었다. 깁스는 열광적 분위기가 있을 것이라고 말했다. 그는 "여러분들이 공항에 있었는지 모르겠지만, 비록 광고하지 않아도 케냐 사람들은 열광하며 모여들 것이다."라고 말했다. 이후 일부 케냐 사람들은 그 이상의 모습을 보여 주었다. 깁스는 "오늘 우리는 예측할 수 없는 상황을 예측해야 한다. 지금부터 시작이다."라며 간단한 기자회견을 마쳤다.

케냐에 도착한 후, 오바마는 다음 날 아침부터 공식적 행사를 시작했고, 그 행사에서 많은 케냐 사람들은 그를 신처럼 떠받들었다. 전날 밤, 미셸과 두 딸이 합류하여, 가족들 모두 이튿날 아침 오바마 의원을 위한 환영식에 참석하기 위해 나이로비 국회의사당으로 갔다. 그 환영식은 국회의사당 야외에 마련된 텐트에서 거행되었다. 수많은 백인, 흑인, 대사관 직원들이 환영식을 위해 장식이 된 국회의사당 앞에서, 주황과 노란색의 티셔츠를 입고 오바마와 함께 섰다. 오바마의 방문을 위해 특별한 노래가 작곡되었고, 한 그룹의 케냐 사람들은 박수를 치고 손가락을 튕기며 그 가사에 맞춰 화음을 넣었다. "오바마가 케냐에 온 날은 축복받은 날이다."라는 가사였다. 오바마가 막 연설을 시작하려 할 때, 친근하지만 연설에 방해되는 목소리 때문에 연설을 멈추었다.

여덟 살 난 말리아가 오바마를 향해 "아빠, 아빠, 나 좀 보세요." 하고 소리쳤다.

모든 사람들은 오바마를 보고 너무나 기뻐했지만, 일리노이 출신의 언론기자인 크리스토퍼 윌스(Christopher Wills)는 특히 그러했다. 윌스는 오바마가 일리노이 주 의원으로 있을 때 그를 취재한 적이 있었는데, 그 당시는 오바마의 인기가 진보주의자들과 흑인들에게 한정되어 있던 시기였다. 그래서 뉴욕과 런던의 AP통신사 책임자들은 아프리카 파견단에서 윌스가 기자단의 간사 역할을 하는 데 어떤 반대도 하지 않았다. 윌스는 일리노이에 있는 편집인들에게 케냐에서 몇 가지의 뉴스거리를 보내 주겠다고 약속했다.

그러나 나이로비에 윌스가 도착했을 때, AP통신사의 분위기는 완전히 바뀌었다. 런던지부의 뉴스통신사는 마침내 세계적인 관심을 끄는 오바마의 방문을 취재하기 위해 대중매체들이 열띤 취재 경쟁을 한다는 것을 알아차렸고, 그 결과 AP통신사 나이로비 지국의 국장은 오바마의 모든 행동을 30분 간격으로 보고하라고 윌스에게 휴대전화를 걸어 윌스를 안절부절 못하게 만들었다. 이러한 예상치 못한 상황의 반전은 윌스가 적합한 여행비자를 받기 위해 미국에 있는 케냐 대사관에서 괴로운 경험을 한 후 발생했다. 오바마는 항상 그를 취재하는 기자들과 우호적인 관계를 유지하려고 조심했다. 그리고 기자들과 어느 정도의 안전거리를 두고 있을 때 행복해 했지만, 그 주위에 항상 좋은 기자들이 있는 것에 대해 늘 감사했다. 오바마가 기자단 사이에서 윌스를 발견하자, 그는 아는 척을 했다. 아니 조금 덜 냉소적으로 말하자면, 오바마는 아는 얼굴을 발견하고 그에게 말을 걸었다. 다른 수많은 훌륭한 정치인들이 그런 것처럼, 사람들은 오바마가 정치적으로 행동하는지 아니면 단순히 인간적으로 행동하는지 결코 완벽하게 구분하지 못했다. 둘 중 어떤 경우라도, 오바마는 왕같이 위엄 있는 기세로 케냐 정부 고위관리들이 함께한 자리에서 "크리스 윌스! 결국 해냈군. 비자를 받았네?"라고 소리쳤다. 약간 어리둥절한 윌스는 이런 예상치 못한 소리에 어떻게 반응해야 할지 몰라 하며 "네, 의원님. 감사합니다."라고 대답했다.

오바마는 그날 아침 국회의사당에서 케냐 대통령인 음와이 키바키 (Mwai Kibaki)를 포함한 정부 고위관리들을 만났다. 2002년 12월 선거에서 승리한 후, 키바키의 전국무지개연합(National Rainbow Coalition; NARC)은 2003년 정부를 장악하고, 케냐 아프리칸국민연합(Kenyan African National Union; KANU)의 거의 40년에 걸친 통치를 종식시켰다. KANU는 부패한 것으로 널리 알려졌고 땅을 사재기하고 자신의 부를 축적하기 위하여 국고를 쓴 혐의로 기소되었다. 키바키는 대통령이 되어 국가의 부패한 기관을 척결하고 경제를 활성화하겠다고 선언했다. 그러나 3년이 지나도, 부패는 여전히 만연했고 경제는 더욱 침체되었으며, NARC의 승리에 희망을 걸었던 케냐인들은 다시 케냐의 미래와 정부의 지도력에 대해 실망하였다. 숙련된 케냐 기자인 데니스 온양고 (Dennis Onyango)는 나에게 "사람들은 이 정부에 대해 거의 포기한 상태다. 그들은 그들이 원하는 것을 결코 이루지 못할 것이라고 느꼈다." 고 말했다.

키바키와의 회담에서 오바마는 깨끗한 정부의 중요성에 대해 말했다. 이 미국 의원은 만약 케냐 정부와 기업, 사회가 뇌물수수와 같은 부당 이득에 젖어 있다면 해외 국가들이 결코 투자하지 않을 것이라고 했다. 그는 부패가 여전히 만연되어 있다는 증거로 시카고 언론사 직원들이 케냐 공항에서 뇌물을 준 것을 언급하며, 뇌물수수는 일반 사회를 부식시키는 요소이며 케냐의 국제적 이미지에 부정적 영향을 줄 것이라고 말했다. 키바키는 그가 이러한 부정부패를 몰아내기 위해 노력하고 있으며 공항 뇌물을 철저히 조사하겠다고 말했다.

오바마의 다음 행보는 커다랗고 정교하게 만들어진 철문 뒤의 광장에 있는 한 식당에서 정부 관리들, 기업 경영자들과 회의를 하는 것이었다. 닫혀진 철문에 두 명의 경비원이 쉽게 눈에 띄었고 한적한 곳에 자리 잡은 식당을 볼 때, 이곳이 케냐 정치인들이 이용하는 고급 식당임을 알 수 있었다.

이곳에서 우리는 처음으로 케냐인들이 오바마에 대하여 느끼는 강렬한 감정을 목격했고, 우리가 느낀 이러한 감정은 다양한 기사들을 통해 미리 알 수 있었다. 이런 뉴스거리는 극단적이지는 않았다. 식당 밖에는, 미국의 영웅을 조금이라도 더 보려는 많은 노동자들이 그들의 일거리를 놓고 발코니 위나 출입구로 모여들었고 쇠로 만든 담장을 밀기도 했다. 오바마는 지역 관리들과 사적인 점심을 했고, 우리가 기다리는 동안, 기자들은 철문밖에 모여든 케냐인들과 인터뷰하려고 달려 나갔다.

어떤 사람들은 오바마를 세계에서 가장 영향력 있는 나라에서 대단한 힘을 갖고 성공한 그들 나라의 아들이라고 여겼다. 이런 생각 때문에 오바마는 케냐인들에게 그들의 아이들이 일상생활에서 인내를 갖고 성공할 수 있다는 희망을 주었다. 다른 사람들은 오바마를 온 세계가 케냐를 주시하게 만들어 줄 가장 강력한 정치인이라고 여겼다. 또 다른 사람들은 오바마를 약속의 땅 미국에서 케냐에게 부와 모든 좋은 것들을 주려고 온 신 또는 영묘한 인물이라고 여겼다. 마지막 사람은 오바마가 정말로 미국인이 아니라 케냐인이라고 믿었다.

캐서린 오간다(Catherine Oganda)라는 이름의 40대 여성은 오바마는 결국 케냐에 살기 위하여 미국을 떠날 것이라고 말했다. 그녀는 "이곳은 그가 속한 곳이다. 그는 단지 (미국에) 일하러 갔을 뿐이며, 그는 우리와 같은 민족이 되기 위해 고향으로 와야만 하며 꼭 올 것이다."라고 했다. 나는 그녀에게 왜 그렇게 믿느냐고 물었고, 그녀는 "왜냐하면 그의 아버지가 케냐인이기 때문이다. 알다시피 아버지가 오바마의 혈통이다. 혈통을 이루는 사람은 어머니가 아니라 아버지이다. 그래서 사람들은 아버지의 땅, 즉 아버지가 출생한 곳으로 속하게 된다. 케냐는 그의 혈통이다."라고 말을 이었다.

존 니얌발로(John Nyambalo)라는 50대 남자는 약간 다른 견해를 보였는데 다소 현실과는 거리가 먼 듯했다. 그는 오바마를 미국이 인종적 편협성을 극복한 살아있는 예라고 받아들였다. 그는 "미국인들이 오바마와 같은 사람을 의원으로 선출했다는 것은, 미국인들이 전 세계를 포용했다는 것이며 그들은 진정한 민주주의자들이라는 것을 의미한다. 미국에는 인종차별이 없다."라고 말했다.

점심식사 후, 우리 일행은 과거 미국 대사관이 있던 자리에 세워진 기념관으로 향했다. 이전의 미국 대사관은 1998년 차량 테러로 거의 250명의 사람이 죽었다. 나중에 2001년 9월 11일 미국을 습격한 이슬람 원리주의자들의 테러 운동과 연계된 폭력으로 미국과 케냐는 더욱 친밀한 관계를 맺게 되었다. 두 나라 모두 이러한 테러로 몸살을 앓았다. 수많은 사람들이 오바마를 기다리며 기념관 출입구에 서 있었고, 미셸과 두 딸도 그 중에 있었다. 오바마는 그곳으로 가는 도중 길게 늘어선 현지 대사관 직원들과 악수를 했고 미셸은 그 줄 거의 끝에서 그를 맞았다. 마지막 직원이 오바마에게 인사를 하자, 그는 미셸에게 다가갔고, 미셸은 미소를 지으며 손을 내밀어 마치 그녀도 마중 나온 사람들 중 한 사람인 것같이 똑 같은 악수를 청했다. 그녀는 따뜻한 미소를 지으며 "저는 당신의 아내입니다. 환영합니다."라고 말했고 오바마도 장난스럽게 웃으며 "안녕하십니까, 부인."이라고 대답했다.

반짝거리며 빛나는 밝은 태양 아래서, 기념관은 광장 제일 끝의 작은 연못 바로 뒤에 세워져 있었다. 그 기념관은 묘지 위에 긴 비석이 있는 다소 소박한 곳이었고, 광장의 벽돌 길 위에 반달 모양으로 세워진 콘크리트 벽이 있었다. 건물의 외관은 갈색 대리석으로 되어 있었는데, 그 대리석 위에는 사망자의 이름과 함께, "이 비극적 사건의 무고한 희생자들은, 이 일로 인하여 세상 사람들이 더욱 평화롭게 살기 위한 세상을 만들자는 결심을 굳건히 하게 되었다는 것을 알고, 편안히 잠들라."라는 묘비문이 새겨져 있었다.

20명 정도의 사진기자들과 텔레비전 기자들은 광장 끝에 모여 기념관에 있던 오바마를 찍기 위한 준비를 했다. 나이로비 한 복판에 있는 그 기념관을 둘러싸고 있던 나무 사이로, 나는 거리에 몰려든 큰 군중들을 볼 수 있었고, 오바마를 한번 보기만이라도 하려고 더욱 많은 케냐인들이 운집했다. 또한 7층짜리 사무실 빌딩에서 직원들이 공원 쪽을 내려다보고 있는 장면도 볼 수 있었다. 그들은 굵은 쇠창살이 쳐진 창문에 몸을 기대고 진지하게 그 행렬을 내려다보았다. 오른팔로 말리아의 허리를 감싸고 왼쪽 팔로 사샤를 감싸 들어 올린 오바마는 흰색 천으로 덮인 탁자에 앉아 가족과 함께 그 기념관으로 들어서기 전 공식 방문객 명부에 사인을 했다. 그는 화환을 들어 무덤 앞에 얌전히 놓았다. 그런 후, 그의 오른쪽에 모여 있던 작은 그룹을 쳐다보았고, 사진기자들과 비디오 촬영기사들은 그의 왼쪽에 조금 떨어져 무릎을 꿇고 서서 카메라를 연신 눌러 댔다.

묘비문을 훑어본 후, 오바마는 머리를 숙이고 위로와 기념의 연설을 했다. 그는 연설에서 "여기서 발생한 비극은 궁극적으로 우리 모두가 분쟁과 테러 행위로 고통받고 있다는 것을 일깨워 주고 있다. 하지만 이

기념관이 말해 주듯이, 우리는 평화롭게 살 방법과 또다시 이런 비극을 초래하지 않는 분쟁 해결 방법을 찾기 위해 두 배의 노력을 기울여야 한다. 우리는 여기에서 무슨 일이 일어났는지 기억할 것이다. 우리는 다시는 이런 일이 일어나지 않도록 철저히 경계해야 한다."고 했다.

간단한 예식이 끝난 후, 오바마는 대사관 직원들 및 다른 정부 관계자들과 담소하기 위하여 옆 건물 안으로 들어갔다. 밝은 분홍색 윗도리와 하얀색 치마를 입은 말리아와 사샤는 구석에 있는 작은 공원의 두 배 정도 되는 기념관 근처 잔디밭에서 자유롭게 뛰어 놀았다. 나는 전날 미셸이 호텔에 처음 도착한 후 지금까지 피곤한 기색의 그녀를 한 번도 방해하지 않았기 때문에, 지금이 그녀와 대화할 절호의 기회라고 생각했다. 그녀는 사람들과 악수를 하기도 하고 두 딸이 즐겁게 뛰어다니는 것을 보면서 한가로이 산책을 했다.

그때 갑자기 우리의 대화가 잠시 중단되었다. 우리가 서로 인사를 나누고 난 직후, 나무 뒤에서 떠들썩한 소리가 들려왔다. 엄청나게 큰 소리에 미셸은 깜짝 놀랐다. 그녀는 상체를 뒤로 젖히고 멍한 표정을 지으며 "맙소사! 무슨 일입니까?" 하고 소리쳤다. 나는 "저건 당신 남편을 위한 소리입니다. 오바마는 밖으로 나와야 해요."라고 말했다. 그녀는 놀란 표정을 약간 가라앉히고 순진하게 "오, 맙소사! 버락을 위한 소리라고요?" 하고 대답했다. 미셸은 그녀의 남편에 대한 이런 과열된 반응을 전혀 예상하지 못했다.

우리는 함께 좁은 출구를 통해 기념관으로 향했고 많은 안전요원들이 미셸을 둘러쌌다. 대부분 남자들인 그 군중들은 거리에서 열광했다. 그들은 정차된 차 위에 올라가서 춤을 추거나, 휘파람을 불고, 소리치며 크게 손을 흔들고 목청껏 환호했다. 경찰들이 길가를 따라 주위를 에워쌌다. 그 군중들이 거칠고 통제 불능으로 보였지만, 어느 누구도 한걸음도 케냐 경찰관 앞으로 내딛는 사람이 없어서 마치 보이지 않는 벽이 그들을 막고 있는 것 같았다. 그 사람들은 한 목소리로 "오바마, 우리에게 오라! 오바마, 우리에게 오라!"라는 구호를 외쳤다. 나는 오바마를 찾기 위해 둘러보았고, 안전보호를 위해 몇 명의 안전요원들에 둘러싸인 그를 오른쪽에서 발견했다. 그는 기상천외의 사진 세례를 받으며 환호하는 군중들과 계속해서 악수를 하고 있었다. 그가 거리에서 걸음을 내디딜 때마다, 열광한 군중들도 더욱 가까이 그에게 다가왔고, "오바마, 우리에게 오라! 오바마, 우리에게 오라!"는 구호의 소리도 한 단계 더 커졌다.

나는 오바마 뒤에 열 걸음 정도 떨어져 안전한 곳에서 그를 지켜보았다. 놀랍게도 오바마가 군중 가운데로 가까이 다가가자, 혼잡한 상황은 더욱 악화되었다. 경찰을 태운 말이 그 소음과 불안정한 군중에 놀라 앞발을 공중으로 들어 올렸고 경찰이 고삐를 당기기 전 거의 나의 머리를 찰 뻔했다. 대사관의 언론담당관인 제니퍼 반즈(Jennifer Barnes)는 "조심하세요! 밟히지 않게 나오세요!"라며 긴장한 채 계속해서 소리쳤다. 내가 사람들이 모여 있는 앞쪽으로 다가가자, 군중 속에 있던 한 여성이 갑자기 나를 덮치며 내 왼팔을 잡았다. 내가 팔을 잡아당기기도 전에, 한 경찰관이 검은색 몽둥이로 그 여성의 손목 부분을 내리쳤다. 그녀의 팔이 무기력하게 밑으로 떨어지자 경찰관은 몽둥이로 그녀를 사람들의 무리 속으로 밀어 넣고, 마치 요리사가 도마 위에 으깨진 양파더미를 밀어내듯이 몽둥이를 무섭게 휘둘렀다.

나는 군중으로부터 안전거리를 두기로 마음먹었다. 그 장면으로 감정이 고조된 나머지 모든 행동들이 현실에서 일어나는 일이 아닌 것처럼 느껴졌다. 《포스트 디스패치》의 기자인 빌 램브레히트(Bill Lambrecht)는 그 여성에게 대사관이 작성한 오바마 방문 배경에 대한 정보지를 건네

주었다. 램브레히트는 그녀가 그것을 기념으로 간직할 수 있을 것이라고 생각했다. 그런데 갑자기 다섯 명의 남자들이 그녀에게로 달려들어 그 종이를 빼앗아 보기 좋게 찢었다. 램브레히트는 좋은 의도로 한 행동이 어떻게 마무리됐는지 보고는 낙담하여 고개를 가로저었다.

바로 그때 나는 뒤돌아 걸음을 옮겼고, 나를 향해 오고 있는 오바마를 발견했다. 나는 곧 밀어닥치는 인간들의 벽, 즉 내 앞의 군중들과 오바마 뒤의 군중들 틈에 끼일 것만 같았다. 불행하게도 나를 보호해 줄 어떠한 안전장치도 없었다. 밟혀 뭉개지는 운명을 피하기 위하여 나는 사람들의 틈새로 나와 옆으로 달렸다. 액슬로드가 보낸 다큐멘터리 제작자인 밥 허큘리스도 이 안전한 장소에 서 있었다. 그는 "너무 심하다. 이것은 구세주가 돌아온 것 같은 광경이다."라고 말했다.

나는 오바마 몇 발자국 뒤의 사람들 틈에서 그 행렬을 살펴보고 있는 깁스를 찾아냈다. 그는 팔짱을 끼고 만족스러운 옅은 미소를 짓고 있었다. 깁스는 웃음을 띨 수밖에 없었다. 이것은 정확히 구세주 같은 우상을 숭배하는 모습이었고, 1년 반 전 시카고의 한 식당에서 아침식사를 하며 나에게 아프리카 방문을 언급하며 그가 꿈꾸었던 바로 그 열광적인 장면이었다. 오바마의 전설은 쑥쑥 자라나고 있었고, 실제로 그 '계획'은 예정된 대로 정확하게 진행되고 있었다.

혼란을 겪은 후, 깁스는 오바마의 소매를 잡고 대기하고 있는 차량으로 돌아가는 게 좋겠다고 조언했다. 돌아가려는 움직임을 본 안전요원들은 즐거워했는데, 그들은 군중으로부터 오바마를 보호하기 위해 분투하고 있었다. 기자회견 시간이 다가오고 있었다. 그들이 대기하던 차량행렬로 오바마를 경호하여 데리고 갈 때, 깁스는 오바마의 초상화가 든 검은 액자를 높이 들고 있는 젊은이를 발견했다. 그 초상화는 고동

색, 검은색, 금색 그리고 흰색으로 그려졌고, 오바마를 빨아들일 것 같
은 신비한 빛에 둘러싸인 오바마의 모습을 그렸다. 그 아래는 'Waruaki
Dal', 즉 "고향에 돌아온 것을 환영합니다."라는 글이 쓰여 있었다. 오
바마는 이미 차량으로 안전하게 돌아간 후였다. 그러나 그 젊은이를 보
고, 깁스는 그 그림이 기자회견을 더욱 열광케 할 소재라고 느꼈다. 깁
스는 그 젊은이의 팔을 잡고 오바마의 차로 데리고 가려고 했지만, 그
젊은이가 지나가는 것을 꺼린 안전요원 팀이 막았다. 오바마의 매체 전
문가와 안전요원들 사이에 격렬한 줄다리기가 벌어졌다. 안전요원들은
결국 깁스의 끈질긴 요구에 슬그머니 양보했고, 젊은이를 거칠게 검색
하느라 몸을 아래위로 가볍게 두드렸다.

깁스는 오바마를 차에서 나오게 하여 그 젊은이를 소개시켜 주었다.
20대 청년인 그는 그레고리 오쳉(Gregory Ochieng)으로 오바마의 아버
지쪽 친척들이 사는 농장 근처의 시골 마을에서 그를 환영하러 왔다.
오바마가 오쳉의 그림을 친절하게 받고 아낌없는 감사의 표시를 하자
여섯 대의 카메라가 쉴새없이 돌아갔다. 그 만남은 우상 같은 운동선수
와 팬 혹은 음악가와 팬들 사이의 만남 같았다. 몇 시간 안에, 그 전에
일어났던 초현실적 장면들과 그 청년과의 만남은 전 세계의 뉴스 프로
그램에 방영되었다.

루오 부족의 일원인 오쳉은 나를 포함한 일부 기자들에게 오바마와
아주 깊은 관계가 있다고 느낀다고 말했다. 왜냐하면 오바마의 아버지
가 루오인이었기 때문이었다. 오쳉은 "그는 우리 부족 사람이다. 나는
케냐인이 의원으로 미국에서 우리를 대표하고 있다는 사실이 너무 감
격스럽다. 그래서 그가 온다는 소식을 들었을 때, 나는 독특한 일을 해
야겠다고 마음먹었다."라고 설명했다. 기자들이 오바마와의 만남이 그
의 기대를 부응했는지 물어 보자, 그는 활짝 미소를 지으며 "내 기대 이

상이었다."고 대답했다. 깁스의 직관이 완벽히 맞아떨어졌다. 역시 그는 대외 홍보에서 금메달감이었다.

만약 수천 명의 케냐인이 분출한 열광적인 환호가 오바마의 방문이 특별하다는 것을 나타낸 것이 아니라면, 다음 행사는 타격을 입었을 것이다. 나이로비 도심에 있는 그랜드 레전시(Grand Regency) 호텔의 연회장은 오바마와 기자회견을 하기 위해 참석한 대중매체 기자들로 꽉 찼다. 아프리카의 모든 기자들이 그곳에 참석한 것 같아 보였다. 케냐와 미국 국기가 함께 만들어진 핀을 금색 줄무늬가 있는 양복 깃에 꽂은 오바마는 100여 명의 기자들이 바라보는 가운데 고동색 나무로 만들어진 연단 뒤에 섰다. 그는 이러한 분위기에서 왕과 같은 위엄을 내뿜어 의원이라기보다는 대통령 같은 느낌을 주었다.

오바마는 이번 케냐 방문이 그가 평범한 시민이었을 때 방문한 것과는 완전히 다르다고 말하며 기자회견을 시작했다. 이번에 그는 '두 나라 사이에 다리 역할'이 되기 위해 노력해 왔다. 그는 "내 역할 중 일부는 미국 사람들이 얼마나 케냐 사람들을 올바르게 인식하는지, 그리고 얼마나 미국과 케냐의 공동 협력을 가치 있게 생각하는지에 대한 의견을 전달하는 것이다. 그런 노력 중의 하나는 케냐인의 의견에 귀를 기울이고 케냐인의 마음속에 무엇이 있는지 알아내는 것이다. 내 목표 중 하나는 미국과 케냐가 서로 협조해 나갈 때, 케냐인들에게 도움이 될 수 있는 미국의 견해와 생각들을 강조하는 것이다."라고 말했다.

마지막으로, 오바마는 도덕성에 대한 메시지를 전달했다. 그는 일부 아프리카 국가들의 문화는 변화될 필요가 있다고 제안했다. 그는 부족주의로 찢어진 정치제도와 외부세계에 내부적 문제를 알리는 것을 꺼리기 때문에 아프리카 사회가 도태되고 있다고 말했다.

나는 여기에 (식민지주의의 역사로 볼 때 이해할 수 있지만) 동료 아프리카인들에 반대하여 대항하는 것을 원치 않고, 심지어 그릇된 관리와 부패가 생겨나도 보호를 하는 경향이 있다고 생각한다. 우리는 그것에서 벗어나야 한다고 생각한다. 지금은 아프리카에서 아무도 따돌림 당하는 것을 원치 않고, 아무도 그들이 한 노동의 대가가 자신들을 옳게 대변하지 않는 정부에 의해 착취되길 바라지 않는다는 것을 알아야만 되는 때이다. 그 누구도 자신이 생각하는 것을 말했다고 고문당해 죽길 원치 않는다. 아무도 사업을 시작하거나, 취직을 하거나, 일상적인 일을 하면서 뇌물을 주기를 원치 않는다. 그리고 우리의 책임은 이런 것들이 일어나는 것을 보았을 때 대항하는 것이다. 나는 궁극적으로 이런 정직함이 모든 나라의 정부를 발전시킨다고 생각한다.

깁스는 세레나 호텔로 돌아와서 동행한 기자들을 위해서 작은 안뜰에서 급하게 기자회견을 열었는데, 특히 그날의 행사에 대하여 설명하는 오바마와의 비공식 인터뷰 장면을 텔레비전 기자들이 찍을 수 있도록 배려했다. 깁스가 모든 사람들이 '질문과 응답'에 대하여 잘 알 수 있게 홍보해 달라고 호텔에 요구하고 있을 때, 오바마는 무질서했던 그날에 대한 질문을 하려고 그를 초조하게 기다리고 있던 기자들과 잡담을 했다. 야구와 음악에 대하여 조금 이야기한 후, 깁스가 아직 나타나지 않자 오바마는 조급해 하기 시작했다.

오바마는 "깁스는 어디 갔지? 동물 조련사가 어디로 갔지? 채찍과 의자는 어디로 간 거야?"라고 불특정 다수에게 물었다. 이 발언은 일부 기자들을 불쾌하게 하여, 그들은 얼굴을 찌푸리며 최소한 자신들이 거친 동물인지, 그리고 자신들이 길들어져야 될 정도로 그렇게 가망 없는 비문명인지 물었다. 한 잡지 편집인은 오바마의 이런 엘리트 의식을 감지하고, 몇 달 후《엘르Elle》잡지의 아프리카 방문에 대한 기사에 이것을 포함시켰다. 로리 에이브러햄(Laurie Abraham)이라는 그 편집인은 오바마의 책들과 매체에 나온 그의 모습에 매력을 느꼈다고 시인했다.

그녀는 오바마의《내 아버지로부터의 꿈》이란 회고록에 나온 대담하고, 이상주의적이며 자기분석적인 오바마에 이끌렸다. 아프리카에서 며칠 동안 오바마를 가까이 따라다닌 후, 그녀는 중년의 나이로 들어서서 정치적인 이득을 위해 타협하는 이 의원의 실용주의적 야망을 보고 그에 대해 기존에 갖고 있던 이런 생각을 보류했다. 그녀는 그가 좀 더 계산적이면서도 가끔 정치에 무관심한 것을 발견하고 너무 놀랐다. 에이브러햄은 "그가 군중들과 함께 있지 않을 때, 그는 엄청나게 침착하며 자신감이 있어서 건방지게 보이기도 한다."고 썼다.

동행 기자단 중에서 일부는 오바마의 성격 중에서 이러한 점은 그다지 매력적인 요소가 아니라고 느꼈다. 한 비디오 촬영기사는 나에게 아프리카 여행 중 불쾌하게 취급받아 매우 짜증이 났다고 말했다. 그는 "오바마가 그런 발언을 할 때 나는 내 인격이 손상되는 것처럼 느꼈다. 우리는 열심히 일하려고 여기 왔다. 우리는 거머리가 아니다. 우리는 여기 초대되었고, 떳떳하게 이 여행에 동참했다. 나는 그의 공간을 매우 존중했다고 생각한다."고 말했다.

실제로 오바마를 취재하는 데 있어서, 미국 기자들은 케냐 기자들보다 물리적으로 훨씬 덜 공격적이었는데, 케냐 기자들은 다른 기자들보다 좋은 자리를 잡으려고 팔꿈치를 휘두르거나, 앞으로 밀어내는 것에 대해 전혀 거리낌이 없었다. 기자들을 향한 오바마의 거만하고 신중한 태도는 다음 두 가지에 기인한 것처럼 보인다. '어린 시절부터 특별한 사람이라고 취급 받은 후 성격으로 굳어진 내부적 자만심, 그리고 그가 유명한 사람이 된 후 거의 남아있지 않은 사생활을 침범하는 기자들에 대한 적개심'이 그것이다.

미국 기자들과 인터뷰를 하면서, 오바마는 케냐 사회에 미칠 그의 영향을 무시하려고 노력했다. 오바마는 "케냐는 내 나라가 아니다. 이곳은 내 아버지의 나라이다. 나는 이들과 연관성을 느낀다. 그러나 궁극적으로, 새로운 삶으로 발전시키는 길로 오르는 것은 내가 아니라 바로 그들이다."라고 말했다.

제25장

시아야: 아버지의 고향

우리는 하나님을 찬양할 뿐만 아니라
오바마도 찬양한다.
– 오바마에게 구호를 외치던 케냐 할머니

아버지 가족의 시골 작은 마을에 대한 이번 방문은 오바마의 세 번째 방문이었다. 그는 1983년 대학을 졸업하자마자 그곳을 방문했고, 《내 아버지로부터의 꿈》이란 회고록을 쓰는 데 필요한 자료를 수집하고자 1991년 하버드 법대를 졸업하자마자 다시 그곳을 방문했다. 이 가족 농장은 난자(Nyanza)구의 시아야(Siaya) 구역에 콜레고라고 불리는 마을 근처에 위치하고 있었다. 이 서쪽에 위치한 구역은 세계에서 두 번째로 큰 천연 담수호이자 아일랜드(Ireland) 크기 정도되는 빅토리아 호수 가장자리에 있었다. 시아야에 사는 대부분의 사람들은 매우 가난했고, 보잘것없는 농사를 짓거나 다른 마을로 물건을 교환하러 다니며 생계를 이어나갔고, 주민의 반 이상은 하루에 1달러도 안 되는 돈을 벌었다. 약 25만 명의 주민이 살고 있는 그 구역의 가장 큰 도시인 키수무(Kisumu)는 케냐에서 세 번째로 인구가 많은 도시였다. 그 지역은 오로지 루오 부족만이 사는 곳이었는데, 오바마는 어릴 때 루오 부족이 그곳에서 주로 농사를 지으며 생계를 이어나가고 진흙으로 만든 오두막에서 산다는 것을 알고 깜짝 놀랐던 적이 있었다. 키수무는 나이로비의 동쪽으로 약 280킬로미터 정도 떨어져 있고, 케냐 서쪽의 외딴 마을들과 읍들을 갈라 놓는 어렵고 험난한 지형을 따라 7~8시간 운전해야 도착할 수 있는 곳이었다. 그 동행 기자단과 오바마는 각각 다른 항공편을 타고 키수무로 향했고, 그런 후 우리는 멀리 떨어진 시아야쪽으로 길게 뻗은 움푹 패여 손상되고, 빨간 진흙으로 덮인 도로를 달리기 위하여 마련된 차량 행렬에 합류했다.

예전에 아버지 가족을 만나기 위하여 오바마가 방문했을 때의 분위기는 지금의 CODEL이 방문했을 때의 분위기와는 너무나 달랐다. 전에 방문했을 때, 오바마는 나이로비에서 기차를 타고 산악지대인 리프트 (Rift) 계곡을 가로질러 밤낮을 달렸다. 그가 키수무에 이르렀을 때, 그는 혼자 버스정류장으로 가기 위해 거의 1킬로미터를 걸었다. 그 당시 그의 안내자 역할을 했던 이복 누이인 아우마와 함께, 그는 버스 정류장에서 많은 친척들의 환영을 받았다. 오바마는 케냐에서 기자들에게 "분명히 여행 숙박 시설은 많은 변화가 있었다. 지난번 내가 할머니의 마을에 도착했을 때, 내 무릎 주위에는 염소와 몇 마리의 닭이 있었다." 고 말했다. 하지만 오바마는 이번에 동아프리카 항공편으로 40여 분 만에 키수무에 도착했다.

기자단을 태운 케냐항공(Kenya Airways)은 오바마를 태운 비행기가 키수무 공항에 도착하기 전 먼저 착륙했다. 이 공항에는 활주로가 하나만 있어서, 한 시간 간격으로 이륙하는 비행기들과 착륙하는 비행기들이 번갈아 사용했다. 더러운 노란색의 조그마한 건물을 세 개의 일반 항공사들이 함께 쓰고 있어서 매우 복잡하고 소란스러웠으며, 겨우 몇 줄의 가로수들과 인도가 그 건물과 활주로를 구분 짓고 있었다. 키수무가 케냐의 가장 큰 도시 중 하나이고 나이로비에서 본 군중들을 생각해 볼 때, 나는 이곳에는 겨우 몇 명의 구경꾼들만이 우리에게 관심을 보이는 것을 보고 놀랐다. 그러나 오바마의 비행기가 도착하자, 옅은 안개 속에서 엄청나게 많은 사람들이 모습을 드러냈다. 오바마는 일리노이에서 선거유세 때 많이 입었던 짙은 남색 양복, 흰색 셔츠 그리고 주름 잡힌 베이지색 바지를 입고 편안한 가죽 신발을 신고 있었다.

그와 미셸이 비행기에서 내려올 때, 기자들도 그들을 따라 내려갔고, 여섯 개의 기다란 막대 마이크가 그들 머리 위로 마술같이 나타났다. 200여 명의 열광적인 군중들은 대부분 미국에서 온 평화봉사단이었다. 기자들이 가장 좋은 자리를 차지하려고 서로 밀고 당길 때, 오바마는 공항 건물로 성큼성큼 걸어갔다. 오바마는 특유의 우아하고 침착한 모습으로 "잘 지냈습니까?"라고 물었다. 그러나 '정부관계자 외 출입금지'와 'VIP 라운지'라고 쓰인 대기실로 들어간 오바마를 기자들이 계속 따라 들어가자, 깁스는 오바마가 그 지역 관리들과 사적인 이야기를 하며 쉴 수 있도록 그 기자들을 제지할 수밖에 없었다. 처음 깁스는 모든 사람들에게 그 대기실을 나가라고 소리쳤다. 그런 다음, 그는 하나씩 하나씩 그들을 잡아끌었다. 한 다큐멘터리 영화 제작자는 "이것은 큰 혼란에 대한 전제다."라고 말했다. 깁스는 카메라맨을 하나씩 다른 방으로 보내면서 숨을 헐떡거리며 "하나님, 도와주세요."라고 중얼거렸다.

오바마가 공개적으로 모습을 드러낸 것은 이제 겨우 10분도 지나지 않았고, 깁스는 이미 기자들과 싸우고 있었다.

오바마는 SUV 차량에 탔고, 그 동행기자들은 두 대의 작고 낡아빠진 버스에 나눠 탔다. 그 지역의 한 사람과 그의 아들이 소유하고 있는 그 두 대의 버스는 다정하게 삼손과 데릴라라는 이름이 써 있었고, 그들은 키수무와 빅토리아 호수 주위의 관광객들을 나르며 생계를 유지했다.

이 버스가 얼마나 오래됐는지 겉모습을 보면 알 수 있었다. 키수무를 떠난 지 몇 분도 되지 않아 우리의 버스는 툴툴 소리를 내고 멈췄다. 버스가 주유소로 들어서자, 타고 있던 사람들은 신음소리를 냈고, 대부분의 사람들은 오바마의 차량 행렬을 놓쳐 가족 농장에서 그의 중요한 행사를 취재하지 못할까 봐 안달했다. 겨우 마지막 중요한 순간을 놓치려고 이 먼 길을 왔단 말인가? 우리와 함께 그 버스를 탄 미국 대사관 직원인 제니퍼 반즈는 크게 화를 내며 "기름도 없이 하루 종일 걸리는 여행을 하러 나타났단 말인가요?"라고 운전자에게 소리를 쳤다. (사실 기자들을 태운 차가 기름이 떨어진 것이 이번이 두 번째였다. 프리토리아에서 저녁식사를 한 날 밤에도 그랬지만, 그때는 여기보다 훨씬 좋은 지역이었다.) 그 운전사가 한없이 기름을 채우는 것처럼 보여, 안달 난 깁스는 "빨리 주유하고 갑시다!"라고 소리쳤다. 버스는 다시 움직였고, 우리는 오바마의 차량 행렬을 따라 잡았다. 깁스는 "이젠 다시는 그를 놓치지 마세요."라고 운전사에게 명령했다.

우리는 새 냔자 주립 종합병원을 향해서 여러 마을을 거쳐 달리고 또 달렸고, 그 병원에서 오바마와 미셸은 에이즈 검사를 받기로 되어 있었다. 그날은 토요일이었고, 이런 길을 따라 과일에서부터 미국제 티셔츠, 마이클 조던의 농구화까지에 이르는 모든 잡다한 물건들을 파는 임시 시장이 열리고 있었다. 키수무의 모든 거리는 오바마의 차량 행렬이 지나가는 모습을 보려고 손을 흔들고, 환호하며, 기쁨에 들뜬 사람들로 가득 찼다. 많은 케냐인들은 미국에서 건너온 물건을 너무나 갖고 싶어했고 대부분 구제품을 입고 있었다. 철도를 따라 걷고 있던 한 소년은 '2006년 슈퍼볼(Super Bowl; 미국 프로미식축구 챔피언 결정전) 우승팀은 시애틀의 시호크스(Seattle Seahawks)'라 그려진 티셔츠를 입고 있었다. 그러나 시애틀은 피츠버그 스틸러즈(Pittsburgh Steelers)에게 패했고, 그

셔츠는 미국에서 더 이상 가치가 없자 아프리카로 건너온 것이었다.

병원에 도착하자 굉장한 소동이 일어났다. 수천 명의 사람들이 오바마를 보기 위해 나타났다. 그리고 놀랍게도 오바마의 차는 우리 앞에 있던 사람들의 물결 속으로 사라졌다. 우리의 삼손과 데릴라는 병원에서 얼마 떨어지지 않은 축구 경기장에 주차를 했고, 오바마는 병원 가까운 곳에서 내릴 예정이었다. 기자들은 서둘러 나와 다시 한 번 그날의 중요한 순간을 놓치지 않을까 걱정하면서 전속력으로 병원을 향해 달려갔다.

우리가 병원과 병원 주변의 공원으로 가까이 가면 갈수록 군중들은 더욱 많이 몰려들었다. 곧 사람들은 그 주변 모든 곳을 채웠다. 그들은 병원 건물의 지붕 위에 올라섰고, 발코니를 따라 앉았으며, 놀랍게도 나무 위로 올라가 가지에 매달리기도 했다. 대부분의 기자들은 밀집된 군중들을 지나 나아가기 위해 서로 흩어졌다. 두 명의 기자들은 녹음기와 다른 장비를 소매치기 당하기도 있다. 그 케냐인들은 그들의 영웅인 오바마를 위해 열광했고, 일정한 리듬에 맞춰 구호를 외치며 환호했다. 어떤 사람들은 오바마의 이름이나 얼굴이 새겨진 티셔츠를 입고 있었고 어떤 사람들은 오바마의 사진을 높이 들고 또는 그의 이름이나 얼굴로 장식된 국기를 흔들었다. 이렇게 멀리 떨어진 케냐의 한 지역에서 거의 모든 사람들이 루오 말로 이야기하며 노래를 불렀고, 우리 미국 기자들은 케냐 기자들에게 무슨 말인지 통역해달라고 물어야만 했다. 한 구호는 전 케냐 대통령인 다니엘 아랍 모이(Daniel arap Moi)가 개혁 운동으로 정권에서 물러날 때인 2002년 선거에서 따온 것이었다. 그 구절은 "모이가 없으면 모든 것이 가능하다."였는데, 이번 오바마에 대해서는 그 구절이 "오바마만 있으면 모든 것이 가능하다."라고 바뀌었다. 앞줄에 있던 네 명의 노파는 마치 아프리카 고유 리듬에 맞춰 몸을 움직이는 것처럼 눈이 위로 돌아가 거의 무엇에 홀린 듯 보였다.

하루 전날 나이로비의 거리에서 있었던 것처럼, 몽둥이와 소총을 든 관계자들 때문에 보이지 않는 벽이 형성됐다. 이것은 에이즈 병원과 많은 기자들을 위한 주차장에 안전지대를 만들어 주었다. 오바마와 미셸은 수많은 사람들 사이를 지나 에이즈 검사를 하기 위해 그 이동병원으로 향했는데, 그 병원은 '미국 질병통제예방센터(U.S. Centers for Disease Control and Prevention)'에 의해 운영되고 있었다. 남아공보다 훨씬 작은 규모이지만, 그럼에도 불구하고 케냐의 이 지역은 나라 전체에서 일곱 명 중 한 명이 감염된 가장 높은 에이즈 감염이 있는 곳이었다. 오바마와 깁스는 그들이 공개적으로 에이즈 검사를 받으면 수십만 명의 케냐인이 자발적으로 에이즈 검사를 하게 될 것이라는 말을 들었다. 오바마와 미셸은 우레와 같은 박수를 받으면서 그 이동병원 안으로 사라졌다. 이들 부부는 손끝에서 혈액을 뽑았고, 오바마는 밖으로 나와 열광하는 관중에서 연설하기 위해 이동병원 계단 위에 섰다.

그는 왼손으로 마이크를 잡고 군중을 진정시켜 연설하기 위해 오른팔을 높이 올렸다. 그때 열광한 무리들은 앞으로 밀기 시작했다. 사람들이 짓밟히고 질식하게 될까 우려하여 경찰은 그 무리들이 약간만 움직이도록 했다. 오바마는 진정시키려고 애쓰며 그 마이크와 확성기를 통해 "밀지 마세요. 밀지 마세요."라고 소리쳤다. 그의 말은 무시되었고 그는 입에서 마이크를 멀리 뗐다. 그는 차분하게 "너무 열광적이다. 나는 그냥 앉아야겠다."라고 혼잣말을 하며 윗계단에 앉는 순간 나와 눈이 마주쳤다. 나는 웃으며 "와, 르브론보다 더 인기가 많네요."라고 말했고, 오바마도 약간 미소를 지었다. 그는 "이것은……" 하며 적당하고 악의가 없고 조심스러운 단어를 찾으려고 잠시 멈추었다가 마침내 '흥미로운'이란 단어로 결정을 내려 "이건 정말 흥미롭군."이라고 말했다.

에이즈 위기에 대한 연설을 마친 후, 오바마의 차량 행렬은 다음 행선지를 향해 달렸는데, 그곳은 고아들에게 도움을 줄 중앙 우겐야(Ugenya)의 수백만 달러에 이르는 '캐어 케냐(CARE Kenya)' 프로젝트를 진행하는 곳이었다. 오바마는 그 프로젝트의 일부를 지원했는데, 그 프로젝트는 할머니들로 하여금 고아들을 돌보도록 했고, 재봉틀 등 필요한 물품을 공급해주는 등 재정적 지원을 했다. 그 행사에 참석하기 위해, 그 일행들은 세상에서 가장 멀리 떨어져 있는 것 같은 곳에 펼쳐진 울퉁불퉁한 비포장 길을 달렸다. 우리는 진흙 또는 주석지붕으로 덮인 초가집이 있는 작은 녹색 농장 단지들을 달리고 또 달렸다. 먼지가 사방에서 일어났는데, 일부는 긴 차량 행렬에 의해, 또 일부는 초목과 언덕 지역에 자주 보이는 불모지에서 자연적으로 일어났다. 멀리 펼쳐진 빨간 진흙 길에서 나타나는 이런 장애물을 뚫고 운전하는 데는 특별한 재능이 필요했다. 차선은 그 도로의 열기를 견디지 못했다. 그 길은 두 대의 차가 겨우 오고 갈 수 있는 넓이였다. 마지막 2미터 길이의 도로는 한쪽 면이 급하게 경사져 있어서 삼손과 데릴라는 지면과 거의 평행이 될 정도로 한쪽으로 치우쳐서 달렸다. 위험한 도로 사정을 고려해볼 때, 운전자들은 믿을 수 없을 정도로 빠른 속도로 마주 오는 차들을 향해 차를 몰았다. 이것은 전형적인 담력시험처럼 처음에는 양보하는 듯하다가 충돌이 일어나기 마지막 직전에 있는 힘을 다해 달렸다. 겉으로 보기에 우리 차는 중력의 법칙을 무릅쓰고 뒤집어지지 않으며 간신히 달렸다. 이렇게 거칠고 공포스러운 수 킬로미터의 여행을 한 뒤, 술고래로 가난한 운전자였던 오바마의 아버지가 이런 위험한 지역을 운전하던 중 차 사고로 목숨을 잃었다는 사실이 쉽게 이해됐다.

우리의 버스가 '캐어 케냐' 프로젝트를 진행하는 곳에 마침내 도착하자, 대부분의 지역에 깨끗한 물과 전기가 없는 아프리카의 가장 먼

곳에 우리가 있다는 것이 실감났다. 이 행사는 숲과 먼지로 가득 찬 깊은 녹색 덤불 속에서 시작됐다. 대부분 아프리카 전통의상을 입은 약 150명의 시골 케냐인들이, 점잖게 표현해서, 오바마에게 경의를 표하기 위한 정신적 예식에 참석하기 위해 모였다. 키수무 도심에 모인 대부분의 사람들이 남자들이었다면, 이곳에 참석한 대부분의 사람들은 여성과 어린이였다. 일반적으로 여자들은 시골 지역에 남아 가족 농장과 어린아이들을 돌보았고, 남자들은 도시로 나가 일자리를 얻은 후 돈을 집으로 부쳤다. 그 예식은 종교적 의식과 비슷했다. 많은 노파들은 노래에 맞추어 춤을 추거나 껑충껑충 뛰었고 루오 말로 오바마에게 "우리는 하나님만 찬양하는 것이 아니라 오바마도 찬양한다."고 계속해서 외쳤다. 오바마는 그 여성들과 함께 춤을 추었고 큰 나무 뒤에 숨겨진 자동차 배터리에서 동력을 얻은 엉성하게 만들어진 확성기 시스템을 통해 모인 사람들에게 연설을 했다.

오바마가 정치인으로 행동하고 있을 때, 나는 지루한 표정의 말리아와 이리저리 기대며 안달하는 사샤와 함께 그의 뒤에 앉아 있는 미셸을 쳐다보지 않을 수 없었다. 미셸의 얼굴 표정은 찌푸리거나 찡그리고 있는 것처럼 보였다. 그녀는 멀리 떨어진 케냐 한복판에서 그녀와 그녀 가족이 어떻게 신처럼 추앙받는지 정확하게 관찰하려고 했다. 그러다가 그녀에게로 관심이 쏟아지자, 그녀의 얼굴은 환해졌고 보통 때처럼 의원의 좋은 아내인 것처럼 행동했다. 그녀는 심지어 루오 여자들과 원으로 둘러서서 춤을 추기도 했다. 그러나 미셸은 여전히 오바마를 찬양하는 이 새로운 세계에 적응하려고 힘겹게 노력하고 있었다. 그 행사가 막을 내리자, 《시카고 트리뷴》의 젤레니 기자와 나는 미셸에게 이런 이상하고 새로운 환경에 어떻게 적응하고 있는지 물어보았다. 그녀는 "나는 아직 모든 것을 다 소화하지 못했다. 모든 것은 아직 너무 걷잡을 수 없다. 이런 모든 것들이 무엇을 의미하는지, 우리 가족에게 어떤 의미가 있는지 해석하기가 너무 힘들다."라고 고백했다. 몇 명의 기자들이 주위에 더 몰려들자, 미셸은 자신이 너무 지각 없이 말했다고 생각하고 태도를 바꾸었다. 그녀는 이 이상한 여행 뒤에 숨겨진 더 큰 의미를 찾으려고 하면서 "이번 여행은 버락 오바마와 그의 명성, 행운을 생각하지 않게 하고, 대신 여기서 내가 무슨 도움이 될까를 생각하게 한다. 이 광경은 매우 흥미롭지만, 결국 오바마보다 그들에 관한 것이 되어야 한다."

다시 차량 행렬로 돌아와서, 우리는 그날의, 아니 이번 방문 전체 일정에서 가장 중요한 행사를 향하여 출발했다. 그것은 오바마 아버지의 농장을 방문하는 것으로, 그곳은 아버지쪽 아프리카 혈통에 대한 특별한 뿌리였다. 오바마의 방문 계획자들이나 직원들도 모르는 사이에, 대통령 후보인 라일라 오딩가(Raila Odinga)는 오바마를 환영하기 위한 정치적 축제에 수천 명의 루오 사람들을 모았다. 오딩가에게 오바마의 방문은 정치적 선물이었다. 이번 방문 동안, 오딩가는 루오 혈통을 가진 미국에서 온 사랑받는 이 인물을 따뜻하게 환대함으로써 자신에 대한 지명도를 높이려고 노력했다. 오딩가는 심지어 자신과 오바마의 얼굴과 함께 '아프리카의 가장 위대한 아들들'이라는 겸손한 문구가 새겨진 티셔츠를 입었다.

케냐의 부족정치와 관계되지 않으려는 노력으로, 오바마의 직원들은 오딩가에게 오바마의 스케줄을 좀처럼 드러내지 않았다. 하지만 이번에도 가족 농장을 방문하는 시간은 그 지역에 널리 알려졌다. 실제로 키수무는 며칠째 축제 분위기였고, 나이트클럽은 시끄럽고 요란하게 오바마의 방문을 축하했다. 그래서 이렇게 세심하게 조직된 정치적 모임을 피할 수 있는 길이 없었는데, 미국에서의 이런 종류의 모임처럼 거기에는 항상 부속물들, 즉 정치적 대가가 있었다. 지역 관리들과 그들의 앞잡이들은 대부분 루오의 정치적 후원과 연관을 가지고 있었고, 오바마를 보기 위해 오딩가의 요청으로 모인 것이었다. 교복을 입은 학생 한 그룹이 오바마를 기리기 위해 그의 이름이 붙여진 학교 건물 밖에 모여 있었다. 그들은 길게 한 줄로 서서 미국에서 온 방문객을 환영하기 위하여 특별히 작곡된 노래에 맞추어 엉덩이와 팔을 흔들었다. 열두 살 된 한 소년이 독창을 했는데, 그 소년은 아름다운 선율로 나지막이 노래를 불렀고 다른 어린이들은 그 뒤에서 화음을 넣었다. "이 땅은 당신의 땅이다."라는 미국 노래의 선율에 그 어린이들은 미국 지명에 케냐 지명을 바꿔 "이 땅은 당신의 땅, 이 땅은 나의 땅, 빅토리아 호수에서부터 해안 지방까지, 나이로비에서 리프트 계곡까지, 이 땅은 오직 나의 땅."이라고 노래를 불렀다.

그들은 원시적인 형태의 '오바마 의원 코겔로(Kogelo) 중학교' 건물들 가운데 서 있었다. 그 학교는 오바마가 기부한 돈으로 칠판, 나무 의자들, 그리고 다양한 종류의 과학 기구를 샀다. 문제는, 과학실험을 하는 데는 수돗물이 필요했지만, 학교건물에는 수돗물이 전혀 없었다. 그 학교는 세 개의 작은 건물들로 구성되어 있었는데, 이 건물들은 각각 작은 녹황색 계곡이 바라다 보이는 큰 언덕 가장자리에 자리 잡고 있었고 각 건물들마다 교실이 하나씩 있었다. 그 교실들은 콘크리트 바닥과 낡은 나무 탁자들과 의자들이 있어 그렇게 좋은 인상을 풍기지는 않았다. 차라리 미국의 후미진 지하실이 학교로 쓰기에 이곳보단 나을 것 같았다. 오바마는 간단한 봉헌 행사에서 "바라건대 내가 이 학교를 위하여 향후에 어떤 도움을 줄 수 있을 것 같다."고 지나치게 약속하지 않고 조심스럽게 지원에 대해 말했다.

오바마와 그의 직원들은 다가올 정치 의식의 규모에 대해 큰 관심을 기울이지 않았다. 군중들의 규모는 선거철 시카고 남부 지역에 모은 사람들의 규모를 앞지르는 듯했지만, 그 분위기는 이상하게 너무나 비슷했다. 미국은 아프리카에서 바다를 건너 멀리 떨어져 있지만, 민주주의에서 정치는 여전히 정치였다. 한 기자가 익살맞게 깁스에게 "이것은 당신이 기대한 정도입니까? 아니면 당신의 기대 이상입니까?"하고 물었다. 깁스는 만족스럽게 웃는 것으로 대답했다. 서양 스타일의 양복과 넥타이 위로 밝은 색의 예복을 입은 나이든 루오의 의원들은 사방에서 일어나는 먼지와 뜨거운 태양을 피하기 위해, 낮은 캔버스 텐트 아래 마련된 하얀 잔디용 의자에 앉았다. 그들이 입은 밝은 색 예복을 제외하면, 그들은 차례로 자신의 연설을 기다리고 있는 여느 미국 정치인들과 같아 보였다.

구릿빛의 마르고 팔짱을 끼고 서 있던 마이클 아다라(Michael Adara)는 서른다섯 살로 나이로비에서 정보기술자로 일하고 있었다. 그는 오바마를 보기 위해 큰 도시에서 이렇게 작은 시골로 몸소 왔다고 했다. 아다라는 나에게 "오바마가 나와 다른 사람들에게 매력적인 이유는 그가 여기까지 자신의 뿌리를 찾아왔다는 것이다. 그로 인하여 우리 모두는 우리의 뿌리를 찾고 진정한 우리 고향을 찾을 수 있다고 느꼈다."고 말했다. 아다라는 오바마의 얼굴과 '의원, 외교관, 정치인, 그리고 루오인'이라는 문구가 새겨진 검정색 티셔츠를 입고 있었다.

대통령 후보인 오딩가는 오바마 방문의 의미에 대하여 루오 언어로 말하면서 그 축제를 시작했는데, 짐작하건대 그것은 정치 연설이었다. 도전적인 루오 부족의 한 일원으로서, 그는 부패한 정부를 종식시킬 것을 주장했고, 이러한 감정은 뜨거운 박수갈채를 이끌어 냈다. 다음은 오바마의 차례였다. 그는 나무 탁자로 걸어가서 마이크를 잡고 정치 모임 같은 분위기를 감지하며, 상원의원 선거전에서 즉흥적으로 했던 갖가지 선거연설 중 하나를 생각하며 연설했다. 다시 한 번 그 연설의 주제는 모든 사람들을 단합시키고 삶의 상태를 통합하자는 것이었다. 그러나 여기 케냐의 코겔로에 모인 군중에 맞추기 위해, 자신의 인생에 대하여 이야기하는 대신 그 아버지의 인생이야기로 대체했다. 중서부의 느린 말투로 무덤덤하게 오바마는 다음과 같이 연설했다.

내가 여기로 차를 타고 오는 동안, 나는 아버지에 대해 생각했다. 여러분들 중 일부는 알고 있겠지만, 나는 아버지에 대하여 잘 모른다. 아버지는 여기 케냐로 다시 돌아왔다. 뒤에 남겨지고, 집에 남겨지고, 미국에 남겨진 사람은 오로지 나뿐이었다. 우리는 서로 연락했고 이야기도 했다. 그러나 나는 아버지 없이 자랐고 성인이 되어서야 이곳을 방문했다. 나는 처음 여기를 방문했을 때를 기억한다. 비록 매일 연락을 하지는 않았지만 내가 여기 왔을 때 내가 여기 속한다고 말한 사람들과 정신적으로 교감을 나누었다고 혼자 생각했다. 모든 사람들은 너무나 따뜻했고 소박했으며 친근하고 친절했다. 이곳에 대하여 알 수 있는 것들 중 한 가지는, 비록 사람들이 갖고 있는 것은 많지 않지만, 자신들이 갖고 있는 것을 나누고 싶어 한다는 것이다.

이곳에는 정신적인 관대함이 있는데 그 점이 특별한 것이다. 내가 이곳까지 여행해 오면서, 나는 아버지가 얼마나 놀라운 여행을 했는지 깨닫게 되었다. 아버지는 여기서 자랐다. 아버지는 할아버지의 염소를 돌보았고, 그리고 아마 내가 다녔던 학교보다 약간 작고, 기구들과 책들이 많지 않다는 것 외에는 별로 다르지 않은 학교에 다녔었다. 그리고 이곳의 선생님들은 너무 월급이 적어 학교를 전일제로 다니기에는 너무 힘들었다. 그러나 이런 모든 어려운 상황에도 불구하고, 이 사회는 그를 격려하여 중학교에 가게 하고, 미국에 있는 대학을 가게 해 주었으며, 하버드 대학에서 박사학위를 취득할 기회를 주었고, 다시 이곳에 돌아와 오늘날 여기 있는 모든 사람들과 일할 수 있게 해 주었다. 이것은 한 사회가 합심하여 그곳의 어린이를 후원할 때 모든 것이 가능하다는 것을 보여 준 사례라 할 수 있을 것이다.

오바마의 연설이 끝나자, 그날의 가장 중요한 순간이 다가왔다. 오바마는 그 학교에서 겨우 몇 백 미터 떨어진 아버지와 할머니의 가족 농장을 방문하기 위해 자리를 떴다. 한 가지 문제는 거기까지 어떻게 가느냐 하는 것이었다. 오바마는 그곳에 참석한 일부 정치가들과 악수를 하려고 노력했지만, 항상 그랬듯이, 그의 직원들이 오바마를 차 안으로 밀어 넣었다. 한편 기자들은 두 개의 그룹으로 나뉘었다. 한 그룹은 삼손과 데릴라로 향했다. 나는 깁스를 주시했는데, 그는 1.5킬로미터도 안 되는 거리를 버스를 타고 군중들과 씨름하느니 차라리 걸어가자고 제안했다. 깁스는 기자들을 정리하려고 시도했지만, 날이 가면서 우리가 피곤한 것처럼 그도 너무나 피곤하여 금방 포기했다. 그는 절망하여 "이것은 고양이들을 모는 것 같다. 다들 알아서 스스로 찾아오겠지."라고 말했다.

15분 정도 걸은 후, 우리는 작은 농장지대에 다다랐다. 거기에는 잔디와 잡초, 그리고 흙이 펼쳐진 가운데 주석 지붕으로 덮인 작은 진흙 건물 몇 채가 있었다. 닭들과 염소들이 여기 저기 돌아다니고 있어서 마치 그들이 그 지역의 주인이라서 한가로이 그 지역을 거닐고 있는 것처럼 보였다. 이곳에 살고 있는 대부분의 사람들은 쌀, 달걀, 양배추 등을 집에서 길러 자급자족하고 있었다. 수많은 케냐 기자들과 해외 기자들이 이미 모여서 오바마의 도착을 기다리고 있었다. 수십 명의 오바마

친척들도 또한 거기 있었다. 면 셔츠, 바지 그리고 그와 어울리는 모자를 모두 흰색으로 통일한 한 마른 노인은 '오바마, 민주당 의원'이라고 쓰인 파란색과 흰색의 배지를 가슴에 달고 있었다. 그는 나무지팡이에 몸을 지탱하고, 텔레비전과 컴퓨터도 없었던 그 장소에 현대적 막대 마이크와 디지털 카메라를 들고 나타난 대중매체 기자들의 신기한 모습을 구경하느라 이리저리 둘러보았다. 오바마 친척들의 대부분은 가장 좋은 드레스와 양복을 차려 입고 나왔다. 비록 다른 대륙에서 온 많은 기자들은 한 사람만을 취재했지만, 그들은 결국 주말 가족 상봉을 위해 모인 것이었다. 오바마가 언급했던 '굉장한'은 이 모든 것들을 뜻했던 것이다.

오바마의 차량단은 이 농장에 도착했지만 삼손과 데릴라, 그리고 대부분의 미국 기자단은 아직 도착하지 않았다. 오바마가 할머니께 인사를 드리기 위하여 차에서 나오자, 매체들과 친척들은 이 두 사람을 에워쌌다. (그 할머니는 실제로 피를 나눈 친척이 아니었다. 단지 그녀는 오바마의 아버지를 키운 사람이었다. 피를 나눈 친할머니의 행방불명을 둘러싼 상황은 알려지지 않았다.) 오바마는 처음부터 그 할머니를 알았던 것처럼 포옹을 했고, 동시에 기자들과 사진기자들, 안전요원들 그리고 기타 관련 직원들은 그들의 임무가 무엇이었는지에 따라 오바마를 보호하거나, 순간을 포착하려고 서로 밀고 당겼다. 특히 케냐 사진기자들은 굉장히 난폭했다. 그들은 오바마와 할머니를 더욱 좋은 각도에서 찍으려고 팔꿈치를 휘둘러 댔다.

이러한 혼란 가운데서, 오바마와 그의 할머니는 천천히 본가가 있는 곳을 향해 경사진 곳으로 걸어갔다. 그 집은 오바마가 최근 재정 지원을 한 덕분에 새롭게 주석 지붕을 마련하고 파란색과 흰색으로 벽을 칠했다. 그 작은 언덕을 반쯤 올랐을 때, 오바마는 걸음을 멈추고 자신의 동반자들을 잃어버렸다는 것을 깨달았다. 그는 하소연하듯이 "내 아내와 아이들은 어디 있죠?" 하고 물었다. 그들은 오바마를 둘러싼 수많은 군중들 뒤에 처져 있었다. 곧 사샤가 오바마 앞에 나타나자 그는 팔로 사샤를 감싸 들어올렸다. 주변이 너무 혼란스러워서, 그녀는 매우 놀랜 듯했고 아빠의 어깨와 목 부위를 꽉 붙들고 있었다. 오바마는 달래듯이 "사랑해, 사샤." 하고 말했다. 오바마는 다시 걷기 시작했고 나는《시카고 트리뷴》의 사진기자인 피트 소우자가 마침내 그 농장에 들어오는 것을 보았다. 소우자는 깁스가 예측한 대로 버스를 타고 군중들을 헤치고 오느라 오바마의 도착을 놓치고 말았다. 그는 하소연하며 "이것은 정말 통제 불능이다. 정말이지 통제 불능이다. 나는 겨우 한 컷의 사진을 찍었다."라고 소리쳤다. 반면 나는 열심히 기삿거리를 공책에 적었고, 다시 한 번 군중들에게 짓밟히지 않으려고 노력했다.

본가에 다다르자 오바마와 그의 할머니는 14년 만의 첫 방문을 축하하기 위하여 안으로 사라졌다. 처음에 오바마는 그 가족 농장 안에 위치한 아버지와 할아버지 산소에서 혼자만의 시간을 보낸 후, 가족들과 상봉하여 약 2시간 30분간 담소하기로 예정되었다. 그러나 돌발적인 사건들과 혼란스러운 분위기 때문에, 오바마는 그 집에서 나와 여든세 살의 할머니, 사라 후세인 오바마(Sarah Hussein Obama) 그리고 아우마 사이에 팔짱을 끼고 섰다. 그들은 기자들의 질문을 받았다. 그는 가족들이 죽과 닭요리를 먹었다고 말했다. 그의 할머니가 그에게 어떤 지혜의 말을 해 주었는지에 대하여 질문을 받자, 오바마는 주저하지 않고 "기자들을 믿지 말라고 말씀해 주셨다."고 대답했다. 모든 질문이 끝나자, 아프리카에 사무실이 있는 미국 텔레비전 특파원이 오바마에게《내 아버지로부터의 꿈》이란 회고록에 사인을 해달라고 요청했다. 다른 잡지 기자들은 못마땅한 눈총을 주었는데, 그들은 이 요구가 기자로서 객

관성이 부족하다고 여겼다.

그런 다음 오바마는 《내 아버지로부터의 꿈》에서 감정의 절정을 이룬 장소인 아버지의 산소를 방문하기로 되어 있었다. 그러나 이러한 분위기에서는 개인적인 시간을 가질 수가 없었다. 그래서 오바마 참모들은 기자들로부터 오바마를 빼내어 차에 타고 다시 키수무 공항으로, 그런 다음 나이로비로 향했다. 오바마의 동행기자단의 일원이었던 한 미국 군사 통신사는 이 혼란을 보고 고개를 저으며 "이것은 정말 곡예다. 오바마가 너무 불쌍하다."라고 말했다.

다음날 CODEL이 지구상에서 가장 황폐한 지역 중의 하나로 우리를 데리고 갔을 때에도 이런 상황이 펼쳐졌다.

키베라(Kibera)는 아프리카 전역에서 단일 지역으로 가장 황폐한 곳으로 알려져 있었고, 따라서 전 세계에서 가장 황폐한 지역이나 마찬가지였다. 70만 명에서 100만 명 사이의 가난한 사람들이 가로세로 2킬로미터 되는 도심 지역에 모여 살고 있었다. 나이로비 남서쪽 4분의 1 정도 되는 곳에 위치한 키베라에서 사람들은 1920년대에 처음으로 이곳에 넓게 퍼져 정착했고, 그때 영국 지배자들은 나이로비 외곽 지역의 산림이 울창한 언덕에 자신들의 터전을 세우기 위해, 현재 수단 지역으로부터 군대 1개 사단을 이곳에 이주시켰다. 누비안(Nubian)이라 불리는 부족은 영국 왕립 아프리카 소총대(King's African Rifles)의 일원으로서 제1차 세계대전에서 연합국을 위해 싸웠다. 비록 영국은 그 땅에 누비안이 살 수 있게 허락했지만, 영국인들은 누비안에게 그 영토에 대한 공식적 이름을 절대 주지 않았다. 누비안은 '정글' 또는 '숲'이란 뜻을 가진 키베라라는 이름의 사회를 만들었다.

20세기까지 키베라는 국가로 인정받지 못했다. 1960년대에 영국으로부터 독립을 한 후에도 케냐 정부는 결코 그 사회를 공식적으로 인정하지 않았다. 권리 증여서도 발부되지 않았으며, 하수 처리 시설 및 수도 시설도 건설되지 않았다. 키베라 전체 인구가 궁핍하게 살아도, 이러한 가난한 사람에게 어떠한 실질적 권한도 주지 않았다. 그곳에 살던 대부분의 주민들은 더 나은 학교를 찾아 나이로비로, 혹은 다른 큰 도시로 일자리를 찾아 떠났다. 인구가 급격히 늘어나도, 그 지역은 나이로비의 그림자로 남아 있었다. 미국의 가난한 지역들처럼, 케냐 정치인들은 모든 선거구에서 표를 얻기 위해 노력할 때도 시간을 절약하기 위해 거의 키베라를 방문하지 않았다. 흥미롭게도 일리노이 시니어 상원의원인 딕 더빈이 몇 달 전 키베라를 방문했다. 그러나 비록 그 당시 더빈은 소수당 지도자의 보좌관으로 오바마보다 훨씬 더 큰 권력을 갖고 있었지만, 그의 방문은 오바마의 경우와는 반대로 어떠한 환영도 받지 못했다. 내가 한 케냐 기자에게 더빈이 최근 키베라를 방문한 적이 있었다고 말하자, 그는 더빈의 방문은 말 그대로 어떠한 대중매체의 관심도 받지 못했다고 말했다.

키베라의 주민들은 알려진 대로 무척 고통스런 생활을 하고 있었다. 많은 주민들은 깨끗한 수도물과 배관 등 기본적 시설도 없었다. 하수와 쓰레기는 길가에 그냥 버려졌고, 주거지는 골진 지붕 자재와 함께 캔버스와 주석으로 만들어져 있었으며, 일부 어린이들은 영양결핍처럼 보였다. 그러나 그 주거 지역은 오바마의 방문에 대하여 긍정적으로 반응했다. 다른 모든 곳처럼 그들은 큰 무리를 지어 모였다. 오바마의 차량 행렬은 사람들이 거리를 메우고 차량 주위로 모여들었기 때문에, 그 인구가 밀집된 지역을 지날 때 달팽이 걸음처럼 천천히 움직일 수밖에 없었다. 그 마을 주변의 벽에 그려진 화려한 색깔의 벽화는 오바마에게 경의를 표하는 그림이었다. 그 그림은 '오바마와의 만남'을 보면서 둥근 의자에 앉아 있는 한 남자를 표현했다.

　미셸도 함께 동반한 오바마는 그 빈민가에서 두 개의 계획된 행사에 참석했다. 한 행사는 키베라에 있는 소규모 기업들에게 자금을 지원하는 것에 관한 프로그램을 논의하는 것이고, 또 다른 행사는 HIV/AIDS 예방에 대한 청소년 교육 프로그램을 설명하는 것이었다. 그러나 그 행사들은 오바마가 매체들과 가장 큰 충돌을 일으킨 장외 행사였다. 첫 번째 행사에서 군중들은 주석 지붕에 덮인 작은 집으로 홍수처럼 밀려들었고, 관계 당국은 그 군중들을 무력으로 밀어서 오바마와 미셸이 행사가 끝난 후 차량으로 갈 수 있게 길을 열어 주었다. 오바마가 행사장에서 나와 그의 차량으로 가기 위해 진흙 길에 첫 발걸음을 내디딜 때, 그는 확성기를 입에 댔다. 그러나 그는 너무도 열광적인 군중들에 파묻혔다. 그는 아래를 내려다보고 웃으면서 다시 "안녕하세요" 하고 루오 말로 소리쳤다. 그는 "키베라의 모든 주민들은 학교에 다니고, 사업을 시작하고, 먹을 것이 충분하고, 좋은 옷을 입는 데 대하여 다른 주민들과 똑같은 기회를 가져야 한다."고 모인 군중들에게 말했고, 그들은 오바마의 말에 미친 듯이 환호했다. 그는 "여러분들, 내 형제들, 내 자매들 모두를 사랑합니다. 나는 미국에 사는 모든 사람들이 키베라를 알게 할 것이며, 여기 모인 여러분들은 나의 형제들이며 자매들입니다. 나는 키베라를 사랑합니다."라고 말했다.

　오바마의 다음날 아침은 환경보전을 위한 나무심기 행사로 시작되었다. 한 손에 삽을 든 오바마와 그의 아내, 그리고 두 딸들은 나이로비 도심의 넓은 녹색 지대에 있는 프리덤 파크(Freedom Park) 한가운데에서 아프리카 올리브 나무를 심고 그 주위를 흙으로 다듬었다. 이 간단한 행사를 하는 동안 내내, 수많은 사진기자들은 동료기자들 앞에서 사진 찍기 좋은 자리를 노리며 앞으로 다가가서, 미국 정부소속인 두 명의 오바마 경호원들을 화나게 했다. 왜냐하면 처음부터 그 사진기자들은 뒤로 물러나기를 거부했기 때문이었다. 이러한 의견충돌이 가라앉자, 한 경호원은 다른 경호원에게 "기자들은 다 지긋지긋하다."고 말했고, 그 상대 경호원도 동의하며 고개를 끄덕였다.

공원 주변에서부터 외부 사람들을 차단했지만, 500명의 또 다른 케냐 군중들은 오바마를 보기 위해 공원 담장밖에 모여들었다. 오바마는 차량으로 돌아가기 전에 확성기를 들고 군중들에게 간단한 인사를 했고 점심식사를 위해 세레나 호텔로 사라졌다. 피곤한 기색의 깁스는 어깨를 으쓱했다. 그는 몇 명의 기자들을 향해 "호텔로 걸어갑시다. 알다시피 우리는 이런 군중들 속에서는 결코 길을 찾을 수 없을 겁니다. 나는 단 10초라도 진짜 거리를 느껴봅시다."라고 말했다. 여기서 하나 느낀 것이 있는데 '아무리 냉혹한 정치세계에 종사하는 사람이라도 부드러운 면이 있으며 가끔은 진짜 세상을 경험하고 싶어 한다는 것이다.'

그날 오후, 이번 방문의 모든 인상적인 광경들, 즉 행사들, 카메라 세례가 쏟아진 순간들, 기자들과의 진부한 농담이 끝난 후, 오바마는 그가 가장 편안하다고 느끼는, 그리고 거의 항상 그를 격려해 주는 장소로 들어섰다. 그는 대학에서 연설을 했다. 나이로비 대학(University of Nairobi)에서 수천 명의 학생들과 교수들 앞에서 거행된 오바마의 연설은 케냐에서 가장 큰 텔레비전 방송국에 의해 생중계되었고 두 번이나 재방영되었다. 그 장소는 크지만 다소 단조롭게 설계된 대학의 대강당이었고, 《시카고 트리뷴》의 사진기자인 소우자는 이곳을 보자마자 미적 조형미가 거의 없다고 느꼈다. 그 대신 소우자는 그 강당을 떠나면서 하던 것을 멈추고 오바마의 연설에 주의를 기울이는 학생들의 모습을 사진에 담았다. 오바마의 연설은 확성기를 타고 대학 내 정원, 식당, 강의실로 전달되었고, 학생들은 그 미국 의원의 연설에 사로잡힌 듯 보였다. 오바마의 시간 조절은 완벽했고, 성량은 풍부하여 연설은 최고 수준이었다. 이런 오바마의 연설을 목격하지 않고 대통령 출마를 생각하지 않는다는 것은 어려운 일이었다. 그 대학 강당은 그의 존재와 자신감, 그리고 도덕적 기상으로 가득 찼다.

그의 연설은 케냐인, 특히 젊은 케냐인들에게 케냐의 부패 문화와 부족정치 문화를 종식시키기 위해 일하자고 요구하는 것이었다. 그는 긍정적 변화는 거의 항상 내부적으로 사회의 불공정과 타협하는 나이 많은 사람들보다는 이상주의적인 젊은이들에 의해 일어난다고 주장했다. 부패를 없애자는 요구를 하면서, 오바마는 이런 부패에 대한 책임이 누구에게 있는 지에 대하여 포괄적으로 연설하면서, 그것에 대해 정치 정당이나 정치 지도자에게 특정한 책임을 전가하는 것을 피했다. 그는 "여기 케냐에는 위기가 있다. 그 위기는 정직한 사람들이 싸워 쟁취한 기회, 그들이 당연히 가져야 하는 기회를 빼앗기는 것이다. 부패는 가장 최악으로 비틀린 운명을 더욱 나쁘게 만드는 것이다. 그 위기가 HIV/AIDS 질병이든, 말라리아든, 심한 손상을 입히는 가뭄이든, 부패는 이러한 위기에 효과적으로 대응하는 것을 불가능하게 한다."라고 말했다.

그는 연설을 하는 동안 따뜻하고 열광적인 박수갈채를 받았다. 그러나 나이로비에서 가장 교육을 잘 받은 젊은이들인 이 청중들은 거리에서 고함치던 군중들보다 오바마에 대하여 더 분명한 통찰력이 있었다. 연설 후 나와 이야기했던 일부 학생들은 오바마에 대하여 분명한 카리스마를 느낄 수 있었지만, 그의 연설에는 케냐의 만연한 문제들에 대한 자세한 처방이 부족하여 실망했다고 말했다. 그들은 오바마가 케냐 현 정치 지도자들에 대하여 강경 노선을 취해 줄 것을 원했다. 《이스트 아프리카 스탠더드East African Standard》의 고참 기자인 데니스 온양고는 "사람들은 정부에 대한 증오심이 너무나 커서 직접적인 공격을 하고 싶어 한다. 그들은 오바마가 부패의 책임이 있는 사람들의 이름을 거론해 주 길 바란다."고 말했다. 그러나 오바마는 케냐의 부정부패 문제에 대하여 외교적 입장을 취했고, 그것이 바로 이번 방문의 목적이었다. 그는 강력하게 부정부패에 반대하는 목소리를 높이려 노력했지만, 동시에 손가락으로 지적하는 것은 원치 않았고 지역 부족 정치에 관여되는 것을 피하였다. 이것은 미국에서도 그가 신중히 지키는 철칙으로, 싸움에 끼어들지 않고 편을 들지 않으면서 모든 것에 우선하는 도덕적 권력의 목소리를 내는 것이었다. 한 학생은 나에게 "그의 연설은 일반적인 정치인들의 연설 같았다. 그는 청중을 사로잡았지만 그의 연설은 정치인들의 말이었다."고 말했다.

이것으로 사실상 모든 오바마의 아프리카 일정이 막을 내렸다. 그 다음 이틀 동안, 오바마와 그의 가족들은 케냐 마사이 마라(Masai Mara) 지역으로 탐험 여행을 갔고, 다시 한 번 미국의 기자들도 그 가족과 동행했다. 처음 오바마의 직원들은 이번 방문에서 열심히 계속해서 일하는 오바마의 이미지를 보호하려고, 또 오바마와 가족들이 여유시간을 갖게 하려고 이 탐험 여행을 사적인 가족 여행으로 계획했다. 오바마는 기자들이 자신의 가족을 내버려두지 않고 틈만 나면 취재하려 하자 캐기 좋아하는 기자들에 대해 종종 불편함을 느꼈지만, 지친 미국 기자들에게 동행을 허락했다. 아우마는 "버락은 기자들이 자신을 따라 먼 이곳까지 왔다는 것을 안다. 그래서 그들 역시 편안하게 쉬고 재미있는 시간을 보낼 자격이 있다고 생각했다."라고 말했다.

탐험 여행을 끝내고, 오바마는 수단의 국경 지역에서 발생한 끔찍한 내분으로 피난민이 된 사람들과 이야기하기 위해 차드(Chad)로 향했다. 오바마는 수단도 방문하려고 노력했으나, 그는 항상 그곳에서 발생하는 잔악 행위에 대하여 비난해 왔기 때문에, 수단 정부는 그에게 비자를 발급해 주지 않았다. 그 당시 다르푸르 지역에서 20만 명 이상의 사람들이 죽음을 당했고, 그 반란군과 정부군 사이의 전쟁으로 200만 명의 사람들이 피난을 갔다. 그의 눈앞에서 극도의 인간적 처참함을 본 것을 넘어서서, 오바마는 이 피난민 수용소를 방문하고 상당히 낙담했다. 한 동행기자는 오바마가 그의 직원들에게 피난민과 대화시간을 겨우 9분만 할당했다고 무척 화를 냈다고 말했다. 그 피난민의 이야기는 아랍어에서 프랑스어로, 다시 영어로 통역되었는데, 통역에 상당히 많은 시간이 들었을 뿐만 아니라, 기자들은 듣기도 어려웠다. 다르푸르 상황에 대하여 깊이 연구했던 오바마는 오직 피난민들과의 직접적인 인터뷰를 통해 많은 것을 배웠다. 대부분의 텔레비전과 신문은 그 방문을 취재하고 방영하고 기사화했지만, 오바마가 그 분쟁에 대해 기존에 알고 있던 사실 외의 것들은 거의 알려지지 않았고, 오바마는 이런 점에 대하여 매우 격노했다. 그가 지역사회의 조직자로 일할 때, 그는 시카고 남부 지역의 가난한 사람들이 몇 시간씩 자신의 문제들에 대하여 말하는 것을 경청하는 데 익숙해져 있었다. 그러나 여기에서 그는 그 분쟁에 대한 요약물도 받지 못했다. 아프리카 여행 뒤에 가진 인터뷰에서, 오바마는 나에게 그는 전반적으로 아프리카 기자들은 모두 '훌륭'하지만, 오바마답게 외교적인 용어로 "약간 실망스럽다."고 말했다.

이번 방문은 여행 이상의 것이었기 때문에 더 실망스러웠다. 나는 CODEL을 데리고 갔고, 그렇다는 의미는 많은 공식적인 일들, 많은 격식들, 그리고 많은 기자들이 있었다는 것이었다. 또한 이것은 때때로 그 나라를 가장 잘 알 수 있는 방법인 탐험을 하고 구석구석을 돌아다닐 수 없다는 것을 의미하기도 했다. 그러나 알다시피 이번 방문에서 특히 케냐의 방문은 내가 기대하지 않았던 큰 반응을 불러일으켰다. 다른 한편으로, 케냐 방문은 내가 행사할 수 있는 영향력을 보여 주었다. 그런 의미에서 내가 미셸과 에이즈 검사를 받았을 때 미국질병통제센터(CDC)는 나에게 우리의 에이즈 검사의 결과로 25만 명의 케냐인이 에이즈검사를 받게 될지도 모른다고 말했을 때 너무 만족스러웠다. 내가 부정부패에 대하여 연설한 것은 아시다시피 전국적으로 두 번 혹은 세 번 방영이 되었다. 나는 내가 방문한 후 케냐 내부의 논쟁이 바뀌었다고 생각한다. 마치 내가 거기 있는 동안 약자를 괴롭히는 학생을 잘 다룬 것 같은 느낌은 정말 만족스러운 것이었다.

결국 아프리카에 대한 오바마의 방문은 그와 그의 가족에게 교훈을 준 경험이었다. 이번 방문은 또한 영향력을 유지하려는 한 정치인의 인생에서 대중매체가 어떻게 스며들며 방해하는지를 알 수 있는 예였다. 그리고 또한 이번 방문으로 미국뿐만 아니라 케냐에서 헌신적인 지지자들의 커다란 기대들이 무엇인지 알 수 있는 교훈을 얻었다. 이번 방문은 미국이 케냐와 같은 많은 국가들을 위해 관심을 가져야 한다는 것을 다시 한 번 가르쳐 주었다. 그러나 비록 오바마가 의원으로서, 미국 정치계에서 우뚝 섰다 하더라도, '더 좋은 세상을 만들기' 위한 그의 권력에는 여전히 한계가 있었다.

시카고로 돌아온 미셸은 '거대한 모든 것들'에 대하여 '압도'되었다고 고백했다. 그녀와 오바마는 그들이 내뿜는 감정의 분출들을 유머로 승화하려고 노력했다고 말했다. "버락과 나는 방문기간 내내 우리는 무장한 호위병들을 데리고 있다고 농담했다. 그리고 거기서 우리는 이 가게 저 가게를 걸어 다녔다. 이렇게 인기가 높아진 것이 현실처럼 느껴지지 않았다. 그러한 열광적인 광경은 우리를 어떤 면에서 부끄럽게 했다. 또 다른 나는 "조금만 더 이런 열기를 누그러뜨릴 수 있을까? 이렇게 열광적이어야 하나? 이것은 정말 감당할 수 없는 것이다."라고 말하고 싶었다. 이것은 나의 본능이며 그의 본능도 이럴 것이라고 생각했다. 우리에게 정말 이런 열광과 환호가 필요한가?" 하고 말했다.

런던 외곽에서 사회 복지 사업가로 일하고 있는 아우마는 케냐인들이 오바마가 방문한 것에 대해 흥분하고 열광적으로 숭배하는 것을 매우 우려했다. 그녀는 아직도 남동생이 아버지를 일찍 돌아가시게 만든 지뢰들이 흩어져 있는 길을 향해 걷고 있지는 않나 두려워했다. 그녀는 아버지와 그 아들의 쉴새 없는 인생의 여정이 기분 나쁠 정도로 섬뜩하게 똑같다고 생각했다. 미국의 최상류 교육을 받은 후, 그녀의 아버지는 가족들과 루오 부족들의 엄청난 기대를 등에 짊어지고 케냐로 돌아왔다. 궁극적으로 버락 오바마는 이러한 모든 강력한 열망을 충족시킬 수 없을 것이며 그들에 의해 압박을 받게 될 것이다.

오바마는 확실히 아버지의 인생을 깊이 있게 관찰했고, 아버지의 이야기로부터 많은 교훈을 얻은 것처럼 보였다고 아우마는 나에게 말했다. 그러나 그녀는 여전히 우려했다. 아우마는 "나의 아버지는 이러한 모든 기대들에 부응하려고 노력했고 나는 버락이 아버지의 실수로부터 교훈을 배울 필요가 있다고 생각한다. 그는 지금 배우고 있다. 하지만 그는 스스로 현실적인 목표들을 세우고 그것을 성취하기 시작해야 한다. 버락은 일에 대해서는 완벽주의자로, 이점에서는 아버지와 너무나 똑같다. 그리고 그는 약간의 여유가 필요하다. 나는 버락을 너무 자랑스럽게 생각하며 사랑한다. 그러나 나는 그를 걱정한다."라고 말했다.

제26장
다시 돌아온 르브론

사람들은 항상 오바마에 대해 문제 삼지 않는 경향이 있었다. 그는 내가 이제까지 본 다른 정치인들과는 너무나 다른 사람이다. 사람들은 그가 대통령 출마라는 아주 중요한 임무를 수행 중인 것처럼 느꼈다. 그리고 아마도 그는 그럴지도 모른다.

– 오바마의 전 보좌관인 댄 쇼몬

아프리카에서 돌아온 후 몇 주 동안, 버락 오바마는 2008년 대통령에 출마할 것인지에 대하여 심각하게 생각하기 시작했다. 그가 받은 환대와 미국에서 얻은 지명도는 그에게 용기를 주었고, 만약 그렇지 않더라도 그의 기분을 매우 들뜨게 하였다. 그의 전 보좌관인 네이트 타마린은 "모든 사람들이 그에게 대통령이 될 것이라고 말하면 기분이 어떨까?"라고 말했다. 초반에 백악관은 오바마가 아직 너무나 아끼고 그리워하는 두 딸이 있기 때문에 대통령 출마를 결정할 계획이 없을 것이라고 확신했다. 그러나 오바마의 뒤에는 너무도 강력한 정치적 지지 세력이 있어서 그와 야심 찬 조언가들은 대통령 출마를 심각하게 고려하였다. 로버트 깁스는 "우리는 확실히 대통령에 출마할 수 있을 것으로 보고 있다. 이것은 즉흥적인 결정이 아니다."라고 말했다.

오바마는 2006년 한 해 동안 대중의 관심 속에 있었고, 전국적 대중매체에 의해 거의 세계적으로 극찬을 받았다. 3월초, 그는 워싱턴 중견 언론인 모임인 그리다이언(Gridiron) 만찬에 참석했는데, 그곳에서 워싱턴 기자들과 정치인들은 모여 서로 관찰했다. 그는 재치, 지성 그리고 몸가짐을 보여 주는 전형적인 방법으로 기자들에게 좋은 인상을 주었다. 심지어 부시 대통령조차 워싱턴 기자들의 오바마에 대한 애정 관계를 주시했다. 부시 대통령은 그리다이언 참석자 앞에서 "오바마 의원, 당신에 대한 농담을 하고 싶다. 그러나 당신에 대한 농담을 하는 것은 교황에 대한 농담을 하는 것과 같다. 당신에 대해 연구를 해야겠다. 잘못 발음하기 쉬운 이름 같은 것이라든지."라고 말했다.

그리다이언에서 오바마를 본 후,《뉴욕 타임스》의 기고가이자, 미국의 판단 기준이 되는 시금석으로 인정받는 컬럼니스트인 모린 도드(Maureen Dowd)는 오바마는 백악관에 대하여 생각해야만 한다고 제안했다. 민주당은 그가 국가적 경험이 없다고 대통령 후보에서 그를 제외해서는 안 된다고 말했다. 그녀는 "민주당은 정치적으로 경험이 없지만 개인적으로 더 카리스마가 있는 사람이 '빈 그릇'으로써 더욱 성공 가능성이 있다는 것을 간과해서는 안 된다. 빈 그릇에는 더 많은 것을 채울 수 있다."고 썼다.

2006년에 주류 매체로부터의 맹신과 아첨은 계속됐고, 이런 것은 다른 정치인들이 일반적으로 매일, 매달 또는 매년 경험하는 것과는 상당히 다른 것이었다. 《멘스보그Men's Vogue》는 오바마를 표지 인물로 실었는데, 그 잡지의 기자는 오바마 의원이 대통령에 대한 생각과 그에 대한 과다한 자신감을 표현했다고 말했다. 오바마는 "나의 태도는 나는 단지 대통령이 되는 것만 원하지 않는다는 것이다. 나는 국가를 변화시키기를 원한다. 나는 위대한 대통령이 되고 싶다."라고 말했다. 그에 대한 인물 소개는 라이프스타일 잡지 《뉴욕New York》에서 전국적인 《뉴스위크》등 모든 곳에서 이루어졌고, 흑인 잡지인 《에보니Ebony》에는 그와 미셸에 관한 이야기로 넘쳐났다.

매체들은 항상 오바마에 대해 굶주려 있었고, 그에 대한 수많은 지지자들도 마찬가지였다. 한 워싱턴의 정치 컨설턴트는 오바마를 '흑인 예수'라고 불렀다. 심지어 10대 때 그가 마약을 복용한 것은 한낱 웃기는 일화가 되었으며 사람들은 오히려 솔직하다고 그를 높이 샀다. 〈투나잇 쇼Tonight Show〉의 사회자인 제이 레노가 오바마에게 마리화나를 피운 것에 대해 질문을 하자, 오바마는 아무렇지 않게, "나는 그것을 들이마셨다. 그것이 요지이다."라고 말했다. 그의 지지자들은 이것에 대해 그를 용서하는 것 같았고, 한 걸음 더 나아가 그의 억제할 수 없는 야망에 대하여, 기존의 이익단체들로부터 선거운동 때 수백만 달러를 모금한 것에 대하여, 정치의 중심에 선 것에 대하여, 대부분 광범위하고 일반적인 주제로 연설을 하는 것에 대하여 수긍하는 것 같았다. 그의 전 보좌관인 댄 쇼몬은 "사람들은 항상 오바마에 대해 문제 삼지 않는 경향이 있었다. 그는 내가 이제껏 봤던 정치인들과는 사뭇 달랐다. 그들은 오바마가 대통령 출마라는 중요한 임무를 수행 중인 것처럼 느꼈다. 그리고 아마도 그는 그럴지도 모른다."라고 말했다. 지금까지, 그 '계획'은 거의 완벽하게 진행되고 있다.

그래서 아프리카 방문 후, 오바마는 사람들에게 정직하게 그리고 심사숙고하며 대통령 출마에 대하여 말했다. 이것에 대한 그의 첫 번째 토론은 가장 가까운 내부 그룹인 미셸과 데이비드 액슬로드 그리고 깁스 사이에서 벌어졌다. 그런 다음, 그는 제러마이어 라이트, 제시 잭슨, 뉴턴 미노우, 애브너 미크바, 페니 프리츠커, 발레리 자렛, 커샌드러 버츠 그리고 마티 네스빗과 같은 사람들과 논의하였다. 이러한 토론에서, 오바마는 이 일을 진행시키지 말라는 실망스러운 말을 전혀 듣지 않았다. 아침을 먹으며 액슬로드는 나에게 "너무나 많은 사람들이 오바마에게 대통령에 출마하라고 재촉했다. 경고의 노란 깃발을 흔드는 사람은 거의 없었다."고 말했다.

9월, 오바마가 대통령 예비선거가 시작되는 아이오와(Iowa)에서 열린, 톰 하킨(Tom Harkin)의 스테이크 프라이(Steak Fry) 기금 모금행사에서 연설을 했을 때, 미노우에게 미래가 명확하게 다가왔다. 아들라이 스티븐슨과 존 F. 케네디의 전 변호사였던 미노우가 우연하게 비영리 방송인 C-스팬(C-Span)을 통해 3,000명의 아이오와 주민들에게 한 오바마의 연설을 지켜보았다. 그는 바로 오바마에게 전화를 걸었다. 미노우는 오바마에게 "나는 예전에 존 F. 케네디를 보았고 지금 당신을 봤다. 그리고 나는 그 중간에 당신과 같은 어떤 사람도 보지 못했다. 당신은 지금 당장 대통령에 출마해야 한다."라고 말했다.

이것은 더욱 더 흥미로운 것이었다. 왜냐하면 사실 오바마는 아이오와에서 연설을 잘 하지 못했기 때문이었다. 그가 인디애놀라(Indianola) 박람회장에 도착하자, 사방에서 오바마에 반한 전형적인 그의 지지자들이 그를 에워쌌다. 깁스는 기자들에게 "2008년 오바마의 대통령 출마를 위한 초안"이라는 성명서를 군중들에게 돌릴 것이라고 예고했다. 그러나 오바마는 연설할 때, 이러한 노련하고 경험이 풍부한 민주당 행동주의자들의 일부를 약간 따분하게 했다.

존 에드워즈, 하워드 딘(Howard Dean) 그리고 아이오와 주의 영웅인 하킨과 같은 강경파 민주당 의원들이 청중들을 감동시키는 격렬한 연설들을 한 후, 오바마의 강연적인 방법과 교수 같은 자세는 사색가인 아들라이 스티븐슨을 연상시켰다. 오바마는 또한 선거전이 있던 날 밤에 그가 했던 것과 같은 똑같은 실수를 했는데, 그것은 미리 연설을 준비하지 못하고 대신 연단 위에서 즉흥적으로 연설하는 것이었다. 그의 최고조 대사가 적당한 반응을 이끌어 내지 못하자, 그는 또 다른 최고조 대사를 생각해 내었다. 이것은 그의 연설이 전체적으로 모든 주제들이 응집성이 없이 일화에서 일화로 떠돌게 만들었다. 연설은 거의 40분이나 길게 늘어졌다. 에임스(Ames)에서 온 예순두 살의 아이린 웨슬리(Irene Wesley)는 "민주당 지도자라는 면에서 보면, 그는 자격이 충분했다. 그러나 그는 좀 더 성숙하고, 군중들과 좀 더 깊은 관계를 맺는 방법을 배우고, 의회에서 더욱 긍정적인 성취를 이루고자 노력해야 할 필요가 있다. 그가 조금 더 성숙해진다면 대통령이 될 수 있다."고 말했다. 그러나 다른 사람들은 오바마에 대하여 야단법석을 떨었다.

영향력 있는 지역 신문인 《디모인 레지스터Des Moines Register》의 기고가인 데이비드 옙센(David Yepsen)은 다음 날 그의 칼럼을 "오 오 오 오 바마"라고 시작하며 그 뒤로 "이 사람이 승리자인 것으로 보인다."고 썼다. 그리고 전반적으로, 대부분의 아이오와 사람들은 오바마에게 반한 것 같았다. 그래서 오바마의 조언가들은 "오바마가 수준 이하의 연설을 한 후, 아이오와에서 이런 긍정적인 반응을 얻을 수 있었는데, 만약 그가 최고의 연설을 한다면 어떤 일이 일어날까?" 하고 생각했다.

10월에는 기대하던 오바마의 두 번째 책인 《담대한 희망 - 아메리칸 드림 다시 일구기에 관한 생각The Audacity of Hope: Thoughts on Reclaiming the American Dream》이 출판되었다. 그 책을 선전하기 위한 운동이 시작되어 오바마는 전국적으로 2주에 걸친 출판기념 행사를 시작하고, 모든 주요 방송국의 대담 프로그램에 출연했으며, 오프라 쇼에 미셸과 함께 모습을 드러냈다. 《담대한 희망》은 불티나게 판매되었고, 《뉴욕 타임스》의 베스트셀러 목록에서 제일 위에 있던 존 그리샴(John Grisham)의 최신작을 몰아냈다. 이것은 오바마의 경쟁심 심한 기질을 만족시켰다. 그는 조언자들에게 "베스트셀러 순위 1등이 되려면 어떻게 해야 하나?

나는 1등이 되고 싶다."라고 말한 적이 있었다.

그 책의 내용은 《내 아버지로부터의 꿈》이란 회고록만큼 아주 새롭지는 않았다. 결국 《담대한 희망》은 그 당시 40대인 한 남자가 불완전한 세상에 대하여 자신의 생존을 위하여 그리고 자신의 발전을 위하여 양보하고 화해하는 법을 담은 책이었다. 실제로 이 책의 많은 부분은 철저하게 조사하는 기자들 사이에서, 분쟁을 먹고 사는 미디어 문화에서, 그리고 특별한 이익단체들과 부유한 기부자들로부터 막대한 돈을 걷어야만 하는 정치적 제도 속에서, 어떻게 하면 정치인이 그의 관념들을 지킬 수 있는지에 대한 고민을 담았다. 이런 면에서 대통령의 야망을 가진 한 정치인이 쓴 이 책은 다소 솔직했고, 오바마의 독특한 작가로서의 목소리를 생생하게 표현해 냈다.

오바마는 가족 내에서의 자신의 역할에 대한 불안감을 포함한 내부적 갈등을 깨달았고, 심지어 가장 심각한 가정문제를 자신의 잘못으로 돌렸다. 그는 정치인이 '기자들과 편집인, 그리고 검열관들로 구성된 위원회' 를 항상 신경 쓰며 생각하느라 그들의 희생양이 될 수 있기 때문에 자신의 목소리를 잃는 것을 애석해 했다. 그는 가끔 그의 이상주의가 개인적 허영심이나 자만심에 의하여 압도될까 걱정했다고 말했다. 그리고 그는 현대 정치에 있어서 꼭 필요한 것들을 하느라 돈 있고 지적인 엘리트들의 초일류 세상에서 더 많은 시간을 보내고 평범한 사람들과는 시간을 많이 보내고 있지 않는 것을 시인했다.

이것은 《내 아버지로부터의 꿈》에서 방황하고 때로는 화가 난 젊은 이와는 많이 다른 모습이었다. 오바마는 《내 아버지로부터의 꿈》에서 고뇌에 찬 모습으로 "그 당시 나는 성격이 날카로웠다. 하지만 나는 조금씩 성장했고 그러면서 자신과 다른 사람들을 더 용서하게 되었다."라고 말했다. 《담대한 희망》에서 오바마는 미국의 미래에 대해 다소 감상적인 비전을 제시했는데, 물론 그 비전은 미국 문화에서 단합과 참시민 의식을 요구하는 것이었다. 그러나 그의 정치적 연설과 같이, 그 책은 그것을 성취하는 상세하고 현실적인 대안과 방법이 부족했다. 그 책은 출간되기 전에 오바마의 직원들이 걱정했지만 출간된 후에는 전체적으로 긍정적인 평을 받았다. 오바마의 직원들은 오바마가 그의 정치적 미래를 심각하지 않고 자기 이익을 도모하는 정치인이라고 판단하는 동부 지역의 일류 기자들과 절대 부딪히지 않길 원했다.

이 책은 엄청나게 판매되었고 오바마의 다음 행보를 가능하게 한 핵심 요인이 되었다. 오바마의 책이 최고의 판매 부수를 자랑하자, 대통령 후보자로 거론되는 힐러리 클린턴과 존 에드워즈 등 중요한 민주당 의원들이 쓴 책들은 베스트셀러 목록에서 저 아래로 밀려났다. 또한 오바마의 출판기념 순회 행사는 열광적이었다. 전국 각 지역에서 그 행사에 대한 표를 구하려고 수천 명이 모여들었다.

뉴햄프셔의 포츠머스(Portsmouth) 시에서 열린 출판기념 사인회에서 오바마는 온건적인 연설을 했는데, 쉰두 살의 페니 레이놀즈(Penny Reynolds)라는 사람은 오바마가 국가를 이끌 준비가 됐는지 확신이 없었지만, 그의 단합과 초당파주의의 연설로 그 자리에서 오바마의 지지자가 되었다. 그녀는 "그는 다른 정치인들과 다른 것을 말하지 않았다. 다만 우리가 합심하여 열심히 노력해야 한다는 것을 연설했는데, 정말 이제까지의 당파적인 정치는 끝나야 한다. 그리고 지금 오바마의 초당파주의가 정말 신선하다는 것은 말하기 슬픈 일이다."라고 말했다.

오바마의 조언자들은 이런 이야기들을 오바마의 육체적, 감정적 호소 외에도 정치적 단합이라는 오바마의 메시지가 오랫동안 사람들의 심금을 울렸다는 것을 확인하는 것으로 받아들였다. 완고하고 관념주의적인 방법으로 정부를 운영한 백악관의 인기 없는 공화당 대통령과 비교해 보면, 좋은 성향을 지닌 단합 건설자인 오바마는 충실한 민주당원들을 위한 해결사처럼 보였다. 깁스는 "그 책과 그가 받은 반응 그리고 선거운동과 선거결과 등 모든 것들의 결합은 그의 메시지가 타당하다는 것을 나타냈다. 이것은 대통령 출마에 대하여 생각하지 않을 수 없게 만들었다."고 말했다.

민주당이 의회에서 주도권을 갖게 된 11월 선거 다음날, 오바마와 그의 조언자들은 민주당내 대통령 후보 지명권을 얻기 위한 논의를 하기 위해 시카고의 서부 지역에 있는 액슬로드의 사무실에서 만났다. 이 토론의 가장 중요한 인물은 바로 미셸이었다. 2005년 말《시카고 트리뷴》과의 인터뷰에서 미셸은 남편의 번거로운 업무 일정 때문에 그녀가 가끔 독신녀인 것 같은 느낌이 든다고 불평했고, 두 딸과 아버지와의 관계가 약해지고 있는 것에 대하여 걱정했다. 액슬로드와 깁스는 이런 종류의 기사들이 대통령 후보에게 매우 치명적일 수 있다는 것을 알았다. 또한 그들은 만약 오바마가 출마하려면 가정으로부터의 전폭적인 지지가 필요하다는 것을 알았다. 그래서 전임 후원자의 입장에서 미셸도 그 회의에 참석하게 되었다. 그녀의 목소리는 그 사무실에 있던 그 누구의 목소리보다 더 큰 반향을 일으켰다.

12월이 되자, 미셸이란 장애물은 치워졌다. 그녀가 출마를 허락하는 전제 조건으로, 그녀는 오직 오바마에게 담배를 끊을 것을 요구했고, 그는 금연할 것에 동의했다. 하버드 대학 시절부터 친구인 커샌드러 버츠는 "만약 버락이 이것을 진심으로 원한다면, 미셸은 그를 지지하고 필요한 모든 것을 할 것이다. 그들의 관계는 항상 이러했다."고 말했다.

2006년 12월 인터뷰에서, 미셸은 마치 대통령 출마 결정에 대한 찬반 양론과 그 결정이 그녀 가족에 주는 결과를 두고 무게를 재고 있는 것 같았다. 그녀는 압도적인 아프리카 대모험이라는 안개를 뚫고 나왔지만, 아직도 여전히 미국 국민들이 그녀의 남편에게 더 많은 것을 갈망하고 있다는 것에 놀랐다. 나는 미셸에게 국민들이 그에게 더 많은 것을 요구하고 있다며 "사람들의 이런 반응을 기다려오긴 했지만 이젠 정치인인 그가 싫증나죠, 그렇지 않나요?" 하고 물었다. 그녀는 단순히 "그래요."라고 말했다.

지금까지 미셸의 이미지는 대중매체에 의해 만들어졌고, 전적으로 긍정적인 것만은 아니었다. 오바마는 그녀가 결단을 내리는 힘(그는 가끔 '집의 반석'이라고 말했다.)이 있으며 자신의 자아를 확인하고 질책하는 아내로 묘사했다. 그녀 또한 많은 대중적 인지도를 갖고 있었고, 시카고 대학 병원에서 1년에 25만 달러 이상 버는 연봉이 높은 부사장의 자리로 승진하여 모두를 놀라게 했다. 게다가 그녀는 1년에 1만 5,000달러를 받는 월마트(Wall-Mart) 그룹의 식품공급부 임원이 되었는데, 그녀의 남편은 월마트 그룹은 노동력을 착취하는 거대한 소매업자라고 비난한 적이 있어서 위선적인 모양새가 되었다. 그래서 만일 미셸이 대통령 아내감이 되기를 고려하고 있다면, 더욱 입체적이고 긍정적인 그녀의 이미지가 필수적이다. 그리고 그녀는 또한 남편과 함께, 또는 남편 없이 홀로 선거유세를 해야 할 필요가 있었다.

미셸은 가족에게 주어지는 정치인 남편의 압박감이 문제로 남아 있다고 덧붙이면서 "나에 대한 풍자 만화가 현실적인 나쁜 아내로 그려지고 있다는 것을 알지만 나는 그것에 개의치 않는다. 여전히 나의 한 부분은 우리 아이들이 이렇게 아직 어린데 우리가 이런 큰일을 해야 하는가 하고 의심한다. 내가 희생하고 싶지 않은 것은 우리 아이들의 인생이다. 그러나 나는 그들이 집안에서 안정을 취할 수 있도록 할 것이다. 그래서 그들에 대한 나의 역할은 더욱 중요하다. 내가 가장 꺼리는 것은 우리 아이들을 친정 어머니에게 맡기고 '2년 후에 올게요.' 라고 말하는 것이다. 그런 일은 일어나지 않을 것이다. 일과 가정에 균형을 잡을 것이다. 단지 내가 할 일은 그것에 대해 마음을 열고 어떤 형태 그리고 모양이 될지 결정하는 것이다."라고 말했다. (선거운동이 시작된 후, 미셸은 월마트 그룹의 식품공급부 임원을 그만두고 시카고 병원에서의 근무 시간도 줄였다.)

미셸은 남편을 잃는 것, 예측건대 암살로 남편을 잃는 것에 대하여 심각하게 생각해 본 적이 있다고 말했다. 나는 한 나이로비 신문기자가 나에게 "미국에 사는 한 흑인으로서 오바마가 저격당할 것을 걱정하지 않습니까?"라고 물었던 것을 그녀에게 말했다. 그녀는 오바마가 지금 주요 흑인 정치인으로서 위험한 자리에 있다고 털어났다. 그녀는 "나는 매일 그것을 걱정하지 않는다. 하지만 항상 내 머리에 있다. 우리는 아직 출발하지 않았다. 만약 우리가 다음 행보를 시작하려면, 미리 포괄적인 안전 계획이 있어야 한다. 나는 역사를 통해 알고 있다. 그래서 여전히 암살에 대한 것은 문젯거리다."라고 말했다.

그녀는 자신이 직장에서 승진하는 것도 이런 가능성과 관련이 있다고 말했다. 예를 들면 미셸은 만약 남편에게 무슨 일이 일어나면, 그녀는 재정적, 감정적 지지를 해 주던 중요한 수단을 잃게 되는 것이라고 걱정했다. 그녀는 "나는 지금 남편이 매우 위험한 직위에 있다고 생각지 않는다. 그리고 나는 내 자신과 아이들을 보살필 능력이 필요하다. 나는 만약 기대하지 않았던, 또는 불운한 일이 발생하면 내 가정을 책임질 위치에 있다. 그 임원 자리를 지속할 나의 자격과 능력을 비난했던 사람들이 만일 이런 일이 생기면 나와 아이들을 책임져 줄 것인가? 만약 그런 일이 생긴다면 많은 동정심과 분노가 생길 것이다. 그러나 나는 내가 즐기기 위해서 뿐만이 아니라 미래에 아이들과 함께 고통을 받는 자리에 있지 않기 위하여 어느 정도 직장에서의 신임을 유지해야만 한다. 만약 우리 아이들이 아버지를 잃는다면, 그들이 모든 것을 잃지 않도록 할 자리에 있어야 한다."라고 말했다.

미셸과 인터뷰를 하기 몇 주 전, 오바마는 여전히 마지막 대통령 출마 결심을 놓고 고민 중에 있었고, 나는 오바마에게 2008년 선거철을 어떻게 예견하고 있는지 물어보았다. 그는 전형적이고 절제된 말솜씨로, 부시 행정부에 대한 심각한 적대감이 팽배해진 추세를 볼 때 민주당이 백악관을 이기고 '엄청난 기회'를 얻게 될 것이라고 말했다. 그는 "나는 2008년 민주당 대통령 후보 지명권을 얻을 자격이 있다고 생각한다. 그러나 다가올 2년 동안 민주당은 국민들에게 국민의 소리에 귀를 기울이고 있다는 것을 보여야 하며 상식적이고 실질적 해결책들을 제시하는 데 관심을 기울여야 한다."고 말했다.

오바마는 대통령 출마를 향한 길 이외의 다른 것에는 거의 어떤 관심도 보이지 않았다. 만약 의심의 여지가 있었다면, 12월 초 중요한 주(州)인 뉴햄프셔를 방문했을 때, 벌써 그런 생각을 지웠을 것이다. 그는 그곳에서 열린 기금 모금 행사의 중심이 되는 연설가였고, 1,500명 이상의 사람들을 모았다.

반면 다른 한 명의 유력한 후보자인 인디애나 주의 에반 바이(Evan Bayh) 상원의원은 주말에 열린 그 행사에서 겨우 수십 명에 이르는 사람을 모아, 결과적으로 그는 그 선거전을 포기하는 계기가 되었다. 이것은 아이오와에서 열린 하킨의 스테이크 프라이 기금 모금 행사와 같은 결과를 초래했는데, 그 행사에서 버지니아(Virginia) 전 주지사인 마크 워너(Mark Warner)는 직접 오바마 현상을 목격했다. 워너가 연단 위에서 연설하자, 수많은 참석자들은 군중들을 헤치고 가는 오바마를 쳐다보기 위해 모두들 뒤를 돌아보았고, 워너는 그 후 출마를 포기한다고 선언했다.

그러나 선거운동이 시작되자, 우연의 일치인지 아닌지 모르지만 오바마는 그의 정치 경력상 가장 치명적인 뉴스거리에 직면하게 되었다. 2005년 새로 발견된 오바마의 재산에서, 그와 미셸은 하이드 파크에 160만 달러가 넘는 거대한 저택을 구입한 것이 드러났다. 특히 미셸은 대중적 유명세로부터 시달림을 피하기 위하여 큰 규모의 저택이 필요했다고 말했다. 그러나 같은 날, 이 부부가 산 저택 바로 옆집의 주인이 안토인 토니 레즈코의 아내로 밝혀졌는데, 레즈코는 오바마의 오랜 친구이자 재정적 기부자로 몇 달 전 사기혐의로 기소된 인물이었다. 처음 이 기사를 퍼뜨린 《시카고 트리뷴》 기자들은 또한 오바마와 레즈코의 아내가 재산을 재분배하고 증식시키기 위하여 여러 번에 걸쳐 자금 거래를 했다는 것이 밝혀졌다. 오바마와 레즈코의 관계는 20년을 거슬러 올라간다. 오바마는 하버드 대학에 재학 중 그를 만났고, 레즈코의 개발 파트너는 오바마를 고용하려고 노력했다. 시카고 북부 교외에 있는 레즈코의 집에서, 그는 2003년 오바마를 위한 자금 모금 행사를 주최했고, 그 행사에서 마련된 자금으로 오바마의 의원 입후보를 위한 초기 자금이 충당되었다. 그 이후로 레즈코는 오바마의 선거운동에 정기적으로 기부를 해왔다. 이 두 사람은 또한 사교적인 친구로, 레즈코는 1년에 몇 번씩 오바마와 저녁식사를 하곤 했다.

이 뉴스가 방송되자마자, 오바마는 그 사건에 대해 반성한다고 하였고 공개적으로 그 거래를 '바보 같은 짓'이었다고 말하며 잘못된 판단이었음을 시인했다. 그는 레즈코와의 관계는 끊어졌으며 만일 그가 다시 그런 거래를 해야 한다면 거절하겠다고 말했다. 오바마는 "알다시피 나는 시카고 정치와 쿡 카운티 정치 그리고 일리노이 정치를 통해서 여

기까지 왔다. 그리고 이것은 내가 일개 하찮은 사람에서 미국 의원이
된 10년 만에 처음으로 사람들이 나에게 적절치 못한 행동을 했다고 말
하는 순간이다. 그래서 이것은 그래도 이제껏 내가 일을 잘 해왔다는
것을 의미한다고 말하고 싶다. 왜냐하면 그것은 좋은 성적이기 때문이
다."라고 말했다.

《시카고 트리뷴》 기자들은 오바마의 민첩한 정치적 조언가들이 그
사건을 갑자기 폭로했을 것이라고 생각했다. 그 서류에는 신원 불명의
정보자가 전한 이야기가 담겨 있었다. 블래어 헐의 경험이 보여 주듯
이, 가능하면 일찍 후보자의 부정적인 기사를 터뜨려 앞날을 방해하는
요소를 없애는 것이 훨씬 유리한데, 그렇게 해야 선거철의 분위기가 최
고점에 이를 때 파멸되지 않기 때문이다. 오바마는 시카고 대중매체들
로부터 며칠 동안 비난을 받았고, 미래의 정치적 경쟁자들은 바람직하
지 못한 레즈코와의 거래를 지적했다. 그러나 그 이야기는 모든 사람들
이 보게끔 공개된 것이었고 오바마는 더 이상 불리해질 것이 없었다.

미셸이 합류하고, 액슬로드와 깁스는 전국적인 정치 계획을 수립하
고, 전국에 걸친 민주당은 오바마를 적극 지지하는 가운데, 오바마는
대통령 출마를 결정했다. 1월에, 오바마는 인터넷 웹사이트를 통해 그
는 대통령 예비준비 위원회를 결성하고 2월초 마지막 계획들을 발표할
것이라고 알렸다.

최고 측근들은 오바마의 준비 태세에 대하여 우려가 없지는 않았다.
그가 우위를 점하는 속도는 전례가 없었고 그 사건이 나중에 그에게 어
떤 영향을 미칠 것인지는 확실치 않았다. 상원의회에서 일한 첫 달 동
안 그는 거의 탈진되었다. 그리고 2003년 상원의원으로 출마하기로 처
음 결정한 이후 지금까지 그의 인생은 엄청난 속도로 진행되어 왔다.

치열한 대통령 선거전 동안에도 이런 엄청난 속도를 계속 지속할 수 있을까? 오바마의 컨설턴트인 피트 지안그레코는 "그의 건강 상태는 매우 좋지만, 나는 그의 육체적 지구력에 대해서는 의심스럽다. 대통령 선거는 굉장한 육체적 지구력을 필요로 한다."고 말했다.

실제로 대통령에 출마하는 것은 인간이 견뎌낼 수 있는 가장 힘든 경험이다. 그것은 매우 이상하고 초현실적이어서 마크 헬퍼린(Mark Halperin) 기자와 존 F. 해리스(John F. Harris) 기자는 현대의 대통령 선거를 '기괴한 쇼(Freak Show)' 라고 불렀다. 그들이 쓴《승리하는 방법 The Way to Win》이란 책에서, 그들은 발전된 현대 기술과 신문과 텔레비전 방송과 같은 기존의 매체의 붕괴는 대통령 선거전을 심판도 없는 무자비한 유혈의 스포츠로 만들었다는 이론을 제시했다. 그리고 자연스럽게 이것은 당파적 싸움을 악화시켰고, 유권자의 양극화에 대하여 상당 부분 책임을 지고 있다. 그 기자들은 "대통령 후보에 대한 가장 큰 도전은 '기괴한 쇼' 의 파괴적 힘 앞에서 그의 혹은 그녀의 대중적 이미지를 잘 통제하고 유지하는 것이다."라고 썼다.

12월에 나는 액슬로드에게 오바마가 이러한 '기괴한 쇼' 에 대한 준비가 되어 있다고 생각하느냐고 물어 보았다. 결국 그의 메시지는 화해와 조정이었다. 만약 일들이 누구나 참가할 수 있는 진흙탕으로 변하면 어떻게 되는 것인가? 액슬로드의 솔직함은 정말 놀라웠다. 그는 "모르겠다."라고 말했고, 나는 "무슨 뜻인가? 그가 그런 상황을 잘 다룰 수 있다고 생각하는가?" 하고 다시 질문했다.

액슬로드는 다시 "나도 잘 모르겠다. 그도 알고 있는 것이지만, 대통령에 출마하는 것에 대한 한 가지는 하루 24시간 동안 자신에게 엑스레이(X-ray) 기계를 대고 있는 것과 같다. 왜냐하면 그날이 끝날 때, 모든 미국 사람들은 그 사람이 누구인지 자세히 알게 되기 때문이다. 그러나 여러 가지 면에서 버락은 평범한 사람이다. 그는 일요일에 미식축구 보는 것을 좋아하고 아이들과 미셸과 함께 보내는 시간을 매우 소중히 여긴다. 나는 그가 외유내강(外柔內剛)한 사람이며, 이것은 지금의 그가 있기까지 걸어온 길에 반영되었다고 생각한다. 왜냐하면 그는 최상의 상황에서 시작한 것이 아니었기 때문이다. 그리고 그는 지금의 그를 있게 만들어 준 많은 도전들과 힘겨운 싸움을 했다. 하버드 대학에서 교육받고, 일류의 지성을 지닌 사람인 반면, 그는 이혼한 어머니 밑에서 자랐으며, 그 어머니는 그의 곁에 없었기 때문에 항상 그가 필요할 때 도움을 줄 수 없었다는 사실을 알면 상당히 감동적이다. 알다시피 그는 이런 많은 것들과 싸워 이겼다."고 말했다.

나는 액슬로드가 이런 연설을 통해 누구를 선전하려고 했는지 확실치 않았다. 그리고 나는 그것이 중요한 것인지조차 모르겠다. 뒤돌아보는 일은 없을 것이다. 액슬로드는 젊은 정치적 재능을 갖고 그 '기괴한 쇼'에 뛰어들었다.

두 달이 조금 지난 후, 매우 추운 2월의 어느 날, 일리노이 스프링필드에 있는 올드 스테이트 캐피톨 건물 밖에서, 나는 미국의 대통령으로 출마할 것을 세상에 발표하는 오바마를 기다리고 있는 신문기자들, 통신사들 그리고 텔레비전 카메라 기자들로 가득 찬 특별 관람석에 서 있었다. 두 개 이상의 특별 관람석은 대중매체들로 똑같이 만원을 이루고 있었다. 그리고 유명한 전국의 기자들은 그 밑에 모여 있던 1만 5,000명이 넘는 지지자들 속에 흩어져 있었다.

내가 종이에 연필을 대는 순간, 나의 생각은 3년 전의 과거로 돌아갔다. 3년 전, 나는 호감이 가고, 이상적인, 하지만 동시에 전적으로 민첩한 정치인들을 따라다녔는데, 오바마와 내가 시카고의 마틴 루터 킹 거리를 걸고 있을 때, 오마마가 그에게 자동차 경적을 울렸던 낯선 사람에게 나를 자랑하던 그 작은 순간을 기억하지 않을 수 없었다. 겨우 3년 전, 오바마는 그에게 관심을 보이는 기자 한 명이 있다는 것을 매우 자랑스럽게 여기는 것 같았다. 지금 스프링필드에서는 그가 한 모든 말을 듣고, 검토하려는 전 세계에서 온 수천 명의 기자들이 있다. 그리고 그에게는 미국 역사의 이러한 작은 부분을 보는 것을 매우 기뻐하는 수천 명의 열광적인 관객들이 있다.

아마도 가장 기억에 남는 순간은 보스턴에서 한 기조연설로, 그때 나는 오바마가 어떻게 연설할까 궁금해 하면서 넓은 경기장에 앉아 있었다. 지금 나는 내가 궁금해 하지 않았다는 것을 인정해야만 한다. 시카고 남부 지역에 사는 흑인들에게, 시카고 서부 인근 지역에 사는 라틴아메리카계 시민들에게, 일리노이 남부 시골에 사는 백인들에게, 미국 전역에 걸친 도시에 사는 사람들에게, 그리고 멀리 떨어진 아프리카에 사는 가난한 마을 사람들에게 오바마가 열정적으로 연설하는 것을 지켜보면서, 나는 정확히 무엇을 기대해야 할지 알았다. 그것은 바로 상호적인 시민정신에 대한 요구이며, 새로운 세대들에게 미래를 이끌라는 요구이고, 이라크 전쟁을 종식하자는 요구이다.

오바마는 전날 밤, 새벽 늦은 시간까지 자지 않고 이러한 연설들을 섬세히, 정성 들여 만들고, 연습했다. 밖은 섭씨 영하 11도로 매우 추웠지만, 버락 오바마란 복음을, 공통된 인간성이라는 복음을, 그리고 만약 모든 사람들이 오바마 뒤에 함께 합류한다면 그가 바로 더 나은 세상을 만들 수 있는 사람이라는 복음을 세상 사람들에게 알리는 것은 하와이 출신인 그가 타고난 기질이었다.

보스턴에서 기조연설을 한 날, 그의 친구 마티 네스빗은 나에게 "오바마는 내가 오하이오에서 고등학교 다닐 때 있었던 농구팀의 농구선수 같다."고 말하며 그는 필요한 상황에서 경기를 승리로 이끌 수 있는 사람이라고 하였다. 더 없이 자신만만한 표정의 오바마가 미셸과 팔짱을 끼고, 경기장 앞 중앙에 있던 나무로 만들어진 연단으로 연결된 긴 복도 같은 무대로 천천히 걸어 들어갔다. 각자 검은 색 겨울 외투를 입은 이 아름다운 부부는 함께 손을 꼭 잡고 앞으로 향해 걸어갔고, 환호하는 군중을 향해 손을 흔들고 전기에 감전된 듯한 분위기를 만끽했다. 그 연단 근처에 이르러, 오바마는 미셸의 손을 놓았고, 그녀는 남편이 무대에 혼자 설 수 있도록 계단을 내려왔다. 관중들은 "오-바-마! 오-바-마!"를 외치며 들썩거렸다. 그 상원의원은 그의 가장 편안한 장소인 연단으로 걸어갔고 나는 "르브론이 여기 오고 있다. 정말로."라고 혼잣말을 하지 않을 수 없었다.

옮긴이의 말

오바마, 제2의 케네디가 될 수 있을까?

나는 버락 오바마에 대해서 처음엔 별 관심이 없었다.

2007년 말까지만 해도 오바마가 누군지 몰랐다. 대선이 아직도 1년 넘게 남아 있는 데에다가 한국 대선이 2007년 12월이었기 때문에 더 관심이 없었다. 게다가 언론에선 대부분 힐러리 클린턴의 우세를 예상했다. 작년까지만 해도 한국과 미국 언론 모두의 상황 인식이 비슷했던 것 같다.

그러던 어느날 내가 공부하고 있는 스탠퍼드 대학의 교정을 거닐다가 오바마 후보를 지지한다는 홍보물들을 보게 되었다. 학교 구내에 주차되어 있는 자동차 뒷유리창에 오바마 지지 스티커가 붙어 있는 것이 자주 눈에 띄기 시작했던 것이다. 힐러리 클린턴이나 공화당의 존 매케인을 지지한다는 스티커는 보이지 않았다. UC버클리나 UCSD, UCLA 등 인근에 있는 대학도 마찬가지였다. 대학 사회에서 오바마 열풍이 서서히 불기 시작하고 있었다.

그 이후 나는 오바마라는 특이한 이름에 관심이 가기 시작했다.

그의 원래 이름은 버락 후세인 오바마 주니어(Barak Hussein Obama Jr.)다. 버락이란 '하늘의 축복을 받은 사람'이라는 뜻이란다. 지금 그의 이름 표기엔 사라졌지만 가운데 이름에 '후세인'이 들어가는 것도 흥미롭다. 2008년 초 CNN 주최로 미국 주요 도시에서 민주당과 공화당의 대선 토론회가 열렸다. 화제는 단연 힐러리 클린턴과 오바마의 불꽃 튀는 설전이었다. 유튜브엔 두 사람, 특히 오바마와 관련된 동영상들이 넘쳐나기 시작했다. 나는 CNN 대선토론회 동영상을 다운로드받아 아이폰(iPhone)에 옮겨 놓고 틈틈이 들어 보았다. 미디어를 통한 그와의 첫 만남이었다.

난 평소에 '지도자는 목소리가 좋아야 한다.'고 생각하는 사람이다. 눈이 '영혼의 빛'이라면 '목소리는 영혼의 색깔'이라고 나름대로 의미를 부여해 놓고 다른 사람들의 목소리를 혼자서 감상하곤 한다. 오바마는 깡마른 몸매와 어울리지 않게 굵고 호소력 있고 힘찬 바리톤 목소리가 인상적이었다.

이상주의자이며 비주류이자 혼혈인 오바마가 과연 미국 대통령이 될 수 있을까?

한마디로 가능성은 아주 높지만 결과는 알 수 없다. 한 나라의 대통령은 하늘이 낸다고 한다. 내가 몸담고 있던 스탠퍼드 대학교 아시아태평양 연구소엔 미국 국무성 고위 관리 출신의 연구원이 몇 분 있는데 친하게 지내는 두어 분에게 물어 보았다.

한 사람은 원래 민주당 성향인 분인데 "미국은 변해야 한다. 경험은 부족하지만 미국은 변화의 리더십을 원한다. 나도 그에게 후원금을 보냈다."고 말해 주었다.

다른 한 분은 미 국무성 차관을 역임한 70대의 외교관으로 전형적인 공화당 성향이다.

"그의 능력은 검증되지 않았다. 하지만 힐러리 클린턴은 미국이 요구하는 '변화'를 이끌 수 없다. 뭔가 부족하다. 공화당 매케인은 변화의 리더십이 아니다. 게다가 너무 감정적이라 세계 여러나라로부터 지지를 회복해야 하는 미국의 국익과 맞지 않는다."라고 평했다.

그러면서 두 사람 모두 유색 인종의 한계를 변수로 지적했다.

오바마는 "김정일을 만나 북핵을 해결하겠다."고 했고 "한미 FTA는 미국 국익에 유익하지 않다."고 발언함으로써 그가 우리나라의 운명과 밀접히 관련되어 있는 인물이라는 존재감을 환기시켰다. 그는 어쩌면 앞으로 미국의 대통령이 되거나 적어도 의회 다수당인 민주당의 리더로서 우리의 삶에 영향을 미치게 될 것이다. 그렇기 때문에 우리는 그에 대해 보다 깊이 있게 알아야 하고 보다 적극적으로 그를 연구할 필요가 있다. 쇠고기 문제나 FTA 문제 등으로 어차피 우리가 얼굴을 맞대야 할 사람이라면 상대를 잘 알아야 한다. 이 책이 그 입문서로서 요건을 갖추고 있다고 생각한다. 이 책을 번역해야겠다고 마음먹은 첫 번째 이유다.

그는 한국의 이른바 80년대 대학을 다녔던 세대와 같은 세대이고 비슷한 사회적 경험을 한 사람이다. 거두절미하고 미국의 386 운동권 출신이다. 맬컴 X처럼 급진적인 인물을 동경하고 좌파이념에 심취했으며 소외된 삶의 현장에 뛰어들어 노동운동 빈민운동을 했다. 한국의 요즘 시민운동보다는 80~90년대의 민중운동에 가까운 활동을 했다. 거기서 한국의 고(故) 문익환 목사와 비슷한 라이트 목사를 만나 영향을 받기도 했다. 그러다가 민중운동의 한계를 느껴 하바드 법대에서 공부한 뒤 변호사가 되었고 결국은 정치에 뛰어들었다. 그러고는 '변화'를 외치며 대통령 선거에 나왔다. 치열한 삶의 현장에서 땀 흘리며 고락을 함께하지 않고 권력만 추구하던 한국의 일부 '권력형 386' 정치인들 보다는 훨씬 건강한 삶을 살았다.

한국은 지금 '지도력의 위기' 상황이다. 한 치 앞을 내다볼 수 없는 국제정세, 에너지 위기, 환경재앙 속에서 나라는 여전히 혼란스럽고 서민들은 고통스런 삶을 살아가지만, 국민들은 시대의 사표(師表)가 될 만한 어른이 없다고 한다. 정치인은 국민의 사랑과 기대의 대상이 되지 못한다. 많은 지지를 받아 당선된 대통령이 100일 만에 10퍼센트대 지지율로 추락하기도 한다. 도덕성을 내세워 국민의 기대를 받았던 386은 '구호'를 뛰어넘는 '능력'을 보여 주지 못하고 무너지고 말았다.

이 책은 오바마의 자기 홍보용 책이 아니다.

그를 취재하며 비판적으로 관찰해 온 《시카고 트리뷴》 기자가, 주위 사람들의 증언까지 폭넓게 수집하여 쓴 일종의 평전이다. 저자는 오바마의 정치적 주장보다는 내면세계를 철저히 분석하고 해부하는 데 중점을 두었다. 그의 삶과 내면세계를 밀접히 연관시켜 분석했다. 혼혈이라는 설움을 극복하기 위해 실력으로 승부하겠다는 그의 집념과, 보편적 인간애를 위해 인생을 살겠다는 그의 이상주의, 현실세계와 타협하고 포용해야 하는 현실에서 겪는 고뇌, 그 속에서의 고독과 야망을 잘게 썰어 현미경으로 들여다보며 분석했다. 그래서 피상적이지 않고 딱딱하지 않다. 게다가 완료형이 아니고 진행형이라는 점도 매력이다. 큰 마음 먹고 거금을 투자할 독자들에게 덜 미안한 대목이다.

미국 대학에 몸을 담고 미국 정부, 학계의 많은 전문가들과 공부하며 미국을 들여다보고는 있지만 미국 정치를 이해하기엔 턱없이 역부족임을 느꼈다. 미국 사회의 주변인으로서 미국 국민이 갈망하는 '변화'의 절실함을 느끼는 데에도 분명한 한계가 있었다. 그럴 때마다 자극을 주고 도움을 주신 스탠퍼드 대학교 아시아태평양 연구소 소장 신기욱 교수님께 감사드린다. 아울러 거친 영어실력 국어실력을 보충해 준 출판사 관계자 여러분께 모두 감사한다.

2008년 6월

스탠퍼드 교정에서

윤태일